4340

DOMUS UNIVERSITATIS 1650

VERÖFFENTLICHUNGEN
DES INSTITUTS FÜR EUROPÄISCHE GESCHICHTE MAINZ
BAND 25
ABTEILUNG FÜR ABENDLÄNDISCHE RELIGIONSGESCHICHTE
HERAUSGEGEBEN VON JOSEPH LORTZ

GEORG CALIXT

THEOLOGIE UND KIRCHENPOLITIK

EINE STUDIE ZUR ÖKUMENIZITÄT DES LUTHERTUMS

VON

HERMANN SCHÜSSLER

FRANZ STEINER VERLAG GMBH · WIESBADEN
1961

GEORG CALIXT

THEOLOGIE UND KIRCHENPOLITIK

EINE STUDIE ZUR ÖKUMENIZITÄT DES LUTHERTUMS

VON

HERMANN SCHÜSSLER

FRANZ STEINER VERLAG GMBH · WIESBADEN
1961

VORWORT

Die Kirchentrennung im 16. Jahrhundert brachte für das Christentum eine der schwersten Krisen seiner Geschichte. Es zerbrach nicht nur die auf die Offenbarung gegründete Gemeinschaft der Wahrheit und der Liebe in einer Tiefe wie noch bei keiner Trennung zuvor; sondern es geriet auch infolge der Aufspaltung das Christentum als solches in Gefahr, unglaubwürdig zu werden; dies eben verlieh der Krise ihre ganze geschichtliche Schwere. Indem nicht mehr *eine* universal verbindliche Gestalt der christlichen Religion der abendländischen Welt ihr Gepräge gab, sondern mit der Reformation mehrere einander bestreitende Deutungen der Offenbarung nebeneinander standen, mußte sich die bedrängende Frage erheben, wo die Wahrheit eigentlich sei. Die Frage, langsam gewachsen, beginnt empfunden zu werden, als die Auseinandersetzungen der Reformationszeit mit der scharfen Abgrenzung der Konfessionen voneinander ihren Abschluß finden und der Auseinanderbruch der religiösen Einheit des Abendlandes endgültig wird.

An Hand des irenischen Schrifttums läßt sich deutlich verfolgen, wie das damit eingetretene Mißverhältnis zwischen der als selbstverständlich geltenden Einheit der Wahrheit und der Vielheit der Wahrheitsansprüche zum Problem wird. Die Ireniker aus den verschiedenen Konfessionen ringen um die Frage, wo jetzt die eine Offenbarungswahrheit und -wirklichkeit, die der Menschheit in Jesus Christus geschenkt wurde, oder – sofern diese Wahrheit und Wirklichkeit als kirchliche begegnet – wo jetzt die eine, heilige, katholische und apostolische Kirche gefunden werden kann. „Ein großer Zweifel scheint heutzutage zu herrschen, wo die katholische und apostolische Kirche zu suchen sei", so beschreibt Anfang des 17. Jahrhunderts ein griechischer Theologe, der den Westen bereist, die Situation der abendländischen Christenheit. „Denn die Menschen sind durch Uneinigkeit und Streitsucht in viele Parteien geteilt, die Kirchen haben sich allenthalben voneinander abgesondert, und jede von ihnen will sich den Namen der rechtgläubigen und apostolischen beilegen. Wenn sich daher ein Volk, das dem Evangelium bisher nicht zugetan war, heute zur christlichen Religion bekennen wollte, dürfte es zweifeln, welcher Kirche es sich anschließen sollte. So dunkel und zweifelhaft erscheint die Frage, da sich die einzelnen Gruppen jeweils allein für fromm halten und die anderen überhaupt nicht achten."[1]

Damit konnte aber die christliche Religion auch als solche zweifelhaft werden, wie sich nur zu bald zeigte. Aus der Erfahrung der Not, die die Kirchenspaltung auf so vielen Lebensgebieten zeitigte, erwuchs das Bestreben, abseits von der Auseinandersetzung der Konfessionen eine allgemein verbindliche Grundlage für die Deutung und Gestaltung der Welt zu finden. Hier liegt eine der Wurzeln für die Abwendung von der christlichen Offenbarung überhaupt und die Hinwendung zum Bereich des bloß Menschlich-Natürlichen, die sich, beginnend mit den neuen geistigen Bewegungen auf dem Gebiet von Recht, Staat und Philosophie im 17. Jahrhundert, im Abendland vollzieht[2]. Die religiöse Spaltung hat so zu ihrem Teil zu der Abkehr vom Christentum in der Neuzeit beigetragen.

Die großen christlichen Konfessionen haben geglaubt, mit der entschlossenen, kompromißlosen Verfechtung des eigenen Wahrheitsanspruchs der religiösen Einheit am besten dienen und den sich ankündigenden Gefahren begegnen zu können. Der kämpferische konfessionelle Absolutismus, der einen bestimmenden Zug der nachreformatorischen Zeit ausmacht, ist auch Ausdruck eines Einheitsstrebens. Die Konfessionen werden von der Hoffnung und von dem Willen getragen, eines Tages doch noch alle Christen für ihr Verständnis der Wahrheit zu gewinnen, und sie verwirklichen die religiöskulturelle Einheit, die sich für das Abendland im Ganzen nicht mehr herstellen läßt, gleichsam stellvertretend in je ihrem partikularen Raum.

Dies ist jedoch nicht die einzige Antwort der Christenheit auf die eingetretene Lage. Mit der zunehmenden Verhärtung der Fronten mußte sich der Versuch nahelegen, für das mit der Trennung gegebene Problem andere Lösungen zu finden. Diesen Versuch unternimmt die interkonfessionelle Irenik, die von der Reformation an durch das 16. und 17. Jahrhundert hindurch in mancherlei Gestalten hervortritt. Sie will das Schisma, „qui a fait tant de préjudice à la Chrestienté et causé tant de maux spirituels et temporels" (Leibniz)[3], mit Hilfe bestimmter universalkirchlicher Konzeptionen und Projekte beseitigen. Vom Wissen um die trotz aller Unterschiede bestehende Gemeinsamkeit der Christen und von der Einsicht in die das Christentum als Ganzes bedrohenden Folgen der Spaltung geleitet, versuchen die Ireniker, hinter die konfessionellen Wahrheitsansprüche zurückzufragen und auf einem tieferen, alle Christgläubigen verbindenden Fundament die kirchliche Einheit wiederherzustellen. Ut omnes unum sint, ut credat mundus – die vom Herrn der Kirche anbefohlene Einheit zu verwirklichen und damit zugleich dem Christentum seine Glaubwürdigkeit vor der Welt zurückzugeben, ist dabei ihr doppeltes Anliegen.

Die Geschichte der interkonfessionellen Irenik weist eine große Vielfalt von Ideen und Unternehmungen auf. Doch lassen sich im wesentlichen drei

Gruppen von Einigungsversuchen unterscheiden. Es sind dies einmal die in
größerem oder geringerem Maße von Erasmus beeinflußten Reunionsbemühungen, die vorzugsweise am Bild der Alten Kirche orientiert sind und am
besten unter dem Begriff der „altkatholischen"[4] Irenik zusammengefaßt werden können. Im protestantischen Raum spielen sodann die von reformierter
Seite ausgehenden evangelischen Unionsbestrebungen eine wichtige Rolle,
die namentlich in Deutschland anzutreffen sind[5]. Außerdem sind die irenischen Bemühungen Einzelner zu nennen, die sich in keinen größeren Zusammenhang einordnen lassen. Die größte Wirkung entfaltete im 16. und
17. Jahrhundert die altkatholische Irenik. Sie fand ihre Vertreter in allen
Konfessionen[6]. Freilich ist zu berücksichtigen, daß die Ideen und Beziehungen in jedem einzelnen Fall ein sehr komplexes Bild ergeben, so daß über
gewisse verbindende Züge hinaus von einer einheitlichen altkatholischen Kir-
chenkonzeption nicht gesprochen werden kann.

Auf dem Boden des Luthertums ist der altkatholische Kirchengedanke nur
einmal wirkungsvoll vertreten worden: durch den Helmstedter Theologen
Georg Calixt und seine Schule. Seinen Ideen und Bestrebungen gilt die vorliegende Untersuchung. Die kirchengeschichtliche Forschung hat sich Calixt
zuerst um die Mitte des vorigen Jahrhunderts zugewandt. Die Gesichtspunkte, die dabei das Interesse leiteten, waren – entsprechend den aktuellen
Fragestellungen der Zeit – vor allem die Stellung Calixts im Blick auf das
Verhältnis der orthodoxen zu einer ‚freieren' Theologie und seine Bedeutung
für das Verhältnis des Luthertums zum Calvinismus. So hat vom Standpunkt
eines bekenntnistreuen Luthertums aus Heinrich Schmid den konfessionellen
„Synkretismus" Calixts und die damit zusammenhängenden Streitigkeiten
im Luthertum dargestellt[7]. In seiner grundlegenden Biographie hat dagegen
Ernst L. Th. Henke die Bedeutung Calixts für den Durchbruch einer gemäßigten, freieren Theologie gegen die erstarrte Orthodoxie herauszuarbeiten gesucht und in ihm den Vorkämpfer für ein weniger dogmatisches, dafür
aber religiöseres Christentum sehen wollen[8]. In abgewandelter Form kehren
dieselben Fragestellungen in der Forschung unseres Jahrhunderts zunächst
wieder. Im Zusammenhang seiner „Dogmengeschichte des Protestantismus"
hat Otto Ritschl die Stellung Calixts in der altprotestantischen Theologie-
geschichte in einer abgewogenen Darstellung untersucht[9], während Hans
Leube den Auswirkungen des Calixtinismus auf das Verhältnis der beiden
evangelischen Konfessionen im Zeitalter der Orthodoxie nachgegangen ist[10].
Erich Seeberg hat darüber hinaus die Aufmerksamkeit auf die Bedeutung
Calixts für die Geschichte der protestantischen Kirchengeschichtsschreibung
gelenkt[11]. Diese Untersuchungen haben – ungeachtet gewisser Ungenauig-
keiten und Einseitigkeiten – wichtige Beiträge zum Bilde Calixts und seiner

Anschauungen geliefert. Im folgenden wird, wo der Zusammenhang dies erfordert, jeweils noch auf sie zurückzukommen sein.

Mit der steigenden Bedeutung der ökumenischen Anliegen und Bestrebungen ist in der Gegenwart zunehmend auch die Frage nach der Geschichte des ökumenischen Gedankens in den Vordergrund getreten. In diesem Zusammenhang mußte sich das Interesse erneut auch auf Calixt und seine Ideen und Bemühungen zur Wiederherstellung der Kircheneinheit richten, die bisher noch keine eingehendere Darstellung gefunden hatten. Hier liegt der Ausgangspunkt der vorliegenden Arbeit. Vom Blickpunkt der ökumenischen Fragestellung aus hat sich neuerdings die Forschung bereits zweimal mit Calixt beschäftigt. Friedrich Wilhelm Kantzenbach hat ihm in seiner Untersuchung über „Das Ringen um die Einheit der Kirche im Jahrhundert der Reformation" einen Abschnitt gewidmet, in dem er das Wesentliche seines Kirchengedankens im Zusammenhang mit der Tradition des erasmischen Irenismus herausgestellt [12]. Auch Martin Schmidt hat Calixts Ideen in der „Geschichte der Ökumenischen Bewegung" kurz auf dem Hintergrund des Humanismus charakterisiert [13]. So verdienstvoll indessen die hier gegebenen Hinweise für die Deutung Calixts in der Geschichte des ökumenischen Denkens sind, es bleibt die Aufgabe, seinen Einigungsideen und -bemühungen einmal im einzelnen nachzugehen [14].

Dieses Ziel hat sich die nachstehende Untersuchung gesetzt. Auf Grund eines neuen Studiums der einschlägigen gedruckten und handschriftlichen Quellen sucht sie die universalkirchlichen Ideen und Bestrebungen Calixts erstmalig zusammenhängend darzustellen. Sie möchte damit im besonderen einen Beitrag zur Geschichte des Kirchengedankens im Luthertum und zugleich zur Geschichte des protestantisch-katholischen Gesprächs geben, dem gemeinhin in der ökumenischen Forschung noch nicht genügend Beachtung geschenkt wird. – Im ersten Teil der Darstellung wird die universalkirchliche Theologie Calixts untersucht, wobei auch die allgemeinen Voraussetzungen seines Denkens in die Erörterung mit einbezogen werden. Im zweiten Teil werden seine praktischen Bemühungen um die kirchliche Verständigung geschildert und im dritten Teil die Nachwirkungen seiner Ideen in der zweiten Hälfte des 17. Jahrhunderts aufgezeigt.

Die Anregung zu dieser Arbeit, die 1954 der Hochwürdigen Theologischen Fakultät der Christian-Albrechts-Universität zu Kiel als Dissertation vorgelegen hat, verdanke ich meinem hochverehrten Lehrer, Herrn Professor D. Peter Meinhold. Seine Vorlesungen über „Ökumenische Kirchenkunde" haben den Anstoß zu der Frage nach der Ökumenizität des Luthertums gegeben, die hinter den folgenden Ausführungen steht. Für seine fortdauernde

Anteilnahme an meinen Studien und am Werden dieser Untersuchung weiß ich mich ihm zu bleibendem Dank verpflichtet.

Sodann habe ich Herrn Professor DDr. Joseph Lortz, Direktor des Instituts für Europäische Geschichte (Abteilung für Abendländische Religionsgeschichte) in Mainz, dafür zu danken, daß er es mir durch die großzügige Gewährung eines mehrjährigen Stipendiums ermöglicht hat, meine Studien zur kirchlichen Kontroverse und Einigung fortzuführen und die Arbeit weiter auszubauen. Ebenso danke ich ihm, daß er sie in die Reihe der Veröffentlichungen des Instituts aufgenommen hat. Darüber hinaus darf ich ihm an dieser Stelle für alle Förderung Dank sagen, die ich als Stipendiat der Religionsgeschichtlichen Abteilung von ihm erfahren habe. Sie hat mir eine Fülle neuer Gesichtspunkte für meine ökumenischen Studien gegeben, die ich in dieser Arbeit nur zu einem Teil habe auswerten können und noch in einer weiteren, nun ins 16. Jahrhundert zurückgehenden Untersuchung fruchtbar zu machen hoffe. Ich verbinde damit meinen Dank für die vielfältigen Anregungen, die ich am Mainzer Institut von seiten der Assistenten und Stipendiaten verschiedenster nationaler und konfessioneller Herkunft im Luther-Seminar oder im täglichen Gespräch empfangen habe. Besonders danke ich Herrn Peter Manns für freundschaftliche Beratung.

Dank habe ich ferner den Leitungen und Beamten der Niedersächsischen Staats- und Universitätsbibliothek zu Göttingen, der Staats- und Universitätsbibliothek zu Hamburg und der Herzog-August-Bibliothek sowie des Niedersächsischen Staatsarchivs zu Wolfenbüttel dafür abzustatten, daß sie mich bei der Benutzung des von ihnen verwahrten handschriftlichen Materials unterstützt und mir über manche Schwierigkeiten bereitwilligst hinweggeholfen haben. Der Universitätsbibliothek und der Schleswig-Holsteinischen Landesbibliothek zu Kiel sowie der Bibliothek des Instituts für Europäische Geschichte bin ich für stete Hilfe bei der Beschaffung der nicht immer leicht erreichbaren Literatur verbunden.

Heidelberg, im Oktober 1960   H. Schüssler

INHALTSVERZEICHNIS

I. TEIL

CALIXTS THEOLOGIE

1. KAPITEL

VON MEDELBY ZUR HELMSTEDTER PRIMARPROFESSUR

Der Lebensweg führte Calixt aus einem schleswig-holsteinischen Pfarrhaus zur Universität Helmstedt, die er zunächst als Student betrat. Er kehrte zu ihr als junger Gelehrter wieder zurück, um im Laufe eines jahrzehntelangen akademischen Wirkens ihr maßgebender Theologe zu werden. Der Darstellung seiner universalkirchlichen Theologie und Wirksamkeit schicken wir einen kurzen, orientierenden Abriß dieses Weges voraus. Wir legen dabei im wesentlichen[1] das bereits bekannte biographische Material zugrunde. Für alle näheren Fragen der Biographie (mit Ausnahme der schleswig-holsteinischen Jugendzeit[2]) ist auf die umfassende und bis heute gültige Darstellung Henkes[3] zu verweisen.

Georg Calixtus wurde am 14. Dezember 1586 als erstes und einziges Kind aus der zweiten Ehe des Pastors Johannes Calixtus (Callisen)[4] in dem Dorf Medelby bei Flensburg geboren[5]. Seine ersten Kindheitsjahre verlebte er im Medelbyer Elternhaus. Von 1598 an bis zu seinem Abgang zur Universität 1603 besuchte er als Alumne wohlhabender Verwandter[6] die Flensburger Lateinschule.

Die geistige Welt, in die der junge Calixt hineinwuchs, war durch ein gemäßigtes Luthertum melanchthonischer Färbung geprägt. Schleswig-Holstein war nur am Rande von der Entwicklung berührt worden, die im Gefolge der Kämpfe um das Bekenntnis in der zweiten Hälfte des 16. Jahrhunderts zur Ausbildung der lutherischen Bekenntnisorthodoxie[7] geführt hatte. Die Konkordienformel von 1577 war in den Herzogtümern nicht rezipiert worden und wurde von der Geistlichkeit bis ins 17. Jahrhundert hinein weithin abgelehnt. Mit Genugtuung berichtet Calixt später von der Geschichte, die er in seiner Jugend oft habe erzählen hören, wie König Friedrich II. von Dänemark (1559–1588, zugleich Herzog von Schleswig und Holstein) das Konkordienbuch ins Feuer geworfen habe, da es schon genug

Bekenntnisse gebe[8]. Schleswig-Holstein war mit dem gesamten Norden vorwiegend philippistisch gesinnt, folgte also derjenigen Linie im Luthertum,
die im Anschluß an Melanchthon eine größere Offenheit für die gemein-
evangelischen und altkirchlichen Anliegen zu wahren suchte und der Exklu-
sivität widerstrebte, die die gnesiolutherische, später die konkordientreue
Orthodoxie für sich in Anspruch nahm. Die Herzogtümer Schleswig und
Holstein zeigen am Ausgang der Reformationszeit den Typus eines im Sinne
der frühen Bekenntnisschriften orthodoxen, aber unkonfessionalistischen
Luthertums. Calixt hat deshalb später die Kirche der Herzogtümer (zusammen mit derjenigen der welfischen Lande) als vorbildlich gerühmt[9].

Eine Orthodoxie der moderatio[10] vertrat auch Johannes Calixt. Dazu kam
bei ihm eine betonte Hochschätzung humanistischer Wissenschaft und Gei-
stigkeit. Er hatte wie manche Schleswig-Holsteiner[11] in Wittenberg bei
Melanchthon[12], später bei dessen Schüler Chytraeus in Rostock studiert und
hier die für sein Leben entscheidenden Eindrücke empfangen[13]. Dem jungen
Georg rühmte er Melanchthons Gelehrsamkeit, Lehre und Mäßigung, während er die „Neuheiten" und „Meinungen" des Flacius und seiner Anhänger
verurteilte. Der Einfluß des Vaters bewirkte, sagt Calixt, daß er, noch ein
Knabe, „alte vor neuer Lehre" liebte. Außerdem prägte ihm der Vater eine
tiefe Liebe zu Frieden und Eintracht ein. „Aurea pax animos mulcet, concordia mentes nectit[14]." Deutlich zeigt sich der humanistische Zug bei Johannes Calixt, der als „Erasmophilus et Melanchthonicola" bekannt war[15]. Mit
der humanistischen Tendenz sind lutherische Rechtgläubigkeit und Frömmigkeit verbunden. Mit Genugtuung liest Johannes Calixt später die „Anti-
Jesuitica" seines Sohnes[16]. Früh schon legt er ihm die Bibel in die Hand, an
der der Knabe Erfahrungen mit dem Worte Gottes macht, die ihn später für
die Autorität der Schrift sich stets mit Leidenschaftlichkeit auf das Zeugnis
des Heiligen Geistes berufen lassen[17].

Wie im Medelbyer Pfarrhaus, so begegnete ihm auch auf der Flensburger
Lateinschule[18] lutherische Gläubigkeit im Verein mit einer ausgeprägten
humanistischen Orientierung. Die Schulbildung, maßgebend durch den Einfluß Philipp Melanchthons bestimmt, umfaßte die alten Sprachen, die Lektüre der klassischen Schriftsteller, eine Einführung in Melanchthons Dia-
lektik, Rhetorik und Dogmatik sowie in die paulinischen Briefe, die Propä-
deutik in den freien Künsten, in den oberen Klassen auch die Anleitung zur
Abfassung von Reden, Abhandlungen und Versen und zur Disputation in
akademischer Form. Im Lehrplan erscheint Luther neben den Lehrbüchern
Melanchthons nur einmal mit den lateinischen Katechismen[19]. In der Bibliothek stand den Schülern eine gute Auswahl der Klassiker, Kirchenväter,
Scholastiker und Humanisten zur Verfügung[20]. Neben der humanistischen

Ausrichtung begegnet uns auch hier ein Luthertum, für dessen maßvolle Tendenz die Klage des Rektors Friedrich Johannis über die „Religionum feracitas, pietatis vero sterilitas" der Zeit bezeichnend sein dürfte[21].

Mit sechzehn Jahren verließ Calixt die Flensburger Schule, um das Universitätsstudium zu beginnen. Johannes Calixt schickte seinen Sohn auf die Universität Helmstedt. Die Studierenden aus Schleswig-Holstein und auch aus Dänemark zogen damals allgemein nach Helmstedt, wo philippistische und humanistische Traditionen bewußt gepflegt wurden[22]. 1575 von Herzog Julius von Braunschweig als Landesuniversität gegründet, hatte die Universität infolge der Berufung berühmter Gelehrter einen schnellen Aufschwung genommen und durch das Wirken von Humanisten wie Johannes Caselius und Cornelius Martini ihre besondere Prägung im Rahmen der deutschen protestantischen Universitäten erhalten[23]. Zur Zeit, da Calixt die Universität betrat, war gerade der „Hoffmannsche Streit" beendet worden. In dieser Auseinandersetzung ging es um die These von der doppelten Wahrheit, die der Theologe Daniel Hoffmann vertreten hatte. Er hatte widerrufen müssen, was noch eine weitere Stärkung der humanistischen Richtung in der Universität zur Folge hatte[24].

Es entsprach der Einstellung des Vaters und Calixts eigenen Neigungen, daß er sich alsbald an diese Richtung und insbesondere an ihre Führer Caselius und Martini anschloß, die er zeitlebens vor anderen als seine Lehrer verehrte[25]. Vielseitig interessiert und anfangs unschlüssig, welches Studium er wählen sollte, wandte er sich zunächst den alten Sprachen, der Philosophie, daneben auch der Mathematik und Medizin zu[26]. 1605 promovierte er bereits, erst achtzehnjährig, zum Magister artium. Nach weiterer Beschäftigung vorzugsweise mit aristotelischer Philosophie unter Martini entschloß er sich 1607, Theologie zu studieren. Bei seinem Theologiestudium legte er auf den Besuch von Vorlesungen nur geringes Gewicht, vermutlich unter der Einwirkung Martinis, der die Helmstedter Theologen geringschätzte und vielmehr selbst maßgebenden Einfluß auf die theologische Ausbildung Calixts nahm[27]. Das Compendium Theologiae Martinis, ein nach seinem Tode herausgegebenes dogmatisches Fragment, läßt seine theologischen Anschauungen erkennen[28]. Er hält sich im allgemeinen im Rahmen der frühen Orthodoxie, mit abweichenden Auffassungen vor allem in der Christologie. Der Helmstedter Tradition folgend verwirft er die Ubiquitätslehre. Die „Disputationes de praecipuis christianae religionis capitibus hodie controversis", die Calixt 1611 als erste theologische Schrift veröffentlichte, zeigen ihn in den Bahnen Martinis. Besonders wichtig wurde für die theologische Entwicklung Calixts die Zuwendung zum kirchlichen Altertum. Die Väterkenntnis, die schon die ersten theologischen Disputationen zeigen, läßt darauf schließen, daß die Beschäftigung mit der Alten Kirche einen wesentlichen Teil seiner theologischen Studien ausgemacht hat. Im Gefolge der Arbeit an den Vätern wird er später zum altkirchlichen Theologen. Unter der Anleitung Martinis bildete sich der junge Calixt zu einem selbständigen Theologen jenes Luthertums heran, wie es in dem auf die Konkordienformel nicht verpflichteten Helmstedt vertreten wurde. Die unzünftige Art des theologischen Privatstudiums, das er betrieb, entsprach dabei mehr dem Selbstgefühl des humanistischen Polyhistors als den allgemeinen Vorstellungen von einer normalen theologischen Ausbildung. Sie trug ihm denn auch später den Vorwurf ein, er sei nur ein theologischer Autodidakt [29].

Am Ende seiner Studienzeit unternahm Calixt zwei größere Reisen, um die wissenschaftliche Arbeit anderwärts kennenzulernen und seinen Gesichtskreis zu erweitern. Leider besitzen wir nur spärliche Mitteilungen über diese Studienreisen [30]. Während der ersten (1609/10) besuchte er eine Reihe deutscher Universitäten. In Jena hielt er eine philosophische Disputation, in Gießen suchte er den damals führenden lutherischen Theologen Balthasar Mentzer d. Ä. auf, in Mainz hatte er ein längeres Gespräch mit dem katholischen Kontroverstheologen Martin Becanus über konfessionelle Streitfragen, in Tübingen lernte er die württembergischen Theologen Lukas Osiander und Matthias Hafenreffer und in Heidelberg den reformierten Ireniker David Pareus kennen. Wichtiger war die zweite Reise (1611–13), die einerseits dem Studium der katholischen und reformierten Kirche, „ihrer Riten, Lehren und Ordnung", andererseits dem Besuch bekannter Gelehrter und Bibliotheken galt [31]. Calixt reiste zunächst nach Köln, wo er sich während des Winters 1611/12 aufhielt und den Katholizismus studierte. Dabei veranlaßten ihn die „superstitiones et deliramenta Papistica" [32] namentlich in der Messe zur Abfassung eines scharf polemischen Traktats über das Meßopfer, in dem er die Unwiederholbarkeit des einen, allgenugsamen Opfers Christi dartat [33]. Im Frühjahr 1612 besuchte er Leiden, Den Haag, Amsterdam und dann London, wo er Isaac Casaubonus sah. Mit ihm hatte er, wie berichtet wird [34], Gespräche „de melioribus literis, de sancta nostra religione eiusque corruptelis et instituta reformatione, de partium studiis, de necessaria Christianis concordia". Anschließend begab er sich nach Paris, wo er sich drei Monate aufhielt, Bibliotheken besuchte und auch Disputationen an der Sorbonne beiwohnte. Auf die Weiterreise nach Italien, die er ursprünglich geplant hatte, verzichtete er schweren Herzens, da er wegen eines scharfen Angriffs auf den päpstlichen Primat in seinen Disputationen von 1611 die Inquisition fürchten zu müssen glaubte. Diese zweite Reise war von großer Bedeutung für ihn. Sie weitete sein Blickfeld außerordentlich und trug so ihren Teil zu der Universalität des Wissens bei, die ihn später auszeichnete. Darüber hinaus ließ sie ihn, mochte sie auch seinen Blick für die historischen und theologischen Unterschiede schärfen, die Gemeinsamkeit zwischen konfessionell Getrennten in menschlicher und wissenschaftlicher Beziehung erleben und schuf so eine Stimmung in ihm, die eines Tages mit dem zeitgenössischen konfessionellen Absolutismus in Widerspruch geraten konnte.

Calixt hatte wohl nie im Sinn, in den Pfarrdienst zu gehen. Die akademische Laufbahn war sein wie seiner Lehrer Wunsch. Eine glückliche kontroverstheologische Disputation mit dem Jesuiten Turrianus, die er in Vertretung Martinis führte[35] und die ihn weiteren Kreisen und vor allem dem Hofe bekannt machte, veranlaßte Herzog Friedrich Ulrich von Braunschweig-Wolfenbüttel, dem Achtundzwanzigjährigen im Dezember 1614 eine freigewordene theologische Professur zu übertragen. Anderthalb Jahre später erlangte er mit einer Disputation über ausgewählte Sätze der lutherischen Bekenntnisschriften den theologischen Doktorgrad[36].

Von der Übertragung der theologischen Professur 1614 bis zu seinem Tode 1656 hat Calixt in Helmstedt als akademischer Lehrer gewirkt. Wir werden später sein Leben und seine Wirksamkeit nach der Seite hin verfolgen, die ihn als den theologischen und kirchenpolitischen Verfechter der kirchlichen Einheit zeigt. Was die allgemeinen Lebensumstände angeht, genügt es, hier nur das Wichtigste aus dem an tiefeingreifenden äußeren Ereignissen nicht eben reichen Gelehrtenleben mitzuteilen.

Im Laufe der nächsten zwei Jahrzehnte wurde Calixt nach Überwindung anfänglicher Widerstände zum führenden Theologen und geistigen Haupt der Helmstedter Universität. Um ihn sammelte sich ein Kreis von Schülern und Freunden – zu ihnen zählen u. a. der Philosoph und Theologe Konrad Horney[37], der Jurist Hermann Conring, die Theologen Gerhard Titius und Justus Gesenius –, die für Jahrzehnte im Leben der Universität, des Landes und der Kirche maßgebenden Einfluß ausübten[38]. Ein gutes Verhältnis zu seinen Landesherren trug zur Förderung und Festigung seiner Stellung und seines Ansehens bei. War schon Herzog Friedrich Ulrich von Braunschweig-Wolfenbüttel (1613–34) ihm gewogen, so verbanden ihn mit dessen Nachfolge August d. J. (1635–66) freundschaftliche Beziehungen, von denen der zwischen beiden geführte Briefwechsel zeugt[39]. Die Freundschaft des Landesherrn bedeutete für ihn eine besonders wichtige Hilfe, als er gegen Ende seines Lebens in den Streit mit dem orthodoxen Luthertum gezogen wurde, der bis in den politischen Bereich hinein seine Auswirkungen zeitigte[40]. Zwei auswärtige Berufungen, die schon früh an ihn von Frankfurt a. d. Oder und Altdorf ergingen, lehnte er im Hinblick auf die ihm in Helmstedt gebotenen Wirkungsmöglichkeiten und auch auf seine Familienverhältnisse ab[41]. 1619 verheiratete er sich mit der Tochter eines Helmstedter Bürgermeisters[42]. Aus der Ehe gingen vier Kinder hervor, von denen zwei früh starben, ein Sohn, Friedrich Ulrich, später sein Nachfolger als Professor der Theologie in Helmstedt wurde.

Neben seiner Arbeit als theologischer Lehrer entfaltete er auch eine vielseitige praktische Tätigkeit im Dienste der Universität und des Landes. Mehrmals versah er das Amt des Prorektors[43]. Als 1625 der Lehrbetrieb in Helmstedt infolge der Kriegsereignisse zum Erliegen kam und Professoren und Studenten die Stadt verließen, blieb er als einer von wenigen zurück und ermöglichte die Wiederaufnahme der Arbeit, sobald die Umstände dies gestatteten[44]. 1635 wurde er, inzwischen bereits Professor primarius der Universität, zum Abt des evangelischen Stifts Königslutter erhoben, damit als Prälat Mitglied der Landstände des Herzogtums Braunschweig-Wolfenbüttel und so auch in die öffentliche Verantwortung gestellt[45].

Bei aller Vielfalt der Inanspruchnahme lag das Hauptgewicht seiner Wirksamkeit jedoch eindeutig auf der Lehre und der Forschung. Er soll selten oder nie gepredigt haben[46] – bezeichnend für sein Selbstverständnis als wissenschaftlicher Theologe im Unterschied zum praktischen Kirchendiener. Seine Lehrtätigkeit erstreckte sich im Laufe der Jahre, auch durch die wechselvollen Geschicke der theologischen Fakultät bedingt, auf fast alle theologischen Disziplinen. Er war jedoch in erster Linie systematischer Theologe. Die Schwerpunkte seiner systematischen Arbeit bildeten die Darstellung der lutherischen Dogmatik und im Zusammenhang damit die kontroverstheologische Auseinandersetzung mit Katholizismus und Calvinismus. Als Dogmatiker wie als Kontroverstheologe steht er in der Reihe der namhaften Theologen, die der Protestantismus im Zeitalter der Orthodoxie hervorgebracht hat.

In der Dogmatik hat er entschlossen die Verarbeitung des Dogmas mit Hilfe der philosophischen Begrifflichkeit seiner Zeit in Angriff genommen. Im einzelnen ist er vor allem durch die Anwendung der analytischen Methode[47] und durch die eigenständige, von der Dogmatik getrennte Behandlung der Moraltheologie hervorgetreten[48]. Ein zusammenfassendes dogmatisches Werk hat er nicht hinterlassen, sondern die verschiedenen dogmatischen Themen verstreut behandelt. Lediglich die aus Vorlesungen entstandene Epitome Theologiae (1619) bietet einen Grundriß seiner Dogmatik. Ein Fragment der theologischen Ethik liegt in der Epitome Theologiae moralis (1634) vor. Den interessanten Versuch zu einer theologischen Enzyklopädie stellt die unter dem Titel „Apparatus theologicus" 1628 veröffentlichte Einführung in die theologische Wissenschaft dar. In einer ganzen Reihe von dogmatischen bzw. kontroverstheologischen Monographien hat er sich mit Einzelthemen der Christologie, Ekklesiologie, Sakramentenlehre u. a. beschäftigt. Von Bedeutung für die folgenden Theologengenerationen in Helmstedt wurde die enge Verbindung von Theologie und Geschichte, die er bei seiner Arbeit herstellte. Seine Dogmatik und besonders seine Kontroverstheologie sind weithin Dogmengeschichte. Auf die theologische und historische Arbeit wird im einzelnen noch einzugehen sein.

Vom Ende der zwanziger Jahre des 17. Jahrhunderts an wurde er in steigendem Maße von den Fragen und Aufgaben der Kirchentrennung und -einheit in Anspruch genommen. In der zweiten Hälfte seines Lebens widmete er einen Großteil seiner Zeit und Kraft einerseits der theologischen Bewältigung der mit der Kirchenspaltung gegebenen Problematik und andererseits praktischen Versuchen, die Konfessionen ins Gespräch miteinander zu bringen und den Graben zwischen ihnen zu überbrücken. Seine Bemühungen blieben nicht nur ohne Erfolg, sondern lösten im Luthertum auch eine heftige Auseinandersetzung, den sog. „Synkretistischen Streit" aus[49], der über seinen Tod hinaus noch ein Menschenalter andauerte und die lutherische Theologie in zwei Parteirichtungen schied.

Dieser Streit und die Vergeblichkeit seines Wirkens für den Kirchenfrieden warfen einen Schatten auf seine letzten Lebensjahre. Von der einen Seite als Haupt einer theologischen Schule geachtet und anerkannt, von der anderen Seite erbittert bekämpft und in seiner Rechtgläubigkeit angezweifelt, starb er in Helmstedt am 19. März 1656.

2. KAPITEL

ARISTOTELISCHE PHILOSOPHIE

Die ökumenische Theologie Calixts ist auf dem Boden der Voraussetzungen erwachsen, welche die theologische Arbeit der gesamten lutherischen Orthodoxie des 17. Jahrhunderts tragen. Diese Voraussetzungen ergeben sich einmal aus der theologischen Überlieferung der Reformation, die von den orthodoxen Vätern auf der Grundlage des lutherischen Bekenntnisses gegenüber den katholischen und reformierten Gegnern entfaltet wird. Sie liegen sodann in den philosophischen Denkmitteln, deren sich die altprotestantische Schultheologie bedient und die der neue Aristotelismus bereitstellt, welcher in der zweiten Hälfte des 16. Jahrhunderts seinen Einzug im Raum des Protestantismus hält. Aus der Verbindung des reformatorischen Erbes mit der aristotelischen Philosophie entsteht jene in der Ausprägung mannigfaltige, in den Grundansätzen aber imponierend einheitliche geistige Schöpfung, die wir das Lehrsystem der altprotestantischen Orthodoxie nennen.

Die Rezeption des Aristoteles, welche die Ausbildung des Systems ermög-

licht, stellt einen sehr komplexen, noch nicht in allen seinen Aspekten aufge-
hellten Vorgang dar. Wir können ihn hier nicht im einzelnen untersuchen,
müssen ihn aber doch insoweit erörtern, als es zum Verständnis der kontroverstheologischen Situation des 17. Jahrhunderts im allgemeinen und der
kontroverstheologischen Arbeit und Anliegen Calixts im besonderen unerläßlich ist. Die Aristoteles-Rezeption im alten Protestantismus bedeutete
nichts geringeres, als daß die abendländischen Konfessionen durch eine und
dieselbe philosophische Denkform verbunden wurden. Das hatte folgenreiche
Auswirkungen in der Theologie. In der altprotestantischen Orthodoxie bewirkt der neue Aristotelismus in vielfacher Hinsicht eine Weiter- bzw. Umbildung der reformatorischen Positionen. Trotz der scharfen Betonung der
kirchentrennenden Unterschiede und trotz einer weitgehenden wenigstens
formalen Aufrechterhaltung der zentralen reformatorischen Aussagen vollzieht sich in diesem Umformungsprozeß sachlich in wichtigen Punkten eine
Angleichung an die zeitgenössische katholische Theologie. Im Bereich der
lutherischen Orthodoxie ist diese Angleichung bei Calixt und seinen Schülern
am weitesten fortgeschritten[1].

Die Re-Aristotelisierung der lutherischen Theologie muß zunächst überraschen, da sie einen unüberwindlichen Widerspruch zu Luther zu implizie-
ren scheint. Luthers gewaltiger Kampf gegen die „Hure Vernunft" und
speziell gegen Aristoteles läßt es geradezu als paradox erscheinen, daß der
Philosoph später nicht nur rehabilitiert, sondern zu *dem* anerkannten philosophischen Lehrmeister des alten Protestantismus erhoben wurde. Für den
Reformator war der spätmittelalterliche Aristotelismus unvereinbar mit dem
Denken vom Kreuz her. In dem unbedenklichen Gebrauch, den die Scholastik
von der aristotelischen Philosophie machte, konnte der junge Luther nur eine
Form der sapientia carnis sehen[2]. Unter diesem Blickwinkel bestritt er der
Philosophie und selbst der Logik jegliches Recht in der Theologie[3]. Die Verkündigung und Lehre vom rechtfertigenden Handeln Gottes will er von der
unangemessenen philosphischen Redeweise befreit, die Vernunft dort in die
Schranken gewiesen sehen, wo sie zur „Hure" für den Glauben wird, d. h. zu
seiner Verkehrung führt. Gegenüber der Überfremdung durch den mittelalterlichen Aristotelismus, aber auch durch Nominalismus und Platonismus[4]
sucht er die Botschaft von der Rechtfertigung wieder in einer Sprache auszu-
sagen, die dem Inhalt wirklich gerecht wird. In diesem Sinne läßt sich die
Reformation als „Ringen um die Befreiung der Theologie von der Philosophie" begreifen[5].

Die Haltung Luthers wäre jedoch mißverstanden, wenn man in ihr eine
grundsätzliche Absage an die menschliche Vernunft und an jede Form der
Philosophie sehen wollte. Selbst in der Heidelberger Disputation, in der er

der scholastischen Theologie und Philosophie den schärfsten Kampf ansagt, schließt er nicht die Möglichkeit rechten Philosophierens aus. Für denjenigen, der um das Geheimnis des Kreuzes weiß und die Vernunft nicht im Dienste der Eigengerechtigkeit und Eigenweisheit mißbraucht, gibt es einen legitimen Gebrauch der Philosophie, sogar der aristotelischen: „Qui sine periculo volet in Aristotele Philosophari, necesse est ut ante bene stultificetur in Christo [6]." Die hierin ausgesprochene Abgrenzung ist für ihn bestimmend geworden und geblieben [7] (wobei freilich seine Äußerungen nicht immer einheitlich sind [8]).

Hier war auch der Ansatzpunkt für die altprotestantische Verhältnisbestimmung von Philosophie und Theologie gegeben [9]. In der betonten Rückwendung zu Aristoteles wird allerdings sogleich auch die besondere Problematik sichtbar, die das altprotestantische System kennzeichnet: Sie liegt darin, daß die Übernahme des Aristoteles auf der einen Seite einer elementaren Nötigung entsprang, daß dabei aber auf der anderen Seite Entscheidendes an reformatorischen Aussagegehalten verlorenging. Diese Problematik wird uns auch bei Calixt beschäftigen. Bei formaler Bewahrung der überkommenen reformatorischen Lehrstücke gelangt er unter dem Einfluß der philosophischen Prämissen zu einer inhaltlich wesentlich abweichenden Gesamtaussage.

Die Geschichte der Rezeption des Aristoteles durch den alten Protestantismus spiegelt jene spannungsvolle Bewegung wider, welche im Raum der Nachwirkungen Luthers seit je festzustellen ist: das Ringen zwischen einer Tendenz zur Radikalisierung der Lutherschen Ansätze und der (meist siegreichen) Tendenz zur Einpassung seines Erbes in eine die Gegensätze ausgleichende, traditionalistische Theologie. Wie an manchen anderen Punkten, so hat auch in bezug auf Aristoteles Melanchthon den Anstoß zu der Rückwendung zur Tradition gegeben. Im Bemühen, den Wissenschaften ihren für das allgemeine Bildungsleben wie für die Kirche notwendigen Zusammenhang zu erhalten [10], greift er zu Aristoteles, dem er je länger desto mehr den Vorzug vor allen anderen Philosophen geben möchte [11]. Das Studium auch derjenigen aristotelischen Bücher, die Luther von den Universitäten verbannt wissen wollte [12], führt er (mit Ausnahme der Metaphysik) wieder in den Lehrbetrieb ein [13]. Die aristotelische Philosophie soll dem Theologen „propter methodum" dienen [14], darüber hinaus aber auch die dem Menschen nach dem Fall verbliebene, wenngleich gebrochene natürliche Gotteserkenntnis vermitteln [15]. Der lutherischen Theologie hinterließ Melanchthon das doppelte Erbe einer aristotelisch geprägten wissenschaftlichen Begrifflichkeit und einer – material recht weitgehenden – natürlichen religiösen und moralischen Erkenntnis.

Der melanchthonische Aristotelismus stößt jedoch auf den Widerstand der

Theologen, die Luthers kritische Stellung zur aristotelischen Philosophie als den ursprünglichen reformatorischen Standpunkt zu behaupten suchen. Der flacianische Streit macht die Problematik nach der Mitte des Jahrhunderts deutlich[16]. Auch nachdem Flacius der Kritik einer bereits an aristotelischen Kategorien geschulten Theologie erlegen ist, bleibt das Mißtrauen gegen das aristotelische Begriffsmaterial wie gegen die natürliche Theologie wach. Die Konkordienformel (1577) will etwa den Gebrauch der Begriffe Substanz und Akzidenz (den sie z. B. in der Erbsündenlehre gleichwohl für notwendig hält) den Gelehrten vorbehalten wissen, die citra abusum damit umgehen können[17]. Und auch in Bezug auf die natürliche Gotteserkenntnis ist sie zurückhaltend. Das Ergebnis der Entwicklung am Ende des Jahrhunderts ist aber bereits eine weitgehende Festlegung der Theologie auf die aristotelische Denkform und zugleich auf gewisse Ansätze einer natürlichen Theologie.

Die endgültige Entscheidung zugunsten des Aristoteles fällt jedoch erst mit der Rezeption der aristotelischen Metaphysik um die Wende zum 17. Jahrhundert. Jetzt kommt es zur Ausbildung der protestantischen Schulphilosophie und – mit Hilfe des in ihr gewonnenen Rüstzeugs – des orthodoxen Lehrsystems. Es entsteht die den Protestantismus im 17. Jahrhundert kennzeichnende einheitliche Kultur. Glaube und Wissen gelangen auf der Basis einer „gereinigten"[18] aristotelischen Philosophie zur harmonischen Verbindung. Soweit man dabei Luthers Feindschaft gegen Aristoteles als Schwierigkeit empfindet, neutralisiert man sie durch Umdeutung im Sinne der Kritik an der sophistisierenden Theologie vor der Reformation[19], oder aber man setzt sich über sie hinweg im Bewußtsein des Fortschritts in der Kenntnis und Aneignung der wahren Philosophie[20].

Bei der Hinwendung zur Metaphysik am Ende des 16. Jahrhunderts handelt es sich um einen gesamteuropäischen Vorgang, der auf tiefe, gemeinsame geistesgeschichtliche Voraussetzungen diesseits und jenseits des konfessionellen Grabens hindeutet. Die Anfänge dieser Bewegung liegen bei den italienischen und spanischen Aristotelikern[21]. Ihre Hauptrepräsentanten sind der Dominikaner Masius und die Jesuiten Fonseca und – vor allem – Franz Suarez. Suarez legt in seinen „Metaphysicae Diputationes" von 1597, die sich erstaunlich rasch in ganz Europa verbreiten, zum erstenmal eine systematische Darstellung der Metaphysik vor. Von nun an tritt bei der Beschäftigung mit Aristoteles die Metaphysik in den Mittelpunkt[22].

Auch im Protestantismus setzt, zunächst unabhängig von der spanischen Philosophie[23], nach Abweisung des Flacius und in Auseinandersetzung mit Ramus eine neue Beschäftigung mit der aristotelischen Metaphysik ein. Eine bahnbrechende Rolle spielt dabei der Helmstedter Philosoph Cornelius Martini, später Lehrer Calixts, der als „der eigentliche Neubegründer der

Metaphysik auf protestantischem Boden" zu bezeichnen ist[24]. Martini (seit 1592 Professor in Helmstedt) führte an der Helmstedter Universität für den Aristotelismus einen erfolgreichen Kampf gegen die Lehre von der doppelten Wahrheit[25]. 1597 hielt er die erste Vorlesung über Metaphysik[26], die handschriftlich auch an anderen lutherischen Universitäten verbreitet wurde. Alsbald wurden auch in Jena und Wittenberg Vorlesungen über Metaphysik gehalten. Ungefähr zur gleichen Zeit wurde das Werk des Suarez bekannt, das wegen seiner praktischen Verwendbarkeit sogleich weithin Aufnahme an den protestantischen Universitäten fand und zu einer Hauptquelle für viele metaphysische Lehrbücher wurde[27]. Unabhängig voneinander entstanden, fließen „spanisch-jesuitische" und „deutsch-lutherische" Metaphysik zusammen[28].

Die neuere Forschung hat nachgewiesen, daß das Hauptmotiv für die Rezeption der Metaphysik durch den Protestantismus in dem theologischen Bedürfnis nach einer philosophischen Realwissenschaft zu suchen ist[29]. Um sich in der kontroverstheologischen Auseinandersetzung zu behaupten, war es für die altprotestantischen Theologen notwendig, mit Begriffen wie Sein und Wesen, Grund und Folge, Möglichkeit und Wirklichkeit usw. und den damit gemeinten Sachverhalten vertraut zu sein[30]. Hinzu kam das späthumanistische Anliegen, die wissenschaftliche Bildung überhaupt durch die Aneignung auch der Metaphysik des Aristoteles zu vervollkommnen. Diese Zielsetzung spielte besonders an der Universität Helmstedt eine Rolle[31]. Beide Anliegen lagen in der Linie des Bemühens Melanchthons um die Einheit der Wissenschaft. Als Grundwissenschaft oder regina scientiarum, die den übrigen Wissenschaften ihren Ort im Gefüge des Wissens zuzuweisen hatte und zugleich eine allgemeingültige Begrifflichkeit bot, vermochte die Metaphysik die Einheit der Wissenschaft zu begründen und zu garantieren[32].

Das Ergebnis der grob skizzierten Entwicklung ist, daß im Protestantismus die ratio im Gewand der aristotelischen Schulphilosophie bewußt der Offenbarung als zweite Wahrheitsquelle und -norm beigeordnet worden ist. Dieses Ergebnis bildet eine grundlegende Voraussetzung des theologischen Denkens auch Calixts. Gegenüber der ramistisch-nominalistischen Auseinanderreißung von Glauben und Wissen fordert er mit der überwiegenden Mehrzahl der orthodoxen Theologen die Zusammenordnung von Offenbarung und aristotelischer Vernunft. Der Dienst der Vernunft an der Theologie bedeutete im herkömmlichen Sinne gut humanistisch die Heranziehung aller in Frage kommenden Wissenschaften für die Auslegung der Schrift. Unter diesen Wissenschaften rücken jetzt die philosophischen Disziplinen, insbesondere die Logik und die neuentwickelte Metaphysik, an die erste Stelle.

Diese beiden Disziplinen bilden nach Calixt das unentbehrliche Rüstzeug für jeden Wissenchaftler und zumal den Theologen[33]. Während seiner Helmstedter Studienjahre machte er sich mit ihnen unter Cornelius Martini in intensiver Arbeit vertraut[34]. Später hat er immer wieder ihre Bedeutung unterstrichen. Die *Logik* ist nach ihm das alle Wissenschaften verbindende, allgemeinste Hilfsmittel des Argumentierens[35]. Alle wissenschaftliche Arbeit hängt davon ab, daß die Kunst des Beweises beherrscht wird[36]. Ein unbegrenztes Vertrauen in die Logik (divinum illud mentis organum[37]) gibt sich bei ihm kund. Martini glaubte bereits, wenn man nur in Logik und Metaphysik hinreichend bewandert sei, könne man die Schrift recht verstehen[38]. Calixt ist später überzeugt, daß sich die kirchentrennenden Lehrdifferenzen lösen und die Kirchenspaltung beseitigen ließen, wenn man nur wirklich nach den Denkgesetzen disputiere. Gott hat diese gegeben und ist selbst an sie gebunden, so daß es ihm unmöglich ist, etwas zu tun, was einen Widerspruch in sich enthielte[39]. Mit der hohen Bewertung der Logik hängt die Hochschätzung der Disputationen im allgemeinen bei Calixt zusammen. Werden diese recht geführt, stellt sich die Wahrheit im Laufe der Erörterung von selbst heraus. Es werden uns noch die Probleme beschäftigen, die sich im Zusammenhang der Unionsideen und -versuche Calixts aus diesem Optimismus ergeben.

Bezeichnend für sein Vertrauen in das schlußfolgernde Denken ist der Verlauf einer Dispuation, die er 1614 mit dem Jesuiten Turrianus über die theologischen Erkenntnisprinzipien gehalten hat[40]. Ziel des Gesprächs ist für ihn, daß einer der beiden Unterredner den Beweis schuldig bleibt oder kontradiktorischer Widersprüche überführt wird[41]. Als sein Gegenüber einmal (im Hinblick auf den Molinistenstreit) ins Gespräch wirft, in gewissen Fällen könnten gegensätzliche Auffassungen einer Sache durchaus wahr sein (contrariae simul verae), gerät Calixt gegen alle Gewohnheit in Zorn und bezichtigt den Jesuiten in schärfsten Worten der Gewissenlosigkeit[42]. Die Disputation wird abgebrochen. Die Tatsache, daß hier nicht der Vertreter der Spätscholastik, sondern der Lutheraner als der Anwalt der Logik in der Theologie auftritt, macht schlagartig die Veränderung der Lage gegenüber dem 16. Jahrhundert deutlich.

Mit Hingebung widmete sich der junge Calixt der *Metaphysik*. Der Eifer, mit dem die Helmstedter Studenten Martinis Kolleg besuchten, Nachschriften austauschten und selbst über metaphysische Themen disputierten[43], zeugt von einer allgemeinen Begeisterung für die neue Disziplin. Die Disputationen, die Calixt als Magister abhielt, hatten vornehmlich logische und ontologische Fragen zum Gegenstand[44]. Ein Carmen auf den Metaphysiker Calixt läßt erkennen, mit welchem Selbstbewußtsein man Metaphysik trieb.

Calixt wird darin geradezu als Führer aus dem Dunkel zum Licht der meta-physischen Wahrheit gepriesen[45]. Nach langer Nacht des Verfalls ist die prima philosophia heute wieder an den Tag gebracht worden und wird in einer Weise (nämlich als systematische Wissenschaft[46]) vorgetragen und be-handelt, die „nicht einmal Aristoteles" gekannt hat[47].

Calixt rechtfertigt die Metaphysik als Wissenschaft mit dem Realcharak-ter ihres Gegenstandes. Wie Martini grenzt er sich scharf vom nominalisti-schen Ramismus ab, der in ihr nur logische Tautologien fand und sie deshalb nicht als besondere Wissenschaft gelten lassen wollte[48]. Gegenüber dieser Auflösung der Metaphysik in die Logik vertritt Calixt den Grundsatz, daß wahre Erkenntnis nicht in der Bekanntschaft mit den Benennungen, sondern nur in der Kenntnis der Natur der Dinge bestehen könne[49]. Unter diesen gebe es ein erstes und oberstes Subjekt, den allgemeinsten Gegenstand menschlichen Wissens: das Seiende als solches. Folglich müsse es auch eine erste und oberste Wissenschaft geben, welche von dem ens qua ens mit seinen Prinzipien, Affektionen und Spezies handelt[50]. Dies ist die Metaphysik. Sie liefert den Wissenschaften die allgemeinen Begriffe und begründet ihren inneren Zusammenhang, woraus sich ihre Vorrangstellung im System der Wissenschaften als „erste" oder „allgemeine" Wissenschaft, bildlich gespro-chen als „Königin der Wissenschaften", herleitet[51].

Aus dieser ihrer Funktion ergibt sich für jeden Wissenschaftler die Not-wendigkeit, sich mit ihr vertraut zu machen. Auch und zumal vom Theolo-gen gilt dies. Dabei steht für Calixt weniger das kontroverstheologische als das dogmatische Anliegen im Vordergrund. Bei der theologischen Verarbei-tung der Offenbarung ist der Dogmatiker auf Kenntnis und Gebrauch von Begriffen wie Akt, Potenz, Ursache, Wirkung, Notwendigkeit, Zufälligkeit usw. angewiesen[52]. Um zum Beispiel verstehen zu können, was in diesem oder jenem Zusammenhang in der Hl. Schrift eine Ursache ist, muß er zuvor wissen, was „Ursache" überhaupt bedeutet[53]. Das aber lehrt die Metaphysik.

Zum philosophischen tritt bei Calixt das humanistische Motiv. Entspre-chend der Helmstedter Humanistentradition lehrt er, daß die Philosophie dem Menschen allererst zum vollen Menschsein verhelfe[54]. Er preist sie fast überschwänglich. Wer dieses Geschenk Gottes nicht liebte, müßte schon der eigenen Natur abgeschworen haben[55]. Philosophie und zumal „Erste Philo-sophie" treiben ist nicht nur eine Notwendigkeit, sondern auch eine Lust.

Mit der Ausbildung der Metaphysik steht die Entfaltung einer *natürlichen Theologie* in unmittelbarem Zusammenhang. Denn die Metaphysik ist selbst bereits natürliche Theologie, wo sie von Gott und der Seele handelt[56]. Hatte schon Melanchthon wesentliche Aussagen einer natürlichen Gotteserkenntnis (die er freilich für lückenhaft und verderbt hielt[57]) wieder aufgenommen, so entfaltete jetzt die lutherische Orthodoxie auf dem Boden des Aristotelismus die natürliche Theologie in vollem Umfang. Für Calixt bildet sie von Anfang an einen selbstverständlichen Bestandteil seines theologischen wie philosophischen Denkens. Sie ist nach ihm jene Theologie, die lumine rationis ex rebus factis de Deo agit[58]. Die Erkenntnisse, zu denen sie e principiis ex rerum natura desumptis[59] gelangt, sind diese: Gott ist, ist einer, ewig, nicht an Materie und körperhafte Gestalt gebunden, von unendlicher Weisheit, Macht und Güte; die vernünftige Seele ist immateriell und somit unsterblich; nach dem Tode wird es ihr wohlergehen, wenn sie Gott recht verehrte, übel, wenn sie ihm keine oder mangelhafte Verehrung erwies[60]. Die Prinzipien der natürlichen Theologie sind unserem Verstande von Natur eingestiftet[61]. Calixt kann daher von den Erkenntnissen der natürlichen Theologie geradezu in idealistischer Weise als von den innatis notitiis sprechen[62]. Freilich weiß er, daß infolge der menschlichen Fehlhaftigkeit die natürliche Theologie in falscher Weise betrieben werden kann. Das spricht aber nicht gegen die Möglichkeit legitimen Gebrauchs[63]. Die Irrtümer der Gelehrten können nicht der Disziplin zur Last gelegt werden[64]. Die natürliche Theologie ist nicht nur von ihrem Gegenstand her gerechtfertigt, sondern findet darüber hinaus ihre ausdrückliche Anerkennung in der Offenbarung (Röm. 1, 19 ff. und 1. Kor. 1, 21). Nach dem Zeugnis von Vernunft und Offenbarung ist allen Menschen von Natur aus die Erkenntnis Gottes aus den Werken der Schöpfung möglich.

Von der natürlichen Theologie aus gelangt Calixt auch zu der Lehre von einer *natürlichen Religion*[65]. Er versteht darunter eine Religion, die sich allein auf die Forderungen der Vernunft nach rechter Erkenntnis und Verehrung Gottes gründen würde[66]. Freilich ist eine solche Religion nach Calixt tatsächlich nirgends rein vorzufinden, da sie überall durch menschliche Schwachheit verdunkelt und der abergläubischen Entstellung anheimgefallen ist[67]. Damit ist er bei den Fragen der Religionsgeschichte. Das Problem der faktischen Vielgestaltigkeit der Religionen sucht er in dem Entwurf einer allgemeinen Religionswissenschaft zu bewältigen, in deren Rahmen er auch die christliche Religion einordnet. Zur Feststellung der wahren Religion macht er vier Kriterien namhaft: sie darf nicht einer Absurdität überführt werden können, sie muß sich durch Alter und durch Kontinuität ausweisen und zur Besserung der Sitten beitragen[68]. Unter Zugrundelegung dieser Kriterien untersucht er die species religionis, quae in orbe sunt[69], und teilt sie in vier Kategorien ein. In die erste gehört die paganistische oder idololatrische Religion, welche die Eingebungen der Dämonen für göttliche Orakel hält. Zur zweiten zählt die Religion des Islam, die zwar die Schriftoffenbarung anerkennt, ihr aber den absurden Koran vorzieht, und zur dritten die Religion der Juden, welche die Messianität Jesu leugnen und zur Strafe für diesen Unglauben über die ganze Welt verstreut sind [70]. In der vierten Kategorie endlich finden wir die christliche Religion, auf die allein die Kennzeichen der wahren Religion zutreffen: sie enthält nichts Falsches, Absurdes oder Schändliches, hat mit dem Menschen selbst begonnen und ist durch Gott während des Alten und des Neuen Bundes erhalten worden [71]. Zu beachten ist, welche Bedeutung Calixt neben den philosophisch-moralischen Kriterien demjenigen der geschichtlichen Kontinuität beimißt. Merkmal der Wahrheit ist ihre Beständigkeit. Die wahre Religion, schon den ersten Menschen in einer Anfangsgestalt gegeben, kann nicht wieder verlorengehen, so wahr sie von Gott für das Heil der Menschen gewollt ist. Der Gesichtspunkt der geschichtlichen Kontinuität wird uns noch als wichtiges Moment in der Kirchenanschauung Calixts begegnen.

Die Lehre von der wahren Religion und ihren Kennzeichen hat eine praktische Abzweckung: Der Nichtchrist soll mit Hilfe der von ihm selbst zugestandenen oder zuzugestehenden Wahrheiten zur christlichen Religion geführt werden [72]. Dieser Gebrauch der natürlichen Theologie bedeutet noch nicht die Rechtfertigung der christlichen Wahrheit vor dem Forum der Vernunft. Calixt will lediglich den apologetischen Glaubwürdigkeitsbeweis für das Christentum liefern. In dem Schema der argumenta inducentia und efficientia [73] verbindet er diesen Beweis mit der Wahrheitsgewißheit, die der Christ auf Grund der Selbstevidenz der göttlichen Offenbarung in der Schrift besitzt, in einem System: die ersteren bewirken nur auf Grund menschlicher Argumentation die Erkenntnis der Wahrscheinlichkeit, Hoheit und Vorzüglichkeit der christlichen Religion und die angelegentliche Beschäftigung mit der Schrift [74]; dagegen wird der alle menschliche Gewißheit übersteigende feste Glaube durch das Zeugnis des Hl. Geistes selbst bewirkt, das dieser in sein Wort hineingegeben hat und dem zuteil werden läßt, der ihm keinen inneren Widerstand entgegensetzt. Calixt berührt hier das Problem der analysis fidei. Mit Hilfe der Unterscheidung und Zuordnung der Bereiche sucht er Glauben und Wissen in ein harmonisches Verhältnis zu bringen.

Aus der natürlichen Theologie ergibt sich auch der Ansatz für eine Lehre vom *Naturrecht*. Es war bereits von den natürlichen Gesetzen der Gottesverehrung die Rede, die in unsere Herzen geschrieben sind. Ebenso gilt die Autorität des natürlichen Gesetzes auch im Bereich der menschlichen Gesellschaft. Calixt hat das Naturrecht, auf das er, zumal auch in der kontrerstheologischen Auseinandersetzung [75], häufig zurückkommt, ausführlich in dem Fragment seiner Moraltheologie unter den Prinzipien für das Handeln des Wiedergeborenen erörtert [76], bezeichnend für seine Sicht des Verhältnisses von Natur und Gnade. In seiner Naturrechtslehre schließt er sich eng an die Scholastik an. Das Natur„gesetz" bzw. Natur„recht" ist Teilhabe am ewigen Gesetze im Geiste Gottes. Im anerschaffenen Licht der Vernunft und ihrer Weisung begegnet dem Menschen die lex aeterna als lex naturalis. Diese umfaßt die allgemeinsten ethischen Normen und die aus ihnen abgeleiteten Konklusionen [77]. Das Naturrecht ist für Calixt nicht nur durch die Anwendung im Bereich der theologischen Ethik, sondern darüber hinaus auch dadurch bedeutsam geworden, daß die Orientierung an der „Natur" und ihrer Gesetzlichkeit allgemeineren Einfluß auf sein Denken ausübte. Die Norm des „naturale" beansprucht auf allen Wissensgebieten eine Verbindlichkeit, die keinen Widerspruch duldet [78]. Der Sache nach bedeutet dies nichts anderes als die Wiederaufnahme des scholastischen Axioms „gratia praesupponit et perficit naturam".

Die aufgezeigten Ansätze – eine absolut geltende Logik, die neurezipierte Metaphysik, eine erneuerte natürliche Theologie und Naturrechtslehre – wirken vielfältig auf Gestalt und Inhalt der *theologischen* Aussagen ein. Logik und Metaphysik werden das Mittel einer rationalisierenden und zugleich harmonisierenden Verarbeitung der theologischen Überlieferung der Reformation. In der natürlichen Theologie und im Naturrecht findet die Dogmatik ihren Unterbau für die aus der Offenbarung abgeleiteten Aussagen. Der Besitz eines fest umrissenen philosophischen Menschenbildes führt ferner zu einer bedeutsamen Schwerpunktverlagerung im theologischen Denken. Dies gilt mehr oder weniger für die gesamte lutherische Theologie des 17. Jahrhunderts. Im folgenden werden uns die Probleme in ihrer besonderen calixtinischen Ausprägung begegnen.

3. KAPITEL

LUTHERISCHE THEOLOGIE

Wenn dem Menschen auch ein bestimmter Bereich natürlicher Erkenntnis Gottes und der Seele erschlossen ist, so bleibt doch nach Calixt „wenig und unsicher", was die Vernunft über die Bestimmung der Seele weiß, und dieses Wenige vermag das natürliche Erkenntnisstreben nicht zu befriedigen [1]. Es würde andererseits aber der Güte Gottes, der für das leibliche Dasein des Menschen Sorge trägt, widersprochen haben, wenn er nicht auch der Seele den Weg zu ihrer Glückseligkeit gezeigt hätte [2]. Deshalb wurde die besondere göttliche Offenbarung notwendig [3]. Mit ihr befaßt sich die christliche Theologie. Sie ist die Wissenschaft, die e revelatione divina sacris literis comprehensa docet et ostendit, quomodo ad aeternam vitam perveniendum sit [4].

Die Aufgabe der Theologie, wie Calixt sie definiert und auch in der eigenen Arbeit in Angriff nimmt, besteht näherhin darin, die Artikel des Glaubens aus ihren „Prinzipien und Fundamenten abzuleiten, zu erklären, zu begründen und zu verteidigen"[5]. Die kontroverstheologische Ausrichtung wird dabei stark betont und prägt weitgehend den Stil der theologischen Arbeit. Die einzelnen Lehren werden schulmäßig entfaltet und gleichsam in Form einer Rechtsauseinandersetzung vor der Offenbarung gegen die konfessionellen Gegner – Katholiken, Calvinisten, Sozinianer – verteidigt. Seine Arbeit hat Calixt zeitlebens als *lutherischer* Theologe betrieben. Der theologische Standort, den er einnahm, kann freilich nicht ohne weiteres als lutherisch im Sinne des ursprünglich Reformatorischen bezeichnet werden. „Lutherisch" verstehen wir hier daher im Sinne der Bindung an die lutherische Kirche seiner Zeit, der er angehörte und dienen wollte. Seine Theologie ist sachlich ein Produkt der bereits angedeuteten Umformung der reformatorischen Überlieferung unter dem Einfluß der Schulphilosophie sowie gewisser aus dem Humanismus hineinspielender Motive. Aufgrund der Zuordnung von Offenbarung und Vernunft[6] wird der Philosophie ausdrücklich ein nicht unwesentlicher Einfluß im Bereich der Theologie eingeräumt: sie gibt dem Theologen das notwendige begriffliche und methodische Rüstzeug an die Hand und vermittelt ihm eine fest umrissene natürliche Erkenntnis Gottes, des Menschen und des Seins. Wir werden an einer Reihe von Punkten auf die Verschiebungen stoßen, die sich damit im Verhältnis zur reformatorischen Theologie ergeben.

Im folgenden geben wir einen Überblick über die wichtigsten theologischen Anschauungen Calixts und berücksichtigen dabei besonders seine Stellung in der protestantisch-katholischen Kontroverse und die Tendenzen und Motive, welche die Basis für die Entwicklung seiner Ideen zur Kircheneinigung bilden[7].

In seiner theologischen *Erkenntnislehre* vertritt Calixt zunächst das Schriftprinzip in der Ausprägung, die es im Verlauf des 16. Jahrhunderts in der altprotestantischen Theologie erhalten hatte. Das Bedürfnis zur Legitimierung des jeweiligen konfessionellen Standpunktes hatte in der kontroverstheologischen Auseinandersetzung in steigendem Maße zur Reflexion über die theologischen Erkenntnisprinzipien genötigt. Sie führte auf katholischer Seite zur differenzierten Lehre von Schrift, Tradition und kirchlichem (päpstlichem) Lehramt und ihrem Zusammenhang, auf protestantischer Seite zu einer präzisierten Lehre von der Schriftautorität, deren maßgebende Gesichtspunkte wir auch bei Calixt finden. Sinn dieser Schriftlehre ist die Wahrung und Begründung der Alleinautorität der Schrift in der Kirche (sola scriptura), wie sie von den Reformatoren als Grundsatz aufgestellt worden war.

Grundlegend ist zunächst die Lehre von der Inspiration, welche der Schrift ihre einzigartige Autorität verleiht. Gott hat seine Offenbarung bestimmten, dazu erwählten Menschen mitgeteilt, die sie in den untrüglichen Urkunden des Alten und Neuen Testamentes niedergelegt haben[8]. Bei der Abfassung der kanonischen Schriften wurden die biblischen Schriftsteller vom Heiligen Geist geführt[9]. In diesem Sinne gilt, daß die Bibel den Heiligen Geist zum Urheber hat und Gottes Wort *ist*. Auf eine spätere Abschwächung der Inspirationslehre bei Calixt ist noch einzugehen[10]. Der inspirierten Schrift eignen Autorität, Suffizienz und Perspikuität. Ihre Autorität ergibt sich daraus, daß sie das Wort Gottes ist. Da sie dies ausschließlich ist, ergibt sich als primum principium theologicum: quicquid sacra scriptura docet, est infallibiliter verum[11]. Dem einzelnen Gläubigen gegenüber erweist sie ihre Autorität durch eine vom Heiligen Geist in sie hineingegebene Kraft, die zur Anerkennung ihrer Wahrheit mit einer Gewißheit bewegt, welche über jede Furcht vor Täuschung oder Irrtum erhaben ist[12]. Suffizienz kommt der Schrift als der Glaubensquelle zu, welche die Heilsoffenbarung genugsam enthält[13]. Damit ist sie zugleich auch letztentscheidende Norm für die christliche Lehre. In allen Fragen des Glaubens ist sie (d. h. der Heilige Geist, der durch sie spricht) der letzte und oberste Richter[14]. Daß sie dies sein kann, wird mit ihrer Perspikuität begründet. Alles Heilsnotwendige ist in ihr nicht nur enthalten, sondern auch mit genügender Klarheit ausgesprochen. Zwar gibt es dunkle Stellen. Aber gemäß der augustinischen Regel kann die christliche Glaubens- und Sittenlehre in den deutlichen Stellen ausreichend gefunden werden[15]. Alles Urteil der Kirche in Glaubensfragen, aber auch z. B. bei der Feststellung des Kanons, ist nur abgeleitetes Urteil. Es erfolgt nicht in eigener, sondern in fremder Autorität. Die Kirche kann lediglich von dem, was geoffenbart ist, Zeugnis ablegen[16]. In Fortführung der Lehre von der Zeugnisfunktion der Kirche bildet Calixt später einen Traditionsbegriff aus, der in gewisser Hinsicht ergänzend zum Schriftprinzip hinzutritt. Gleichwohl hält er grundsätzlich stets an der Suffizienz, Perspikuität und Autorität der Schrift fest.

Wenn wir uns der dogmatischen Arbeit Calixts im einzelnen zuwenden, ist es zunächst unerläßlich, einen Blick auf seine Methode zu werfen. Seit seinen ersten dogmatischen Vorlesungen (1616) bedient er sich der sogenannten *analytischen Methode*[17]. Das Wesentliche dieses Weges ist die Gestaltung des Stoffes unter dem Zielgesichtspunkt (Gliederung nach den Abschnitten de fine, de subjecto, de mediis). In der Logik des 16. Jahrhunderts wurde die Analytik den praktischen Wissenschaften zugewiesen. Sie kam infolgedessen dem Anliegen der lutherischen Theologen entgegen, die Theologie als praktische Wissenschaft zu betreiben und die Rechtfertigung des Sünders in den Mittelpunkt der Dogmatik zu stellen. Dagegen lag sie der reformierten Theologie und ihrem an der Prädestination orientierten, mehr synthetischen Denken ferner und kam dort auch nur vorübergehend in Anwendung[18]. Gegenüber der Lokalmethode, d. h. der Behandlung der Dogmatik in der Abfolge einzelner loci, wie sie von Melanchthon an bis ins 17. Jahrhundert hinein üblich war, bot sie den Vorteil, daß der dogmatische Stoff in einer den geltenden Grundsätzen wissenschaftlicher Methodologie entsprechenden Form dargestellt werden konnte.

Als erster Lutheraner übernahm Balthasar Mentzer die analytische Methode für die Dogmatik[19]. Den Anstoß zu ihrer Verbreitung im Luthertum aber gab Calixt in seiner Epitome Theologiae von 1619[20]. Wie für jede andere praktische Disziplin fordert er hier auch für die Theologie die analytische Ordnung, da sie auf Erzeugung und Befestigung des Glaubens gerichtet sei. Der Glaube stellt ihr inneres Ziel dar, das seinerseits um des äußeren Zieles, der ewigen Seligkeit, willen gegeben ist[21]. Demgemäß handelt der erste Abschnitt seines dogmatischen Entwurfs von der letzten Bestimmung des Menschen, der beatitudo aeterna[22], der zweite Abschnitt vom Subjekt der Theologie, dem Menschen[23], und der dritte, umfangreichste von den Prinzipien des ewigen Heils und den Mitteln, durch die wir zu demselben gelangen[24]. Mit mancherlei Unterschieden im einzelnen, aber im ganzen ähnlich baut die nachfolgende lutherische Orthodoxie des 17. Jahrhunderts die Dogmatik auf[25]. An der Durchführung der analytischen Methode in Calixts Epitome wird sichtbar, wie sich der Ausgangspunkt des theologischen Denkens im Vergleich zur Reformation verschoben hat. Der dogmatische Entwurf ist ganz auf den homo salvandus ausgerichtet. Dieser bildet den Bezugspunkt für die wichtigsten dogmatischen Aussagen. So hat etwa die Gotteslehre ihren Platz im zweiten Abschnitt, der den Menschen als das Heilssubjekt zum Thema hat, während die Christologie im dritten Abschnitt unter den Mitteln behandelt wird, die den Menschen zum Ziel der ewigen Seligkeit führen. Die ganze Darstellung wird umklammert von der Zielbestimmung der Seele. Die Dogmatik beginnt damit, daß über die perfectio gehandelt wird, die der Seele wie jedem perfectibile von Natur aus zukommt. Sie besteht in der Unsterblichkeit und wird durch die (für Calixt freilich selbstverständliche) übernatürliche Bestimmung zur ewigen Seligkeit nur gleichsam überhöht[26]. Der Einfluß der Schulmetaphysik und die Entfernung vom reformatorischen Denken werden an diesem Punkt besonders deutlich.

In dem erwähnten dogmatischen Entwurf sowie in einer Reihe kleinerer, meist kontroverstheologisch ausgerichteter Monographien handelt Calixt die traditionellen Lehrstücke der altprotestantischen Dogmatik in der durch den philosophischen Unterbau bedingten scholastischen Weise ab.

Mit dem gesamten alten Protestantismus steht er auf dem Boden der alt-kirchlichen *Trinitätslehre* und Christologie. In gemeinsamer Front mit der Theologie aller großen Konfessionen verteidigt er den katholischen Glau-ben[27] an den dreipersönlichen Gott gegen die unitarische Bestreitung. Wer eine der drei Personen leugnet, bekennt er mit Gregor von Nazianz, ge-fährdet das Ganze oder „fällt vielmehr aus dem Ganzen heraus"[28]. Trinität und Inkarnation legt er im Laufe der Zeit eine wachsende Bedeutung als den größten Geheimnissen des christlichen Glaubens bei[29]. Gegenüber einer zu weitgehenden theologischen Spekulation ist er zurückhaltend. Er will das Mysterium lieber als solches stehen lassen, als die Theologie in letztlich doch unentwirrbare Probleme verwickelt sehen. Wir werden noch auf die Wur-zeln dieser Haltung zu sprechen kommen.

In der *Christologie* vertritt er im wesentlichen die altlutherische Anschau-ung von Person und Werk Jesu[30]. Demgemäß lehrt er die hypostatische Union, näher erläutert durch die Lehre von der communicatio idiomatum. Eine ausgebildete Lehre von den Ständen Christi fehlt dagegen. Person und Werk Christi verbindet er aufs engste in der Lehre von der Genugtuung. Der Gottmensch erwarb als Mittler das unendliche Verdienst, durch welches dem Zorn Gottes genuggetan werden konnte. Dabei wirkten göttliche und menschliche Natur zusammen: nach seiner menschlichen Natur erfüllte der Erlöser im aktiven Gehorsam das Gesetz und erlöste im Leidensgehorsam von der Strafe; die göttliche Natur verlieh dem Handeln wie dem Leiden den zureichenden Wert vor Gott[31]. Das Erlösungswerk wird im einzelnen nach der seit Calvin üblichen Drei-Ämter-Lehre dargestellt (Christus der Prie-ster, König und Prophet)[32]. Von der Christologie der lutherischen Ortho-doxie weicht Calixt nur in einem wichtigen Punkte ab: er verwirft die luthe-rische Ubiquitätslehre.

Die Aufnahme dieser Lehre in die Konkordienformel[33] war seinerzeit einer der Gründe dafür gewesen, daß sich Herzog Julius von Braunschweig vom Konkordienwerk zurückgezogen hatte und das neue Bekenntnis in sei-nem Territorium und also auch in Helmstedt niemals angenommen worden war[34]. Calixt argumentierte getreu der Helmstedter wie auch der schleswig-holsteinischen Tradition immer wieder gegen die Lehre von der Ubiquität mit folgendem Einwand[35]: da ‚Person‘ ein konkreter Begriff ist, ‚Natur‘ aber ein abstrakter, dürfen in der Christologie concreta – wie Gott oder Mensch – nur von der Person und abstracta – wie Gottheit oder Menschheit – nur von der Natur ausgesagt werden. Wenn daher die Omnipräsenz, die der *gött-lichen* Essenz zukommt, nicht allein von der Person Christi, sondern auch von seiner menschlichen Natur ausgesagt wird, ergibt sich die eutychianische Konsequenz, daß Gottheit und Menschheit Christi dieselbe Essenz haben. –

Ein Verständnis dafür, daß das orthodoxe Luthertum trotz der Unzuläng-
lichkeit unseres Erkenntnisvermögens den Versuch zur Erfassung des Ge-
heimnisses der Gegenwart Christi glaubte unternehmen zu sollen, um die
Realpräsenz zu sichern, kommt bei Calixt nicht auf. Ihm erschien die Annahme der Ubiquität Christi nach seiner menschlichen Natur auf Grund der
logisch-systematischen Kritik als schlechthin unhaltbar, und abhold der Spekulation wünschte er, daß das Geheimnis der Gegenwart einfach als solches
hingenommen werde: die Weise der Präsenz ist über menschlichen Begriff
erhaben, wir haben nicht „ängstlich" nach ihr zu fragen. Es genügt zu wissen,
daß die verheißungsgemäße Gegenwart des Herrn im Abendmahl für Gott
ein Leichtes ist und daß ihr – diesen Nachweis kann die ratio leisten – keine
logischen Unmöglichkeiten entgegenstehen [36].

In den Lehren von *Sünde* und *Rechtfertigung* sucht er die Glaubensentscheidungen der Reformation treu zu bewahren. Gerade hier kommt allerdings die unter der Nötigung der Logik und des Begriffsmaterials vollzogene
Fortentwicklung bzw. Umformung besonders deutlich zum Ausdruck.

Seine Lehre von *Urstand* und *Erbsünde* [37] ist theologiegeschichtlich durch
das Ergebnis der Auseinandersetzung bestimmt, die im Luthertum um die
flacianische Erbsündenlehre geführt worden war. In Radikalisierung bestimmter Aussagen Luthers hatte Flacius die Erbsünde in die Substanz des
Menschen verlegt und sich damit dem Vorwurf eines anthropologischen Manichäismus ausgesetzt. Seit der Abweisung der flacianischen Thesen bemühte
sich die lutherische Theologie um eine angemessene Fassung der Erbsündenlehre, in der die totale Verderbtheit des gefallenen Menschen festgehalten
und doch jener Irrtum vermieden wurde. Während noch Balthasar Mentzer,
um dem die Radikalität der Schädigung scheinbar abschwächenden „leve
accidens" der Katholiken und andererseits dem Manichäismus des Flacius
zu entgehen, die Erbsünde als „dynamis" definierte [38], handhabt Calixt bei
der Darstellung der Zusammenhänge mit völliger Selbstverständlichkeit das
Substanz-Akzidenz-Schema als das seiner Meinung nach einzige Mittel, der
flacianischen Konsequenz auszuweichen [39]. In ihm findet er die begriffliche
Möglichkeit, die Identität des Menschen im Heilsprozeß zu gewährleisten.
Justitia originalis und peccatum originale werden als Akzidentien der Substanz des Menschen verstanden, die als solche erhalten bleibt. Dies deckt sich
im wesentlichen mit der Auffassung des Sachverhalts in der katholischen
Theologie [40].

Bemerkenswert an der Erbsündenlehre Calixts ist, daß er, anders als die
übrige Orthodoxie, von dieser Unterscheidung her zur Ausbildung eines dem
katholischen verwandten „Natur"-Begriffs in der theologischen Anthropologie geführt wird. Nach ihm war die imago Dei eine streng übernatürliche,

durch besondere Schenkung dem ersten Menschen über seine bloße Natur hinaus verliehene Gerechtigkeit, in den drei Seelenvermögen wirksam als übernatürliche Erkenntnis Gottes, Ausrichtung des Willens auf das höchste Gut und Harmonie der Sinne mit der Vernunft[41]. Mit dem Fall hat der Mensch die Urgerechtigkeit verloren. Sein Geist ist der übernatürlichen Erkenntnis verlustig gegangen; sein Wille der übernatürlichen Ausrichtung, so daß er in Bezug auf das übernatürliche Ziel weder frei noch unfrei, sondern überhaupt nichtig ist[42]; seine Sinnlichkeit befindet sich im Kampf mit der Vernunft[43]. Die Sünde der Gesetzesübertretung, die Schuld und die Strafe, bestehend in privatio imaginis divinae und corruptio naturae, sind von Adam auf die gesamte Menschheit, die potentiell in lumbis Adae war, übergegangen[44]. Die übernatürlichen Schenkungen sind verlorengegangen. Aber der Menschheit ist geblieben, was ihr im eigentlichen Sinne ‚natürlich' ist[45], wie die natürliche Erkenntnis Gottes, der Unsterblichkeit der Seele, der Pflicht, Gott zu verehren und gemäß der rechten Vernunft zu leben, und der gesamten theoretischen und praktischen Philosophie; die Freiheit des Willens in Bezug auf die bona particularia, etc. Auch die naturalia sind freilich beeinträchtigt, da mit dem Verlust des donum justitiae originalis auch das geordnete Zusammenwirken der natürlichen Kräfte aufgehört hat[46]. So befindet sich der Mensch post lapsum in universaler Ungerechtigkeit[47]. Für den Zustand des Gefallenseins gilt das augustinische „non potest non peccare"[48]. Aus der Erbsünde gehen die Aktualsünden hervor, die eine jede ihrer Natur nach die ewige Strafe verdienen[49].

Mit dieser Lehre von Urstand und Erbsünde hat sich Calixt faktisch weitgehend dem katholischen Standpunkt genähert. Die Unterscheidung zwischen Natur und übernatürlicher Vervollkommnung des Menschen und die Auffassung der ursprünglichen Gerechtigkeit als donum supernaturale findet ihre Entsprechung in der katholischen Unterscheidung von Natur und über- bzw. außernatürlichen Gaben (dona praeternaturalia und justitia originalis; auch diese Differenzierung ist der Sache nach bei Calixt impliziert). Sieht man von dem Unterschied ab, daß nach Calixt die Erbsünde in der Taufe nicht aufgehoben, sondern nur vergeben wird[50], kommen sachlich die calixitinische und katholische Erbsündenlehre überein: hier wie dort ist die Natur im Urstand durch die übernatürlichen Gaben überhöht, nach dem Fall infolge des Verlustes dieser Gaben versehrt, ohne doch einen Bruch in ihrer Substanz zu erleiden. Daß Calixt gemäß der lutherischen Tradition die imago Dei mit der ursprünglichen Gerechtigkeit gleichsetzt, während die katholische Theologie weithin in der imago gerade das Unverlierbare der menschlichen Natur im Unterschied zur verlierbaren similitudo erblickte[51], fällt dabei sachlich nicht ins Gewicht. Entscheidend ist die Anwendung der

Unterscheidung natürlich-übernatürlich in der Urstandslehre. Die lutherische
Orthodoxie lehnte in ihrer Mehrheit diese Scheidung ab, weil sie ihr die
Einheit des Menschenwesens und die Totalität der mit dem Fall eingetrete-
nen Schädigung abzuschwächen schien. Sie faßte daher die imago Dei als
donum naturae auf. Freilich war auch für sie die Verderbtheit insofern nicht
radikal, als sie dem Menschen etwa eine bestimmte, auch nach dem Fall ihm
verbleibende natürliche Gotteserkenntnis zuschrieb. Infolgedessen sah sie sich
genötigt, ihrerseits Unterscheidungen zwischen Verlierbarem und Unverlier-
barem in der imago Dei anzubringen. Ein Ergebnis dieses Versuchs stellt die
Theorie von den „Resten" der imago im gefallenen Menschen dar [52]. Die
Schwierigkeiten entfielen, wenn man wie Calixt zwischen der imago Dei als
übernatürlichem Geschenk und der Natur des Menschen unterschied [53]. Calixt
zeigt sich an diesem Punkt bemerkenswert unabhängig von der lutherischen
Tradition. Allerdings kann in seiner Position auch keine absichtliche Annäherung an die katholische Theologie gesehen werden. Sie ist vielmehr von
den philosophischen Prämissen her zu verstehen, die in Richtung seiner Lösung drängen und denen er mit größerer Unbefangenheit als die zeitgenössische Orthodoxie Rechnung trägt [54]. Diese stand seiner Urstands- und Erbsündenlehre mit Mißtrauen gegenüber. Es fehlte nicht an Stimmen, die ihn
des Kryptopapismus ziehen [55]. Die Reserve der Orthodoxie war in der Tat
insofern nicht unberechtigt, als die Erörterung der Sünde bei Calixt die reformatorische Tiefe des Verständnisses und der Erfahrung vermissen läßt. Es
war dies die allerdings auch für die orthodoxen Systeme unvermeidliche
Folge der Rationalisierung. Das zeigt auch seine Rechtfertigungslehre.

Diese folgt in ihren Grundzügen der Auffassung, die in der altlutherischen Theologie im Anschluß an die Bekenntnisschriften entwickelt worden
war. Im einzelnen zeigt die Durchführung jedoch die Modifikationen, die
sich gegenüber dem ursprünglichen reformatorischen Verständnis nahelegen
mußten, sobald die Systematisierung mit den Mitteln der Schulphilosophie
versucht wurde. Sie betreffen vor allem das Verhältnis von Sünde und Gerechtigkeit, angerechneter und eingegossener Gerechtigkeit und – ein besonderes Anliegen Calixts – Glaube und Werken.

Im dogmatischen Entwurf Calixts hat die Rechtfertigungslehre ihren Ort
in der Darstellung des göttlichen Heilsratschlusses und seiner geschichtlichen
Verwirklichung (decretum praedestinationis und executio decreti prout in
tempore fit) [56]. Vom Gesichtspunkt der Verwirklichung des Heilsdekrets her
bestimmt sich einleuchtend die Stoffanordnung in diesem Teil der Dogmatik:
die Prinzipien des Heils, nämlich die Prädestination und Person und Amt
des Erlösers; die Mittel der persönlichen Heilsaneignung: Rechtfertigung
und Glaube; die Mittel zur Hervorbringung und Befestigung des Glaubens:

Wort Gottes, Taufe, Eucharistie, Predigtamt; die Früchte des Glaubens: Gewissensfrieden und gute Werke. Im Unterschied zu der in der späteren Orthodoxie ausgebildeten differenzierten Lehre vom ordo salutis trägt Calixt die Hauptpunkte der Heilslehre noch in einer einigermaßen lockeren Reihenfolge, aber in straffer Durchführung der Gedanken vor.

In der *Prädestinationslehre* ist – wie in der lutherischen Theologie schon seit der zweiten Generation – der ursprüngliche Standpunkt Luthers, wie er in de servo arbitrio vorliegt, verlassen. Das Prädestinationsproblem wird vom Präszienzgedanken her gelöst und der menschliche Wille in den Heilsvorgang wenigstens insofern eingebaut, als er die Freiheit besitzt, das angebotene Heil auszuschlagen. Scharf grenzt sich Calixt gegen das absolute Dekret Calvins ab, und damit unausgesprochen auch gegen die Konsequenzen, die Luther in de servo arbitrio aus seiner Gnadenlehre zog. Die Prädestination ist nach Calixt der göttliche Willensratschluß, in welchem Gott auf Grund des Verdienstes Christi diejenigen für das ewige Leben bestimmt, von denen er vorhergesehen hat, daß sie das Verdienst Christi mit wahrem Glauben ergreifen werden [57]. Im göttlichen Heilswillen sind zu unterscheiden die voluntas antecedens, der Heilsratschluß und die Einsetzung der Heilsmittel, und die voluntas consequens, durch welche Gott errettet, die sein Heilsangebot annehmen, und verwirft, die es ablehnen [58]. Damit ist gegenüber dem Calvinismus die Geschichtlichkeit und Universalität des göttlichen Heilswillens gewahrt. Gott ist nicht unmittelbare Ursache der Verdammung; Christus ist wirklich für alle gestorben, und sein Verdienst wird im Worte Gottes wirklich allen Menschen angeboten [59].

Um eine nähere Klärung des Willensproblems hat sich Calixt nicht bemüht. Für ihn steht lediglich fest, daß der Mensch nicht die Möglichkeit hat, sich das Verdienst Christi von sich aus zu eigen zu machen. Er kann sich nur gegen das Heilswirken Gottes verschließen, indem er den „Riegel vorschiebt". [60] Wenn er jedoch dem Worte Gottes innerlich nicht zu widerstehen sucht, wirkt Gottes Gnade in ihm den Glauben, der das Verdienst Christi ergreift [61]. Soweit sich ein Vergleich mit katholischen Lösungsversuchen der Zeit ziehen läßt, würde Calixts Auffassung nach ihren Voraussetzungen mehr der molinistischen als der thomistischen Lösung zuzuordnen sein. Im übrigen unterscheidet sich die calixtinische Lehre im ganzen nicht grundlegend von dem, was in der zeitgenössischen katholischen Theologie über Prädestination und Willen gelehrt wurde.

Die *Rechtfertigung* ist für Calixt wie für alle Lutheraner der Zeit die acropolis totius religionis christianae [62]. Bei der lehrmäßigen Entfaltung schließt er sich mit der Orthodoxie eng an den späteren Melanchthon an. Die Rechtfertigung wird als forensischer Akt verstanden [63] und von der

Heiligung (renovatio) geschieden. Sie ist remissio sive non-imputatio peccatorum und imputatio meritorum Christi[64]. Die Art, wie Calixt das Lehrstück abhandelt, ist charakteristisch für die schulmäßige Verarbeitung des theologischen Stoffes. Seine causae justificationis sind die einfache Applikation des aristotelischen Kausalschemas, wie sie in der zeitgenössischen Dogmatik üblich wird[65]. Causa formalis ist die Gerechtigkeit Christi. In der Rechtfertigung wird uns die fremde Gerechtigkeit (aliena justitia) Christi angerechnet bzw. zugeeignet. Dabei erfolgt die Vergebung der Sünden auf Grund der Anrechnung von Christi Leidensverdienst (meritum passivum), die Annahme zum ewigen Leben auf Grund der Anrechnung von Christi Wirkverdienst (meritum activum)[66]. Causa materialis der Rechtfertigung ist der Mensch als Sünder. Causa efficiens principalis sind die Gnade und Barmherzigkeit Gottes, Gnade verstanden als gratuitus favor; causa efficiens meritoria ist Christus; causae instrumentales a parte Dei sind Wort, Sakrament und kirchliches Amt, durch deren Vermittlung das Verdienst Christi mitgeteilt wird. Das Wort Gottes begegnet dabei als Gesetz und Evangelium, da Gott als der Gerechte und als der Barmherzige an uns handelt. Hier ist der systematische Ort, an dem die Lehre Luthers von Gesetz und Evangelium festgehalten ist. Das Gesetz führt zur Erkenntnis der Sünde und des Unvermögens, die Forderung Gottes zu erfüllen, und verweist uns so an das Evangelium, das uns die Annahme durch Gott und die Verheißung des ewigen Heils auf Grund der Verdienste Christi verkündet[67]. Causa instrumentalis a parte nostra ist die vom Hl. Geist durch das Wort gewirkte fides[68], welche die von Gott angebotene Gerechtigkeit ergreift. Im Begriff des Glaubens sind dabei das Fürwahrhalten der göttlichen Offenbarung[69] und die fiducia in das Geglaubte als der eigentlich rechtfertigende Glaube[70] zu unterscheiden. Das eschatologische Moment in der Rechtfertigung wird zum Ausdruck gebracht in der Lehre von der gloria Dei und der salus aeterna der Menschen als der causa finalis.

In bezug auf die causae finalis, materialis, efficiens, instrumentaria a parte Dei findet Calixt keinen wesentlichen Unterschied zwischen lutherischer und katholischer Lehre. Die Differenzen liegen nach ihm in der Bestimmung der causa formalis und der causa instrumentaria a parte nostra: Zur Formalursache der Rechtfertigung gehört zwar für beide Seiten die Sündenvergebung; als weiteres Moment wird aber von der katholischen Theologie die Eingießung des Habitus der Gerechtigkeit und Liebe gelehrt, während an dieser Stelle in der lutherischen Theologie die Imputation der Gerechtigkeit Christi steht. Diese Anrechnung erfolgt nach Calixt allein auf Grund des Glaubens, verstanden als habitus voluntatis, d. h. als fiducia in das Verdienst Christi. Der Glaube ist daher alleinige Instrumentalursache von seiten des Menschen, während auf katholischer Seite Calixt zufolge zum lediglich als habitus intellectus aufgefaßten Glauben noch Furcht, Hoffnung, Liebe, Buße treten[71]. So arbeitet Calixt als die wesentliche Verschiedenheit getreu der theologischen Tradition die Unterscheidung von angerechneter und eingegossener Gerechtigkeit und die entsprechende von Glaube und Liebe heraus, der von katholischer Seite die eine eingegossene Gerechtigkeit und die Einheit von Glaube, Hoffnung und Liebe entgegengesetzt wird.

Obwohl er diese Verschiedenheit wenigstens formal nachdrücklich festhält, ordnet er allerdings auf der anderen Seite Rechtfertigung und Heiligung in einer Weise einander zu, die faktisch zu einer entscheidenden Abschwächung des sola fide und zu einer bedeutsamen Annäherung an das katholische Rechtfertigungsverständnis führt. Die innere Erneuerung ist nach ihm eine unmittelbare Folge der Gerechterklärung und kann faktisch von dieser nicht getrennt werden[72]. Im Gerechtfertigten wirkt der Hl. Geist die justitia inhaerens, die nicht Grund der Rechtfertigung[73], aber mit ihr „zugleich" ist[74]. Die folgenden göttlichen Akte sind, obschon sachlich unterschieden, gleichzeitig: die Schenkung des Glaubens, die Zuwendung des Verdienstes Christi, die Annahme zum ewigen Leben und die Eingießung der einwohnenden Gerechtigkeit[75]. Echter Glaube ist notwendig per caritatem actuosa und efficax, daher sind die guten Werke untrennbar mit ihm verbunden[76]. Ein guter Baum bringt gute Früchte. Der wahre und lebendige Glaube ist der gute Baum, der sich an seinen Früchten ausweist[77]. Calixt kann daher die Formulierung gebrauchen, daß die guten Werke necessaria ob aeternam salutem sind, sofern die conservatio fidei salvificae et status gratiae vom studium pietatis abhängen[78]. Die von seinem Kollegen Hornejus verwendete Formel „gute Werke sind notwendig *zur* Seligkeit" vermeidet er absichtlich wegen ihrer Anstößigkeit seit den majoristischen Streitigkeiten[79], obwohl er sie inhaltlich bejaht. So erhalten die Werke eine bedeutsame, zwar nicht konstitutive, aber *konservative* Funktion für die Rechtfertigung.

Forensische Rechtfertigung und innere Erneuerung sind damit so eng miteinander verbunden, daß im Ergebnis die Rechtfertigung nicht bloß ein Gerecht-erklärt-werden, sondern eine wirkliche Gerechtmachung bedeutet. Der Unterschied zum katholischen Verständnis liegt, genau genommen, nur noch darin, daß Calixt Sündennachlaß und Eingießung der Gerechtigkeit als zwei verschiedene Vorgänge auseinanderhalten will, während sie auf katholischer Seite als zwei Momente ein und desselben Vorgangs erscheinen. Ebenso unterscheidet sich bei näherem Zusehen der rechtfertigende Glaube bei ihm nicht mehr grundlegend von der fides caritate formata. Zwar betont er, daß allein der Fiduzialglaube rechtfertige; indem er jedoch die actuositas und efficacia per caritatem zur conditio sine qua non für die Bewahrung des

Gnadenstandes erhebt und in diesem Sinne als heilsnotwendig bezeichnet, fügt er der Bestimmung des rechtfertigenden Glaubens tatsächlich das Moment der Liebe hinzu.

Folgerichtig mußte auch das ursprüngliche lutherische simul justus et peccator eine Abschwächung bzw. Umgestaltung erfahren. Da Erneuertsein und Nichterneuertsein logisch nicht zusammen bestehen können, wird das ‚simul' zum simul von caro und spiritus im Wiedergeborenen. Das ‚Fleisch' ist nach Calixt die corruptio und prava inclinatio, die auch in den Frommen bleibt, aber zum peccatum proprie veniale wird, über das Gott hinwegsieht[80]. Die den Glaubenden eigentlich bewegende Kraft ist der ‚Geist', die vom Heiligen Geist bewirkte Hinneigung zum Guten[81]. Die Totalität von Sünde auf der einen und Gerechtigkeit auf der anderen Seite im Glaubenden ist damit, als begrifflich undurchführbar, sachlich fallengelassen und überhaupt nicht mehr im Blick. Freilich klingt die ursprüngliche Luthersche Problematik noch in der mit der gesamten Orthodoxie festgehaltenen Anschauung nach, daß die Erbsünde in der Taufe nicht aufgehoben werde, sondern auch im Wiedergeborenen fortbestehe. Inhaltlich ist jedoch das Mysterium von der bleibenden Sünde in die durch den Fall verursachte Unordnung des Menschen verharmlost. Was durch die Taufe im Gerechtfertigten nicht aufgehoben wird, ist die pravitas naturae oder Konkupiszenz[82]. Es ist dies im Grunde derselbe Sachverhalt, der vom Tridentinum in der Lehre vom bleibenden fomes peccati ausgesagt wird. Der Unterschied besteht lediglich darin, das Calixt als Lutheraner in der bleibenden corruptio naturae das peccatum originale sieht, das nur nicht mehr angerechnet wird, während auf katholischer Seite die Tilgung alles dessen gelehrt wird, was im eigentlichen Sinne Sünde ist[83]. Da auf beiden Seiten eine bleibende Verderbnis und andererseits eine reale innere Erneuerung gelehrt werden, ist auch hier der Graben zwischen den Anschauungen nicht mehr tief.

Calixts Lehre von Sünde und Rechtfertigung kommt also tatsächlich der katholischen Lehre sehr nahe. In verschiedenen Punkten ist eine weitreichende Angleichung an die katholischen Lösungen erfolgt, die Unterschiede liegen im wesentlichen nur mehr im Formal-Begrifflichen. Diese Annäherung kann sogar für die gesamte lutherische Orthodoxie als charakteristisch bezeichnet werden, insofern nämlich die allgemeine Denkstruktur zu Modifikationen nötigte, wie wir sie bei Calixt angetroffen haben. Allerdings ist die Orthodoxie im ganzen vorsichtiger als Calixt geblieben. Und in einem Punkt, der engen Verknüpfung von Glaube und Liebe, die das von der orthodoxen Theologie stets kompromißlos festgehaltene sola fide gefährdete, schritt er über den Rahmen der orthodoxen Schultradition entscheidend hinaus. Dennoch konnte auch einem zeitgenössischen aufmerk-

samen und unvoreingenommenen Beobachter die innere Tendenz der theologischen Gesamtentwicklung im Luthertum des 17. Jahrhunderts nicht entgehen: wenn Leibniz und Molanus am Ende des Jahrhunderts die theologische Verständigung zwischen den Konfessionen für eine echte Möglichkeit
halten, ziehen sie nur das Fazit aus der vorangegangenen Entwicklung[84].

Auch in der *Sakraments- und Kirchenauffassung* Calixts sind die reformatorischen Positionen im Sinne einer objektivierenden und systematisieren-
den Tendenz rationalisiert. Dabei ist aber auch ein traditionalistischer Zug
unverkennbar. Das *Sakrament* ist nach Calixt eine von Gott eingesetzte
Handlung, in welcher durch ein äußeres Zeichen auf Grund göttlicher Zu-
sage der Glaube und die Gnade der Wiedergeburt und Annahme mitgeteilt
oder bestätigt und besiegelt werden[85]. Dies ist die gemeinchristliche, im
Luthertum wie in der katholischen und vorreformatorischen Kirche gelehrte
Auffassung des Sakraments als wirksamen Zeichens. Nach den Kriterien, die
Calixt anführt, (1) Einsetzung im Neuen Testament durch (2) Christus als
(3) sichtbares Zeichen mit (4) Verheißung seiner Wirksamkeit für (5) alle,
die es gebrauchen[86], kennt er als Sakrament im eigentlichen Sinne nur Taufe
und Eucharistie. Absolution, Ordination und Ehe bezeichnet er jedoch wegen
einer gewissen Analogie zu diesen beiden Sakramenten in einem weiten (aber
nicht im eigentlichen) Sinne ebenfalls als Sakrament[87], während er Konfir-
mation und letzte Ölung in keinem Sinne als solche gelten lassen will[88]. Die
Taufe, in der Glaube, Wiedergeburt und Annahme zur Gotteskindschaft
mitgeteilt werden, ist nach ihm heilsnotwendig. Ebenso wie die Heilsnotwendigkeit verteidigt er mit dem gesamten orthodoxen Luthertum energisch
die Kindertaufe[89]: Der Glaube, der zum Empfang der Taufe gefordert wird,
wird vom Heiligen Geist auf geheimnisvolle Weise in den Kindern gewirkt[90].

In der Lehre von der *Eucharistie* vertritt er gemäß der lutherischen Tradition die Realpräsenz, an der er kompromißlos gegenüber dem Calvinismus
festhält. „Quando benedictus panis accipitur et comeditur, simul accipitur
et comeditur verum substantiale corpus (sanguis) Christi"[91]. Dagegen werden Transsubstantiation und Meßopfer als schrift- und vernunftwidrig abgelehnt[92]. Für die Transsubstantiationslehre finde sich kein neutestamentliches
Zeugnis, im Gegenteil spreche etwa Paulus 1. Kor 10 und 11 vom gesegneten
Brote eben noch als vom Brote; die Annahme eines accidens aber, das zugleich
sein und nicht in-sein könnte, sei philosophisch unhaltbar[93]. Die katholische
Meßopferlehre bestreitet Calixt von einem philosophischen Zeitbegriff aus,
der keinen Raum für den Repräsentationsgedanken läßt. Er folgt hier der
Barockmetaphysik konsequenter als selbst die nachtridentinische Scholastik,
die sich an bestimmten Punkten immer wieder genötigt sah, das aristote-

lische Denkschema zu durchbrechen. Die Behauptung der Wiederholung des Opfers Christi – nur so kann er die katholische Position auffassen – ist nach ihm eine Unmöglichkeit, da sie die Vollkommenheit des Opfers in Frage stellen würde. Allerdings will er die Eucharistie als Opfer im uneigentlichen Sinne, nämlich als Dank- und Bittopfer der Gläubigen, gern anerkennen [94].

In seiner Lehre von der *Kirche* schließt er sich zunächst eng an die frühen Bekenntnisse und Melanchthon an. In den späteren Jahren haben seine ekklesiologischen Anschauungen eine bedeutsame Weiterbildung erfahren, die uns unten (6. Kap.) beschäftigen wird. Hier sollen nur die Hauptmomente hervorgehoben werden, die seine Auffassung der Kirche von Anfang an bestimmt haben und auch später grundlegend geblieben sind. Er behandelt die Lehre von der Kirche ausführlich in der propria pars seiner Dogmatik, die eigens der Ekklesiologie gewidmet ist [95]. Nach der dort gegebenen Definition ist die Kirche „coetus hominum docentium et discentium verbum Dei, et utentium Sacramentis, quos sub capite Christo in hac vita conjungit vel fides, vel certe fidei professio" [96]. In dieser Definition sind die wesentlichen Bestimmungen der altlutherischen Kirchenanschauung vereinigt. Die Kirche ist Gemeinschaft der Gläubigen und Erwählten [97] sowie der Nichtglaubenden, die nur äußerlich das Bekenntnis teilen und den ersteren für das menschliche Auge ununterscheidbar beigemischt sind. Allein die Erwählten machen die unsichtbare Kirche aus, über die nur Gott das Urteil zusteht. Es ist für die rationalisierende Betrachtungsweise Calixts charakteristisch, daß er dem Problem der unsichtbaren Kirche nicht weiter nachgehen will [98]. Die Spannung zwischen Verborgenheit und Sichtbarkeit, die für den Kirchenbegriff Luthers wesentliche Bedeutung besessen hatte, wird mit dem Hinweis auf die Unerkennbarkeit der unsichtbaren Kirche entschärft. Umso mehr rückt die sichtbare Kirche in den Vordergrund. Sie ist an bestimmten Merkmalen, vor allem der Predigt des Wortes und der Sakramentsverwaltung, zu erkennen, d. i. den Mitteln, durch die der Heilige Geist die Kirche sammelt [99]. Wahre Kirche ist dort, wo gemäß dem Worte Christi die Glaubenswahrheiten gelehrt und die Sakramente gespendet werden [100]. Von der sichtbaren, wahren Kirche, konstituiert durch Wort und Sakrament, gilt gemäß dem Nicaeno-Constantinopolitanum: sie ist *eine,* denn sie hat ein Ziel, das ewige Leben, einerlei Mittel, nämlich Glaube und Taufe, und einen Gott, der beruft; sie ist *heilig,* denn Christus heiligt sie durch seine heiligen Werkzeuge Wort und Sakrament; sie ist *katholisch,* denn sie wird aus aller Welt gesammelt, und *apostolisch,* denn sie ist auf das Fundament der apostolischen Lehre gebaut [101].

Im Begriff der sichtbaren Kirche ist für Calixt die rechte Lehre faktisch das entscheidende Moment. Das Sakrament erscheint demgegenüber fast als

Anhängsel[102]. Die sichtbare Kirche ist für ihn in erster Linie *Lehr*kirche, die sich als „conspicuus ordo docentium et discentium" darstellt[103]. Auffallend ist, daß er in seinen Darlegungen über die Gliederung der christlichen Gemeinde nicht die im Luthertum sonst weithin übliche Drei-Stände-Lehre übernimmt, sondern entsprechend seiner Zweiteilung in Lehrende und Hörende nur einen status ecclesiasticus und einen status saecularis unterscheidet. Er folgt auch hierin wohl konsequenter der theologischen Entwicklung als seine lutherischen Zeitgenossen: je mehr das Anstaltliche im Kirchenbegriff hervorgehoben wurde, desto näher lag der Rückgriff auf die altkirchlich-mittelalterliche Scheidung von Geistlichen und Laien, nun freilich nicht im Sinne der Gegenüberstellung eines sakramentalen Priestertums und eines Laienstandes, wohl aber des Predigtamtes und der hörenden Gemeinde[104].

Den lehrenden Teil der Kirche bilden die ordentlichen Träger des kirchlichen Amtes (pastores et doctores nach Eph 4, 11)[105]. Zu ihnen treten die ministri extraordinarii, die von Gott für bestimmte Aufgaben auserwählt werden[106]. Den ordentlichen Amtsträgern obliegen die Lehre des Wortes, die Verwaltung der Sakramente, das Wachen über die Sitte und die äußere Leitung der Kirche[107]. Ihre Autorität ist an das Wort Gottes gebunden und durch dasselbe begrenzt[108]. Wie schon Melanchthon betont auch Calixt die dem Prälaten geschuldete Gehorsamspflicht innerhalb der durch das Wort Gottes gezogenen Grenzen[109]. Die Kirchendiener sind von ihrem Dienst her grundsätzlich gleich. Um der äußeren Ordnung der Kirche willen ergibt sich allerdings eine gewisse Rangabstufung. Diese gehört aber nicht zum esse, sondern zum bene esse der Kirche und ist daher nicht göttlichen, sondern menschlichen Rechtes. Bei der Beurteilung der kirchlichen Ämter- und Verfassungsentwicklung geht Calixt von dem Grundsatz aus: was zur Ordnung und zur Verwaltung der Kirche in Friede und Eintracht beiträgt, ist nicht zu verwerfen. Nur darf den menschlichen Einrichtungen nicht absolute Notwendigkeit und göttliches Recht beigelegt werden[110]. Als lobenswerte kirchliche Institutionen begrüßt er etwa das Bischofsamt sowie die altkirchliche Patriarchatsverfassung[111].

Unter den Hörenden unterscheidet Calixt nach einer seit Melanchthon in der lutherischen Theologie geläufigen Einteilung zwischen Regierenden und Untertanen. Die Fürsten und Magistrate haben als die hervorragendsten Glieder der Gemeinde die Pflicht, nach ihrem Vermögen für geeignete Kirchendiener und deren Unterhalt zu sorgen. Zur cura religionis der christlichen Obrigkeit gehört es ferner, die Kirche gegebenenfalls vor Häresie zu schützen, Konzilien einzuberufen und ihnen ihre Autorität zu leihen[112]. Ein Recht der Obrigkeit, in Dingen des Glaubens selbst mitzureden, kennt Calixt allerdings nicht.

Die herausgestellten Grundzüge des Kirchenbegriffs zeigen, daß er im Ansatz die gemeinlutherische Auffassung der Kirche teilt, wie sie in den Bekenntnisschriften zum Ausdruck gebracht war und von der orthodoxen Theologie entfaltet wurde. Die Unterschiede zwischen dieser und der katholischen Kirchenanschauung betreffen, von weniger grundsätzlichen Kontroverspunkten abgesehen, hauptsächlich die hierarchisch-sakramentale Struktur der Kirche. Calixt ist in diesem Punkt zeitlebens auf dem Boden der lutherischen Auffassung geblieben und hat auch nichts Wesentliches zur Ausgleichung der diesbezüglichen Gegensätze beigetragen. Seine spätere Empfehlung der altkirchlichen Patriarchatsverfassung verbleibt theologisch im Rahmen ausgesprochener Zweckmäßigkeitserwägungen. Die exegetische und dogmatische Begründung etwa des katholischen Sukzessionsprinzips und Primatsgedankens oder einen Brückenschlag in diesen Fragen hielt er nicht für möglich. Sein Kirchenbegriff bot jedoch eine andere Möglichkeit für eine universalkirchliche Ausweitung, insofern nämlich das entscheidende Merkmal der wahren Kirche, die rechte Lehre des Evangeliums, nach einer genaueren Bestimmung und Umgrenzung verlangen konnte. Hier setzten die Fragen und Erwägungen ein, die zur Fort- und Umbildung seiner Auffassung von der Einheit der Kirche führten.

Wenn wir versuchen, die Theologie Calixts abschließend nach ihren grundlegenden und für das Verständnis auch seiner späteren irenischen Ideen und Vorschläge wichtigen Tendenzen zu charakterisieren, so haben wir vor allem drei Momente hervorzuheben: einmal eine Akzentverschiebung im Ganzen der Theologie, die beim Vergleich mit der Reformation ins Auge fällt und sich in der Gesamtstruktur des theologischen Denkens auswirkt; sodann die Modifikationen in der theologischen Aussage, die durch die philosophische Grundlage bedingt werden und die wir an den einzelnen Lehrstücken verfolgt haben; endlich eine Tendenz zur Harmonisierung und Vereinfachung, die sich freilich beim jungen Calixt nur ankündigt und erst in der universalkirchlichen Theologie (vgl. 6. Kap.) zur Entfaltung kommen wird.

1. Die Verlagerung des Schwerpunktes im theologischen Denken trat augenfällig schon in der Anlage des dogmatischen Systems in Erscheinung. Dem dogmatischen Entwurf lag, wie wir sahen, ein teleologischer Aufriss der Bestimmung des Menschen zu der ihm verheißenen Vollkommenheit zugrunde (perfectio perfectibili proportionata) [113]. Diese Vollkommenheit wird von Calixt zwar korrekt und im Einklang mit der oben wiedergegebenen Urstandslehre als eine dem Menschen nicht von Natur zukommende, übernatürliche Erfüllung gedacht [114]. Aber eben die Erfüllung des menschlichen

Glückseligkeitsstrebens bildet den leitenden Gesichtspunkt, unter dem das theologische System entworfen wird. Die gloria Dei als Ziel der Heilsgeschichte tritt demgegenüber ganz in den Hintergrund. Darin liegt eine wichtige Verschiebung gegenüber der Reformation. Auch bei den Reformatoren gilt das theologische Interesse insofern zentral dem Menschen, als die Frage nach seiner Rechtfertigung die leitende Frage ist. Ausgangs- und Zielpunkt ihres theologischen Denkens ist aber der richtende und gnädige Gott in seinem Wort. Bei Calixt beginnt – deutlicher noch als bei den lutherischen Orthodoxen des 17. Jahrhunderts, die seine Methode fast allgemein übernehmen – eine anthropozentrische Betrachtungsweise die theozentrische der Reformation zu verdrängen.

Daß es sich hierbei um eine Akzentverschiebung in der Tiefe des theologischen Denkens und des christlichen Selbstverstehens handelt, bestätigt sich, wenn man das Lebenswerk Calixts und neben dem theologischen Schrifttum auch wenige in Frage kommende persönliche Zeugnisse auf die entscheidenden Motive der Frömmigkeit abhört. Die nach Art der Schultheologie vornehmlich auf den Erkenntnisaspekt gerichtete, gelehrte Darstellungsweise des ohnehin zurückhaltenden Calixt läßt nicht viel von der eigenen, inneren Glaubenshaltung und -erfahrung durchschimmern. Doch ist es deutlich, daß die ihn bewegenden Probleme nicht so sehr im Bereich der Frage nach Sünde und Gnade, als vielmehr nach Grund und Ziel der christlichen Hoffnung lagen. Seine persönliche Frömmigkeit wird man nach ihren Motiven und Schwerpunkten als eine erasmianisch-altkirchliche Jenseitshoffnung mit einem stärkeren Ton auf der Rechtfertigung um Christi willen charakterisieren können. Die Hoffnung, nicht der Glaube, nimmt die zentrale Stelle ein. Was seiner Frömmigkeit die Kraft gibt, ist die Verheißung des bonum perfecte summum [115], an die sich über alle Leiden und Schicksalsschläge des menschlichen Lebens hinweg die christliche Hoffnung halten darf [116]. Hier wirkt sich jene Verbindung von humanistischer Grundstimmung und lutherischer Frömmigkeit aus, die schon im Elternhaus und dann in den Helmstedter Studienjahren bestimmend war. Die Rechtfertigung behält in dieser Verbindung aber durchaus existenzielle Bedeutung, mag sie auch eingeordnet sein in die Teleologie der menschlichen Glückseligkeit. Wir ergreifen die Verheißung des ewigen Lebens, so unterstreicht er immer wieder, allein im Glauben an Christi Heilsverdienst. Und wir leben und sterben im Vertrauen auf dieses Verdienst, das wir zwischen uns und das Gericht Gottes stellen [117].

Ohne Zweifel macht sich auf der anderen Seite die erasmianische Tendenz in der im Laufe der Jahre zunehmenden Betonung der Sittlichkeit geltend. Schon in der Rechtfertigungslehre selbst bezeichnete Calixt unbedenklich die

Werke als Bedingung zum Heil, sofern sie den Gnadenstand bewahrten. Später wird das kirchliche Friedensstreben, die Sorge um pax und tranquillitas, wie bei Erasmus in enger Verbindung zu den allgemeinen sittlichen Forderungen stehen und propagiert werden. Die Restauration der Sittlichkeit wird je länger desto mehr eines der beherrschenden Anliegen [118]. Demgegenüber tritt der Kampf um die Wahrheit der Reformation zurück und kommt nur noch in Form der Apologie für berechtigte Reformanliegen Luthers zum Ausdruck. Das entspricht dem Verhältnis zu Luther im allgemeinen. Die theologische Problematik in diesem Zusammenhang ist bereits deutlich geworden; nach der Häufigkeit der Lutherzitate zu urteilen, hat Calixt den Reformator nicht einmal ausgiebig gelesen; und was er über die innere Beziehung zu Luther zu erkennen gibt, erschöpft sich in gewissen τόποι des traditionellen orthodoxen Lutherbildes. Aufs Ganze der Theologie und Frömmigkeit gesehen, wird man feststellen können, daß Calixt den innersten Anliegen nach Erasmus näher gestanden hat als Luther.

2. Wir sahen, daß die dogmatische Überlieferung der Reformation bei der theologischen Verarbeitung trotz weitgehender formaler Wahrung der reformatorischen Positionen sachlich bedeutende Umgestaltungen erfuhr. Die fraglichen Verschiebungen haben sich bei dem unabhängigeren Calixt stärker als bei den konservativeren Orthodoxen im Sinne einer „und"-Theologie ausgewirkt, die die „allein"-Theologie der Reformation ablöst [119]. Vernunft und Offenbarung; Natur und dona supernaturalia im Urstand; Gnade und menschlicher Wille, der sich ihr nicht verschließt; Gerechterklärung und eingegossene Gerechtigkeit; Glaube und Werke, später auch Schrift und Tradition werden in seiner Theologie charakteristisch einander zugeordnet. Prüft man die konfessionellen Unterscheidungslehren, wie er sie darstellt, auf ihren sachlichen Gehalt, so ergibt sich, daß infolgedessen als wirklich wesentliche Kontroversen letztlich nur diejenigen um Kirche und Papsttum bleiben. Calixt wird in der Tat die Auseinandersetzung mit der katholischen Seite später auf diese Fragen (Tradition, Lehramt, Primat, Unfehlbarkeit) konzentrieren. Die verbleibenden übrigen Differenzen erschienen ihm späterhin nicht mehr als so grundlegend, daß er nicht glaubte, etwa in der Erbsünden-, Rechtfertigungs- und Abendmahlslehre Vorschläge für evangelisch-katholische Einigungsformeln ausarbeiten zu können. Der Orthodoxie ist die innere Tendenz der calixtinischen Theologie zunächst nicht aufgefallen, weil sie selbst zu sehr in der gleichen Richtung dachte. Es ist bezeichnend, daß nicht Calixts theologische Anschauungen im allgemeinen, sondern erst seine „synkretistischen" Ideen und Bestrebungen, die das Selbstverständnis des orthodoxen Luthertums in Frage stellten, die Kritik der orthodoxen Theologen auf den Plan riefen. Diese Kritik vermochte freilich nicht den Kern der Dinge zu erreichen.

3. Endlich ist noch auf einen weiteren Zug aufmerksam zu machen, der das theologische Denken Calixts kennzeichnet und der im Hinblick auf seine späteren universalkirchlichen Ideen besondere Beachtung verdient. Es ist die Zurückhaltung vor der Spekulation, die uns an verschiedenen Punkten begegnet ist. Sie findet ihr positives Korrelat in einer Tendenz zur Rückführung der Dinge auf das Einfache und Wesentliche. In der Gotteslehre und Christologie etwa empfahl Calixt, die übermäßige Spekulation zu beschränken und lieber die Mysterien als solche hinzunehmen, statt das Unerforschliche (wie z. B. den modus in der Ubiquitätslehre) mit schließlich doch absurden Beweisführungen erklären zu wollen. Dagegen will er den *praktischen* Charakter der Theologie ernst genommen wissen: sie soll Theologie des Weges zur ewigen Seligkeit sein[120] und dementsprechend auch in erster Linie lehren, was auf Trost und Erbauung gerichtet ist[121]. Auch in dieser Betonung des „Praktischen" klingt neben der lutherischen Sorge um die consolatio ein humanistischer Ton an.

In Übereinstimmung mit seiner Empfehlung ist Calixt auch selbst nicht eigentlich ein spekulativer Theologe gewesen. Seine theologische Arbeit führt nirgends zu tieferer denkerischer Durchdringung des Dogmas. Er ist vielmehr ein bon-sens-Theologe, der das überkommene Glaubensgut mit einer bemerkenswerten Selbständigkeit in ein aristotelisch konstruiertes und humanistisch getöntes Weltverständnis einfügt und mit Blickrichtung aufs „Praktische" und gesamtkirchlichem Sinn in einer zerrissenen Welt nach dem Gemeinsamen zurückfragen wird. Trotz des Abstandes zur Reformation konnte er sich dabei, gemessen am orthodoxen Luthertum und seinen Positionen, mit Recht als Repräsentant lutherischer Theologie seiner Zeit mit ihren Problemen und Anliegen betrachten. Die theologische Ausgangsbasis, die er als lutherischer Dogmatiker einnahm, hielt er auch als irenischer Theologe fest. Wenn er später die Möglichkeit einer Einigung mit den Katholiken und Calvinisten ins Auge faßte, so nicht deswegen, weil er unter Preisgabe des Luthertums und seines Wahrheitsanspruchs zum Kirchenfrieden gelangen zu sollen glaubte, sondern weil er die Grenze zwischen Wesentlichem und Unwesentlichem, Kirchentrennendem und Nichttrennendem in der konfessionellen Kontroverse neu zog.

4. KAPITEL

HUMANISTISCHE GESCHICHTSBETRACHTUNG

Für die theologische Arbeit Calixts im allgemeinen und für die Entwicklung seiner universalkirchlichen Anschauungen im besonderen gewann die
Beschäftigung mit der Kirchengeschichte eine wesentliche Bedeutung. Nach
der Darstellung seiner philosophischen und theologischen Ansätze soll hier
daher ferner auf einiges Grundsätzliche seiner historischen Arbeit hingewiesen werden, soweit es für das Verständnis seines späteren Traditions- und
Kirchengedankens wichtig ist. Die kirchen- und dogmengeschichtlichen Auffassungen Calixts werden im einzelnen unten noch zur Sprache kommen[1].

Als Historiker steht Calixt in der Tradition der humanistischen Geschichtsbetrachtung, die ihm in Helmstedt – insbesondere bei dem Polyhistor
Caselius, der seinerseits Casaubonus nahestand[2] – begegnete. Wie für seine
Helmstedter Lehrer, so verbinden sich auch für ihn in der historischen Arbeit
Motive und Methodik humanistischer Geschichtsschreibung mit den überkommenen Anliegen und Forderungen protestantisch-konfessioneller Historiographie[3].

Schon als junger Magister, alsbald nachdem er sich dem Theologiestudium
zugewandt hatte, begann er sich mit der Kirchengeschichte und besonders mit
der Alten Kirche zu befassen. Seinem Schüler Titius hat er einmal erzählt,
wie er zur Beschäftigung mit dem kirchlichen Altertum gekommen sei[4]. „Ich
sah meinen Lehrer Cornelius (Martini) die alte Philosophie vor den Meinungen der Neueren empfehlen und erheben. Und ich stellte fest, daß sein
Urteil zutraf. Daher nahm ich an, es möchte der Mühe wert sein, wenn ich
mich nach dem Studium der alten Philosophie auch der alten Theologie zu-
wendete und mich mit ihr vertraut machte." Antiquissimum quoque verissi-
mum[5] – traf dieser von ihm oft zitierte tertullianische Grundsatz für die
philosophische Wahrheit zu, so lag es nahe, daß er auch für die theologische
Wahrheit galt. Hinter dieser Auffassung steht das in der spätmittelalter-
lichen Kirchenkritik und im Humanismus entworfene Bild von der Geschichte: bei den Ursprüngen liegt die Wahrheit; auf die reine Zeit des Anfangs folgt die des Verfalls; diesen gilt es heute durch die Rückkehr zu den
Anfängen zu überwinden[6]. Dieses Schema begegnet überall, wo Calixt historische Aussagen macht: in der Geschichte der Philosophie[7], der Wissenschaften[8], der Religion[9], der natürlichen Theologie[10], des Naturrechts[11] und vor
allem in der Kirchengeschichte. Die Aufgabe, die der historischen Arbeit gestellt ist, ergibt sich aus dieser Anschauung: sie hat über die Dokumente des
Verfalls und der Verdunkelung hinweg auf die verae fontes[12] zurückzugehen
und so die Wahrheit an ihren geschichtlichen Ursprüngen aufzusuchen.

Von hier aus gewinnt die Erforschung der Geschichte, vor allem der Kirchengeschichte, ihren Sinn und ihre Dringlichkeit. Freilich macht sich nun im Verständnis der Geschichte jene generalisierende, „naturrechtliche"[13] und noch zutiefst ungeschichtliche Betrachtungsweise geltend, die durchgehend das Gemeinsame der zeitgenössischen Geschichtsschreibung ausmacht und einen letzten, klassischen Ausdruck etwa in der „histoire universelle" von Bossuet finden wird. Es geht Calixt letzten Endes nämlich doch nicht um das „Älteste" als das geschichtlich Erste und damit um die Geschichte selbst, sondern um das „Wahrste". Dessen Kriterium liegt aber nicht in der Geschichte, sondern in ihm selbst, und der menschliche Geist kann es auch unabhängig von der Beschäftigung mit der Historie unmittelbar erfassen, sei es in der natürlichen philosophischen Erkenntnis, sei es in der Schriftoffenbarung. Deshalb kann Calixt auch die Festtellung treffen, daß ,tatsächlich' die Wahrheit bei der alten Philosophie liege[14]. Es gibt einen Standort oberhalb der Geschichte, und diese ist nicht wirklich als Geschichte begriffen. So sehr damit der naturrechtliche Ansatz wirksam bleibt, so große Bedeutung erlangt doch die Geschichte dadurch, daß die Wahrheit eben *auch* in ihr gefunden werden kann. Denn zu einer bestimmten Zeit hat sich, davon ist Calixt überzeugt, die Wahrheit rein in der Geschichte dargestellt. Deshalb kann die Geschichtswissenschaft, indem sie auf jene Zeit der reinen Wahrheit zurückgeht, dazu helfen, die Wahrheit selbst zu ermitteln. Von daher bestimmt sich der Sinn der Historie als secundaria ratio argumentandi[15]. Das Interesse richtet sich auf den geschichtlichen Erweis der statisch aufgefaßten Wahrheit. Während unter diesem Gesichtspunkt die historische Arbeit aufgenommen wird, wächst freilich auch der Sinn für die geschichtlichen Phänomene in ihrer Eigenart und Mannigfaltigkeit.

Der Nutzen der Geschichtswissenschaft ist für Calixt ein doppelter[16]. Die Kenntnis der Begebenheiten von der Weltschöpfung an bedeutet nichts geringeres als die Grundlegung der „gesamten göttlichen und menschlichen Bildung" und bringt daher schon für sich, ohne besondere praktische Ausrichtung, eine Vollendung des Geistes, hat also ihren Sinn in sich selbst. Hier gibt sich die Freude des Historikers an seinem Gegenstande kund, die Calixt stets empfunden hat. Jedoch ist es ihm mehr noch um den praktischen Nutzen der Historie als Lehrmeisterin der Gegenwart zu tun[17]. Die Kenntnis der Geschichte soll zur Anwendung im öffentlichen Leben gelangen, unsere Pläne und Maßnahmen bestimmen und der prudentia in der Bewältigung der Gegenwartsprobleme dienen[18].

Was von der Geschichtswissenschaft allgemein im Blick auf die vita humana gesagt wird, gilt von der Kirchenhistorie im besonderen im Blick auf den christlichen Glauben. Sie gibt dem Theologen ein Mittel der Argumentation an die Hand, das er zur Befestigung der Dogmen und zur Widerlegung der Irrtümer gebrauchen kann[19]. Dies erhält sein besonderes Gewicht, wenn man sich vergegenwärtigt, wie es nach der Kirchenspaltung das Anliegen jeder Konfession sein mußte, ihr Recht geschichtlich zu erweisen. Calixt steht hier, wie die ganze altprotestantische Orthodoxie, in der Nachfolge der Reformation und speziell der Magdeburger Zenturiatoren, denen er größte Anerkennung zollte[20]. Die besondere Aufgabe, vor der Calixt mit der zeitgenössischen protestantischen Kirchengeschichtsschreibung stand, war die Auseinandersetzung mit Baronius, dessen Annalen „den Anschein erweckten, die Sache des Papsttums sei nicht übel befestigt"[21]. Die konfessionelle Frontstellung leitet die historische Arbeit weithin[22].

Ein abgeschlossenes historisches Werk hat Calixt nicht hinterlassen[23]. Doch geben die zahlreichen historischen Ausführungen in seinen Werken und gelegentliche Äußerungen über die methodischen Grundsätze Aufschluß, die er bei seiner kirchenhistorischen Arbeit befolgte[24]. Die Kirchengeschichte darf nach ihm nicht getrennt von der politischen Geschichte (historia civilis) betrachtet werden, da die Wandlungen der Kirche und des Staates aufeinander bezogen sind[25]. Er empfiehlt auch, die Kirchengeschichte nach der Folge der Kaiser einzuteilen[26], obwohl er selbst in der Regel bei der annalistischen Einteilung verbleibt. Doch findet sich daneben auch gelegentlich die aus dem Verfallsschema gewonnene Einteilung in prima, media[27] und ultima aetas[28]. Hier liegt im Ansatz die moderne Einteilung in Altertum, Mittelalter und Neuzeit vor. Es kündigt sich die Ersetzung der chronologischen Einteilung durch ein Einteilungsschema an, das sich auf innere Kriterien gründet. Für die Untersuchung eines Zeitalters der Kirchengeschichte wird die Vollständigkeit in der Heranziehung der Quellen gefordert, unter denen auch die nichtkirchlichen Schriftsteller nicht fehlen dürfen[29]. Die Darstellung soll Pläne (consilia), Anlässe, Ursachen und Vorwände unterscheiden und die Vergleichspunkte mit der Gegenwart aufzeigen[30]. Bei der Bearbeitung der Quellen ist deren Zuverlässigkeit mit Hilfe äußerer und innerer Kriterien zu prüfen[31]. Bei ihrer Beurteilung ist die ratio temporis zu berücksichtigen, womit kein Entwicklungsprinzip statuiert, sondern nur die Beachtung der Unterschiede gefordert wird[32]. Diese Anweisungen lassen eine durchgebildete historische Methodik erkennen.

Was hat nun die Kirchenhistorie darzustellen? Immer im Hinblick auf die praktische Abzweckung, dem Theologen in seiner kontroverstheologischen Arbeit zu dienen, soll sie zeigen, „wie die Kirche zu jeder Zeit ausgesehen hat, was sich in ihr ereignete, welche Kämpfe und Spaltungen entstanden und um sich griffen, welche Lehren wie bekämpft, wie verteidigt wurden, welche Häresien wann und bei welchem Anlaß hervortraten und wie sie beseitigt wurden". Um die Fülle des Stoffes zu meistern, kann die Darstellung zweckmäßig etwa in fünf Kapitel gegliedert werden. Sie hätten darzustellen, welche Kaiser jeweils regierten, welche Päpste und Patriarchen von Bedeutung waren, welche Kirchenlehrer und welche Häretiker es gab und endlich welche Konzilien letzteren entgegengestellt wurden. Ferner wären Verfolgungen und Märtyrer anzumerken[33]. An diesen Überlegungen ist bezeichnend, wie sehr die Geschichte der Glaubensauseinandersetzungen im Vordergrund steht. Auffallend ist ferner, daß Calixt so großes Gewicht auf die politische Geschichte legt, die zum Verständnis der Kirchengeschichte und selbst für ihre Einteilung herangezogen werden soll. Sie gibt gleichsam den natürlichen Rahmen für die Geschichte der Kirche ab. Hier wirkt sich deutlich die traditionelle, auch von der Reformation übernommene Zuordnung von Kirche und Reich aus. Auch der heilsgeschichtliche Horizont der Kirchengeschichte ist selbstverständlich der traditionelle: hinter dem sichtbaren Geschehen wirken Gott und der Satan, Gott in der verheißungsgemäßen Bewahrung seiner Kirche bis zum jüngsten Tage[34], der Satan in seinen immer neuen Angriffen auf die Kirche durch Verfolgungen von außen und Häresien von innen[35]. Dieser heilsgeschichtliche Aspekt kommt freilich in der historischen Darstellung wenig zur Geltung.

Sowohl in Calixts eigener wissenschaftlicher Arbeit als auch in dem System, das er für die theologischen Disziplinen entwarf, nahm die Kirchengeschichte einen hervorragenden Platz ein. Nach der von ihm für die Theologie gewünschten Einteilung zerfällt diese in vier Unterdisziplinen: die „kirchliche" Theologie, die in kurzgefaßter, allgemeinverständlicher Form die kirchliche Glaubenslehre darzustellen hat, die exegetische Theologie, der die Schriftauslegung obliegt, die „historische" Theologie, die sich insbesondere mit dem kirchlichen Altertum zu befassen hat, und die „akademische" Theologie, deren Aufgabe in der Verteidigung der rechten Lehre gegen die Häretiker besteht[36]. Die letztgenannte wiederum, die er gelegentlich auch Theologia scholastica (da scholarum propria) nennt[37], soll die christlichen Dogmen behandeln, indem sie sie 1. mit allen notwendigen Begriffen erläutert, 2. die Geschichte ihrer Bestreitung und Verteidigung darstellt, 3. sie aus Schrift und Altertum erweist, 4. gegen die Einwürfe der Gegner heute verteidigt und 5. wenn nötig die mit ihnen zusammenhängende Geschichte der kirchlichen Zeremonien und Riten untersucht[38]. In dieser Ordnung spricht sich deutlich das Anliegen aus, Dogmatik und Geschichte in der theologischen Arbeit zu verbinden. Zwar ist dabei die apologetische Abzweckung beherrschend. Aber Apologetik und Historie sind miteinander eng verflochten. Und obwohl unter dogmatisch-aprioristischen Gesichtspunkten verwendet und gestaltet, gewinnt die Geschichte ein unverkennbares Eigengewicht.

Innerhalb der umfassenden Beschäftigung mit der Geschichte der Kirche und des Dogmas gehörte das Interesse Calixts von Anfang an vor allem dem kirchlichen Altertum. Und in wachsendem Maße wurde ihm die Alte Kirche zum Ideal und zur Norm für die Kirche aller Zeiten. Sein gleichgesinnter Freund und Kollege Hornejus hält den sächsischen Lutheranern einmal entgegen, sie hätten kein Verständnis für die Alte Kirche, während er und Calixt sie „usque ad invidiam" verehrten[39]. Das ist bezeichnend. Neidvoll blicken sie auf das kirchliche Altertum und sehnen sich nach den beglückenden Zuständen der ersten Christenheit. Mit der Zeit führt diese idealisierende Sicht zu einer unkritischen Haltung[40]. Jedoch muß hinsichtlich der Beurteilung des kirchlichen Altertums zwischen dem jungen und dem späteren Calixt unterschieden werden. Die normative Bedeutung, welche der spätere Calixt der altkirchlichen Überlieferung beilegt, kennt der junge Calixt noch nicht, obwohl er die Zeugnisse der „purior antiquitas" eifrig zur Illustration und Erhärtung der aus der Schrift begründeten Lehren heranzieht[41]. Im Sinne dieses Gebrauchs schreibt er etwa in seinem Traktat gegen das Meßopfer 1612, es sei nicht ohne Nutzen für die Wahrheit, wenn „den abergläubischen und lächerlichen Meßriten" diejenigen Riten gegenübergestellt würden, welche „die alte und ursprüngliche Kirche in den ersten drei oder vier Jahrhunderten beobachtete"[42]. Das Traditionsprinzip ist aber noch nicht formuliert, und auch der Zeitraum der sincera antiquitas ist noch nicht fest umgrenzt.

Schon der frühe Calixt wendet sich nachdrücklich gegen diejenigen, die „posthabita veneranda antiquitate" gestern oder heute erdachte Lehren vorbringen[43], und die Fülle der Väterzitate zu fast jedem Lehrstück verrät die Intensität der Arbeit, die er in diesem Sinne an den Alten betreibt. Zitate aus reformatorischen Schriften finden sich dagegen jetzt wie später nur selten. Der Wahrheitsanspruch der eigenen Kirche, in deren Dienst er seine Beschäftigung mit dem kirchlichen Altertum stellt, ist jedoch zunächst unbezweifelt. Freilich, je mehr er sich mit der Alten Kirche befaßte, desto kritischer mußte sich ihm die Frage nicht nur nach den Wahrheitsansprüchen der *anderen* Konfessionen, sondern nach der kirchlichen Gegenwart überhaupt einschließlich der *eigenen* Konfession stellen. Die Kritik kommt schließlich zum Ausdruck in der Frage nach der Einheit der Kirche.

5. KAPITEL

SPALTUNG UND EINHEIT DER KIRCHE

Calixts Anschauung von der Einheit der Kirche hat im Laufe der Entwicklung seines theologischen Denkens eine Wandlung vom lutherisch-konfessionellen zu einem universalkirchlichen Standpunkt durchgemacht. Als *„universalkirchlich"* wird hier eine Auffassung bezeichnet, welche die Wirklichkeit Kirche über die eigene Konfession hinaus auch bei anderen kirchlichen Gemeinschaften, und zwar nicht bloß in Restelementen (etwa als „vestigia ecclesiae"), sondern in dem Wesentlichen anerkennt, was sie zur Kirche macht. „Universalkirchlich" wird demnach nicht im Sinne der Universalität begriffen, welche jede Kirche in Anspruch nehmen muß, die an die Allgemeingültigkeit der von ihr verkündigten Wahrheit glaubt. Eine „universalkirchliche" Konzeption oder ein „universaler Kirchenbegriff" im hier vertretenen Sinne bedeutet vielmehr, daß die eine universale Kirche, wenn auch im einzelnen in verschiedener Weise, in allen Kirchen repräsentiert gesehen wird. Eine solche Konzeption muß im Sinne ihrer Urheber nicht zur Relativierung führen, sondern kann durchaus mit der Einheit der Wahrheit Ernst machen. Diese wird dann freilich vor oder unterhalb der konfessionellen Verschiedenheiten gefunden werden – eine problematische Lösung, wie auch unsere Untersuchung zeigen wird.

Wenn universalkirchliches Denken auf die Herstellung der äußeren Einheit der universalen Kirche drängt, führt es zur konfessionellen *Irenik*[1]. Das Begriffspaar Irenik-Polemik charakterisiert die Weise, wie entsprechend der jeweiligen Einschätzung des Gegensatzes eine Auseinandersetzung geführt wird. Während in der konfessionellen Auseinandersetzung die Polemik die Einheit in der Wahrheit durch apologetische Bestreitung und Überwindung des konfessionellen Gegners herbeizuführen bzw. zu sichern sucht, geht die Irenik auf eine Friedensvereinbarung mit dem Gegner als einem in bestimmter Hinsicht gleichberechtigten Partner aus. So unterscheiden sich Polemik und Irenik nicht in der Zielsetzung (Ziel ist in jedem Fall die Einheit in der Wahrheit), sondern im Ausgangspunkt, der im einen Fall konfessionellexklusiv, im anderen universalkirchlich ist. Calixt wird auf Grund seines universalen Kirchenbegriffs zum Ireniker. Der Herausbildung dieses Kirchenbegriffs wenden wir uns jetzt zu.

Während die ältere Forschung die Anschauungen des frühen und des späteren Calixt im allgemeinen als Einheit sieht[2], haben die neueren Untersuchungen zu Calixt den Unterschied zwischen dem anfänglichen konfessionelltraditionellen Standpunkt und der irenischen Theologie der späteren Jahre sehen gelehrt. Dabei besteht Übereinstimmung darüber, daß der Wandel der

Anschauungen Calixts mit der Ausbildung des altkirchlichen Traditionsprinzips, des später sogenannten consensus quinquesaecularis, zusammenhängt, das er von 1628 an vertritt. Ritschl versteht diese Entwicklung als eine unter dem Einfluß eines liberalen Katholizismus vollzogene Hinüberbildung des zunächst altprotestantisch geprägten Traditionsverständnisses zu einem altkatholischen; dieses habe Calixt zu einer neuen Sicht der Kirche und ihrer Einheit und zu seinen „synkretistischen" Bestrebungen geführt[3]. Leube interpretiert den Traditionalismus Calixts zunächst von der polemischen Verwendung der Tradition im alten Protestantismus her; der polemische Gebrauch des Traditionsprinzips schlage dann 1634 in der maßgeblichen Reunionsschrift in den irenischen um, als Calixt nach eingehender Beschäftigung mit der Theologie beider Seiten die weitreichende Übereinstimmung der Konfessionen in der altkirchlichen Überlieferung entdeckt hat[4]. Nach Kantzenbach[5] ist Calixt über den polemischen Gesichtspunkt zu der irenischen Konzeption durch die Erkenntnis gelangt, daß das im Konsens der Alten Kirche bezeugte katholische „Wesen des Christentums", das im Apostolikum enthalten ist, in allen großen Kirchen durch die Zeiten hindurchgerettet worden ist. Vorbereitet durch die polemische Verwendung des Prinzips des consensus quinquesaecularis[6] seit 1628, trete der irenische Gesichtspunkt 1634 voll ausgebildet[7] hervor, als Calixt seine Reunionsvorschläge vorlegt.

Die drei Darstellungen treffen wichtige Aspekte des Sachverhalts. Mit Recht ist insbesondere das Miteinander der polemischen und irenischen Motive bei der Ausbildung und Anwendung des Traditionsprinzips und die Bedeutung des letzteren für die irenische Konzeption herausgestellt worden. Aber in keiner der Darstellungen hat die Genesis und die nähere Begründung der Anschauungen Calixts eine genügende Untersuchung erfahren, und daraus resultiert die unterschiedliche Bestimmung des fraglichen Wandels im einzelnen.

Nach den genannten Deutungen besteht folgender Zusammenhang zwischen dem Traditionsprinzip und der Ausbildung des universalen Kirchenbegriffs: in dem von der altkirchlichen Tradition übereinstimmend bezeugten Glauben findet Calixt das ‚katholische' Fundament, das zur Erlangung der Seligkeit genugsam ist, in allen großen Kirchen angetroffen wird und daher die kirchliche Wiedervereinigung möglich macht und fordert. So gelangt er über das Traditionsprinzip zu seinem universalen Kirchenbegriff. Hier gilt es aber genauer zu differenzieren. Calixt hat stets betont, daß die Tradition ein sekundäres Prinzip darstelle, welches das Verständnis der Offenbarung erleichtere und sichere, nicht aber zur Glaubenserkenntnis unumgänglich notwendig sei. So ist auch, wie sich im folgenden zeigen wird, tatsächlich das

Traditionsprinzip für ihn nur *ein*, und zwar ein *formales* Mittel, das er zur
Begründung des universalen Kirchenbegriffs heranzieht. Und es wird eben
deshalb noch zu fragen sein, ob es nicht im Verhältnis zum universalen
Kirchenbegriff sachlich und möglicherweise auch zeitlich überhaupt sekun-
där ist. Denn bei der Umformung der Auffassung Calixts von der Kirche
und ihrer Einheit geht es *auch*, wenn nicht primär, um die Neubeantwortung
der *inhaltlichen* Frage nach den heilsnotwendigen Glaubenswahrheiten.
Calixt bestimmt diese materialiter neu und folgt dabei nicht nur formalen
Kriterien. Zwar hat die Forschung auf die zentrale Bedeutung der fundamentalen Glaubensartikel in der Konzeption Calixts hingewiesen und damit
das hier liegende Problem angedeutet, sie ist ihm aber nicht weiter nachgegangen. Vollzieht man die notwendige Differenzierung, unterscheidet man
also genauer zwischen der Frage nach der bezeugenden Tradition und der
Frage nach den fundamentalen Glaubenswahrheiten selbst, die das „Wesen
des Christentums" ausmachen, so gewinnt man die Möglichkeit, den Ansatz
in der neuen Konzeption der Kircheneinheit wie auch den Zeitpunkt der
Neu- bzw. Umformung näher zu bestimmen. Dies soll im folgenden versucht werden.

Der junge Calixt steht in der Frage der kirchlichen Einheit zunächst durchaus auf dem Boden eines konfessionellen Luthertums. Die wichtigsten Kennzeichen der sichtbaren Kirche waren für ihn schriftgemäße Lehre und Sakramentsverwaltung[8]. Dabei lag der Ton auf der Lehre. „Sola verbi doctrina
sicut ecclesiam constituere potest, sic quoque ostendere[9]." An der Lehre entscheidet sich also die Wahrheit und damit auch die Einheit der Kirche. Die
eine wahre Kirche weist sich an den Früchten, nämlich ihren Dogmen aus[10].
Sie ist einerseits universal, d. h. über den ganzen Erdkreis ausgebreitet. Sie
erscheint andererseits in den lokalen Gemeinden, den ecclesiae particulares.
Der Begriff hat bei Calixt zunächst diesen einfachsten, konkreten Sinn[11].
Später wendet er ihn auch für die Konfessionskirchen an. Die Partikular-
kirchen können nicht nur irren und abfallen, sondern auch völlig ausgelöscht
werden[12]. Hingegen lehrt er von der universalen Kirche, daß sie auf Grund
des verheißenen göttlichen Beistandes niemals ganz untergehen, und das
heißt auch: im Fundament des Glaubens irren könne, möge es auch Zeiten
geben, da sie nur verborgen fortbesteht[13].

Für das Verständnis der Einheit der Kirche erlangt der Gedanke vom
Glaubensfundament entscheidende Bedeutung. Calixt bezieht sich für ihn
auf 1. Kor 3, 10–15, – locus classicus für die Kontroverstheologie überhaupt
in diesem Zusammenhang[14]. Die Ausführungen des Apostels Paulus über
das ϑεμέλιον, auf dem gut oder minder gut fortgebaut werden kann, geben
die Grundlage ab für die Unterscheidung zwischen dem, was wesentlich und

unabdingbar zum christlichen Glauben gehört, und dem, was an Unnützem oder Irrtum ohne Schaden für das Wesentliche und ohne Gefahr für die Einheit beigefügt werden mag. „Vera agnitio et cultus Dei nequit stare cum erroribus, qui fundamentum, h. e., articulos fidei evertunt." Daher kann die universale Kirche nicht in Irrtümer fallen, die das Fundament betreffen. Indessen, so lehrt schon der junge Calixt, kann es wohl geschehen, daß auf dem Fundament „Holz, Heu und Stroh" aufgebaut werden, d. h. „errores rerum non simpliciter necessariarum, quique relligionem non destruunt."[15] „Notwendig" ist hier im Blick auf den für den einzelnen zur Seligkeit nötigen Glauben gemeint, der sich mit dem für die Kirche unumgänglich notwendigen Glaubensbestand deckt. Über den möglichen Unterschied zwischen beiden reflektiert Calixt nicht. Das Fundament, von dem Paulus spricht, wird also auf die heilsnotwendige Lehre gedeutet, von der die res non simpliciter necessariae unterschieden werden. In diesen Dingen darf es durchaus Irrtümer geben, da das menschliche Wissen unzulänglich ist und Gott der Kirche nicht die Bewahrung vor jedem Irrtum überhaupt zugesagt hat[16]. Daher gibt auch allein das Fundament den Maßstab ab, nach dem bestimmt werden kann, was als Häresie zu gelten hat, m. a. W. wo die der Kirche wesensmäßige[17] Einheit in der Wahrheit verlassen wird. In dem Abschnitt de causis conservantibus et subvertentibus ecclesiam der Epitome Theologiae von 1619 führt Calixt darüber aus: es gibt Irrtümer circa ipsa salutis vel fidei nostrae fundamenta immediate; diese sind Häresie im eigentlichen Sinne. Sodann gibt es Irrtümer circa modos aut circumstantias et rationem explicandi, et similia, quae ex suppositis fundamentis deducuntur sowie circa alia, quae non sint ipsa fundamenta neque ea attingant, wie Zeremonien und Kirchenverwaltung. Solche Irrtümer sind nicht als Häresien anzusprechen. Zu einer Gefahr für die Kirche werden sie lediglich dadurch, daß sie Anlaß zu Parteiungen und Schismen geben können. Solange das Fundament unangetastet bleibt, ist die Rechtgläubigkeit bewahrt[18].

Was gehört nun im einzelnen zum Fundament? Calixt spricht in seiner früheren Zeit wohl in allgemeinen Wendungen von den fundamenta salutis vel fidei[19], von dem durch Christus gezeigten Heilsweg[20], von den articuli fidei, aber es fehlt eine ausdrückliche nähere Bestimmung. Seine Auffassung läßt sich nur aus gelegentlichen Urteilen und aus der Behandlung einzelner Lehrunterschiede in der Kontroverstheologie erschließen. So macht er in dem bereits erwähnten Gespräch mit dem Jesuiten Turrianus darauf aufmerksam, daß die Streitfragen über Prädestination und Gnade die fundamenta salutis berühren und daß infolgedessen falsche Anschauungen in diesen Punkten haeretice falsa seien[21]. Danach rechnet er zu dieser Zeit (1614) nicht bloß die Glaubensartikel als solche, sondern auch ihre nähere Explikation, d. h. die

rechte Lehre in den Dingen, die das Heil angehen, zu dem Glaubensbestand,
der für die wahre Kirche unabdingbar ist. Dem entspricht die Bewertung der
Konfessionskirchen hinsichtlich Rechtgläubigkeit oder Häresie. Dem jungen
Calixt steht zwar fest, daß die Anhänger der anderen Kirchenparteien Christen genannt werden können, da sie sich Christus anheimgegeben haben und
ihm durch die Taufe eingegliedert sind[22]. Aber sie hängen Häresien an, wo-
für sie die Schuld teils ihren Vorfahren, teils sich selbst zuzuschreiben haben,
da sie sich nicht, wie sie könnten, genügend in der Schrift und bei den Rechtgläubigen über die Wahrheit unterrichten[23]. Im Unterschied zu der später
vertretenen Anschauung von Kirche und Kirchengeschichte ist das altlutherische Geschichtsbild noch in ursprünglicher Stärke wirksam. Die Papstkirche[24] ist krassen Irrtümern[25], ja der Apostasie anheimgefallen[26]. Die sogenannten Katholiken, die den Papst als Haupt der Kirche und Herrn des
Erdkreises verehren, sind die hervorragendsten unter allen Häretikern, und
ihre Kirche ist die schädlichste „Sekte"[27]. Insofern der Papst sich zuschreibt,
was allein Christus zukommt, ist er der Antichrist[28]. Mit ihm ist eine Gemeinsamkeit ausgeschlossen[29]. Wenn auch er etwas von dem lehrt, was Christus verkündigt hat, so deshalb, weil er sich als aemulus Christi dessen
Namen bedient[30]. Die Lehre vom Papst als dem Antichristen – am schärfsten
vorgetragen in den Orationes de Romano Pontifice 1614/17 – hat Calixt
auch später unter Hinweis auf die päpstlichen Herrschaftsansprüche über
Kirche und Welt sowie auf die Unfehlbarkeitstheorie, wenngleich im Ton
gemildert, aufrechterhalten[31]. Unter den Verfalls- bzw. Abfallserscheinun-
gen der römischen Kirche hebt er außerdem etwa das Meßopfer (magna imo
praecipua pars istius ἀποστασίας)[32] hervor. Auch die Calivinisten nennt
er wegen ihrer Prädestinations- und Abendmahlslehre Häretiker[33] und Sek-
tierer[34]. Die Lehre vom absoluten Dekret der Verwerfung eines Teils der
Menschheit ist Ausdruck des Unglaubens gegen Vater, Sohn und Heiligen
Geist[35]. Die Leugnung der wahren Gegenwart von Fleisch und Blut Christi
mit dem Brot und Wein im Abendmahl steht in einer Linie mit der häreti-
schen Bestreitung der veritas carnis Domini seit den Gnostikern und Mani-
chäern[36]. Die Uneinigkeit der Leugner der Realpräsenz in der Reformationszeit, von Karlstadt bis Calvin, ist ein typisches Zeichen der Häresie[37].

Für Calixt sind also Katholizismus und Calivinismus häretisch, da bzw.
insoweit durch die römischen und calvinistischen Irrtümer das Fundament
des christlichen Glaubens angetastet wird. Wahre katholische[38] Kirche ist
für ihn demnach allein die eigene Kirche, in der das Fundament des seligmachenden Glaubens recht gewahrt ist. Daher kann sich ihm in dieser Zeit
die Frage nach der Wiedervereinigung der Kirchen, wenn überhaupt, nur als
die Frage der Bekehrung der konfessionellen Gegner zum Luthertum stel-

len [39]. Diesem Ziel dient die konfessionelle Polemik, die er mit großer Schärfe führt und der man mitunter einen echten Zorn darüber abspüren kann, daß die Gegenseite so hartnäckig auf ihren offen zu Tage liegenden Irrtümern beharrt [40].

Dennoch finden sich gelegentlich auch beim jungen Calixt Äußerungen einer irenischen Haltung, so wenn er in Mainz mit dem Jesuiten Becanus und in London mit Casaubonus über die Möglichkeit einer Milderung der Lehrgegensätze spricht [41] oder wenn er Klage über die Streitigkeiten und verderblichen Schismen in der Kirche führt [42]. Später sagt er, daß er von Jugend auf kirchlichem Frieden und kirchlicher Eintracht zugeneigt gewesen sei [43]. Aber erst mit dem Beginn des Dreißigjährigen Krieges tritt die Frage nach der Spaltung und Einheit der Kirche in ihrer ganzen Schwere vor ihn hin. Die Schrecklichkeit dieses Krieges erschütterte ihn zutiefst. Er sah, mit welcher Unversöhnlichkeit die Gegner sich einander gegenüberstanden. Im Falle des Sieges des konfessionell Andersgläubigen schien ihm – schlimmer als die Gefährdung des leiblichen Lebens – die Freiheit des rechten Glaubens bedroht [44]. Blieb im Laufe des Krieges diese Gefahr auch aus, so wirkte sich dieser doch von Anfang an aufs Verhängnisvollste aus. Schon 1621 klagt Calixt über die wirtschaftlichen Nöte, die Helmstedt und seine Umgebung treffen. Eine ungeahnte Lebensmittelteuerung und -knappheit hat das Land ergriffen, die auf einer Art Inflation beruht, hervorgerufen durch eine Gewichtsveränderung der Münzen. Von den Händlern, aber auch sonst werden Recht und Gesetz weithin nicht mehr geachtet, und allmählich reißt eine allgemeine Korruption der Moral ein [45]. Bald steht die Universität Helmstedt fast verödet da, weil keine Studenten mehr kommen. Seuchen und Tod gehen in der Stadt um [46], und die Zügellosigkeit des Militärs ist so furchtbar, daß Calixt feststellt, es könne heute „nicht einmal ein gerechter Krieg mehr ohne entsetzlichstes Unrecht geführt werden" [47].

Der oceanus malorum, der sich über noch bis vor kurzem blühende Länder ergießt [48], veranlaßt ihn zur Besinnung auf die Ursachen dieses Krieges. Zwar haben ihn politische Auseinandersetzungen herbeigeführt, aber die Hauptursache allen Übels ist, so erkennt er, „die verhängnisvolle Religionsspaltung" [49]. Diese schmerzvolle Erkenntnis führt ihn dazu, die Frage nach der Kirche und ihrer Einheit jetzt neu zu durchdenken [50]. Man kann jedenfalls mit großer Wahrscheinlichkeit annehmen, daß der unmittelbare Anstoß zu dieser Besinnung von der Erfahrung der Krise des Welt- und Menschenbildes im Gefolge des Krieges und nicht von der Theologie her kam. Leider sind keine Zeugnisse darüber vorhanden, unter welchen Aspekten und in welchen Etappen sich die veränderte Sicht des Einheitsproblems, die von 1626 an greifbar wird, im einzelnen herausbildete. Jedoch läßt sich vom Er-

gebnis her im ganzen der beschrittene Weg zurückverfolgen. Kritisch fragte
er nach den Ursachen, auf denen die Spaltung der Kirche beruhte. Wodurch
ist das Schisma herbeigeführt worden? Wenn die einzelnen Kirchen ihre
Trennung voneinander mit dem fundamentalen Charakter ihrer Lehrunterschiede begründen, – was ist eigentlich das Fundamentale und Wesentliche
im Christentum? Rechtfertigt sich von diesem Wesentlichen her die Kirchenspaltung?

Bei der Frage nach dem „Fundamentalen" setzte nun die Umbildung seiner Anschauungen ein.

An der Geschichte des mit diesem Begriff bezeichneten Problems läßt sich
wie an einem Brennpunkt das Ringen um das Verständnis der kirchlichen
Einheit in und zwischen den Konfessionen verfolgen. Das Fragen nach dem
Fundamentalen oder Heilsnotwendigen bedeutet ja nichts geringeres als das
Bemühen um das Eigentliche und Unabdingbare der christlichen Botschaft
und ihrer Auslegung. Sobald nach dem Auseinanderbruch der Kirche die
rechte Lehre zu dem maßgebenden Kriterium wurde, mit welchem wahre
und falsche Kirche unterschieden werden konnten, mußte die Frage nach
dem Fundamentalen entscheidende Wichtigkeit bekommen. Die Konfessionen stellen sich ihr in charakteristisch verschiedener Weise. Auf katholischer
Seite wird sie faktisch dadurch entschieden, daß in Forterhaltung des bisherigen Kirchenwesens das autoritative kirchliche Lehramt des Konzils und
des Papstes die Vollmacht in Anspruch nimmt, zu bestimmen, was als verbindliche christliche Glaubenslehre zu gelten hat, – ohne daß dabei jeweils
eine abschließende Definition des Wesentlichen beabsichtigt ist. Im Protestantismus wird die Frage notwendig zum Gegenstand immer neuer theologischer Bemühung von den jeweiligen geistes- und theologiegeschichtlichen
Voraussetzungen aus, wobei im Unterschied zum Katholischen das Bedürfnis nach dem sicheren Kriterium dazu drängt, das Wesentliche, Zentrale
definitiv zu umreißen. Denn um die These vom Abfall der Papstkirche und
von der Notwendigkeit der Reformation zu begründen, muß die protestantische Theologie den Nachweis der Entstellung bzw. Verkehrung des Glaubens in seinem Wesen führen und wird dadurch zu einer eindeutigen Bestimmung des letzteren genötigt. Die Lösung des Problems wird damit
gleichsam zum Indiz des Selbstverständnisses der jeweiligen Theologie, von
Melanchthon und Calixt bis hin zum idealistischen „Wesen des Christentums".

Das Problem der fundamentalen Glaubenswahrheiten ist erst allmählich
in voller Klarheit herausgearbeitet worden. Es ist zunächst implizit beantwortet in den Wahrheitsansprüchen der Konfessionskirchen. Die Abgrenzung gegen das andere Bekenntnis erfolgt um der wesentlichen Glaubens-

wahrheiten bzw. -unterschiede willen. Dabei ist in der Bewertung der gegenüberstehenden Religionspartei jeweils eine bestimmte Anschauung von Kontinuität und Abfall der Kirche wirksam. Für die katholische Seite, die sich im Besitz der kirchlichen Kontinuität weiß, stellt sich die Reformation als Abfall dar, der mit der Absonderung von der einen wahren Kirche auch den Verlust wesentlicher Heilsgüter bedeutet. Demgegenüber sieht der Protestantismus seinerseits in der Papstkirche die Kirche des Abfalls, die von der wahren Kontinuität der Kirche, derjenigen des Evangeliums, abgewichen ist. Auch die reformatorische Theologie bringt insofern ein Kontinuitätsbewußtsein zur Geltung, als sie darum weiß, daß der Hl. Geist durch das Evangelium zu allen Zeiten der Kirchengeschichte Glauben gewirkt hat. Deshalb kennt sie auch sogar „in medio Papatu" wahre Gläubige[51]. Aber die römische Kirche als solche hat den Zusammenhang mit der zentralen Wahrheit des christlichen Glaubens verloren. Um der Wahrheit willen ist deshalb die Trennung notwendig geworden. Aber auch unter den reformatorischen Kirchengemeinschaften erfolgt die Scheidung im Bekenntnis, zunächst vor allem in der Abendmahlslehre, später auch in der Lehre von der Prädestination; dabei werden eben die Unterschiede – wenigstens von lutherischer Seite – für wesentlich gehalten.

Im Verlauf der konfessionellen Kämpfe wird die Frage nach dem Fundamentalen allmählich genauer gesehen und explizit gestellt; dabei werden sowohl im Dienst der konfessionellen Polemik wie auch der Irenik Theorien des Fundamentalen entwickelt. Im Protestantismus verwendet maßgeblich zuerst Melanchthon den Begriff des Fundamentes im Zusammenhang mit der Lehre von der Kirche[52]. Das Fundament ist für Melanchthon jene reine Lehre, die in der Kirche, will sie wahre Kirche sein, anerkannt und vom Christen, will er ihr zugehören, eingehalten sein muß. Der Begriff dient so der Abgrenzung der wahren von der falschen Kirche, aber auch der Unterscheidung zwischen Irrtümern, die die kirchliche Einheit aufheben, und solchen, die sie nicht gefährden. Bereits Melanchthon bezieht sich in diesem Zusammenhang auf die erwähnte Stelle 1. Kor 3, 10–15[53]. Entscheidend ist nun, wie jene Bestimmung inhaltlich ausgefüllt wird. Die Antwort darauf hat Melanchthon im einzelnen nicht immer in gleicher Weise gegeben. Er nennt das Apostolikum, den Dekalog, auch die altkirchlichen Symbole[54] oder auch die Glaubensartikel, verstanden als summa doctrinae christianae et doctrina de beneficiis Christi[55]. Zum Fundament rechnet er danach im wesentlichen die Lehre des Glaubensbekenntnisses zusammen mit dem in der Reformation erschlossenen rechten Verständnis der evangelischen Heilslehre[56]. Seine Anschauung vom Glaubensfundament dient so der Rechtfertigung der Kirche der Reformation als der wahren Kirche, in der allein die

Glaubenswahrheiten recht gelehrt werden. Hier lag der Ansatzpunkt für die polemische Ausformung und Anwendung des Gedankens in der konfessionellen Theologie. Namentlich im Luthertum wurde – vor allem in der Auseinandersetzung mit reformierten Annäherungsversuchen um die Wende zum 17. Jahrhundert, später mit dem „Synkretismus" – in diesem Sinne eine differenzierte Lehre von den fundamentalen und nichtfundamentalen Glaubenslehren und -unterschieden entwickelt, auf die wir noch stoßen werden[57].

Im Interesse der konfessionellen Irenik wurde der Begriff vor allem von den Unionstheologen erasmischer Tradition aufgenommen und entfaltet. In der Darstellung Kantzenbachs[58] läßt sich verfolgen, wie sich hier zunächst der Begriff der necessaria immer deutlicher herausbildet, dabei freilich eine verschiedene inhaltliche Bestimmung erfährt. Den Unionstheologen des 16. Jahrhunderts boten sich wie aller Unionstheologie methodisch zwei Wege, um die streitenden Parteien einander näherzubringen und womöglich zu versöhnen: einerseits die Anbahnung einer Übereinkunft in den strittigen Lehrpunkten, andererseits die Scheidung von Notwendigem und Nichtnotwendigem, Kirchentrennendem und Nichttrennendem. Das letztere mußte die Ausbildung einer Theologie des Fundamentalen oder Heilsnotwendigen fordern. Schon bei Erasmus, der aus seiner adogmatischen Haltung heraus möglichst wenig Lehren definiert sehen, aber das Wesensnotwendige des katholischen Glaubens erhalten wissen will, findet sich der Gedanke der ἀκινητά[59]. Butzer gibt dem Begriff der necessaria, den auch Melanchthon gelegentlich verwendet, eine Wendung im reformatorischen Sinne, ohne aber zu einer eindeutigen Bestimmung zu kommen[60], während Witzel ihn in den Dienst seines altkatholischen Kirchenideals stellt[61]. Cassander verwendet den Begriff des Fundamentes, der ein wesentliches Moment seines universalen Kirchenbegriffs bildet, worauf sogleich einzugehen ist. Von Cassander läuft die Traditionslinie zu katholischen und protestantischen Unionstheologen altkatholischer Richtung wie de Dominis, Grotius und Calixt[62], um noch einmal am Ende des 17. Jahrhunderts in den Reunionsverhandlungen von Leibniz und Molanus in Erscheinung zu treten und dann abzubrechen. Neben dieser findet sich in der reformierten Theologie eine zweite Tradition irenischer Verwendung des Fundamentbegriffs. Die reformierte Irenik empfängt ihren Impuls aus der Sorge um den evangelischen Kirchenfrieden. Im Blick auf dieses Ziel wird von namhaften reformierten Theologen eine Theologie vom Fundamentalen des christlichen Glaubens entwickelt, welche die grundlegende Übereinstimmung der beiden protestantischen Konfessionen erweisen soll[63]. Wichtig sind hier besonders Franz Junius und David Pareus[64]. Außerdem finden sich noch Versuche bei unabhängigen Geistern wie Jakob Acontius, die kirchliche Einheit durch biblizistischen und rationalistischen Rückgang auf das angeblich Wesentliche des Christentums wiederherzustellen [65].

Calixt ist unmittelbar weder durch die lutherisch-konfessionelle Tradition noch durch die reformierte Irenik beeinflußt worden, sondern durch die am altkatholischen Kirchenideal orientierte Unionstheologie. Schon Zeitgenossen Calixts haben darauf hingewiesen, daß er seine Ideen aus Cassander und de Dominis geschöpft habe. Dies ist in gewisser Hinsicht durchaus zutreffend und nicht etwa nur eine Unterstellung, mit der er von seiten des orthodoxen Luthertums kompromittiert werden sollte [66].

Unter den katholischen Irenikern des 16. Jahrhunderts kann Georg Cassander [67] (1513–66) wohl als der bedeutendste und schöpferischste angesprochen werden [68]. Von einem leidenschaftlichen Eifer für pax und concordia in der Kirche beseelt [69], ist der stark vom Humanismus, insbesondere Erasmus, geprägte flämische Gelehrte mehrfach mit Gutachten zur kirchlichen Wiedervereinigung hervorgetreten, zuletzt im offiziellen Auftrage der Kaiser Ferdinand I. und Maximilian II. Cassander fragt nach der regia via, von der Katholiken und Protestanten, die er möglichst unvoreingenommen beurteilen will [70], abgewichen sind [71]. Die Antwort geben ihm die Schrift und die älteste kirchliche Tradition. Was er in den getrennten Teilen der Kirche „der evangelischen Lehre und der apostolischen Tradition entsprechend" findet, will er als der Kirche Christi eigen annehmen [72].

Das Kriterium für die Zugehörigkeit zur wahren katholischen Kirche findet er in dem Fundament des christlichen Glaubens, wie er im Apostolikum zusammengefaßt ist [73]. Das Fundament bleibt stets in der Kirche erhalten. In Dingen, die über das Fundament hinausgehen, ist Duldung zu üben, im übrigen zu völliger Einheit zu streben [74]. Danach gehören auch die Protestanten zur katholischen Kirche, wenn sie sich nicht böswillig von der Einheit lossagen. Für die Beilegung der theologischen Kontroversen sind die Schrift und die kirchliche Tradition maßgebend, wobei die letztere – hier denkt Cassander ganz katholisch – über den Sinn der Schrift entscheidet [75]. Kennzeichen der katholischen Tradition sind nach dem Kanon des Vinzenz von Lerinum, an den er sich anschließt, Alter, Allgemeinheit und Übereinstimmung. Größte Bedeutung legt er dem kirchlichen Altertum bei, das er nahezu „dogmatisiert" [76]. In seinen irenischen Schriften untersucht er von diesen Gesichtspunkten aus die Vergleichsmöglichkeiten in den einzelnen Kontroversen, unter welchen er die Frage der Kirche als die zentrale herausstellt [77].

Seine Bemühungen fanden nicht den erhofften Widerhall. Die zweite Hälfte des 16. Jahrhunderts stand im Zeichen der Ausbildung des konfessio-

nellen Absolutismus. Jedoch wurden seine Ideen von Marcus Antonius de
Dominis, dem bekanntesten Ireniker des 17. Jahrhunderts vor Grotius und
Calixt, wieder aufgegriffen. De Dominis stellt freilich die Frage nach der
Einheit der Kirche in einer gewandelten Situation. Er fragt nicht als der
Mann, der schmerzvoll noch den Auseinanderbruch der Kirche erlebt hat und
seine Endgültigkeit nicht anerkennen will, sondern als einer, der, innerhalb
des begrenzten Raumes seiner Kirche aufgewachsen, die anderen Kirchen
entdeckt und die Fragwürdigkeit der Trennung neu empfindet [78]. De Dominis, Erzbischof des venezianischen Spalato, wurde nach eingehendem Studium der alten Kirchengeschichte Anhänger des altkatholischen Kirchenideals, floh 1616 nach England, wo er sich der anglikanischen Kirche anschloß, kehrte 1622 zur katholischen Kirche zurück und starb unter erneutem Häresieverdacht 1624 in einem römischen Gefängnis [79]. An seiner
Gestalt wird die ganze Tragik deutlich, die hier wie dort das Wirken der
Vertreter des altkatholischen Kirchengedankens nur zu oft begleitete [80].

Seine Gedanken zur Kircheneinheit hat de Dominis vor allem im
VII. Buch seiner vielgelesenen Respublica Ecclesiastica niedergelegt, einer
umfangreichen Widerlegung des Papsttums, die er während seines englischen
Exils veröffentlichte [81]. Auch für ihn ist die Alte Kirche firma regula credendorum, d. h. Maßstab für den katholischen Glauben [82]. An der Kirche der
ersten fünf Jahrhunderte wird die vera forma der universalen Kirche sichtbar [83]. Die orthodoxen Väter und Konzilien sollen nach Maßgabe des Kanons des Vinzenz von Lerinum Norm für die Gegenwart sein [84]. Entspricht
schon dies den Gedanken Cassanders, so beruft er sich ausdrücklich auf diesen, wenn er das Apostolische Symbol als die neben der Schrift für alle Christen notwendige Bekenntnisgrundlage feststellt [85]. Er fügt freilich die alten
Väter und Konzilien als Norm, nach der die fundamentalen Glaubensartikel
ausgelegt werden sollen, hinzu [86]. Die bestehenden Kirchen betrachtet er, da
sie sämtlich diesen fundamentalen Glauben bewahrt haben, als „lebendige
Glieder der katholischen Kirche Christi". Weder die Kirchen des Ostens,
noch die „reformierten" Kirchen, noch auch die römische Kirche sieht er
durch wirkliche Häresien befleckt [87]. Der beste Weg zur Wiedervereinigung
der Kirchen ist nach ihm, daß das „vinculum fidei fundamentalis" durch ein
allseitig anerkanntes Glaubensbekenntnis festgestellt wird, das die Glaubensartikel lediglich nach ihrem *Quod*, nicht aber nach ihrem *Quomodo* enthalten soll, wenn dies nicht in Schrift oder Tradition klar zum Ausdruck gebracht ist – ein Gedanke, der deutlich auf Erasmus zurückweist [88]. Dabei
schwebt de Dominis eine Formel nach Art des Apostolischen Symbols vor [89].
Darüber hinaus wäre die wiedervereinigte Kirche zur Abwehr häretischer
Fehldeutungen auf die trinitarischen und christologischen und allenfalls auch

auf die antipelagianischen Konzilsentscheidungen zu verpflichten. Alle übrigen Fragen wären freier Erörterung zu überlassen [90]. Solche Toleranz im Nichtnotwendigen unter Ausschluß der wirklichen Häretiker zu erreichen, um die Einheit wieder zu ermöglichen, ist das Hauptanliegen von de Dominis [91]. Eindringlich beschwört er die „maßvollen" Theologen beider Seiten, auf seinen Ruf zu hören [92].

Der Schlüsselbegriff in dem Unionsprogramm von de Dominis ist also wiederum die fides fundamentalis. Sie gibt die Norm des Katholischen und die Grundlage für die Zusammenführung der getrennten Teile der universalen Kirche ab. Über Cassander führt de Dominis insofern hinaus, als er die wesentlichen Gedanken der altkatholischen Kirchenauffassung präzisiert und systematisiert. Einen wichtigen Schritt weiter bedeutet es insbesondere, daß er die Einheit nicht mehr in erster Linie durch den Lehrvergleich, als vielmehr durch den Rückgang auf den gemeinsamen, zum Heil ausreichenden fundamentalen Glauben erreichen will, und daß er die denselben auslegende normative Tradition fest begrenzt. Ferner bringt er erstmalig eine detaillierte Ausführung der altkatholischen Konzeption der Kirchenverfassung. In der Respublica Ecclesiastica zeichnet er an Hand des Modells der Alten Kirche das Bild der auf Schrift und älteste Tradition gegründeten, bischöflich gegliederten universalen Kirche, – eine Darstellung, die allerdings infolge inneren Schwankens und auch äußerer Rücksichtnahme auf den englischen Hof nicht frei von Widersprüchen ist. So erkennt er den altkirchlichen Konzilien einmal nur die Irrtumslosigkeit auf Grund ihrer Übereinstimmung mit der Schrift, ein andermal – wenigstens den ersten vier – aus sich Unfehlbarkeit zu [93]. Die Notwendigkeit weiterer kirchlicher Definitionen wird einmal geleugnet, dann in Bezug auf das Papsttum behauptet (controversia de papatu non potest tanquam indefinibilis tolerari) [94]. Auch das Verhältnis der fides fundamentalis zu den altkirchlichen Konzilsentscheidungen ist nicht völlig geklärt. – Obwohl auch durch de Dominis' späteren Rücktritt zur römischen Kirche in seiner Wirkung beeinträchtigt, ist dieser systematische Entwurf der altkatholischen Kirchenanschauung gleichwohl einzigartig in der irenischen Literatur.

In Auseinandersetzung mit den Ideen von Cassander und de Dominis hat Calixt in den zwanziger Jahren des 17. Jahrhunderts dann die Gedanken entwickelt, die zu seiner neuen Sicht der Trennung und der Einheit geführt haben. Bereits 1617 kennt er den ersten Teil der Respublica Ecclesiastica, der in diesem Jahr erschien [95]. 1622 kommt in Hanau der dritte Teil mit dem VII. Buch heraus, das die Ausführungen über die Kircheneinheit enthält. In seinen nächsten größeren Schriften hat Calixt das Werk benutzt [96]. Gelegentlich läßt sich sogar bis in formale Einzelheiten hinein eine Abhängigkeit nachweisen[97]. Vor allem zeigt er aber in seiner neuen Konzeption von der kirchlichen Einheit eine deutliche inhaltliche Beeinflussung durch de Dominis. Falls er vorher mit Cassanders Ideen noch nicht bekannt geworden war[98], wurde er durch de Dominis jetzt auch darauf aufmerksam. Der Zusammenhang mit den beiden Irenikern wird bei der Analyse seiner Anschauungen noch im einzelnen deutlich werden.

6. KAPITEL

ECCLESIA CATHOLICA

In einer Rede Calixts zum fünfzigsten Jahrestag der Gründung der Helmstedter Universität 1626 findet sich erstmals das Ergebnis angedeutet, zu dem er in der Frage nach der Einheit der Kirche gelangen sollte[1]. Nachdem er die damaligen Kriegsumstände geschildert und die Religionsspaltung als die Hauptursache des Übels genannt hat, sagt er im Blick auf den konfessionellen Gegensatz: Wäre bei jedem Teil, den Gegnern wie uns, jene Billigkeit und Mäßigung, die sich für *Christen, die an einen und denselben Gott und seinen Sohn, den Heiland der Welt*, glauben, geziemt; herrschte sodann auf beiden Seiten bei den Theologen wirkliche Bildung und menschlicher Anstand; würde man, statt unbeherrscht aufeinander loszufahren, mit Sanftmut und gut begründeten Argumenten verkehren; würde endlich jeder vom anderen lernen wollen, dann würde Hoffnung bestehen, die kirchlichen Spaltungen, wenn nicht ganz aufzuheben, so doch zu vermindern. Das würde auch zur Beseitigung jenes Mißtrauens beitragen können, das die Völker erfüllt und zum Kriege geführt hat. Hier kommt zum erstenmal bei Calixt explizit der Wille zur Einigung der zerteilten Kirche zum Ausdruck. Dabei ist bedeutsam, daß er den gemeinsamen christlichen Glauben an den einen Gott und an den einen Erlöser als die Grundlage nennt, welche die getrennten Christen in ihrem Verhältnis zueinander verpflichtet. In diesem Hinweis zeichnet sich die veränderte Auffassung von der Kirchenspaltung und dem Verhältnis der Konfessionen zueinander ab, die er in den folgenden Jahren entwickelt.

Sie ist bereits in der nächsten Äußerung zu diesem Fragenkreis, einem Exkurs in seiner 1627 gehaltenen Vorlesung über den Titusbrief, näher umrissen[2]. Hier führt er aus, daß Lehrmeinungen, über welche in zurückliegenden Jahrhunderten frei disputiert wurde, heutzutage als „quasi articuli fidei et fundamenta salutis" bestimmt würden, während doch die Hl. Schrift sich begnüge, das, was zur Erlangung des Heils notwendig ist, in einfacher Weise darzulegen, nämlich: die Lehren von der Trinität, von der Schöpfung, von der Menschwerdung des Sohnes um unsertwillen, von der Wiedergeburt in der Taufe, von der leiblichen Gegenwart Christi im Abendmahl und von unserer endlichen Rettung nach einem Leben in Glauben und Liebe. „Ich glaube, daß für die schreckliche Spaltung (horrendum schisma), die heute die katholische Kirche nicht nur verwirrt, sondern schändlich entstellt und beinahe zugrunde richtet, zwei Ursachen verantwortlich sind: einmal die Anmaßung und Tyrannis des römischen Bischofs, zum andern aber, daß wir aus beliebigen Subtilitäten und geringfügigen Streitfragen Haupt- oder Fundamentalkontroversen machen (controversias capitales sive fundamentales) und sie" gegen den anderen „sub nota ἑτεροδοξίας et haereseos" definieren. Sollten die Streitigkeiten in der Kirche des Westens zu einem Ende gebracht werden, müsse die ganze Streitsache geeigneten Männern von entsprechender Bildung und Mäßigung anvertraut werden, die die heilsnotwendigen Lehren von den weniger notwendigen zu scheiden und in den wichtigen Kontroversfragen eine Lösung zu suchen hätten. So sei auf eine Minderung oder Aufhebung der Trennung zu hoffen[3].

In diesen Ausführungen sind die wichtigsten Momente der neuen Lehre von der ‚katholischen Kirche' enthalten, die fortan die Grundlage für das kirchenpolitische Denken und Wirken Calixts darstellt. Sowohl die römischen Katholiken als auch die Protestanten sind wahre Christen. Die Parteien, in welche die abendländische Christenheit zerfällt, sind Teile der einen katholischen Kirche. Kriterium hierfür sind die grundlegenden, zur Erlangung des Heils notwendigen Glaubenslehren. Die Kirchenspaltung beruht – abgesehen von der angemaßten Gewalt des Papstes – darauf, daß Dinge als heilsnotwendig ausgegeben werden, die es, gemessen am wirklich Wesentlichen, den fundamentalen Glaubensartikeln, gar nicht sind. 1628 fügt Calixt die Bestimmung hinzu, daß zur Feststellung des Heilsnotwendigen auch der Konsens der Alten Kirche heranzuziehen sei.

In den Arbeiten der nächsten Jahre hat er diesen Kirchenbegriff in den verschiedensten Zusammenhängen entfaltet und näher erläutert. Gegenüber der bisherigen Forschung ist hervorzuheben, daß die universale Kirchenanschauung und zugleich der irenische Gesichtspunkt bei Calixt schon gegen Ende der zwanziger Jahre (spätestens seit 1627) gegeben und nicht etwa erst 1634 entstanden oder endgültig hervorgetreten sind[4]. Die in der Forschung hervorgehobene Verwendung des Traditionsprinzips seit 1628 dient gerade dem Erweis der heilsnotwendigen Glaubenswahrheiten und damit bereits der ergänzenden Begründung der Lehre vom gemeinsamen Glaubensfundament aus der Geschichte. Allerdings steht in den fraglichen Schriften seit 1628, wie richtig festgestellt worden ist, der polemische Gebrauch des Traditionsprinzips im Vordergrund[5]. Polemik und Irenik fallen hier aber insofern zusammen, als es Calixt in jedem Falle um die Wiederherstellung der primaeva speciosa facies ecclesiae *una cum pace et tranquillitate* geht[6]. Indem die der Alten Kirche unbekannten Glaubenslehren als nicht heilsnotwendig erwiesen werden[7], wird tatsächlich der Einigung auf der Basis des gemeinsamen heilsnotwendigen Glaubens der Weg gebahnt. Dieser irenische Gesichtspunkt tritt auch explizit hervor: durch die Unterscheidung der fundamentalen und nichtfundamentalen Lehren mit Hilfe der Tradition soll dazu geholfen werden, die schismata aufzuheben und die catholica catholicae ecclesiae unitas et concordia wiederherzustellen[8]. Das Traditionsprinzip steht also von Anfang an bereits in einem funktionellen Zusammenhang mit der universalen Kirchenanschauung und den irenischen Anliegen, die in ihr gründen.

Schwerer ist die Frage zu beantworten, welche Rolle das Traditionsprinzip etwa schon bei der Ausbildung des universalen Kirchenbegriffs gespielt hat. Calixt betont später stets, daß man zu diesem Kirchenbegriff gelangen könne, indem man einfach dem Zeugnis der zuverlässigen altkirchlichen Überlieferung folge. Auf der anderen Seite macht er vom Schriftprinzip aus den Grundsatz geltend, daß sich der Kirchenbegriff mittels exegetischer und systematischer Überlegungen auch allein aus der Schriftoffenbarung gewinnen lasse. Man kann also fragen, ob bei der Entwicklung seiner neuen Kirchenanschauung das Erste die formalen Kriterien seines Traditionsbegriffs oder die biblisch-systematische Begründung war.

Zwar hat er wesentliche Gedanken der universalen Kirchenanschauung bereits vertreten, *bevor* er die Lehre von der Tradition vorgetragen hat[9], jedoch würde das nicht ausschließen, daß er nicht faktisch schon das Traditionsprinzip verwendete. Historisch-chronologisch läßt sich die Frage nicht eindeutig entscheiden. Man wird aber nicht fehlgehen in der Vermutung, daß die historischen Argumente – etwa das Zeugnis der Märtyrerkirche für die „Fundamentalartikel" – den Vorrang vor den biblisch-theologischen Erwägungen besessen haben. Sachlich ergibt sich freilich, daß Calixt der Tradition grundsätzlich (und also auch in diesen Zusammenhängen) eine ergänzende, bezeugende Funktion zuweist[10]. Dies rechtfertigt es, wenn die universale Kirchenanschauung im folgenden unter vorläufiger Beiseitelassung des Traditionsprinzips von der systematisch-theologischen Begründung aus dargestellt wird.

Kernstück der neuen Auffassung ist die Lehre von den fundamentalen Glaubensartikeln. An diesem Punkt setzt die wesentliche Änderung gegenüber der anfänglichen, lutherisch-konfessionell bestimmten Sicht ein. Das Neue besteht, formal gesehen, in der Reduktion der vera doctrina, die das

Hauptkennzeichen der wahren Kirche ausmachte, auf den Bestand der „fundamentalen" Glaubenswahrheiten, wie sie nach Calixt die älteste Kirche im apostolischen Glaubensbekenntnis zusammengefaßt hatte. Diese Reduzierung oder auch Konzentrierung ermöglicht ihm die Konzeption der universalen, alle auf das Apostolikum gegründeten Konfessionen umfassenden Kirche, wie wir sie bereits bei de Dominis kennengelernt haben. Calixt gibt von den Voraussetzungen seiner Theologie her dieser Konzeption freilich eine andere Begründung.

Mit der Frage nach dem sogenannten „Fundamentalen" oder Heilnotwendigen nahm er ein Problem in Angriff, das der lutherischen Theologie der Zeit wohl, wie wir gesehen haben, gestellt war, das aber noch keine zureichende Beantwortung gefunden hatte. Man schied zwar zwischen fundamentalen und nichtfundamentalen Glaubenswahrheiten, die nähere Bestimmung des Unterschiedes blieb aber auch noch etwa bei dem größten lutherischen Dogmatiker der Zeit, Johann Gerhard [11], offen. Mit seiner Theorie vom Heilsnotwendigen versucht Calixt eine Antwort, um die die zeitgenössische lutherische Theologie auch von anderen Ansätzen her ringt. Die endgültige Klärung im orthodoxen Luthertum erfolgt erst in Auseinandersetzung mit den „synkretistischen" Thesen Calixts um die Mitte des Jahrhunderts. – In seinen auf die Kircheneinheit bezüglichen Schriften hat Calixt seine Lösung immer wieder in teils gelehrter, teils populärer Form vorgetragen. Wir folgen seinen wesentlichen Gedanken.

Er ordnet das Problem des Heilsnotwendigen in die allgemeinere Frage nach dem, was Christentum überhaupt ist, ein. Das Christentum (christianismus oder auch erasmianisch ‚universa christiana philosophia') begreift nach ihm vier Dinge in sich, die – nach der Heilsnotwendigkeit abgestuft – alles enthalten, was ein Christ glauben und tun soll: die Glaubensartikel, die Reinheit des Wandels, die Sakramente und die kirchlichen Zeremonien und Gesetze [12]. Von diesen vier Stücken sind heilsnotwendig nur die ersten drei, da kirchliche Riten und dergleichen an sich indifferent sind [13]. Aber auch Sakramente sind für den Christen nicht notwendig im strengsten Sinne, da ein etwa durch Krankheit bedingter Nichtgebrauch vom Heile nicht ausschließt. Sie sind daher (wiewohl für die Kirche unabdingbar) nur heilsnotwendig necessitate praecepti, während allein der Glaube an die fundamentalen Wahrheiten des Christentums und der nachfolgende gute Wandel für jeden Christen heilsnotwendig necessitate medii sind [14].

Die Glaubensartikel teilt Calixt in Übernahme eines scholastischen Schemas ein in solche, die dem Glauben vorausgehen, solche, die ihn begründen und solche, die ihm folgen (antecedentia, constituentia, consequentia) [15]. Die Vorausgehenden enthalten die natürliche Gotteserkenntnis, die Erkenntnis der Wahrscheinlichkeit und Vorzüglichkeit der christlichen Religion, die Kenntnis der kanonischen Bücher u. a. [16]. Die Nachfolgenden sind aus den fundamentalen Glaubenswahrheiten abgeleitete theologische Erklärungen und andere Appendices. Sie klassifiziert Calixt wiederum in Aussagen, deren Negierung den Glauben gefährden würde, und solche, die ohne Gefahr behauptet oder geleugnet werden können [17]. Die Kenntnis der dem Glauben vorausgehenden und nachfolgenden Artikel will er den Gelehrten vorbehalten. Dagegen bezeichnet er die Artikel, die den Glauben konstituieren, als ihrer Substanz nach heilsnotwendig für jedermann im oben erörterten strengen Sinne, da ihre Unkenntnis oder Leugnung die Erlangung der Seligkeit verhindert [18]. Sie sind als fundamentale von den nichtfundamentalen Glaubensartikeln sorgsam zu unterscheiden.

Um die glaubensbegründenden Artikel zu ermitteln, muß nach Calixt das Christentum auf sein letztes Ziel und den dahinführenden Weg befragt werden. Ultimus finis ist das ewige Heil [19], das den Glaubenden in der Auferstehung, mit welcher Leib und Seele wieder vereinigt werden, verheißen ist. Damit die Menschen dieses Ziel erlangen, hat Gott ihnen die lex oder regula evangelica gegeben. Der Inhalt derselben ist, daß die Menschen ihren Heiland erkennen und seiner Genugtuung und seinen Verdiensten vertrauen sollen [20]. Die Erfüllung dieser Forderung, den vertrauenden Glauben an Christus und sein Heilswerk, nennt Calixt die „Praxis des Neuen Bundes". Er umschreibt die „Praxis" näherhin so: Der Mensch glaubt und bekennt, daß um seinetwillen der Herr Jesus Christus, der Sohn Gottes, gestorben ist, und daß er nur durch seinen Tod erlöst werden kann; daß er aller Verdienste ermangelt und an ihrer Stelle Gott dem Vater das Verdienst des Leidens Christi anbietet; daß er zwischen Gottes Zorn und seine schlechten Verdienste den Tod Christi stellt und auf Christus sein ganzes Vertrauen setzt, ihm sich anheimgibt und mit ihm sich vor dem Zorn Gottes bekleidet. „Das ist die Praxis der Gläubigen unter dem evangelischen Bunde des Neuen Testamentes, durch die der ewige Tod vermieden und das ewige Leben erlangt wird" [21]. Das, worauf nach Calixt also im Christentum alles entscheidend ankommt, ist die „Praxis". In diesem Begriff schwingt einerseits die humanistische Betonung des Praktischen mit, andererseits zeigt sich aber in seiner näheren Bestimmung die lutherische Tradition, für die der Glaube – als Vertrauen auf das Verdienst Christi – eben *die* Praxis ist [22]. Die „Praxis" bildet den eigentlichen Zielpunkt, auf den die gesamte Lehre von den heilsnotwendigen Glaubensartikeln ausgerichtet ist. Zwar figuriert sie nicht selbst unter den fundamentalen Glaubenswahrheiten, sie ist aber in ihnen vorausgesetzt und stellt deren notwendiges existenzielles Korrelat dar. Calixt hat die hier liegenden Fragen nicht näher durchreflektiert, und es kann infolgedessen nur der Versuch gemacht werden, das Verhältnis zwischen den Fundamentalartikeln und der „Praxis" zu bestimmen, wie es von den verschiedenen Aussagen Calixts her zu denken wäre. Danach ist soviel deutlich, daß die „Praxis" die Dimension der persönlichen Glaubensaneignung und -verwirklichung bezeichnet, auf welche die Offenbarung bzw. ihre kürzeste Zusammenfassung, das Apostolikum, zielt. Um einen Ausdruck zu verwenden, den Calixt nicht benutzt: sie steht für die fides qua, welche in der fides quae intendiert ist und deren existentielle Heilsbedeutsamkeit realisiert. In dieser Funktion erlangt die „Praxis" auch kriteriologische Bedeutung für die Ermittlung der fundamentalen Glaubenswahrheiten[23]. Nach Calixt sind diejenigen Glaubensartikel fundamental, deren Kenntnis unerläßlich für das Zustandekommen der „Praxis" ist. Sie hat Gott als Mittel zur Erreichung des Heilszieles verordnet. Ihren Inhalt bilden die einfachsten christlichen Glaubenswahrheiten, die miteinander in notwendigem Zusammenhang stehen und im Apostolischen Glaubensbekenntnis ihren gültigen Ausdruck gefunden haben[24].

Calixt übernimmt das Apostolikum nicht positivistisch-historistisch nur als das älteste christliche Bekenntnis, sondern ist der Meinung, daß sich die fundamentalen Glaubenswahrheiten, auch wenn es das Symbol nicht gäbe, so oder ähnlich zusammenstellen lassen müßten. In seiner Lehre von den heilsnotwendigen Glaubensartikeln vereinigt er zwei Gesichtspunkte, die für seine ganze Konzeption grundlegend sind: 1. daß die Heilswahrheiten explizit geglaubt werden müssen, damit der rechtfertigende Glaube entstehen und der Mensch gerettet werden kann; für eine fides implicita ist, was die heilsnotwendigen Wahrheiten angeht, kein Raum[25]; 2. daß die Heilswahrheiten aber, da jedermann zum Heil berufen ist, auch einfache, jedermann verständliche sein müssen. Es geht also Calixt nicht bloß um die in sich überschaubaren christlichen Grundlehren, sondern um den Bezugspunkt des notwendigen credendum für den einzelnen Christen. Die von daher geforderte Einfachheit ist ein echtes Kriterium, das zur Reduzierung auf überschaubare Sachverhalte zwingt. Es kann nach Calixt nicht zweifelhaft sein, daß dasjenige, was Gott uns als heilsnotwendig lehren wollte, so gefaßt ist, daß wir es verstehen können[26]. Auch einem Tagelöhner muß es einsichtig sein[27]. Daher können die fundamentalen Glaubensartikel „nicht gahr viel, auch nicht gahr intricat und subtil" sein[28]. Auch jetzt faßt Calixt einen Unterschied zwischen dem für den einzelnen und dem für die Kirche als Kirche notwendigen Glauben nicht ins Auge, obwohl er eine legitime und notwendige Explikation des kirchlichen Dogmas kennt. Beides fällt für ihn zusammen. Da er sich ferner auf Grund seiner ungeschichtlichen Betrachtungsweise nicht vorstellen kann, daß zu verschiedenen Zeiten der Geschichte ein anderer

Bestand an Wahrheit geglaubt werden müsse, folgert er, daß die Heilswahrheit zu allen Zeiten nach Inhalt und Umfang nur ein und dieselbe sein könne. Die Probleme, die sich hieraus für das Verständnis der Dogmengeschichte ergeben, werden noch zu erörtern sein.

In seinen Aufstellungen der Fundamentalartikel nach dem Apostolikum rückt Calixt die Menschwerdung als die zentrale Aussage in den Mittelpunkt (fundamentum totius christianismi) [29], von der aus die übrigen heilsnotwendigen Lehren sich ergeben [30]. Die Menschwerdung weist uns auf Gott, den Schöpfer, und die heilige Dreifaltigkeit. Nur von der Menschwerdung her kann die Erlösung überhaupt verstanden werden [31]. Gelegentlich faßt er die fundamentalen Glaubenswahrheiten geradezu in einem eingliedrigen christologischen Bekenntnis zusammen [32]: die lex evangelica gebietet uns zu glauben an Jesus Christus, den eingeborenen Sohn des Vaters, aus der Jungfrau Maria als Mensch geboren, gelitten, gestorben, um uns von Sünde und Verdammnis loszukaufen, aufgefahren in den Himmel, von wo aus er, nachdem er den Hl. Geist ausgesandt hat, durch Wort und Sakrament die Menschen erneuert, seine Kirche sammelt und zur Auferweckung und zum Gericht kommen wird; durch dessen Verdienste Vergebung und ewiges Leben erworben werden. Calixt umschreibt jedoch das Apostolikum in sehr vielfältiger Weise [33], wobei das Geheimnis der Erlösung durch den Gottmenschen jeweils Ausgangspunkt ist. Im Mysterium der Person Christi verbunden und von der Zielsetzung des ewigen Lebens umklammert [34], bringen die Fundamentalartikel die Wahrheiten zum Ausdruck, die den Menschen zu den Akten befähigen, welche das evangelische Gesetz erheischt.

Daraus ergibt sich, daß sie auch alles dasjenige enthalten, worauf die Heilige Schrift hauptsächlich abzielt [35]. Der apostolische Ursprung des Symbols ist nicht gefordert und ausschlaggebend; wenn es apostolisch genannt wird, so deswegen, weil es eben die Summe der apostolischen Lehre darstellt. In diesem Sinne hat es als von Gott geoffenbart zu gelten [36]. Deshalb schreibt Calixt ihm auch die efficacia zu, die dem Worte Gottes eignet: Der Hl. Geist bezeugt die fundamentalen Artikel im Geist des Glaubenden durch ein infallibile testimonium [37]. So wird das Apostolische Symbol geradezu Heilsmittel.

Die Scheidung des Fundamentalen und Nichtfundamentalen wirkt sich nicht nur in der Lehre vom Glauben, sondern auch in anderen Zusammenhängen der Theologie Calixts aus. So will er etwa in der Dogmatik den Gehalt eines Dogmas von den termini der Schulen unterschieden wissen [38]. Hieß es von den fundamentalen Glaubensartikeln, daß sie die Summe der Schrift seien, so bahnt sich darin zugleich eine Umwandlung des Inspirationsbegriffes an: Calixt lehrt späterhin, daß lediglich die Lehren der Schrift,

die auf die Erlösung abzielen, der besonderen göttlichen Offenbarung zuzuweisen seien; in den übrigen Dingen seien die Verfasser der biblischen Schriften nur vor Unwahrem und Unschicklichem bewahrt worden[39]. Auch hier
also sucht er eine Konzentration auf das Wesentliche durchzuführen, die
allerdings gleichzeitig Reduktion ist, – *das* Problem der calixtinischen Theologie.

Neben den fundamentalen Glaubensartikeln bezeichnet Calixt als heilsnotwendig necessitate medii zweitens den frommen Wandel. Zu den heilsnotwendigen credenda treten die agenda. Seine Lehre von den guten Werken – necessaria ob aeternam salutem – haben wir oben bereits erörtert.
Er läßt die Lehre von der Heilsnotwendigkeit der guten Werke oder – seiner Absicht gemäßer – von der Unvereinbarkeit eines sündigen Lebens mit
dem seligmachenden Glauben in keiner Aufzählung der wesentlichen Merkmale des Christentums fehlen. Aktuellen Anlaß zur Betonung des guten
Wandels gab nicht zuletzt die Krise der Sittlichkeit im Dreißigjährigen
Kriege, die für ihn mit der Krise der Wahrheit zusammenfiel. Titius berichtet, daß er oftmals geäußert habe, er fürchte, daß die ἔσχατα ἐσχάτων
über Deutschland kämen, wenn sich nicht alle zum Besseren wandelten[40].
In der gegebenen Lage sah er es als die Aufgabe der Verkündigung an, auf
den notwendigen Zusammenhang von Glaube und Liebe hinzuweisen. In
seiner Betonung des guten Wandels ist gelegentlich eine gewisse moralisie-
rende Tendenz[41] nicht zu verkennen. Eine Formulierung wie „die ganze
Kraft und der ganze Wert des Christentums liegt in dem Glauben, der durch
die Liebe wirkt"[42] ist zwar in sich theologisch korrekt, gibt aber doch der
Wirksamkeit durch die Liebe ein unverhältnismäßig großes Gewicht. Der
gleiche Eindruck ergibt sich, wenn man sich die Bedeutung vergegenwärtigt,
die das Kriterium der sittlichen Reinheit für ihn in der Lehre von der wahren Religion besaß[43]. Jedoch dürfte bestimmend für ihn nicht eine einseitig
moralistische Tendenz sein, sondern der erwähnte innere Zusammenhang
zwischen Rechtfertigung und sittlichem Leben. Von daher ist es zu verstehen, daß er den guten Wandel heilsnotwendig necessitate medii nennt. Das
orthodoxe Luthertum mußte daran verständlichen Anstoß nehmen[44].

Zu den notwendigen Dingen im Christentum setzt Calixt nach Glauben
und Liebe drittens die Sakramente Taufe und Abendmahl, allerdings nicht,
weil er sie für heilsnotwendig schlechthin hält, sondern allein wegen ihrer
göttlichen Einsetzung (necessitate praecepti)[45].

Die in der kritischen Besinnung auf das Wesentliche des christlichen Glaubens gewonnene Auffassung vom heilsnotwendigen Glaubensfundament
führt nun – darin liegt die eigentliche Bedeutung dieser Besinnung – zur Um-

gestaltung der Anschauung von der Kirche und ihrer Einheit. Die überkommene Sicht, wonach die wahre Kirche, wenn auch in gewissen Abstufungen der Reinheit, der Häresie und dem Abfall gegenüberstand, wandelt sich zu einer Schau, in welcher die Konfessionen sämtlich als Teile einer großen, universalen Gemeinschaft erscheinen. Der Begriff der Kirche als auf Wort und Sakrament gegründete Bekenntnisgemeinschaft erfährt dabei in seinen Grundzügen keine Veränderung. Aber das entscheidende Kennzeichen der rechten Lehre wird neu bestimmt. Die daraus resultierenden Verschiebungen haben die Umbildung zum universalen Kirchenbegriff zur Folge.

Zunächst einmal ergibt sich nämlich für Calixt, daß alle diejenigen, die die fundamentalen Glaubensartikel annehmen, Christen im vollen Sinne sind [46]. Der gemeinsame Glaube macht sie zu Brüdern und Gliedern eines Leibes [47]. Daher liegt auch hinter den Ansprüchen der Konfessionskirchen eine tiefere und umfassendere Wirklichkeit der Kirche Christi. Alle, die auf den Namen des Vaters, des Sohnes und des Hl. Geistes getauft sind, den fundamentalen Glauben und den Vorsatz zu einem frommen Leben haben, wo immer auf dem Erdkreis sie sein mögen, bilden die eine, heilige, katholische und apostolische Kirche [48]. Katholisch heißt nach Calixt soviel wie universal im Sinne der Verbreitung des christlichen Glaubens auf der Erde in Raum und Zeit [49]. Im Begriff „katholisch" schwingt aber auch insofern der Sinn der Rechtgläubigkeit mit, als er auf den im Apostolikum gültig zum Ausdruck gebrachten christlichen Glauben bezogen ist. Gelegentlich kann Calixt die katholische oder universale Kirche daher auch ecclesia symbolica nennen [50].

Auf die „symbolische Kirche" wendet er die Prädikate der wahren Kirche an. Denn durch die fundamentalen Glaubenslehren, die sie bewahrt hat, weist sie sich trotz aller Mißbräuche und sonstigen Entstellungen als die heilige Kirche Gottes aus, die von den Pforten der Hölle nicht überwältigt worden ist und nicht überwältigt werden wird [51]. Wenn er lehrt, daß die heilsnotwendige Lehre dank göttlicher Verheißung stets in der Kirche erhalten bleiben wird, so kennt er jetzt freilich ebensowenig wie früher eine Unfehlbarkeit kirchlicher Institutionen. Zwar gibt es für ihn ein kirchliches Lehramt, zunächst der Pastoren und Doktoren [52], d. i. der Pfarrer bzw. Bischöfe und der Theologieprofessoren, weiter der Synoden, die sich aus Bischöfen und Theologen zusammensetzen sollen und deren Entscheidungen desto gewisser und verbindlicher sind, je umfassender die Repräsentation und je größer die Übereinstimmung ist [53]. Ihre Autorität hängt aber vom Worte Gottes ab. Ihre Entscheidungen sind insoweit gültig und wahr, als sie mit der Norm der Schrift (sive sola, sive adjuncto priscae ecclesiae consensu) übereinkommen [54]. Aus sich kommt den Konzilien keine letzte Autorität zu.

Zur Abwehr der Häresien ist ihnen ein hoher Wert zuzusprechen [55]. Um aber den Häretiker zu erkennen, bedarf der Christ keines besonderen Lehramtes. Denn an der fundamentalen Lehre entscheidet sich, wer Christ und wer Ketzer ist. „Wer davon etwas läugnet und verwirfft, der ist kein Christ [56]." Jeder Gläubige kann die Häresie von sich selbst aus eben dadurch feststellen, daß sie proxime, formaliter und immediate mit den fundamentalen Glaubensartikeln, die jedermann einsichtig sind, in Widerspruch steht [57]. Nur das ist also jetzt nach Calixt Häresie, was einem Artikel des Apostolikums unmittelbar und für jeden erkennbar widerstreitet. Irrtümer oder Unwissenheit in Fragen, die nicht unmittelbar die Fundamentalartikel betreffen, bewirken nicht den Verlust des Heils und des christlichen Namens [58]. Denn „Gott hat die sehligkeit nicht gebunden an erörterung dergleichen puncten und fragen, sondern an die Hauptarticul" [59]. Daher sollen im Bereich der opiniones Duldung und Liebe walten. Dies beides ist zu unterscheiden: „ich kann diesen oder jenen Irrtum nicht billigen oder teilen" und „ich kann ihn nicht dulden" [60]. Damit verlieren die konfessionellen Unterschiede gegenüber der im Apostolischen Symbol enthaltenen fundamentalen Lehre ihre kirchentrennende Bedeutung. Es wird unten noch näher auszuführen sein, welche Rolle die Theologie im Hinblick auf die Erklärung und Sicherung der fundamentalen Glaubenswahrheiten spielt und inwiefern über das Apostolikum hinaus eine Dogmengeschichte ihr Recht und ihren Sinn hat [61]. Hier ist zunächst festzustellen, daß nach Calixt allein die im Apostolischen Symbol zum Ausdruck gebrachten Wahrheiten den Grundbestand und das Kriterium der wahren katholischen Lehre darstellen.

Aus dem Gesagten folgt für das Verhältnis der Kirchen zueinander: in Ansehung des heilsnotwendigen Glaubens sind sie alle wahre Kirche und daher eben Glieder der katholischen Kirche [62]. Freilich kann der Grad ihrer Reinheit im einzelnen verschieden sein, da sie mannigfache Wandlungen durchgemacht haben [63]. Die reinste ist diejenige Kirche, die nicht andere Glaubensartikel als die im Apostolikum enthaltenen hat, nicht andere als die von Christus eingesetzten Sakramente gebraucht und dem studium pietatis ergeben ist [64]. Jedoch ist jede Partikularkirche, die noch das Glaubensfundament besitzt, Teil der einen Kirche Christi [65]. Dies trifft, so stellt Calixt fest, auf alle gegenwärtigen großen Kirchen zu. Die Päpstlichen, Lutheraner und Calvinisten, „wozu auch die Griechische Kirche gesetzet werden kann" [66], haben den „Grund" [67] und sind daher sectae [68] oder partes [69] der einen universalen Kirche. In bezug auf das gemeinsame Haupt Christus und die fides salvifica besteht unter ihnen eine communio actualis, die – so fordert Calixt – durch die communio der Liebe ergänzt werden soll [70].

In der durch die verschiedenen Schismen zerrissenen, aber doch im Fundament geeinigten universalen Kirche der Gegenwart sieht er noch die Alte Kirche des pentarchischen Systems, wenn auch entstellt, erhalten. Für die kirchliche Verfassung bejaht er das Bischofsamt und die Gliederung in Metropolitandiözesen und Patriarchate als nützliche und bewährte Einrichtungen, freilich menschlichen Rechtes[71]. Demgemäß vereinigt er in seiner Sicht der universalen Kirche und ihrer Struktur den alten Pentarchiegedanken[72] mit dem konfessionellen Einteilungsprinzip: dank der Fügung der göttlichen Vorsehung bestehen noch alle fünf Patriarchate[73]. Die vier Patriarchate des Ostens und das westliche sind durch das Schisma getrennt; das westliche Patriarchat seinerseits ist gespalten in die nichtreformierte und die reformierten Kirchen, die sich vom römischen Patriarchen wegen seiner unberechtigten Machtansprüche losgesagt haben[74]. Alle gehören sie aber zu der einen Kirche Christi und empfangen von ihrem Haupt, dem Gott-Menschen Jesus Christus, den influxus coelestis gratiae et spiritualium donorum[75]. Ist so in allen Teilkirchen, da sie das heilsnotwendige Fundament bewahrt haben, die katholische Kirche repräsentiert, so führen doch gewichtige Unterschiede im einzelnen zu bestimmten Konsequenzen für ihre Beurteilung, die im folgenden Kapitel zur Sprache kommen werden.

Diese Konzeption der Universalkirche stellt, so wenig sie die Verwandtschaft zu den Ideen des altkatholischen Irenismus, namentlich de Dominis', verleugnet[76], eine originale Schöpfung dar. Motive der lutherischen und der humanistischen Tradition erscheinen in ihr in eigentümlicher Weise miteinander verbunden. Die Eigenart der Konzeption tritt insbesondere in der Lehre von den fundamentalen Glaubensartikeln hervor, die sich als das wichtigste und grundlegende Moment des universalen Kirchenbegriffs erwies. An dieser Lehre werden die eigentlichen Intentionen sichtbar, aus denen Calixts Anschauung gespeist wird, aber zugleich auch die ganze Problematik, mit der sie beladen ist. Die kritische Auseinandersetzung mit dem universalen Kirchenbegriff Calixts wird daher von diesem Punkt ausgehen müssen.

Es ist zunächst für die Methode Calixts charakteristisch, daß er, wie schon in der Anlage seiner Dogmatik, so auch bei der Konstruktion des universalen Kirchenbegriffs bei der Frage nach der Seligkeit des einzelnen als der selbstverständlichen Ausgangsfrage einsetzt. Was ist nötig, damit der einzelne Mensch das Heil erlange? Im Horizont dieses praktischen Gesichtspunktes wird die Frage nach den fundamentalen Glaubenswahrheiten gestellt und gelöst. Auch für die Kirche als Ganze ist wesentlich lediglich das, was dem einzelnen heilsdienlich ist. Dabei bleibt als Wesentliches letzten Endes nur, was sich in dem Kausalzusammenhang: Offenbarung – Heilsglaube – Seligkeit unmittelbar als Heilsmittel ausweisen kann, nämlich die heilsnotwendige Offenbarungslehre. Das Sakrament tritt demgegenüber als notwendig nur necessitate praecepti in die zweite Linie. Und die Aspekte der Gemeinschaft und des Mysteriums werden im Kirchenbegriff nur in Rest-elementen als gleichsam unvermeidliche Konzessionen an die Tradition fest-gehalten. In dieser Betrachtungsweise zeigt sich eine Verengung, der schon die reformatorische Theologie nicht ganz entgangen war. Die auf die salus animae gerichtete Tendenz, die in der reformatorischen Frage nach dem gnä-digen Gott lag, wurde jedoch durch die theozentrische Gegentendenz, den Preis Gottes und seiner Heilstaten, entschärft. Das anthropozentrische Den-ken erweist sich aber im 17. Jahrhundert als stärker und wirkt sich bei Calixt, verbunden mit dem humanistischen Zug zum Pädagogisch-Praktischen, bis in die methodische Reduzierung des Heilsglaubens auf den für den einzelnen unumgänglichen Minimalbestand aus.

Die reformatorische Tradition scheint dagegen in der inhaltlichen Bestim-mung dieses Grundbestandes stärker gewahrt zu sein. An ihr ist lutherisch, daß die Zueignung des Werkes Christi durch den vertrauenden Glauben zum Ausgangspunkt gewählt wird. Die „Praxis" ist nichts anderes als der recht-fertigende Glaube, wie er in der zeitgenössischen lutherischen Theologie all-gemein im Mittelpunkt der „praktisch" betriebenen Theologie steht [77]. Indem Calixt versucht, von diesem Zentrum aus die Theologie des Heilsnotwendi-gen aufzubauen [78], bringt er wenigstens formal den articulus stantis et caden-tis ecclesiae zur Geltung. Aber inhaltlich ist aus dem reformatorischen Hauptartikel doch etwas anderes geworden. Das problematische Verhältnis seiner Rechtfertigungslehre zur reformatorischen Theologie wurde bereits erörtert [79]. Es zeigte sich, daß sie sich sachlich in großer Nähe zur tridentini-schen Auffassung befand. Infolgedessen wertet er das rechte Verständnis der Rechtfertigung auch keineswegs als eine besondere Errungenschaft der Refor-mation. Die „Praxis" ist für ihn vielmehr jener rechtfertigende Heilsglaube, den die Kirche zu allen Zeiten gekannt hat [80].

Unlutherisch ist auch die gesetzliche Art und Weise, wie er die fundamen-talen Glaubensartikel als den Inbegriff der Offenbarung versteht. Die Frage nach dem zur Seligkeit Nötigen *kann* lediglich das für den Durchschnitts-gläubigen Unerläßliche meinen. Sie kann aber auch hinüberführen in die der reformatorischen Fragestellung fremde Dimension des Notwendigen im Sinne der Bedingung zur Erlangung der Seligkeit. Dann erscheint die Frage nach dem Notwendigen in der Relation von Heilsgesetz und Gesetzeserfül-lung. Diese Dimension ist bei Calixt erreicht und gar nicht mehr als frag-würdig empfunden. Die Artikel des Apostolikums stellen für ihn ein über-natürliches Glaubensgesetz dar. Der sich offenbarende Gott wird als der Gesetzgeber erfahren, der in der lex evangelica die credenda und agenda mitteilt, welche zur Erlangung der Seligkeit geglaubt und getan werden müssen[81]. Der Glaube an Christus und sein Verdienst, getreu der lutherischen Tradition in den Mittelpunkt gestellt, erscheint nicht wie bei den Reformatoren als das ängstliche und tröstliche Hinfliehen zum Evangelium, sondern als ein Akt heilsnotwendiger Gesetzeserfüllung. Die Unterscheidung von Gesetz und Evangelium, formal noch aufrechterhalten[82], wird in der Tiefe nicht mehr vollzogen. Das Evangelium wird selbst einfach als Gesetz begriffen.

Dem gesetzlichen Verständnis der Offenbarung gemäß deutet Calixt die Heilsgeschichte überhaupt als ein Rechtshandeln Gottes mit der Menschheit. Er hat diesen Gesichtspunkt in verschiedenen Schriften durchgeführt, besonders in dem Spätwerk De pactis quae Deus cum hominibus iniit, einem Versuch, die Heilsgeschichte ähnlich wie die reformierte Föderaltheologie, aber unabhängig von ihr als die Geschichte der Bundschlüsse Gottes mit der Menschheit darzustellen[83]. Der Grundgedanke ist, daß Gott mit den Menschen nach dem Fall *einen* Pakt abgeschlossen hat, auf Grund dessen sie das Heil erlangen können[84]. Daß Gott der Bibel zufolge dabei die Ausdrucksweise Pakt oder Bund gebraucht hat, ist ein besonderer Gnadenerweis, da es sich in Wahrheit um ein Gesetz handelt[85]. Dieses Gesetz ist eben die „lex evangelica", die den Glauben an Christus als den Heiland der Welt fordert[86]. Die Heilsgeschichte besteht in der Abfolge einer Reihe von Pakten zweiter Ordnung, d. i. der biblischen Bundesschlüsse. Ihnen allen liegt aber der evangelische Pakt zugrunde, der, solange der Messias erwartet wurde, der Alte Bund, nach seinem Kommen der Neue genannt wird[87]. Die lex evangelica ist allezeit ihrer Substanz nach ein und dieselbe[88]. Dementsprechend bedeutet auch das Bemühen, die fundamentalen Glaubensartikel zu ermitteln, nichts anderes, als die wesentlichen Inhalte des pactum evangelicum oder der lex evangelica herauszuarbeiten. Die Frage nach den heilsnotwendigen Glaubenswahrheiten erhält so den Charakter einer Rechtsfrage vor der als Heilsgesetz verstandenen Offenbarung. Es gilt, gleichsam das Grundgesetz des christlichen Glaubens herauszuarbeiten und allem im Laufe der Geschichte Beigefügten gegenüberzustellen, um den wahren Begriff der katholischen, auf dieses Gesetz gegründeten Kirche vor Augen zu stellen[89].

In der Durchführung dieses Versuchs offenbart sich das Hauptproblem der universalkirchlichen Theologie Calixts. Dem Weg, den Calixt beschreitet, wird zwar eine gewisse innere Konsequenz nicht bestritten werden können. Indem er mit dem Grundsatz der fides explicita ernst macht und andererseits der humanistischen Tendenz folgend die Einfachheit und Praktikabilität zum echten Kriterium erhebt, wird er folgerichtig zur Reduktion des Fundamentalen auf den Minimalbestand heilsnotwendiger Lehre geführt, wie er ihn etwa im Apostolikum finden will. Man wird in der darin beabsichtigten Scheidung von Glauben und Theologie ein berechtigtes und für die interkonfessionelle Verständigung bedeutsames Anliegen sehen dürfen. Am Ergebnis aber wird die entscheidende Schwierigkeit des praktischen Fundamentalismus (wenn wir den Versuch Calixts so bezeichnen dürfen) sichtbar: die Reduktion auf das Apostolikum läßt sich nicht durchführen, ohne – wiewohl entgegen der Absicht Calixts – die Gefahr der Relativierung heraufzubeschwören. Schon die Zeitgenossen Calixts haben alsbald den Finger auf diesen Punkt gelegt.

Es muß schon als fraglich erscheinen, inwieweit Calixts Voraussetzung, daß die Übereinstimmung im Apostolischen Glaubensbekenntnis nicht nur eine nominale, sondern eine reale sei, für die Alte Kirche zugetroffen hat. Ganz gewiß kann dies aber nicht für das 17. Jahrhundert behauptet werden. Die getrennten Konfessionen brachten in ihren Unterscheidungslehren ein verschiedenes Verständnis zentraler Wahrheiten zum Ausdruck, die im Apostolikum ausgesagt oder vorausgesetzt waren. Die reale Verständniseinheit im Apostolischen Glaubensbekenntnis anzunehmen, mußte daher eine Illusion sein. Daß Calixt ihr bei aller scharfsinnigen Erfassung und Durchdringung der konfessionellen Differenzen verfallen konnte, erklärt sich aus seinem optimistischen Vertrauen in die Einfachheit und Eindeutigkeit des Wesentlichen. Über die Schwierigkeiten, die ihm bei der Durchführung seiner These entgegentreten mußten, konnte er sich dadurch hinwegtäuschen, daß er ein harmonisierendes Verständnis der umstrittenen Glaubenswahrheiten (z. B. der Rechtfertigung) entwickelte. Im Lichte dieser Harmonisierung konnte ihm die Übereinstimmung der Konfessionen im Fundament des apostolischen Glaubens in der Tat als eine reale erscheinen. In Wirklichkeit war aber seine These geeignet, unter der scheinbaren Übereinstimmung jedwede Interpretation der Fundamentalartikel zu legitimieren und damit die christliche Wahrheit zu relativieren. Da er die Notwendigkeit einer das rechte Verständnis sichernden Erklärung (jedenfalls über gewisse Explikationen der Alten Kirche hinaus) nicht anzuerkennen bereit war, mußte er daher auch in Widerspruch mit dem Selbstverständnis aller Konfessionskirchen, und nicht zuletzt seiner eigenen, geraten.

Immerhin konnte er sich für seine These insofern auf die Reformatoren berufen, als diese über die Grenzen des eigenen Bekenntnisses hinweg wahre Kirche überall dort fanden, wo das Apostolische Glaubensbekenntnis, die zehn Gebote, das Evangelium, Taufe, Absolution u. a. m. erhalten geblieben waren [90]. Aber obgleich die Reformatoren wußten, das selbst das Papsttum bestimmte Kennzeichen der wahren Kirche bewahrt hatte [91], wäre es doch für Luther und auch für Melanchthon undenkbar gewesen, die *Kirchen* von

Rom und Zürich oder Genf, des Papstes und der „Sakramentierer", als in fundamentalibus rechtgläubig und daher als Glieder der einen, wahren katholischen Kirche anzuerkennen. Calixt kann dies, weil er die heilsnotwendige Lehre, das Hauptkennzeichen der wahren Kirche, auf die vermeintlich von allen Konfessionen in wirklicher Übereinstimmung angenommenen Wahrheiten des Apostolikums reduziert. Damit verläßt er den Boden der Reformation, ohne dies jedoch selbst zu bemerken, da er von ihren Anliegen auszugehen und sie nur nach einer bestimmten Richtung hin fortzuführen glaubte [92]. Das Luthertum mußte hier von seinem Wahrheitsanspruch aus die entscheidende Frage an Calixt stellen, ob mit jener Reduzierung nicht die eigentlichen Anliegen der Reformation preisgegeben wurden. Diese Kontroverse wird uns noch beschäftigen [93].

7. KAPITEL

KIRCHENGESCHICHTE UND KIRCHLICHE EINIGUNG

Die Modifizierung der Kirchenanschauung Calixts im Sinne der universalen Kirchenidee mußte sich auch in der Betrachtung der Kirchen*geschichte* auswirken. Die Feststellung, daß alle großen Kirchen das heilsnotwendige Glaubensfundament und folglich ihren katholischen Charakter bewahrt hätten, stellte bereits ein historisches Urteil dar. Der damit ausgesprochene Gedanke von der Kontinuität des heilsnotwendigen Glaubens wird jetzt [1] leitender Gesichtspunkt in der Kirchengeschichtsbetrachtung. Die kirchliche Vergangenheit und Gegenwart wird danach beurteilt, in welchem Maße das Fundament rein erhalten und durch angemessene Lehre und Praxis gesichert wurde [2].

Die Art und Weise, wie Calixt diesen Maßstab anwendet, verleiht seiner Kirchengeschichtsbetrachtung einen gewissen juristischen Zug. Trotz der erwähnten Ansätze für ein tieferes historisches Verstehen ist durchaus die natur-(bzw. offenbarungs-)rechtliche Betrachtung vorherrschend. Die Geschichte bleibt für ihn so wie für die zeitgenössische konfessionelle Kirchengeschichtsschreibung das Arsenal der Apologetik, nur daß er es in den Dienst seiner universalkirchlichen Anliegen stellt.

An Hand seines Maßstabes teilt er die Kirchengeschichte in drei Epochen ein. Die erste zeigt die Verwirklichung der reinen, in rechter Weise über dem Fundament errichteten Kirche. In der zweiten Epoche wird das Fundament durch irrige und superstitiöse Hinzufügungen verdunkelt. Die dritte Epoche leitet die Rückwendung zur vollkommenen Zeit des Anfangs ein. In dieses Bild vom Gesamtablauf der Kirchengeschichte ordnet er den kirchenhistorischen Stoff ein.

Der erste Zeitraum umfaßt das kirchliche Altertum der ersten fünf Jahrhunderte. Dies ist die Zeit der unzweifelhaft lauteren und rechtgläubigen Kirche[3], in der „die Seligmachende lehr in einer großen Vollkommenheit, Klarheit und excellenti perfectione im schwange gangen"[4]. Schon die Nähe zum Ursprung zeichnet diese Epoche vor allen anderen aus[5]. Ihre Lauterkeit und Vollkommenheit erwies sie glänzend in den Märtyrern unter den Imperatoren vor Konstantin d. Gr.[6]. In den folgenden Jahrhunderten, in denen die äußere Verfolgung durch die innere Bedrohung von seiten der gefährlichsten Häresien abgelöst wurde, gab Gott der Kirche die begabtesten und berühmtesten Kirchenlehrer[7] und die Gelegenheit zur Abhaltung der ökumenischen Konzilien[8]. Zwar lassen sich in der späteren Zeit der Alten Kirche gelegentlich bereits Ansätze zum Verfall feststellen[9]. Doch bleibt nach Calixt in den ersten fünfhundert Jahren die Reinheit im ganzen bewahrt. Die eigentliche Verfallsgeschichte setzt er erst mit dem siebenten Jahrhundert an.

Die Hochschätzung des ersten halben Jahrtausends der Kirchengeschichte entspricht sowohl der humanistisch-altkatholischen wie der lutherischen Tradition. Die Idee des reinen, vorbildlichen Zeitalters der ersten fünf christlichen Jahrhunderte wird u. a. von Cassander[10], Witzel[11], Casaubonus[12] und de Dominis[13] vertreten, auf die sich Calixt gelegentlich ausdrücklich bezieht. Andererseits findet sich auch bei Luther der Gedanke, daß die Zeit der reinen Kirche mit Gregor d. Gr. ende[14]. Er wirkt in der lutherischen Theologie fort. Flacius läßt zwar bereits im dritten Jahrhundert Mißbräuche in der Kirche um sich greifen, sieht sie aber bis etwa zum Jahre 600 nicht so anwachsen, daß er nicht der „Religion" dieses Zeitraums mehr Ähnlichkeit mit der eigenen als mit der päpstlichen zuschreibt[15]. Indem Calixt von seinen Kriterien aus zu einer präzisen Abgrenzung der „reinen" Epoche des christlichen Altertums kam, beantwortete er eine in der lutherischen Theologie gestellte, aber bis dahin im Grunde offen gebliebene Frage.

Für seine Sicht der kirchlichen Verfallsgeschichte ist einerseits die Überzeugung kennzeichnend, daß die Fundamente des Christentums unter aller Depravation unversehrt fortbestanden[16]. Auch dieser Gedanke hat, wie wir bereits sahen, einen Anhalt in der reformatorischen Tradition. Nach Luther haben auch in den dunkelsten Zeiten der Kirchengeschichte die Ordnungen des Predigtamtes und der Sakramente eine Sukzession des Geistes Christi vermittelt[17]. Calixt führt diesen Gedanken fort und modifiziert ihn zugleich, indem er ihn auf die fundamentalen Glaubenswahrheiten anwendet. Trotz der Irrtümer und Mißbräuche konnten die Christen im Mittelalter selig werden. Er weist etwa an Hand mittelalterlicher Sterbeagenden nach, „in welchem Glauben, in welcher Hoffnung, mit welchem Vertrauen in den früheren Jahrhunderten unsere Vorfahren ihr Leben beschlossen . . ., nämlich mit demselben wie wir, die wir Protestanten oder Reformierte genannt werden"[18].

Andererseits behält er aber innerhalb der hierdurch gegebenen Grenzen wesentliche Elemente der lutherischen Verfallstheorie bei. Die Gesichtspunkte, unter denen er die mittelalterliche Kirchengeschichte betrachtet, zeigen, wie ihm (mit der altprotestantischen Orthodoxie) ein Verständnis für die Eigenart des Mittelalters und seiner Probleme noch völlig abgeht. Die Betrachtung ist mehr ein Plaidoyer gegen Rechtsbruch und Untreue als ein Eindringen in die historischen Zusammenhänge der mittelalterlichen Entwicklung.

Der Punkt, an dem der Verfall einsetzt, kann nach Calixt genau bezeichnet werden[19]. Die Rangordnung der altkirchlichen Patriarchen pflegte sich seiner Deutung zufolge nach der Rangordnung der Städte zu richten, in denen sie residierten. Solange Rom Hauptstadt war, hatte daher der römische Bischof den Primat inne. Als dagegen Konstantinopel Reichshauptstadt wurde, forderte der byzantinische Patriarch diese Würde für sich. Jedoch erreichte später Papst Bonifaz III. von dem sittenlosen Kaiser Phokas die Anerkennung als ökumenischer Patriarch. Damit wurde der Grund zu der langen Geschichte der Perversion gelegt, die nun folgte[20].

Im Mittelpunkt dieser Geschichte steht die Entwicklung des Papsttums[21]. Im Machtstreben der Päpste (ambitio und dominandi cupiditas) findet Calixt das treibende Moment der Depravation[22]. Zunächst bewirkt es das Schisma zwischen Ost- und Westkirche[23]. Im Laufe der Zeit tritt es immer deutlicher hervor, bis es seinen Gipfelpunkt in Gregor VII. erreicht[24], dessen Herrschaftsansprüche über die Universalkirche und die Welt Calixt sich nicht scheut, „haeresis Hildebrandiana" zu nennen[25]. Als Hauptstücke dieser Häresie gelten ihm die angemaßte Irrtumslosigkeit, die behauptete Oberherrschaft über die weltlichen Gewalten, der politische Mißbrauch der Exkommunikation und die Entbindung der Untertanen mißliebiger Fürsten vom schuldigen Gehorsam[26]. Im Laufe der Zeit werden zur Stützung dieser Ansprüche und zur Befriedigung der Geldgier des Klerus die Lehren von der Schlüsselgewalt und Buße verfälscht, Dispensationen, Exkommunikationen und Interdikte gehäuft, Ohrenbeichte, Zölibat, Jubiläen, Ablässe, Purgatorium, Kelchentzug, Transsubstantiation (zur Erhöhung der Ehrfurcht vor dem Priester), vor allem aber die Lehre von der Stellvertretung Christi durch den Papst eingeführt[27]. Bettelorden werden gegründet, um als gefügige Werkzeuge des päpstlichen Willens zur Beherrschung der Kirche zur Verfügung zu stehen[28]. Gleichzeitig werden, um die Weltherrschaft der Kurie durchzusetzen, die frommen deutschen Kaiser von den Päpsten, deren zu Zeiten einer verbrecherischer als der andere ist, verfolgt[29]. Superstitiones, corruptelae, abusus und tyrannis nehmen „zu behäupt und bestetigung seines (des Papstes) dominats"[30] überhand[31]. Zwar findet er gelegentlich auch wohl anerkennende Worte, so bei allem Tadel an der mangelnden philologischen Bildung und an der Disputiersucht auch für die Scholastik und ihre spekulative Leistung[32]. Im Vordergrund aber steht die Kritik an der allgemeinen Depravation.

Die Reformation versteht Calixt als das Werk Gottes, durch das er die Kirche wieder zu ihren Anfängen zurückführen will. Zum vorherbestimmten Zeitpunkt habe sich Gott seiner Kirche erbarmt und Martin Luther erweckt, der den Antichristen entlarvte[33] und die Erneuerung der Kirche einleitete[34]. Die Wendung kam nicht unvorbereitet. Calixt hebt immer wieder hervor, daß ohne den Fortschritt der Wissenschaft, insbesondere ohne die Restitution der linguae und litterae seit der Verpflanzung der griechischen Gelehrsamkeit nach Italien im 15. Jahrhundert die prisca facies ecclesiae nicht hätte wiederentdeckt und die notwendige Erneuerung nicht hätte ins Werk gesetzt werden können[35]. Die Wiedergeburt der Wissenschaft bildet die Voraussetzung der Reformation[36]. Dazu weist Calixt auf die „praeludia und vorbotten" der Reformation wie Berengar, Waldes, Wiclif, Hus, Hieronymus von Prag hin, die die Kirche zu erneuern versuchten, allerdings in mancher Hinsicht nicht zur vollen Erkenntnis der Wahrheit gelangten[37]. So sieht er Luther im geschichtlichen Zusammenhang mit der Erneuerung der Wissenschaft in Renaissance und Humanismus und mit den Vorreformationsbestrebungen. Andererseits betont er freilich auch im Sinne des orthodoxen Lutherbildes die Einzigartigkeit Luthers als des θεόπνευστος und göttlichen Werkzeuges der Reformation[38]. Dabei gibt er der Deutung des Reformationswerkes eine spezifische Wendung im Sinne seines Kirchengeschichtsbildes. „Kein anderes Anliegen hatten die Urheber der Reformation, als daß durch Beseitigung der Verfallserscheinungen, die in den nachfolgenden Jahrhunderten Aberglaube, Habsucht und Anmaßung eingeführt hatten, alles möglichst nach dem Aussehen und der Lauterkeit der ersten Kirche wiederhergestellt werde[39]." Die Reformation ist somit nichts anderes als der Versuch, die altkirchliche Gestalt des Christentums wiederherzustellen. Als Frucht der Reformation nennt er demgemäß auch nicht etwa die Wiederentdeckung des Evangeliums – die Rechtfertigung erwähnt er im Zusammenhang mit der Reformation nur am Rande –, sondern die Befreiung vom päpstlichen Joch, die Reinigung der Kirche vom Aberglauben, die Wiederherstellung des Untertanengehorsams, die Wiedervervollständigung des Sakraments, die Erneuerung des Ansehens und des rechten Gebrauchs der Schrift und die Vollanerkennung Christi als des einzigen Mittlers[40].

Die Reformatoren haben ihr Ziel aber nach Calixt nicht voll erreichen können. Da der Papst die beanstandeten Mißbräuche nicht abzustellen gewillt war, andererseits aber auch nicht verlangt werden konnte, daß Luther sie gegen sein Gewissen ferner billigte [41], kam es zu dem Schisma zwischen der römischen Kirche und den „Kirchen des Westens und Nordens". Wie diese sich einst freiwillig dem römischen Bischof als Patriarchen des Abendlandes unterstellt hatten, so konnten sie sich jetzt mit gutem Grunde wieder von ihm trennen [42]. Damit aber ist die abendländische Kirchenspaltung eingetreten. Fortan gibt es im Westen eine reformierte katholische Kirche und eine nichtreformierte [43]. Die Ursache der Kirchenspaltung sieht Calixt also in der Anmaßung des Papstes, ihren Anlaß in der Haltung Roms gegenüber Luther [44]. Den Grund für ihre Fortdauer aber erblickt er – abgesehen von den Ansprüchen des Papsttums – darin, daß eine jede der nun bestehenden Konfessionskirchen aus Meinungen, die das Fundament nicht berühren, heilsnotwendige Lehren macht. „Zwo fürnembste uhrsachen sein aller trenn- und spaltung in der Kirchen Gottes, die eine, des Römischen Pabstes unmeßlicher Ehrgeitz und begierde über die gantze welt zuherrschen, die ander aber, daß in tractirung Christlicher religion auß nebenfragen vielmahls Hauptfragen gemachet, und der Unterscheid zwischen Hauptarticuln und was sonsten in disputation gezogen werden kan, nicht gehalten wird" [45]. Nach dem Grade, in dem dies geschieht, beurteilt er die Konfessionen im einzelnen. Die römische Kirche ist diejenige, die am meisten Dinge zum Fundament hinzugetan hat [46]. Sie ist daher am unreinsten. Als unerträglich bezeichnet Calixt auch einige Irrtümer der Calvinisten, besonders in der Prädestinations- und Abendmahlslehre [47]. Weder im Blick auf die römische Kirche noch im Blick auf die Calvinisten spricht er freilich von Häresien. Was die lutherischen Kirchen angeht, unterscheidet er zwischen denen, die der Augsburgischen Konfession simpliciter anhängen, und denen, die weitere Dogmen hinzufügten, so das Dogma von der Ubiquität [48]. Die ersteren sind unter allen die reinsten Kirchen, wenigstens was die Lehre anbelangt (hinsichtlich der Riten und der Sittlichkeit läßt Calixt die Frage offen) [49]. Und er dankt Gott dafür, daß er in einer Kirche geboren sei, die das Ubiquitätsdogma niemals angenommen habe [50].

Statt zur Erneuerung der Gesamtkirche nach dem Vorbild des kirchlichen Altertums hat also die Reformation zur Zerteilung der Kirche in mehrere Teile von größerer oder geringerer Reinheit geführt, die ihre besonderen Lehrmeinungen bei Verlust der Seligkeit für heilsnotwendig erklären. Angesichts dieses Zustandes sieht Calixt die Notwendigkeit, das Anliegen der Reformation, wie er es versteht, wieder aufzunehmen und weiter fortzuführen mit dem Ziel, die verschiedenen Kirchenparteien zum Verzicht auf ihre nichtfundamentalen Glaubenslehren und zum Rückgang auf das allein heilsnotwendige Fundament zu bringen, wie es in der Alten Kirche rein und ohne Zusätze angenommen und überliefert worden war.

Diese Folgerung sucht Calixt dadurch noch besonders zu stützen, daß er dem entscheidenden Gedanken von der Kontinuität der Heilswahrheit die Form eines verbindlichen Prinzips gibt. Wenn nämlich, argumentiert er, die Kirchengeschichte lehrt, daß trotz Verdunkelung und Verfall das Fundament des heilsnotwendigen Glaubens bis heute in der gesamten Kirche erhalten geblieben ist, dann besteht die Möglichkeit, neben der Offenbarung auch die Geschichte zur Bezeugung dieses Glaubens heranzuziehen. Er entwickelt diesen Gedanken in seiner Lehre von der Tradition.

Die Lehre vom Traditionsprinzip begegnet zuerst in seinem Apparatus theologicus von 1628 [51]. Die bedeutendsten Ausführungen zu diesem Thema finden sich dann in der Einleitung zu seiner im folgenden Jahr veranstalteten Ausgabe von Augustins de doctrina christiana und Vincentius' Commonitorium. In fast allen wichtigen späteren Veröffentlichungen nimmt er auf die hier vorgetragene Lehre Bezug. Mit dem Problem der Tradition setzt er sich jedoch schon in früheren Schriften, vor allem in der Epitome Theologiae von 1619, ausführlicher auseinander [52]. Zum Verständnis der späteren Anschauung empfiehlt es sich, darauf zunächst einen Blick zu werfen. Der Begriff der Tradition, lehrt Calixt hier [53], hat einen mehrfachen Sinn. Ganz allgemein bezeichnet er einfach quicquid vel scripto vel viva voce traditur. Spezieller bedeutet Tradition dann das Zeugnis, das die Kirche ablegt, z. B. das Zeugnis von den kanonischen Büchern oder von bestimmten Glaubensartikeln, die in der Schrift enthalten oder aus ihr abgeleitet sind. (Dabei kommt der Kirche keine von der Schrift abgelöste Autorität zu.) Drittens wird der Begriff der Tradition zur Bezeichnung äußerer Riten und Einrichtungen verwandt, die aus früheren Jahrhunderten überliefert werden, aber je nach der ratio temporum verändert werden können. Eine vierte Bedeutung im Sinne von in der Schrift nicht enthaltenen apostolischen Überlieferungen (Bellarmins verbum non scriptum) lehnt er als mit der Schriftsuffizienz unvereinbar ab [54].

Mit der Lehre vom Traditionsprinzip, die er ein Jahrzehnt später ausbildet, setzt er bei dem an zweiter Stelle genannten Begriff der Tradition ein, dem Begriff der Tradition als Zeugnis der Kirche. Mit dieser Bestimmung befand er sich auf dem Boden jenes altlutherischen Traditionsverständnisses, das in dem Gedanken von den „testes veritatis" zum Ausdruck gebracht worden war [55]. Der Gedanke der testes besagte, daß man vom wiederentdeckten Evangelium her hier und da in der Kirchengeschichte, wo rechter Glaube gewesen war, Zeugnisse für die geschichtliche Kontinuität des

eigenen Verständnisses des Evangeliums finden konnte. Calixt geht nun
einen Schritt weiter und lehrt: die heilsnotwendige Wahrheit, deren Kenntnis die Schrift vermittelt, d. s. die fundamentalen Glaubensartikel, ist allezeit
in der universalen Kirche vorhanden gewesen und auch heute in den großen Konfessionskirchen ungeachtet der eingerissenen Irrtümer und Mißbräuche anerkannt. Daher findet man nicht nur dann und wann testes veritatis, sondern die Kirche als Ganze in Zeit und Raum bezeugt die fundamentale Wahrheit. Er nimmt damit das traditionalistische Moment in der
Idee von den Zeugen der Wahrheit auf und bildet es fort, indem er es auf
die Kirche als Ganze anwendet. Die „Summe" der Schrift und der fundamentale Glaube aller Kirchen sind nach ihm identisch. Daher kann man, will
man den heilsnotwendigen Glauben ermitteln, den Weg ebenso wie über
die Schrift auch über die Tradition der universalen Kirche wählen. Das Ergebnis ist notwendig dasselbe.

Liegt hier eine Umkehrung des Verhältnisses von Schrift und Tradition
vor[56]? D. h. wird das Evangelium, das der sichere Maßstab zur Feststellung von Zeugnissen der Wahrheit in der Kirchengeschichte war, jetzt gleichsam zu einer unbestimmten Größe, die allererst mit Hilfe der kirchlichen
Tradition sicher erfaßt werden kann? Manche Äußerungen Calixts scheinen
dies nahezulegen. So wenn er sagt, daß die Genugsamkeit des Apostolischen
Symbols für uns daraus erwiesen werden könne, daß es nach dem Glauben
der alten Christen alles zum Heil Notwendige enthalten habe[57]. Wenn er
die Autorität der Alten Kirche damit begründet, daß sie die Kirche der hl.
Märtyrer gewesen sei, die unmöglich für einen falschen Glauben ihr Leben
hätten geben können, oder daß Christus seine Kirche so bald nach ihrer
Gründung nicht habe verlassen können, weshalb sie hinsichtlich der heilsnotwendigen Lehre als irrtumsfrei zu gelten habe[58]. Wenn er lehrt, daß, was
alle Kirchen heute übereinstimmend als heilsnotwendig erkennen, der heilsnotwendige Glaube sein müsse, da eine weltweite Konspiration der Kirchen
gegen die Wahrheit nicht denkbar sei[59]. Jedoch handelt es sich hierbei lediglich um Argumente der historischen Wahrscheinlichkeit bzw. moralischen
Glaubwürdigkeit. Die Autorität der Tradition wird nicht *dogmatisch*-ekkle-
siologisch aus einer Unfehlbarkeit der Kirche begründet. Oben ergab sich
bereits, daß die Irrtumslosigkeit, die Calixt der universalen Kirche zuspricht,
nicht über die Indefektibilität jeweils eines Restes der Gesamtkirche hinaus-
ging. Die Tradition besitzt daher auch für Calixt nur insoweit Verbindlichkeit, als sie sich mit hinreichender Gewißheit auf die frühe Kirche zurückführen läßt. Das Schriftprinzip im Sinne der normativen Stellung der
Schrift als suffizienter und allein dogmatisch unfehlbarer Norm bleibt durchaus erhalten. Er wird deshalb auch nicht müde zu betonen, daß die Tradi-

tion nachgeordnetes Prinzip sei[60]; daß man auf sie auch verzichten könne, da in der Schrift die Glaubenswahrheiten genugsam enthalten seien[61]; daß sie nur einen ergänzenden Beweis a posteriori für das bringen könne, was a priori aus der Schrift hergeleitet werde[62]. Es findet also keine eigentliche Umkehrung des Verhältnisses von Schrift und Tradition statt. Die Schrift ist, wenigstens logisch, nach wie vor oberstes Erkenntnisprinzip der Theologie[63]. Aber das Verhältnis wird zu einem solchen der Identität. Calixt ist überzeugt, daß die Tradition „der hl. Schrifft nicht zue wieder, sondern mit derselbigen herlig übereinstimme"[64]. Er kennt keinen wesentlichen Punkt, an dem Schrift und Tradition widereinanderstünden.

Mit diesem Traditionsprinzip hat Calixt tatsächlich eine weitgehende Annäherung an das katholische Traditionsverständnis vollzogen. Die Verhältnisbestimmung von Schrift und Tradition – die Schrift begründendes, die Tradition bezeugendes Prinzip[65] – entspricht zwar zunächst der altprotestantischen Unterscheidung von norma normans und norma normata. Calixt tut aber einen folgenschweren Schritt darüber hinaus, indem er als das argumentum secundarium nicht das durch den kritischen Rückbezug auf die Schrift geprüfte und normierte, sondern das allein noch durch das formale Kriterium der raumzeitlichen Übereinstimmung ausgewiesene Zeugnis der universalen Kirche heranzieht. Dabei wird die Überordnung der Schrift theoretisch aufrechterhalten[66], und dies gibt Calixt das gute protestantische Gewissen bei der Ausbildung seiner Traditionslehre. Praktisch aber wird die Tradition zur zweiten verbindlichen Norm für den christlichen Glauben. Trotz der Unterschiede in Begründung und Anwendung ist tatsächlich damit das katholische Traditionsverständnis erreicht. Die eigentümliche Zwischenstellung Calixts, über die er sich wohl nie voll Rechenschaft gegeben hat, wird daran deutlich, daß der orthodoxe Protestantismus ihm mit Recht die Aufgabe des Schriftprinzips vorwerfen konnte[67] und daß er auf der anderen Seite in römisch-katholischen Augen der Protestant blieb, der den ‚Sonderüberlieferungen' der Papstkirche die Norm von Schrift und fundamentaler bzw. altkirchlicher Tradition kritisch entgegenhielt.

Bei der Formulierung und näheren Ausgestaltung des Traditionsprinzips hält sich Calixt an die Gedanken des Vincentius von Lerinum[68]. Schon früh war er durch seinen Lehrer Caselius mit dem vinzentianischen Begriff der katholischen Tradition vertraut geworden[69]. Der Anwendung im Zusammenhang mit der altkatholischen Irenik begegnete er dann bei Cassander und de Dominis[70]. Es lag für ihn nahe, nun auch seinerseits an Vincentius anzuknüpfen, da der Ausgangspunkt bei ihm der gleiche wie bei diesem war: die Überzeugung, daß die Universalkirche im heilsnotwendigen Glauben übereinstimme. Für seine Traditionslehre übernimmt er denn auch einfach die Bestimmungen des Vincentius[71], paßt sie allerdings dem aktuellen Zustand der Kirche an.

Nach Vincentius kennzeichnen drei notae die legitime Tradition: Allgemeinheit, Alter und Übereinstimmung[72]. Da Calixt die Übereinstimmung bereits in den Kennzeichen der Allgemeinheit und des Alters mit ausgedrückt findet, reduziert er die notae der Tradition auf zwei: den consensus universitatis oder kurz die universitas, und den consensus antiquitatis[73]. Mit universitas ist die gegenwärtige universale Kirche gemeint, wie sie sich noch heute entsprechend der altkirchlichen Gliederung in den fünf Patriarchaten darstellt. „Was von diesen allen übereinstimmend überliefert, angenommen und gebilligt wird, ist zweifellos von den Aposteln ausgegangen und überkommen"[74], d. h. katholisch[75]. Das gilt vorzüglich von den Fundamentalartikeln des christlichen Glaubens, aber auch z. B. von der Kindertaufe[76]. Wenn dagegen eine Kirche ein Dogma nicht in Übereinstimmung mit den übrigen Kirchen lehrt, ist mit Gewißheit anzunehmen, daß sie einem Irrtum verfallen ist[77]. So kann die römische Kirche mit Hilfe des Prinzips der universitas ihrer Irrtümer in den Lehren vom Primat und von der Lehrautorität des Papstes, von der communio sub una specie[78], vom Zölibat[79], vom Fegefeuer[80] u. a. überführt werden.

Das Anliegen, entsprechend diesem Traditionsprinzip Material für die Übereinstimmung der Kirchen beizubringen, veranlaßt Calixt zu dem Entwurf einer Art universalkirchlicher Wissenschaft. Im Apparatus theologicus legt er den Stand der christlichen Religion und Kirche in der Welt dar[81], indem er die verschiedenen Kirchen nach der Ordnung der fünf Patriarchate durchgeht: das konstantinopolitanische Patriarchat mit den Kirchen von Klein- und Weißrußland; die Diözese von Alexandrien mit der Kirche von Äthiopien, die die Unfehlbarkeit des Papstes, den Zölibat und die Entstellung der Eucharistie mit den Reformationskirchen verwerfe; die Diözese von Antiochia mit den Drusen; das Patriarchat von Jerusalem; dazu die außerhalb des alten römischen Reiches gelegenen Kirchen von Georgien, Armenien, Mesopotamien, die tatarischen und Thomaschristen und die von Sokotra. Ferner führt er die Missionskirchen in Portugiesisch-Afrika und die Erzbistümer Goa, Manila, Hispaniola und Mexiko auf[82]. Infolge des Mangels an geeigneten Unterlagen ist diese Darstellung mehr eine Aufzählung der verschiedenen Kirchen als eine wissenschaftliche Beschreibung. Auch wird die abendländische Kirche ebensowenig wie die Sekten mit einbezogen. Jedoch zeigt dieser Ansatz, wie das durch den universalen Kirchenbegriff bedingte universalkirchliche Interesse auf eine wissenschaftliche Darstellung des ökumenischen Kirchentums hindrängte.

Das Prinzip der universitas birgt nun aber nach Calixt große Schwierigkeiten: Einerseits konnten nicht nur die römische, sondern auch die übrigen Kirchen zu dem, was sie von den Aposteln überkommen hatten, Fremdes hinzufügen. Andererseits besitzen wir nicht genügend Kenntnis von allen über die ganze Welt verstreuten Kirchen. Daher kann dieses Prinzip in angemessener Weise nicht immer angewandt werden[83]. Wir müssen deshalb nach dem zweiten Merkmal legitimer Tradition fragen, der consensio antiquitatis. Um sie zu ermitteln, haben wir in der Geschichte bis zu der Zeit zurückzugehen, in der die Kirche noch nicht auf Grund neu eingeführter Sondermeinungen zerspalten war, sondern dem einfachen, fundamentalen Glauben anhing. Das ist die Zeit des „genuinen Altertums"[84]. Wie wir gesehen haben, umfaßt diese Epoche die ersten fünf christlichen Jahrhunderte, weshalb das Traditionsprinzip später die Bezeichnung „consensus quinquesaecularis" erhalten konnte[85]. Der Konsens des kirchlichen Altertums ist nach Calixt certissima nota veritatis[86], und wenn er von Tradition spricht, so ist in der Regel diese Tradition des kirchlichen Altertums gemeint.

Der Konsensus der Alten Kirche stellt sich dar in dem, was sie offenkundig, stetig und beharrlich (aperte, frequenter, perseveranter) in Einmütigkeit lehrte[87]. Dies erhellt aus „zwei Strömen", in denen die altkirchliche Tradition auf uns gekommen ist. Den einen Strom bilden die altkirchlichen Symbole und Konzilsentscheidungen. Neben dem Apostolikum nennt Calixt das Athanasianum, die Symbole der ökumenischen Synoden von Nicaea, Konstantinopel, Ephesus und Chalcedon sowie die (antipelagianischen) Entscheidungen der Partikularsynoden von Mileve und Arausio[88]. Da die altkirchlichen Konzilien die universale Kirche aber nicht vollkommen repräsentierten, fordert Calixt, daß zum Erweis des consensus antiquitatis ergänzend das übereinstimmende Zeugnis der alten Kirchenlehrer herangezogen werden soll.

Deren Schriften bilden den zweiten Strom der altkirchlichen Tradition[89]. Sie sind nun freilich nicht alle von gleichem Rang. Daher wählt Calixt unter Berufung auf Vincentius die hervorragendsten unter ihnen aus[90]. Es sind Justin und Irenaeus aus dem zweiten Jahrhundert, Cyprian, Tertullian und Origenes aus dem dritten, Athanasius, Basilius d. Gr., Gregor von Nyssa und Gregor von Nazianz, Epiphanius, Chrysostomus, Hilarius, Ambrosius, Optatus von Mileve und Hieronymus aus dem vierten und Augustin, Cyrill von Alexandrien, Theodoret, Maximus Taurinensis, Leo I., Prosper und Fulgentius aus dem fünften Jahrhundert[91]. Aus ihren Schriften, deren Erhaltung er einem besonderen Akt der göttlichen Vorsehung zuschreibt, glaubt er die Lehrübereinstimmung der ersten fünf Jahrhunderte zur Genüge entnehmen zu können. Er hält übrigens die vorstehende Aufstellung aus dem Jahre 1629 nicht immer ein. 1633 führt er in seinem „Diskurs" achtunddreißig Kirchenväter auf[92], und in der praktischen Anwendung des Traditionsprinzips beschränkt er sich ebenfalls nicht bloß auf die genannten. Diese sollen jedoch auch nur stellvertretend für die Gesamtheit der alten Kirchenlehrer stehen. Bei der Handhabung des Prinzips weiß er sehr wohl auch um Unterschiede in der Theologie der Alten Kirche. Von einer globalen, undifferenzierten Anerkennung der Väter als Norm kann nicht gesprochen werden[93]. Worauf es ihm ankommt, der consensus der alten Kirchenlehrer, hat gerade eine kritische Funktion zu erfüllen. Mit seiner Hilfe soll das Gemeingut der Alten Kirche von den Partikularmeinungen der Theologen gesondert werden. Allein diesen Konsens, verbunden mit den Synodalbeschlüssen, erhebt er zur Norm im Sinne seines Traditionsbegriffs.

Die Aufgabe, die er der Tradition als argumentum secundarium zuweist, kann man zusammenfassend dahin bestimmen, daß sie den heilsnotwendigen Glauben hinsichtlich seines Umfanges und Inhaltes gegen die Neuerungen aller Art bezeugen soll, die im Laufe der Zeit aufgekommen sind[94]. Hinsichtlich des Umfanges: mit Hilfe des altkirchlichen Zeugnisses soll auch aus der Geschichte erwiesen werden, daß heilsnotwendig nur das ist, was wir als die articuli fundamentales kennengelernt haben. Alles, was im Verlauf der Kirchengeschichte dazugetan worden ist, kann als der alten Christenheit unbekannt nicht wirklich als Glaubensartikel gelten. Nicht nur die Hl. Schrift, sondern auch die kirchliche Tradition enthüllt so die Nichtigkeit der konfessionellen Sonderlehren. Die Funktion des Traditionsprinzips ist von diesem Gesichtspunkt aus sowohl eine polemische als auch eine irenische[95].

Darüber hinaus hat die Tradition jedoch auch die Aufgabe, den heilsnotwendigen Glauben durch die rechte Deutung seines Inhaltes zu bezeugen. Diese Anwendung des Traditionsprinzips richtet sich gegen die häretische Mißdeutung der Schrift. Der falschen Interpretation wird der Sinn der Schrift entgegengesetzt, den die Kirche von Anfang an vertreten hat[96]. Damit erkennt Calixt ungeachtet der Lehre von der Suffizienz des Apostolischen Symbols in einem gewissen Sinne doch eine Geschichte verbindlicher Deutung der fundamentalen Glaubenswahrheiten an. Freilich schränkt er die Möglichkeit einer Dogmengeschichte in zweifacher Hinsicht ein. Erstens ist nach ihm die Kenntnis der Symbole, die den fundamentalen Glauben näher auslegen, nur den Gelehrten vonnöten, die die rechte Lehre gegen die Häretiker zu verteidigen haben[97]. „Solche synodale Beschlüsse waren nicht unbedingt und absolut notwendig, da die Kirche lange genug ihrer entraten konnte; seitdem sie nun aber herausgegeben sind, erweisen sie sich (sc. für den Theologen) als sehr nützlich[98]." Für die gewöhnlichen Gläubigen genügt es, ‚die Sache selbst', d. h. die fundamentalen Glaubenswahrheiten als solche zu kennen[99]. Für sie gibt es keine Dogmengeschichte. Hier führt Calixt also einen Unterschied zwischen dem ein, was vom einzelnen geglaubt, und dem, was von der Kirche gelehrt werden muß[100]. Er gesteht die Notwendigkeit zu, daß die Kirche zum Schutz des Glaubens eine verbindliche (da richtige) Auslegung zu geben hat. Allerdings lehrt er damit keine fides implicita. Die Auslegung ist nicht wie der Glaube an die Fundamentalartikel selbst heilsnotwendig. – Zweitens beschränkt er die antihäretische Auslegung des heilsnotwendigen Glaubens auf die Alte Kirche. Die neueren Bekenntnisse sind nach ihm unnötig. Das gilt selbst für die von ihm hochgeschätzte Augsburgische Konfession. Ihre Verfasser hätten ebensogut das Apostolikum und die Entscheidungen von Nicaea, Konstantinopel, Ephesus und Chalcedon als ihr Glaubensbekenntnis vortragen können, hätte nicht der kaiserliche Befehl die Abfassung eines eigenen Bekenntnisses verlangt[101]. Von den alten Konzilien sind nämlich sämtliche wichtigen Fragen bereits geklärt worden. „Jedermann muß es deutlich sein, daß nach so vielen Jahrhunderten kaum eine Frage von Bedeutung aufgeworfen werden kann, in der nicht vordem schon die Frommen und Gelehrten übereingekommen sind[102]." Demnach gibt es nach Calixt keine wirkliche dogmengeschichtliche Entwicklung. Die Dogmengeschichte ist nichts anderes, als die – bereits in der Alten Kirche erfolgte – Ausschöpfung gewisser begrenzter Möglichkeiten, den heilsnotwendigen Glauben zu erläutern, um dem Theologen seine Arbeit, insbesondere die Bestreitung der Häretiker, zu erleichtern. Immerhin wird damit die dogmatische Tradition der Alten Kirche, soweit sie Erklärung und Sicherung der fundamentalen Glaubenswahrheiten (wiewohl selbst nicht fundamental) ist, in den Lehrbestand der universalen Kirche aufgenommen.

Calixt wendet das Traditionsprinzip noch in einem weiteren, allgemeineren Sinne an, indem er auch in Fragen der kirchlichen Lehre und Ordnung, welche die fundamentalia nicht berühren, die Norm der Alten Kirche den Neuerungen Späterer gegenüberstellt[103]. Die Tradition wird zu einer Hauptwaffe seiner Polemik überhaupt, vor allem gegenüber der römischen Kirche. Auf Grund des Traditionsbeweises hört nicht nur „der römische Bischof auf, unfehlbarer Richter und Schöpfer der Dogmen zu sein", sondern sollen auch Kelchentzug, Meßopfer, Ablaß und die anderen Neuerungen widerlegt werden[104]. In diesem allgemeinen Sinne wird das Zeugnis der altkirchlichen Tradition über den polemischen bzw. irenischen Gebrauch hinaus zum zweiten Erkenntnisprinzip der theologischen Wissenschaft. Bestimmte Calixt in der ersten Auflage der Epitome Theologiae 1619 die Theologie als den habitus intellectus practicus, qui e revelatione divina sacris literis comprehensa docet et ostendit, quomodo ad aeternam vitam perveniendum sit[105], so heißt es jetzt: die Theologie ist habitus intellectus practicus docens e revelatione divina sacris literis comprehensa et *testimonio veteris ecclesiae com-*

probata quomodo etc.[106]. „Schrift und Altertum" wird die stehende Formel zur Bezeichnung der theologischen Erkenntnisprinzipien[107].

Mit dem Prinzip des später dann sogenannten consensus quinquesaecularis gewann Calixt ein sehr wirksames Argumentationsmittel in der konfessionellen Auseinandersetzung, das sich schon deshalb empfehlen mußte, weil sowohl auf katholischer wie auf protestantischer Seite die Autorität der Alten Kirche hochgeschätzt, wenn auch im einzelnen verschieden bewertet wurde[108]. Konnte Calixt, wenn er sich der altkirchlichen Tradition als Mittel seiner Polemik und Irenik bediente, voraussetzen, daß er sich mit seinen Gesprächspartnern hüben und drüben auf demselben Boden befand, so mußte seine Fassung des Traditionsprinzips doch auf der anderen Seite zur Kritik in beiden konfessionellen Lagern herausfordern und seine Bemühungen wiederum gefährden. Auf die grundsätzliche Problematik, die für die evangelische wie für die katholische Seite in seiner Verhältnisbestimmung von Schrift und Tradition liegen mußte, wurde schon hingewiesen. Dazu kommt nun die formale Näherbestimmung der legitima traditio als consensus der ersten fünf Jahrhunderte. Die Festlegung auf das erste halbe Jahrtausend der Kirchengeschichte will zwar kein Diktat einer altkirchlichen Romantik, sondern sachlich begründet sein: der consensus antiquitatis, also der Konsensus der ungeteilten Kirche der ersten Jahrhunderte, steht gleichsam stellvertretend für den in der Gegenwart nicht mehr eruierbaren Konsens der universalen Kirche, – eine Position, wie sie ähnlich etwa von griechisch-orthodoxer oder anglikanischer Seite oder heute auch in altkirchlich ausgerichteten Kreisen des Protestantismus vertreten wird. Es offenbart sich aber ein ungeschichtliches Denken darin, wenn Calixt zugleich annimmt, daß die verbindliche kirchliche Lehrentwicklung mit der Alten Kirche bereits überhaupt abgeschlossen sei und den Anliegen und Fragestellungen späterer kirchengeschichtlicher Perioden keine wesentliche Bedeutung mehr zukomme. Auch die kirchentrennenden Streitfragen der Gegenwart sollen bereits in der Alten Kirche – wenigstens unausdrücklich – hinlänglich beantwortet worden sein. Neue Lehrentscheidungen sind demnach unnötig, die Dogmengeschichte ist im Grunde bereits zu ihrem Ende gekommen[109]. Darin liegt eine Verkennung der Eigenart und des Gewichtes geschichtlicher Entwicklung. Man wird hier wieder eine Auswirkung jener geschichtsfremden, naturrechtlichen Denkweise, auf die schon mehrfach aufmerksam gemacht wurde, zu sehen haben: Die in der lex evangelica geoffenbarten Glaubenswahrheiten sind für Calixt in sich so verständlich und eindeutig, daß sie im Grunde näherer Erläuterung nicht bedürfen; die Möglichkeiten allenfalls notwendig werdender Interpretation sind begrenzt und bereits erschöpft. Gegen die damit ausgesprochene Verneinung des geschichtlichen Rechtes späterer Entwicklungen und insbesondere gegen die Relativierung der im 16. Jahrhundert aufgebrochenen Unterschiede mußten sich die katholische und protestantische Theologie wehren. Aber auch etwa Leibniz und Molanus machen Calixt später die Ungeschichtlichkeit an diesem Punkt zum Vorwurf und schlagen in ihren Reunionsprojekten hier andere Wege ein[110]. Den Schwierigkeiten und Konflikten, die Calixt aus seiner Fassung des Traditionsprinzips erwuchsen, werden wir noch begegnen[111].

Die aus der Kirchengeschichte gewonnene und mit dem Traditionsprinzip untermauerte Überzeugung, daß es eine Kontinuität der Wahrheit in den großen Kirchen gebe, führte Calixt zu der Folgerung, daß die Wiedervereinigung der Konfessionen ungeachtet der bestehenden Unterschiede grundsätzlich möglich sei[112]. Es zeigte sich ja, daß die getrennten Christen in heilsnotwendigem Glauben und Liebe bereits in aktueller Einheit und, was die äußere Gemeinschaft anging, wenigstens in virtueller Einheit standen, „das ist, daß wir darnach uns sehnen und ein verlangen tragen, daß die sperrung und hindernisse müchten auffgehoben und die völlige communio zum stande gebracht werden"[113].

Die Aufhebung der Trennung stellte sich ihm aber nicht bloß als ein mögliches, lobenswertes Anliegen dar, sondern als höchste Notwendigkeit. Er führt zum Erweis der Notwendigkeit verschiedene Gründe an. Zunächst ergibt sie sich ihm aus dem Wesen der Kirche, das die sichtbare Einheit fordert. Die Spaltung zwischen denen, die denselben christlichen Glauben haben und Glieder eines Leibes sind, bezeichnet er als „ein hochstschädliches unheil, strackslauffende wieder die christliche liebe ... Ist derowegen ein uberauß große ubelthat, Spaltung in der Kirchen Gottes stifften" – und das heißt auch: sie fortdauern lassen[114] – „und ursach geben, daß ein Christ den andern nicht mehr liebe"[115]. Diese Übeltat gehört zu den Sünden, die den Zorn Gottes erregt haben, der die Christenheit so hart (im Dreißigjährigen Kriege) heimsucht[116]. Die Notwendigkeit, nach der Überwindung der Kirchenspaltung zu trachten, wird aber auch aus den Folgen deutlich, die sie gezeitigt hat. Wer, fragt er, bricht nicht in Tränen aus, der den Zustand der Kirche betrachtet[117]? Welche Wunden hat ihr die „miserrima miseria" der Spaltung geschlagen[118]! Wie ist sie „vermittels göttlicher Verhengniß umb der Menschen undankbarkeit und Sünde willen durch große und greuliche Spaltung jämmerlich zugerichtet!"[119] Zerrissen ist die Tunika Christi. Zwietracht und Haß herrschen unter den Christen, neue Benennungen wie „Gegner" und „Feind" haben die Stelle des Namens „Bruder" eingenommen, fortwährend und unheilvolle Streitigkeiten lassen das christliche Volk nicht zur Ruhe kommen, streitsüchtige Neugier hat das studium pietatis verdrängt, die Theologenschulen bieten den Anblick einer arena gladiatorum, jeder will jedem seine Meinungen als sakrosankt aufdrängen, und „pax et tranquillitas" sind unbekannt geworden [120].

Deutlich erkennt Calixt, wie sehr die konfessionelle Zerspaltenheit das Christentum als solches in die Krise geführt hat. Die Glaubwürdigkeit der christlichen Religion wird durch sie in Frage gestellt. Juden und Moslems werden vom Christentum abgeschreckt. Anderen gibt die Kirchenspaltung Anlaß, sich von der christlichen Religion loszusagen, oder, was nach Calixts Auffassung dasselbe besagen will, neue Sekten zu gründen. Denn es sehen diese Menschen „die morgenländische Kirche von der abendländischen getrennt, und diese wiederum gespalten in drei große Teile, von denen jeder die anderen beiden und diese ihrerseits den dritten verdammen. Da sie durch die wechselseitigen Verurteilungen nun alle verdammt sind, nehmen jene Menschen dies zum Anlaß, sich von allen zu entfernen und nach ihrem Gutdünken eine neue und von den übrigen abgesonderte (Gemeinschaft) zu stiften." [121]

Ebenso wie der Zustand der Kirche verlangt aber auch der des Reiches die Beendigung des Kirchenstreites. Es besteht für Calixt kein Zweifel, daß die Glaubenskämpfe nur zu Not und Elend führen und zuletzt Verderben und Vernichtung über Deutschland bringen werden [122]. Den Bürgerkrieg seit 1618 möchte er seiner Folgen wegen nicht einmal mit den Türkenkriegen vergleichen [123]. Das unglückliche Reich schreit nach der religiösen Verständigung. Ist erst der Kirchenfrieden wiederhergestellt, wird auch der politische Frieden möglich sein [124].

Um der wesensmäßigen Einheit der Kirche, um ihres Wohls und ihrer Glaubwürdigkeit und um des Reiches willen die kirchliche Einigung zu betreiben, erkennt Calixt als die Aufgabe der Zeit. Jeder, der im kirchlichen Dienst steht, der also für das Heil der Menschen und das Gedeihen der Kirche verantwortlich ist, sollte, so fordert er, an seinem Teil die Einheit fördern helfen [125]. Aber auch jedem Reichsbürger überhaupt sollte gemäß den Reichsabschieden von 1555 und 1557, auf die er sich gern beruft, am Herzen liegen, sich für eine ‚christliche Vergleichung der Religion' einzusetzen [126]. Er selbst, und mit ihm die Universität Helmstedt, wollen es wenigstens „an keinem fleiße und dienlichen mitteln und moderation, so fern mit gutem Gewissen geschehen mag", fehlen lassen [127]. Seine wissenschaftliche Arbeit stellt er in den Dienst an der Heilung der Spaltung [128]. Von seinem früh verstorbenen, hochbegabten ältesten Knaben hoffte er, daß er einst das Werk fortsetzen werde, das er selbst wegen der Ungunst der Zeit nicht zum Erfolge führen konnte [129]. „Durch mich", bekennt er von sich, „sollen wahrlich die Zerspaltungen der Kirche, durch die sie zerfleischt und entstellt wird und die mich mehr, als gesagt werden kann, schmerzen, nicht vermehrt werden. Wenn ich aber etwas zu ihrer Aufhebung oder wenigstens Minderung tun kann, werde ich keine Sorgen und Nachtwachen, keine Mühe und Gefahr scheuen, wenn es nur hierzu dient oder nur zu dienen scheint; ja nicht einmal mein Leben und Blut werde ich schonen, wenn dadurch die Eintracht der Kirche zurückgewonnen werden kann"[130]. Man wird sich kaum ein beredteres Zeugnis für Calixts Hingabe an die Sache der Wiedervereinigung denken können. Wie der Wille zum Dienst an der Einheit Gestalt gewann, ist nunmehr in der Darstellung seiner irenischen Wirksamkeit zu zeigen.

II. TEIL

CALIXTS KIRCHENPOLITISCHE WIRKSAMKEIT

1. KAPITEL

DER WEG ZUR WIEDERVEREINIGUNG

Seit dem Ende der zwanziger Jahre des 17. Jahrhunderts betrachtete Calixt es als seine Lebensaufgabe, für die Wiedervereinigung der Kirchen zu wirken. Wo sich ihm eine Gelegenheit bot und seine vielfachen Pflichten es erlaubten, setzte er sich dafür ein[1]. Wie wir gesehen haben, erschien ihm auf Grund seiner Anschauung von der Kirche und der Kirchengeschichte die Aufhebung der Kirchenspaltung als grundsätzlich möglich[2]. Als Fernziel stand ihm die Wiedervereinigung der gesamten christlichen Kirche einschließlich der östlichen Christenheit vor Augen. Er dachte jedoch in erster Linie an die Versöhnung der Lutheraner mit den Katholiken und Calvinisten, „umb welche beede, als die Uns am nägsten und umb und unter Uns wohnen, und neben uns ein corpus und statum reipublicae et imperii constituirn, Wir uns am meisten anzunehmen und zu bekümmern" haben[3].

Daß sich den praktischen Bemühungen um die Beseitigung der Spaltungen große Schwierigkeiten entgegenstellen mußten, hat er in Rechnung gestellt. Das Nahziel sollte wenigstens die Minderung der Gegensätze sein. Seine Hoffnung sei es, sagt er oft, daß die Schismen „wenn nicht gänzlich aufgehoben, so doch gemildert werden möchten"[4]. Gleichwohl ist er davon überzeugt, daß die Einheit sich allmählich herstellen lassen werde[5]. Wenn sich die streitenden Parteien nur auf die rechten Bedingungen im interkonfessionellen Gespräch einigten – und dies eben hält er für erreichbar –, dann würde keine Kontroverse übrigbleiben, die nicht beigelegt werden könnte[6]. Freilich weiß er auch, daß ungeachtet aller menschlichen Anstrengungen letztlich „Gott Vatter aller Barmhertzigkeit eß allein vermag"[7], und an ihn richtet er täglich seine Gebete um die Herstellung des Kirchenfriedens[8].

In seinen Vorstellungen von der wiedervereinigten Kirche orientiert er sich an dem Modell der Alten Kirche, das er im Verfolg seiner patristischen Studien entwarf[9]. Als die endliche Frucht der Reunionsbemühungen schwebt ihm die eine, universale, auf die altkirchlichen Bekenntnisse gegründete und nach dem pentarchischen System gegliederte Kirche vor[10]. Die immer wieder betonte Unterscheidung des einigenden Fundamentalen und des Nichtfundamentalen legt die Annahme nahe, daß er (wenigstens für eine Übergangszeit) den bisherigen Konfessionen eine gewisse Autonomie in den Dingen zuerkennen wollte, die sich im Zuge der geschichtlichen Entwicklung seit Mittelalter und Reformation jeweils als Besonderheiten herausgebildet hatten, natürlich unter der Voraussetzung, daß sie nicht für allgemein verbindlich erklärt würden und der Einheit im Notwendigen nicht entgegenstünden. Danach hätte man sich die wiedervereinigte Kirche gleichsam in zwei konzentrischen Kreisen zu denken: um den Bereich gemeinsamer Lehre, Sakramente und Ordnung würde sich der Bereich der wechselseitig tolerierten, nichtheilsnotwendigen Sondertraditionen legen. Jedoch hat Calixt dazu nähere Überlegungen nicht vorgelegt. Ihm kam es zunächst vor allem darauf an, die Gemeinsamkeit im Fundamentalen herauszustellen.

Die Scheidung zwischen den necessaria und den non necessariis[11] bestimmt auch den *Weg*, der nach Calixt zur Wiedervereinigung der Konfessionen führen soll. Im heilsnotwendigen Glauben, so hörten wir, stimmten sämtliche Kirchen überein. Die Kirchenspaltung aber beruhte darauf, daß eine jede von ihnen weitere Dogmen für heilsnotwendig erklärte und auf ihrer Annahme durch die ganze Christenheit bestand. „Weiln aber ... was eine Partey beyfüget, die andern alle, insonderheit wann es als nöhtig zur Seligkeit angegeben wird, verwerffen, so kan keine mit jhrer addition fort komen und stat finden"[12]. Soll die Spaltung beseitigt werden, müssen, so fordert Calixt, die verschiedenen Konfessionskirchen demgemäß zu der Erkenntnis gebracht werden, daß ihre Sondermeinungen nicht den Charakter heilsnotwendiger Glaubenssätze haben. Als Lehrmeinungen, deren Annahme oder Ablehnung irrelevant für die Erlangung des Heils wäre, stünden sie dann der Einheit der Kirche, die auf der Übereinstimmung in den heilsnotwendigen Glaubensartikeln beruht, nicht mehr im Wege. Alle Bemühungen um die Wiedervereinigung der Kirchen müssen infolgedessen darum kreisen, die Einigung auf der Grundlage des wirklich Fundamentalen unter Verzicht auf die konfessionellen Sonderlehren, soweit sie Heilsnotwendigkeit beanspruchen, vorzubereiten. Dies ist der Kern des Reunionsprogramms Calixts.

Er sieht vier Möglichkeiten zur Überwindung der Spaltung: die Entscheidung der konfessionellen Streitfragen durch ein allgemeines Konzil; ihre Beilegung wenigstens auf der Ebene des Reiches durch ein Nationalkonzil oder durch Verhandlungen auf dem Reichstag; schließlich den Austrag der Differenzen durch Religionsgespräche, die von autorisierten Theologen der

6*

streitenden Parteien zu führen wären. Die erste Möglichkeit scheidet nach Calixt aus, weil die Zustimmung weder des Papstes noch des Sultans zur Abhaltung eines allgemeinen Konzils zu erhoffen sei. Aber auch den zweiten und dritten Weg, die Einberufung eines Nationalkonzils oder die Befassung des Reichstags mit der Kircheneinigung, hält er wegen der Uneinigkeit der Reichsstände gegenwärtig nicht für gangbar. So bleiben als einziges Mittel Kolloquien zwischen verantwortlichen Theologen der verschiedenen Konfessionen[13].

Im Laufe seiner irenischen Wirksamkeit hat sich Calixt verschiedentlich darüber geäußert, wie die Gespräche, die er im Auge hat, geführt werden müßten, um Aussicht auf Erfolg zu bieten. In den Grundzügen sind es immer die gleichen Vorschläge, die er macht. Die *Teilnehmer* an einem interkonfessionellen Religionsgespräch sollen Gelehrte mit eindringendem Verstand, umfassender Bildung und Verständigungsbereitschaft sein[14]. „Schismatici", die „vom frieden abgeneiget" sind, wären von den Kolloquien fernzuhalten[15]. Die Unterredner sollen bereit sein, die Stellungnahmen des Anderen bona fide zu deuten und von ihm zu lernen. Calixt spürt etwas von der paradoxalen Kraft, die dem Denken gegen sich selbst innewohnen kann, und verlangt von den Teilnehmern am Unionsgespräch sogar, daß sie die Hinneigung zur eigenen Konfession – den „adfectum erga suam sectam" – ablegen sollen[16]. Dahinter steht bei ihm das absolute Vertrauen zur Wahrheit, der er die Kraft zutraut, sich bei auch nur einigermaßen offenen Geistern von selbst durchzusetzen. Daß eine relativistische „Unparteilichkeit" nicht gemeint ist, ergibt sich schon aus seiner Bindung an die Sache des eigenen Bekenntnisses bzw. der altkirchlichen Reformation, als deren Ausdruck er jenes deutete. Freilich soll nicht übersehen werden, wie leicht eine derartige Selbstpreisgabe an die Wahrheit praktisch in die Preisgabe der Wahrheit selbst umschlagen kann.

Aufgabe der Kollokutoren soll es zunächst sein, an Hand der Normen von Schrift und Altertum die heilsnotwendigen Glaubenswahrheiten festzustellen, von den nichtheilsnotwendigen Lehren, den Fragen des Qomodo der Mysterien usw., zu scheiden und als Einigungsgrundlage vorzulegen[17]. Entsprechend sollen dann die konfessionellen Unterscheidungslehren als für den christlichen Glauben wesentlich erwiesen oder als nicht wesentlich oder gar irrig aus dem Bereich verbindlicher christlicher Lehre ausgeschieden werden. Für das Gesprächs*verfahren* schlägt Calixt die Disputation als das unicum medium indagandae veritatis vor[18]. Die heilsnotwendigen Glaubenswahrheiten sollen aus den zugrundegelegten Prinzipien Schrift und Tradition in einem einwandfreien logischen Schlußverfahren nachgewiesen werden[19]. Calixt meint, daß die Regeln des Gesprächs sich aus der Natur der Sache von selbst ergäben und die Gewähr für eine schließliche Einigung böten. Vielleicht würde eine Folge von Kolloquien nötig sein[20], aber dann würde sich die Einigung im Notwendigen und sogar in den nicht-wesentlichen Fragen erreichen lassen. Die Religionsgespräche, die Calixt vorschlägt, scheinen auf den ersten Blick denjenigen des 16. Jahrhunderts zu gleichen. Doch unterscheiden sie sich von ihnen darin, daß jetzt nicht mehr auf dem Hintergrunde der einen, gemeinsamen abendländischen Kirche um eine der Einheit günstige Lösung der aufgebrochenen Streitfragen gerungen wird: vielmehr wird in der Anerkennung des Nebeneinanders verschiedener Kirchen nach dem gemeinsamen Ausgangspunkt zurückgefragt und nach den Möglichkeiten einerseits einer Einigung im Wesentlichen des christlichen Glaubens, andererseits einer Tolerierung der jeweiligen Eigenentwicklungen auf dem Boden der Einheit in necessariis gesucht.

Den Vorschlägen Calixt liegen zwei wesentliche Voraussetzungen zugrunde: Die Überzeugung von der Gemeinsamkeit des Wahrheitsbegriffes und der philosophisch-theologischen Denkweise und weiter die Überzeugung von der Übereinstimmung der Konfessionen in den zugrundezulegenden Erkenntnisprinzipien Schrift und Altertum bzw. die Überzeugung, daß sich diese Übereinstimmung herstellen lassen werde. Wie im I. Teil gezeigt, konnte Calixt mit Recht eine weitreichende Gemeinsamkeit der Konfessionen hinsichtlich Wahrheitsbegriff und Denkweise voraussetzen[21]. Wenn er von den natürlichen Bedingungen (conditiones ab ipsa natura praescriptae) für das interkonfessionelle Gespräch redet, meint er die Bedingungen, die sich eben aus diesen gemeinsamen, d. h. den aristotelischen Denkvoraussetzungen ergeben, die zu Anfang des 17. Jahrhunderts ihre allgemeine Geltung in Europa wiedererlangt hatten. Es sind vor allem drei Punkte zu nennen, die in diesem Zusammenhang eine Rolle spielen: 1. die allen Erwägungen über Sinn und Methode der Gespräche vorausliegende Überzeugung von der Einheit der Wahrheit[22]; 2. in Verbindung damit der Glaube an die unverbrüchliche Geltung der (aristotelischen) Logik und die Regeln der Hermeneutik; 3. die gemeinsame methaphysische Grundlage. Obwohl Calixt fordert, daß man sich bei der Erörterung der konfessionellen Kontroversen auf das Fundamentale beschränken und der Schultermini in den einzelnen Lehrpunkten enthalten[23], also auf die philosophisch-begriffliche Ausgestaltung verzichten solle, um das Einfache in einfachen Formeln zusammenzufassen, steht dabei doch im Hintergrunde die Voraussetzung der gemeinsamen Ontologie, die die Gewißheit gibt, daß man mit denselben Worten dasselbe meint; durch sie wird eine Verständigung (im Sinne des Verstehens wie des Übereinkommens) überhaupt erst ermöglicht.

So gibt sich auch in den Unionsplänen der naiv-unkritische Erkenntnisoptimismus Calixts kund, auf den oben aufmerksam gemacht wurde[24]. Es ist im Grunde der gleiche Optimismus, der ihn auch bei der zweiten Voraussetzung beseelt, der Annahme, daß unter den Konfessionen Übereinstimmung hinsichtlich der Normen von Schrift und Altertum bestehe oder hergestellt werden könne. Auch diese Voraussetzung hatte ein reales Fundament. In der lutherischen, katholischen und reformierten Kirche besaßen Schrift und altkirchliche Tradition (freilich in verschiedenem Sinne) normative Geltung, und die römische Kirche hatte darüber hinaus auch noch keine dogmatische Entscheidung über das Verhältnis des päpstlichen Lehramtes zur Autorität der Väter getroffen. Schrift und Altertum konnten also von Calixt als die übereinstimmend in der ganzen Christenheit anerkannten Normen christlicher Lehre betrachtet werden. Freilich handelte es sich nur um eine formale Übereinstimmung, hinter der die entscheidenden Unterschiede in der Verhältnisbestimmung zwischen den Normen von Schrift und Altertum einerseits und der lehrenden Kirche andererseits standen, die eine wirkliche Einigung in den Erkenntnisprinzipien und damit den von Calixt vorgesehenen modus procedendi überhaupt illusorisch machen mußten. Wie sich im Fortgang der Untersuchung zeigen wird, verkannte Calixt das Gewicht der Gegensätze, die sich hier auftaten.

Mehrfach hat er Kataloge der wichtigsten *Materien* zusammengestellt, die auf den Kolloquien zu erörtern wären[25]. Seiner Meinung nach handelte es sich bei den Kontroversfragen überwiegend um quaestiones facti[26]. Dies galt besonders im Hinblick auf die römische Kirche. Calixt tritt ihr gegenüber gleichsam als Anwalt der Alten Kirche auf, und entsprechend weist er dem interkonfessionellen Gespräch die Aufgabe zu, die Entwicklungen seit dem Ende des christlichen Altertums auf ihre Legitimität zu prüfen. Denen, die derartige Entwicklungen in Lehre und Gestalt der Kirche verteidigten, obliege es, dafür den Legitimitätsbeweis aus Schrift und Altertum zu erbringen oder aber davon zurückzutreten. In der statischen Betrachtungsweise, mit welcher diese in sich berechtigte Forderung bei Calixt verbunden ist, kommt wieder der ungeschichtlich-juristische Zug seines Denkens zur Auswirkung, demzufolge die Geschichte der Kirche mehr als Realisierung abstrakter Erkenntnisse denn als Entwicklung und Wandel einer lebendigen Größe erscheint. Auf dem Fragenkatalog, den er für das interkonfessionelle Gespräch vorlegt, nimmt den ersten Platz die Kontroverse um das Papsttum als die capitalis controversia ein[27], und hier wiederum die Frage nach der päpstlichen Unfehlbarkeit, in der Calixt den Primatsgedanken am konsequentesten zum Ausdruck gebracht sieht. Als weitere wesentliche Fragen nennt er die Kontroversen um die Eucharistie und – gegenüber dem Calvinismus – um die Prädestination, ferner zahlreiche andere Punkte, die zumeist die „Neuerungen" der Papstkirche seit Beginn des Mittelalters betreffen.

In seiner literarischen Vorbereitungsarbeit für ein interkonfessionelles Religionsgespräch beschränkte er sich nicht darauf, Vorschläge über Verfahren und Verhandlungspunkte zu machen, sondern nahm selbst bereits von sich aus die Untersuchung verschiedener Kontroversfragen nach den aufgestellten Grundsätzen in Angriff. Als Ergebnis dieser reichhaltigen kontroverstheologischen Arbeit liegt vor allem aus dem dritten und vierten Jahrzehnt des 17. Jahrhunderts eine ganze Anzahl von Schriften vor[28], welche dem Ziel dienen, durch Widerlegung der „Neuerungen" verschiedenster Art zur Verständigung auf der altkirchlichen Grundlage beizutragen. Aber nicht nur durch kritische Untersuchungen, sondern auch durch positiv-irenische Vorschläge für einen Lehrvergleich suchte er der Einigung vorzuarbeiten. Solche Einigungsvorschläge für die Sünden-, Rechtfertigungs- und Abendmahlslehre werden wir noch kennenlernen. Ebenfalls hierher gehören seine vielfachen Darlegungen über die heilsnotwendigen Glaubensartikel als Lehrgrundlage der universalen Kirche.

Die literarische Vorbereitung des Einigungswerkes bildet jedoch nur die eine Seite der irenischen Wirksamkeit Calixts. Die andere Seite stellen die praktischen Reunionsbemühungen dar. Er macht immer neue Versuche, zu dem geforderten Gespräch mit den Vertretern der anderen Konfessionen zu kommen. Dabei beschreitet er zwei Wege: Einmal beteiligt er sich an interkonfessionellen Verhandlungen seiner Zeit und sucht sie in seinem Sinne zu beeinflussen. Darüber hinaus aber versucht er auch, von sich aus mit Theologen, insbesondere der katholischen Kirche, in eine Diskussion einzutreten und ein von den respektiven Seiten autorisiertes Religionsgespräch herbeizuführen. Dementsprechend wird im folgenden zunächst sein Verhältnis zu den kirchlichen Einigungsbestrebungen und zu den Irenikern seiner Zeit untersucht. Sodann werden die unmittelbar von ihm selbst ausgehenden Versuche geschildert, mit der katholischen Seite Verhandlungen über die Reunion aufzunehmen; weiter seine Wirksamkeit beim Thorner Religionsgespräch 1645, die eine Einheit für sich bildet und Bemühungen nach katholischer wie reformierter Seite hin umfaßt; endlich die Aufnahme, die seine Bestrebungen bei der orthodox-lutherischen Theologie fanden, sowie die damit im Zusammenhang stehende Auseinandersetzung um das Selbstverständnis des Luthertums im sogenannten „Synkretistischen Streit".

2. KAPITEL

CALIXT UND DIE EINIGUNGSBESTREBUNGEN SEINER ZEIT

Die kirchlichen Einigungsbestrebungen in der ersten Hälfte des 17. Jahrhunderts, die unmittelbar in den Gesichtskreis Calixts treten konnten, lassen
sich nach den leitenden Motiven in zwei Gruppen klassifizieren. Die erste
umfaßt Bestrebungen, denen eine vorwiegend politische Zielsetzung zu-
grundeliegt. Dabei handelt es sich 1. um Versuche von calvinistischer Seite,
mit den Lutheranern zu einer Union oder wenigstens zu einem Verhältnis
gegenseitiger Duldung und Anerkennung zu kommen; die Reformierten ver-
folgten damit das Ziel, in den Religionsfrieden von 1555 einbezogen zu werden und also im Reich die rechtliche Gleichstellung mit den Lutheranern und
Katholiken zu erlangen. Im Lichte dieser Zielsetzung ist das gewiß auch
aus echtem Leiden unter der Spaltung erwachsene Anliegen reformierter
Theologen wie Franz Junius in Heidelberg, später in Leiden[1] und David
Pareus in Heidelberg[2] und etwa der „Treuherzigen Vermahnung der Pfäl-
zischen Kirchen"[3] vom Jahre 1616 zu sehen, eine „amicabilis conventio adversus Papatum"[4] mit den Lutheranern zustande zu bringen[5]. 2. gibt es
Versuche evangelischer Reichsstände während des Dreißigjährigen Krieges,
durch eine Vergleichung auf kirchlichem Gebiet die politische Einheitsfront
gegen den katholischen Gegner zu untermauern. Das Religionsgespräch während der Fürstenversammlung zu Leipzig 1631 und gewisse Bemühungen
im Zusammenhang mit dem Generalkonvent der evangelischen Stände in
Frankfurt am Main 1634 dienen diesem Zweck. 3. begegnen wir in Ländern
mit konfessionell gemischter Bevölkerung obrigkeitlichen Versuchen, die Religionsspaltung in dem betreffenden Territorium aufzuheben oder wenigstens ihre Folgen zu mildern, so in Brandenburg und Hessen-Kassel auf
reformierter und in Polen auf katholischer Seite.

Von diesen stärker politisch bestimmten Bestrebungen heben sich als
zweite Gruppe die Unionsversuche ab, die – zumeist von einzelnen aus-
gehend – vorzugsweise theologisch-religiös motiviert sind und auf einer tieferen Einsicht in das Elend der zerteilten Kirche beruhen. Hinter ihnen steht
jeweils eine im einzelnen verschieden begründete universalkirchliche Konzeption. Wir trafen bereits auf die Ideen von de Dominis, die ihrerseits auf
Cassander zurückwiesen[6]. In der Tradition Cassanders steht auch Isaak
Casaubonus[7], der, von Hause aus reformiert, maßgebender Verfechter des
altkatholischen Kirchenideals wurde, ohne freilich selbst mit praktischen
Unionsbestrebungen hervorzutreten. Neben Casaubonus begegnet im reformierten Raum als der bedeutendste Vertreter des Unionsgedankens Hugo
Grotius[8]. Auch er ist durch Cassander beeinflußt, auf den er durch Casau-

bonus hingewiesen wurde. 1642 gibt er Cassanders „Consultatio" in seiner „Via ad pacem ecclesiasticam" neu heraus. Wie dieser will er die kirchliche Einheit auf der Basis des christlichen Altertums hergestellt sehen[9]. Dabei geht er in der Wertung der Tradition weiter als irgendein anderer protestantischer Ireniker der Zeit. Für die Auslegung der Schrift bildet nach ihm die Tradition der Väter die verbindliche Norm, von der nicht zugunsten subjektiver Deutung abgewichen werden darf[10]. Der Kontinuitätsgedanke, der ein tragender Aspekt seiner Kirchenanschauung wurde, und natur- und kirchenrechtliche Erwägungen[11] ließen ihn sich allmählich in wesentlichen Punkten der katholischen Kirche annähern. Allerdings konnte er sich angesichts mancher auch von ihm kritisierten Entwicklungen in der römischen Kirche[12] nicht zum Übertritt entschließen. Zweifellos darf Grotius als der universellste Denker unter den Irenikern der Nachreformationszeit gelten[13]. Daß er im Protestantismus seiner Zeit wenig Echo fand, kann bei der Richtung, in der sich seine Gedanken zur Wiedervereinigung entwickelten, nicht überraschen.

Während Grotius' Bedeutung für den Unionsgedanken vornehmlich in den universalkirchlichen Ideen liegt, die er ausbildete, ohne doch zu konkreten Unternehmungen größeren Stiles zu kommen, ist der unermüdlichste Verfechter der Union auf dem praktischen Gebiet der interkonfessionellen Verhandlungen der Schotte John Durie, auf den noch näher einzugehen ist. Neben diesen Bemühungen aus dem Raum der westlichen Christenheit ist noch ein Versuch zu erwähnen, der von der Ostkirche aus zur Herstellung einer Union mit dem reformierten Protestantismus eingeleitet wurde, nämlich die Verhandlungen, die der konstantinopolitanische Patriarch Kyrill Lukaris mit Genf anzuknüpfen suchte. Auch auf sie werden wir noch zurückkommen.

In der irenischen Wirksamkeit Calixts ergeben sich Berührungen mit den meisten der genannten Bestrebungen[14]. Wir fassen zunächst seine Mitwirkung an einigen Unionsprojekten und -verhandlungen während der dreißiger Jahre ins Auge, um dann seinen Beziehungen zu einzelnen Irenikern aus den anderen Konfessionen nachzugehen.

Den ersten im 17. Jahrhundert unternommenen Versuch eines Gesprächs zwischen Reformierten und Lutheranern, auf den das Luthertum offiziell einging, stellt die Leipziger theologische Konferenz vom Jahre 1631 dar[15]. Sie steht im Zusammenhang mit den damaligen politischen Bestrebungen der protestantischen Reichsstände. Die gemeinsame Gefährdung durch das Restitutionsedikt (1629) veranlaßte diese, sich gegenüber dem Kaiser enger zusammenzuschließen. Andererseits suchten sie sich auch eine gewisse Bewegungsfreiheit gegenüber Gustav Adolf zu bewahren. Nach vorbereitenden

Besprechungen zwischen den Kurfürsten Georg Wilhelm von Brandenburg und Johann Georg von Sachsen kam es zu dem „Leipziger Tag" evangelischer Reichsstände vom 20. Februar bis 12. April 1631, auf dem beschlossen wurde, die Durchführung des Restitutionsediktes zu verhindern und eine neutrale Position zwischen dem Kaiser und König Gustav Adolf einzunehmen [16].

Zu dieser Zusammenkunft hatten der Kurfürst von Brandenburg und der Landgraf von Hessen ihre (reformierten) Theologen mitgebracht, die es erreichten, daß sie mit einigen lutherischen Theologen zu einer „unverfänglichen" Konferenz [17] zusammentraten, auf der, wie es in dem Genehmigungsbescheid des Kurfürsten Johann Georg heißt, geklärt werden sollte, „ob und wieferne man in der Augsburgischen Konfession einig sei, oder ob und wie man auf beiden Seiten näher zusammenrücken möchte" [18].

In den Verhandlungen, an denen von reformierter Seite der brandenburgische Hofprediger Johann Bergius, der Kasseler Hofprediger Neuberger und der Marburger Theologe Johann Crocius, von lutherischer Seite der Dresdener Hofprediger Hoe von Hoenegg und die Leipziger Theologen Leyser und Höpffner teilnahmen, wurde eine ziemlich weitgehende Übereinstimmung in den Artikeln des Augsburgischen Bekenntnisses festgestellt [19]. Gleich zu Beginn bekannten sich die reformierten Theologen überraschenderweise zur unveränderten Augsburgischen Konfession. Als man darauf die einzelnen Artikel durchging, zeigten sich allerdings bald die Differenzen, die in der Auslegung des Textes blieben. Die Unterschiede traten vornehmlich [20] bei Artikel III in der Frage der Allgegenwart der menschlichen Natur Christi und bei Artikel X vom Abendmahl hervor, bei dem die Reformierten darauf bestanden, der wahre Leib Christi werde bloß durch den Glauben, nicht auch durch den Mund empfangen. Hinsichtlich Artikel III schlugen sie vor, bei den Wendungen zu bleiben, die in der Schrift, in den alten Konzilien und in der Augsburgischen Konfession gebraucht seien. Zu Artikel X betonten sie, daß man Toleranz üben und infolge weitgehender Übereinstimmung auch hier doch „für einen Mann wieder das Pabstumb stehen könte". Die lutherischen Teilnehmer gingen auf die Andeutungen über Vergleichs- und Toleranzmöglichkeiten nicht weiter ein, sondern hoben die Unverfänglichkeit der Konferenz hervor, die weder für die Obrigkeiten noch für die Theologen „präjudicirlich" sein dürfe. Man ging auseinander, ohne ein konkretes Ergebnis erreicht zu haben. Immerhin hatte man klären können, wieweit ein gemeinsames Verständnis der Confessio Augustana vorausgesetzt werden konnte.

Die Leipziger Konferenz [21] ist in unserem Zusammenhang insofern belangvoll, als sie eine gewisse Bedeutung für den zwei Jahre später unter-

nommenen Versuch des Herzogs *Friedrich Ulrich* von Braunschweig-Wolfenbüttel, des Landesherrn Calixts, erlangte, seinerseits einen Religionsver-
gleich mit den Reformierten in die Wege zu leiten[22]. Das Motiv des Herzogs
war ein politisches. Nach dem Tode Gustav Adolfs bildete in dem evangelischen Bundessystem des schwedischen Kanzlers Oxenstierna Braunschweig-
Wolfenbüttel einen Eckpfeiler im norddeutschen Raum[23]. Friedrich Ulrich
beabsichtigte, auf einem Generalkonvent der evangelischen Stände in Frankfurt 1633 das politische Bündnis mit den reformierten Reichsständen durch
eine Einigung der Kirchen zu befestigen.

In einem Schreiben an die Helmstedter theologische Fakultät vom 22. Januar 1633 kündigt er den Bundeskonvent in Frankfurt[24] an und übersendet
gleichzeitig ein Protokoll von der Leipziger Konferenz von 1631[25] mit dem
Ersuchen, „Ihr wollet Euch ehistes tageß hierüber zusammen thun, sölche
sachen und controversien, unndt wie nemblich füglich Unitas Ecclesiae, so
viel immer müglich zu stifften, auch ob unndt wie ... insonderheit mitt den
Calvinistis ... zusammenzutretten, mit fleiß erwegen, undt uns noch zeitig
vor dem anstehenden general convent ewer gutachten und bedencken in
schrifften eröffnen"[26].

Der Herzog hat aber seinen Plan im Jahre 1633 nicht zur Ausführung bringen können. Von Religionsverhandlungen im Zusammenhange mit dem Bun-
destag in Frankfurt ist nichts bekannt[27]; es liegt auch kein Gutachten der
theologischen Fakultät aus dem Jahre 1633 vor. Jedoch übersandte der Herzog der Fakultät noch 1633 oder Anfang 1634 neuerlich ein auf den Kirchenfrieden bezügliches Schriftstück, einen „Extract wegen stifftung einmütiger
Unität in Religionssachen"[28]. Auch dieser Extrakt, über den sich die Theologen äußern sollen, sucht einen Weg, „welcher maßen der Evangelischen trennung undt schismata ... auffzuheben undt zu consopiren"[29] seien. Aber stärker als im ersten herzoglichen Schreiben wird auch das weitergehende Ziel
einer gesamtkirchlichen Einigung mit Einschluß der Katholiken betont.

Der „Extrakt" gibt deutlich die Gedanken Calixts über die Beseitigung der
Kirchenspaltung wieder. Ganz entsprechend Calixts Bestimmungen und Vorschlägen wird festgestellt, daß alles, was Gott in dogmatibus et actionibus[30]
geoffenbart habe, im Apostolischen Symbol „ratione articulorum in compendium gefasset" und in den altkirchlichen Konzilsbeschlüssen erläutert sei. Was
darüber hinaus bei Katholiken und Evangelischen angenommen werde, „Solches müchte ein Jedweder von Gott geoffenbahrten undt verordneten dogmatibus et operibus separiren", wodurch das rechte Fundament des Religionsfrie-
dens gelegt würde. Die Subtilitäten wären auf die Schulen zu verweisen, und
öffentlich dürfte nur gelehrt und gepredigt werden, „waß zur erbauung dienlich" sei[31]. Auch die Scheidung zwischen Dogma und Schul„subtilitäten" und

die Hervorhebung des praktischen Gesichtspunktes liegen in der Linie des Programms Calixts[32]. Leider ist keine Nachricht darüber vorhanden, ob und in welcher Weise Calixt an der Abfassung des „Extraktes" beteiligt war[33]. Jedenfalls aber läßt dies offizielle Dokument erkennen, daß er bereits 1633 den Wolfenbütteler Hof für seine Ideen gewonnen hatte.

Diese bestimmen auch maßgebend die Stellungnahme der theologischen Fakultät, die am 17. April 1634 an den Herzog abgesandt wurde[34]. In ihr heben die Theologen den Nachteil und Schaden der Kirchenspaltung für das staatliche Leben hervor. Über den „Extrakt" urteilen sie, daß darin die regia via zur kirchlichen Eintracht enthalten sei, „Nemblich, daß neben der Hl. Göttlichen Schrifft auff den übereinstimmenden consens der wehrten und un-zweiffelhaften reinen antiquitet, welcher auß den uhralten symbolis erhellet, das absehen genommen, und dagegen alle den lieben Alten unbekannte, zum wahren Christenthumb unnötige, hohe, subtile und gutentheils gantz unge-wisse nebenfragen beyseit gesetzet, oder in die Schulen, darinnen salva cari-tate, biß etwan ein ausschlag sich finde, zu ventiliren, verwiesen werden"[35]. Zur Aufhebung der Trennung müsse „anfangs diß die intention sein, daß man mit allen Christen menschen, die sich keiner von altershero verdamter Ketzereien ... theilhafftig gemachet, fried und einigkeit treffen wolle, Worauß dan auch nicht die Pontificii zuschließen[36] ... Weil aber die genante Calvini-sten ... uns viel neger kommen, und in weniger articulen discrepiren alß die Papisten, wirdt von undt mit Ihnen billig der anfang gemachet", wozu in Leipzig ein guter Grund gelegt worden sei. Zur Vorbereitung des Werkes hätten die Theologen eines jeden Landes zunächst unter sich und dann mit den benachbarten Konfessionsverwandten auf Anordnung der Obrigkeit Vorschläge zur Wiederherstellung der kirchlichen Einheit auszuarbeiten. Für das Verfahren im dann anzustellenden interkonfessionellen Religionsgespräch wird am Schluß noch auf die diesbezüglichen Ausführungen Calixts in seiner Digression de arte nova verwiesen, die er eben im Jahre 1634 herausgab und die noch zu erörtern sein wird. Zur theologisch-wissenschaftlichen Arbeit soll aber auch die religiöse Betätigung treten: die Theologen schlagen vor, daß – wie auch der Herzog angeregt hatte – in der ganzen Christenheit Fast- und Bettage für Frieden und Einigkeit gehalten werden sollten.

Ein praktisches Ergebnis hat dieses Gutachten der Helmstedter Fakultät nicht gezeitigt. Es gelangte erst an den Herzog, als seine Gesandten bereits auf dem Wege nach Frankfurt oder schon dort eingetroffen waren[37]. Und auf dem Bundeskonvent selbst kam es nicht zu Verhandlungen über die re-ligiösen Fragen[38]. Mit dem Tode Herzog Friedrich Ulrichs am 11. August 1634 erlosch auch die Verhandlungsvollmacht seiner Gesandten, die am 31. August aus Frankfurt abreisten.

Obwohl es zur Durchführung des Unionsversuchs Friedrich Ulrichs nicht gekommen ist, sind die ersten Schritte, die der Herzog unternahm, in unserem Zusammenhang doch von Bedeutung. Denn hier begegnen wir zum erstenmal Calixts Gedanken über die Wiedervereinigung der Kirchen in Gestalt konkreter kirchenpolitischer Vorschläge [39]. Dabei ist zu beachten, daß seine Ideen am Wolfenbütteler Hof Eingang gefunden hatten und daß die theologische Fakultät der Universität Helmstedt hinter ihm stand. Beides ist wichtig für das Verständnis seiner weiteren Bemühungen.

Fast gleichzeitig mit der Aktion Friedrich Ulrichs knüpfte *John Durie* Verhandlungen mit den Helmstedter Theologen an. Durie (Duraeus, 1596 bis 1680) wurde als Pfarrer an der englisch-schottischen Presbyterianergemeinde in Elbing auf Problem und Anliegen der kirchlichen Einheit aufmerksam und entfaltete von 1631, dem Jahre der Leipziger Konferenz, an bis zu seinem Tode eine rastlose Wirksamkeit für die christliche Einigung. Für die Erforschung der Geschichte der kirchlichen Einigungsbestrebungen ist seine weitgespannte, noch bei weitem nicht genügend untersuchte Tätigkeit überaus interessant. Denn seine Verhandlungen spiegeln die Stellung der Gesprächspartner der verschiedenen Seiten aufschlußreich wieder [40]. Die Vorstellungen, die er von der kirchlichen Einheit gehabt hat, lassen sich nicht völlig ausmachen. Sein Anliegen war, alle diejenigen, die das „Evangelium Pacis et Gratiae in unum corpus mysticum et unum spiritum" zusammengeführt hat, zur Bildung einer heiligen Gemeinschaft zu bringen [41]. Er setzt also eine durch das Evangelium bereits geschaffene Einheit voraus, die aber auch äußerlich sichtbar gemacht werden soll. Über die Kriterien der äußeren Einheit hat er sich jedoch niemals klar ausgesprochen. Zwar bringt er gelegentlich etwa Aufstellungen von „Fundamentalartikeln", stellt sie aber gerade seinen Gesprächspartnern gegenüber wieder zur Diskussion [42]. Diese Unklarheit macht sich in seinen Unionsverhandlungen nachteilig bemerkbar. Vielleicht hängt damit auch zusammen, daß er ohne große Bedenken erst von den Presbyterianern zur englischen Kirche übertrat, um sich den Erzbischof Laud geneigt zu machen, und hernach von dieser wiederum zu den Independenten [43]. Das Wesentliche des Christentums scheint er mehr im praktisch-frommen Leben als in der dogmatischen Aussage gesehen zu haben [44]. Auf dogmatischem Gebiet blieb er unentschieden. Als Ideal schwebte ihm wohl eine Gemeinschaft aller Christen nach Art der frühen Kirche, mit dem Glaubensbesitz der Väter, vor. Man hat seinen Standort zutreffend zwischen der „humanistisch-anglikanischen Tradition" und dem „Spiritualismus und Pietismus" bestimmt [45].

Nächstes Ziel seiner Unionsbemühungen war die Einigung der Protestanten. Von ihr erhoffte er Stärkung im Innern und größere Stoßkraft nach außen [46]. Hinsichtlich der Einigungsmittel will er, dies kennzeichnet seine Verhandlungen, nichts präjudizieren[47]. Infolgedessen legt er den Vertretern der verschiedenen Kirchen keine fertigen Unionspläne vor, sondern wünscht, daß die in Frage kommenden Mittel erst in den interkonfessionellen Verhandlungen selbst vorgeschlagen und erwogen werden sollen[48]. Dies Verfahren ließ einerseits seine Bemühungen als aussichtsreich erscheinen, denn er trat so zunächst dem Wahrheitsanspruch keiner Seite zu nahe, und tatsächlich fand er zumeist offene Türen. Andererseits wurde aber ein wirkliches Religionsgespräch von ihm gar nicht erreicht; er erschöpfte sich in den Vorverhandlungen. Trotz der Resultatlosigkeit ist freilich die Bedeutung seines Wirkens für die Auflockerung des schroffen Konfessionalismus nicht zu unterschätzen. Denn überall, wohin Durie kam, lehrte er, im Angehörigen der anderen Konfession den Mitchristen zu sehen und den Möglichkeiten einer Einigung nachzudenken.

Calixt ist mit Durie zweimal in unmittelbare Berührung gekommen. Zuerst 1633, als Durie versuchte, unter Ausnutzung der politischen Lage, die die protestantischen Stände zusammengebracht hatte, die deutschen Lutheraner und Reformierten für die Union zu gewinnen. Zu diesem Zweck sandte er an alle evangelischen Universitäten eine Aufforderung, sich an seinem Friedenswerk zu beteiligen[49]. In einem Schreiben an die theologische Fakultät der Universität Helmstedt, das vom 27. August 1633 aus Frankfurt (Main) datiert ist[50], bittet er um deren Stellungnahme zu seinem Vorhaben. Zugleich übersendet er den Text eines „Instrumentum"[51], in dem eine Reihe unterzeichneter englischer Geistlicher den Wunsch ausspricht, daß die Frommen und Gelehrten in den verschiedenen evangelischen Kirchen zur Einigung derselben aufgerufen und daß durch den Austausch entsprechender Vorschläge „jene Wunden, die aus den unseligen Streitigkeiten der Kirchen entstanden sind und den freien Lauf des Evangeliums hindern, geheilt werden" möchten. Durie selbst formuliert in dem Schreiben einen „scopus Theologorum pacificorum", um dessen Begutachtung er ersucht[52]. Zur Herstellung des Kirchenfriedens müsse, führt er darin aus, so vorgegangen werden: zunächst sollten geeignete Theologen im Einvernehmen mit den maßgebenden kirchlichen Stellen alles auf die Union Bezügliche vorbereiten; dann müßten entsprechende konkrete Vorschläge zur Aufhebung der Trennungen den politischen Behörden vorgelegt werden; mit deren Autorität sei schließlich die Einheit herzustellen.

Die theologische Fakultät von Helmstedt – nach einem späteren Vermerk auf dem betreffenden Aktenstück war Calixt der Verfasser – antwortete am 7. März 1634, also kurz vor dem zweiten Generalkonvent der evangelischen Stände zu Frankfurt. Dieses Schreiben[53] ist von der Freude über Duries Vorhaben und von erwartungsvoller Hoffnung im Hinblick auf die derzeitigen günstigen politischen Vorzeichen getragen. „Si quam umquam epistolam animo laeto et lubente vidimus, ea sane Tua fuit...Laudamus, amamus, plus quam verbis exprimere valemus, omnes eos, qui in id serio conatu sibi incumbendum existimant, ut ruptura domus Dei tandem aliquando sarciatur." Die Helmstedter Theologen verweisen dann auf die Gunst der Stunde; bei nicht wenigen Fürsten, zumal auch bei Herzog Friedrich Ulrich, könne man auf Verständnis und Unterstützung rechnen, und vor drei Jahren seien in Leipzig verheißungsvolle Anfänge gemacht worden, an die man anknüpfen solle. Konkretere Vorschläge machten die Helmstedter nicht.

Die Schlacht von Nördlingen am 5./6. September 1634 führte mit dem Abbruch der Frankfurter Verhandlungen der evangelischen Stände das vorläufige Ende der Bemühungen Duries und auch seiner Kontakte mit Helmstedt herbei. Erst 1639 nahm er wieder Beziehungen zu den norddeutschen Kirchen auf. Anfang Dezember 1639 traf er auf einer Reise durch Norddeutschland in Braunschweig ein, wo alsbald, am 5. Dezember, eine Konferenz zwischen ihm, Calixt und zwei weiteren braunschweigischen Geistlichen bei Herzog August d. J., dem Nachfolger Friedrich Ulrichs, stattfand. Thema waren die Möglichkeiten zur Herstellung des Kirchenfriedens zwischen den Reformierten und Lutheranern; dieser sollte aber ausdrücklich nur den Anfang für die Wiedervereinigung der gesamten Kirche einschließlich der römischen bilden[54]. Durie legte den Versammelten zunächst Briefe und Empfehlungen englischer, schottischer und irischer Bischöfe und Theologen vor, denen entnommen werden konnte, daß er mit ihrer Billigung bzw. in ihrem Auftrag handelte[55]. Sodann stellte er eine Reihe von Vorschlägen über die media praeparatoria der Einigung zur Diskussion[56]. Danach sollte in vorbereitenden Gesprächen untersucht werden, in welchen Festsetzungen des Glaubens und der Praxis (dogmata fidei et praxeos) Übereinstimmung zwischen den verschiedenen Parteien bestünde. Vermißt eine Seite ein Dogma, soll sie dessen Heilsnotwendigkeit nachweisen. Wird der Consensus für nicht ausreichend zur „Erbauung der Kirche und zur brüderlichen Einheit der Amtsträger im Bekenntnis" gehalten, sollen annehmbare Vorschläge zur Herstellung eines darüber hinausgehenden weiteren Consensus in mündlichen oder schriftlichen Verhandlungen gemacht werden[57]. Unterdessen sollen Toleranz und Enthaltung von gegenseitiger Verdammung walten und die hervorragendsten Kirchenvertreter über die heilsnotwendigen Glaubenspunkte verhandeln.

Zu diesen Vorschlägen legten darauf die braunschweigischen Theologen ihre Ansichten dar. Da sie dabei auch Bezug auf Gedanken nahmen, die in den capita Duries nicht niedergelegt waren, ist anzunehmen, daß dieser zuvor weitere mündliche Erklärungen gegeben hatte. Calixt und seine Begleiter hoben in ihrer Stellungnahme hervor, es sei besonders zu begrüßen, daß Durie die Scheidung der heilsnotwendigen Glaubensartikel von den zweitrangigen Fragen als das Fundament der kirchlichen Einigung herausgestellt habe[58]. Gerade dies war ja der Gedanke Calixts, nur daß er im Unterschied zu Durie eine klare Konzeption von den heilsnotwendigen Dogmen hatte. Weiter nahmen die Braunschweiger mit Zustimmung zur Kenntnis, daß im interkonfessionellen Gespräch jedenfalls auf die klaren und eindeutigen Aussagen der Schrift und auf den einmütigen Konsens der frühen Kirche zurückgegriffen werden solle. Die Norm des kirchlichen Altertums wird in der Regel von Durie nicht so betont[59]. Entweder hat er, mit Calixts Ideen vertraut, in Braunschweig diesen Gedanken selbst vorgetragen und in den Vordergrund gestellt, oder aber Calixt hat ihn aus seinen Äußerungen herausgehört oder Durie während der Verhandlungen von der Notwendigkeit, die Norm des Altertums heranzuziehen, überzeugt. Jedenfalls zeigten sich die braunschweigischen Theologen von diesen und den anderen Vorschlägen Duries sehr befriedigt und erklärten sich bereit, ihrerseits nach Kräften auf Mittel und Wege zur Beförderung der Einheit zu sinnen und diesbezügliche Vorschläge mitzuteilen[60].

Praktisches Ergebnis der Konferenz war immerhin, daß man sich vorläufig über die Mittel zur Herbeiführung der evangelischen kirchlichen Einheit ausgesprochen und verständigt hatte, nämlich im Gespräch um die Einigung zwischen heilsnotwendigen und anderen Lehren zu scheiden und als Norm im Sinne Calixts Schrift und altkirchliche Tradition aufzustellen; ferner, daß man zur Fortführung des Unionswerkes einander versprochen hatte, weiter in Verbindung zu bleiben[61]. Durie begab sich anschließend an den Hof des Herzogs Georg von Hannover in Hildesheim[62]. Auf Veranlassung des Herzogs fand hier Ende 1639 eine weitere Konferenz zwischen ihm und Calixt statt. Nähere Berichte darüber liegen nicht vor[63]. Einer späteren Bemerkung Duries zufolge[64] herrschte aber auch hier gutes Einvernehmen zwischen ihm und Calixt sowie den braunschweigischen Räten.

Infolge der wechselvollen politischen Ereignisse in England und Duries persönlicher Schicksale konnte die eingeleitete Zusammenarbeit nicht fortgeführt werden. Vielleicht hielt auch Calixt die Fortsetzung nicht für sinnvoll, da ihm Duries Pläne doch zu wenig wirklich fruchtbare Ansätze zu bieten schienen. Jedoch blieb er weiterhin in Fühlung mit ihm[65]. Durie gab seinerseits die Unionsbemühungen nicht auf. 1648 schreibt er aus London an Calixt, daß er überaus bedaure, daß die englischen Wirren ihn an der Fortführung seiner irenica studia hinderten, über die er mit Calixt verhandelt habe. Doch habe er die Unionspläne nicht aus dem Auge verloren und werde sie auch niemals aufgeben[66]. Calixt erwartete freilich auf Grund der Nachrichten, die aus England eintrafen, schon seit der Mitte der vierziger Jahre keine Heilung der Wunden der Kirche mehr von dort. Es bedrücke ihn, schreibt er 1645 an Vossius, daß die Friedensluft, die aus England zu wehen begonnen hatte, nun in Sturm umgeschlagen sei [67]. So beschränkten sich die weiteren Beziehungen zu Durie auf gelegentlichen Meinungsaustausch, wie er ihn auch mit anderen Irenikern des außerlutherischen Protestantismus, besonders remonstrantischen oder der remonstrantischen Richtung nahestehenden Reformierten, pflegte.

Unter diesen fühlte er sich, wie der Ton der Briefe erkennen läßt, am meisten dem humanistischen Philologen *Gerhard Johann Vossius* verbunden. Durch seinen Freund Overbecke hatte er Beziehungen nach Leiden. Overbecke und er hatten einen während ihrer gemeinsamen Helmstedter Studienzeit gefaßten [68] Plan verwirklicht, in Leiden mit Mitteln des ersteren ein Alumnat für begabte Helmstedter Studenten zu schaffen, die dort Jahresstipendien erhalten sollten, — eine im ‚konfessionellen Zeitalter‘ erstaunliche Tat ökumenischer Verbundenheit. Von der Mitte der zwanziger Jahre an finden wir einige der besten Schüler Calixts, darunter Hermann Conring und den späteren Helmstedter Philologen Christoph Schrader, als Stipendiaten Overbeckes in Leiden [69]. Durch sie oder durch Overbecke selbst knüpfte er 1627 die Verbindung mit Vossius an, der damals in Leiden lehrte. In der Folge entwickelte sich ein Briefwechsel zwischen den beiden Gelehrten, der immer wieder auch um das Thema der christlichen Einheit kreiste [70].

Schon in seinem ersten Schreiben 1632 gibt Calixt seiner Freude darüber Ausdruck, in Vossius einen Mitgenossen im Bemühen um die concordia ecclesiastica gefunden zu haben. Aus den Berichten seiner Freunde und aus Vossius' eigenen Schriften habe er entnommen, wie sehr auch er (Vossius) von der Sehnsucht nach dem kirchlichen Frieden verzehrt werde, die ihn selbst Tag und Nacht quäle. Zugleich übersendet er einige seiner irenischen Schriften, nämlich den Kommentar zum Titusbrief, seine Ausgabe des Commonitorium, seinen Apparatus theologicus und den Traktat über die Priesterehe unter ausdrücklichem Hinweis auf die darin enthaltenen Ausführungen über die Mittel zur Herstellung der kirchlichen Einheit [71]. In seiner Antwort beglückwünscht sich Vossius dazu, in Deutschland einen Freund gefunden zu haben, der nicht in die Verdammung der Andersdenkenden mit einstimme, sondern im Gegensatz zu dem gegenwärtigen schismatischen Jahrhundert wahrhaft darum wisse, was katholische Kirche sei [72]. „Wenige", schreibt er später an Calixt, „wissen oder bedenken, was katholische Kirche heißt. Es läßt sich kaum sagen, wieviel Schaden die Geringachtung des Altertums der Kirche zufügt" [73]. Hier wird die gemeinsame Basis deutlich, von der Vossius und Calixt bei der Beurteilung der kirchlichen Gegenwart ausgehen: die Idee der katholischen Kirche, die hinter den verschiedenen Konfessionen steht und der sie beide gleicherweise angehören [74]; und im Zusammenhang damit die Hochschätzung des kirchlichen Altertums, das für sie die Mittel zur Beseitigung der Kirchenspaltung bot. Calixt berichtet Vossius von seiner

7 Schüssler

unter diesem Gesichtspunkt aufgenommenen Arbeit an der alten Kirchengeschichte[75]; Vossius versichert seinerseits, daß er in seiner Arbeit kein anderes
Anliegen verfolge, als den Trennungen in der Christenheit entgegenzuwir-
ken[76]. Beide versuchen, geleitet vom Wissen um die wahre katholische Kirche, je an ihrem Ort für die Aufhebung der Trennungen zu arbeiten. Bis zu
Vossius' Tode (1649) blieben sie in einem wegen der Ungunst der Zeitver-
hältnisse zwar unregelmäßigen, aber gleichermaßen freundschaftlichen Brief-
verkehr[77].

Ähnlich war zunächst das Verhältnis Calixts zu *Grotius,* bis es später eine
Trübung erfuhr. Calixt war eifriger Leser der Werke Grotius'[78]. Dieser seinerseits lernte während seines Hamburger Aufenthaltes 1632/33 Freunde
Calixts, darunter dessen vertrauten Schüler Brandan Daetrius[79], kennen und
las dort auch Calixts Prooemium zum Commonitorium des Vincentius sowie
den Traktat über die Priesterehe, Werke, die er auch später sehr positiv beur-
teilte[80]. Kurze Zeit darauf machte er in Frankfurt die Bekanntschaft des
braunschweigischen Gesandten Lampadius, der mit Calixt befreundet war
und ihm weitere Schriften desselben schenkte[81]. 1636 wählte Grotius sich
Daetrius zum lutherischen Prediger an der schwedischen Gesandschaft in
Paris[82], die er seit 1635 leitete. Dadurch wurde zwischen ihm und Calixt eine
unmittelbare Verbindung hergestellt, die auch in mehreren Briefen ihren Niederschlag fand. Daetrius überreichte bei seiner Ankunft in Paris mehrere
Werke Calixts als Geschenk; Grotius brachte daraufhin brieflich[83] Calixt
seine Befriedigung darüber zum Ausdruck, in Daetrius nun einem „socium
vitae" zu besitzen, der dasselbe denke wie Calixt und er. Für Calixts Schriften fand er anerkennende Worte und pflichtete namentlich seinen Gedanken
über das kirchliche Altertum bei. Wenn man nicht die Freiheit der Schriftauslegung innerhalb der durch die Väterexegese gezogenen Grenzen halte
und in Fragen, die bei jenen freier Erörterung überlassen waren, einander zu
dulden lerne, sei kein Ende der konfessionellen Kämpfe und der Religions-
kriege zu erwarten,[84] – Gedanken, denen wir auch bei Calixt begegnet sind.
Grotius scheint sich zu dieser Zeit in der Tat viel von der Wirkung Calixts
im Protestantismus versprochen zu haben. Daetrius berichtet an Calixt, daß
Grotius ihn täglich nenne und den Gästen bei der Tafel das Studium seiner
Werke empfehle. Auch in katholischen Kreisen werde er dadurch bekannt[85].

Allerdings kam es im folgenden Jahre zum Bruch zwischen Grotius und
Daetrius. Die Ursache weist auf eine tieferliegende Differenz auch zwischen
Grotius und Calixt. Nach der Darstellung, die Grotius gibt[86], hatte der
Gesandschaftsprediger öffentlich die katholische Kirche angegriffen, was er
ihm mit Rücksicht auf das schwedisch-französische Bündnis, oder aber weil
er überhaupt sein Verhältnis zu den Katholiken nicht gestört wissen wollte,

streng untersagt hatte[87]. Daetrius stellt hingegen den Vorfall so dar, daß er lediglich einige kontroverstheologische Thesen formuliert, keineswegs aber öffentlich vorgetragen, sondern Grotius nur zu einer privaten Aussprache vorgelegt habe[88]. Jedenfalls entließ Grotius seinen Prediger, was er Calixt kurz mitteilte[89]. Daetrius kehrte daraufhin nach Deutschland zurück und trat in den braunschweigischen Kirchendienst[90].

Calixt nahm bei aller Anerkennung, die er Grotius und seinen kirchenpolitischen Anliegen zollte[91], gegenüber der römischen Kirche eine andere Haltung als dieser ein. Das machte sich auch bei seinen Schülern bemerkbar. Während er es für notwendig hielt, die römischen Irrtümer offen anzugreifen und zu widerlegen, etwa den Herrschaftsanspruch des Papstes zu bekämpfen, den er höchstens jure humano als abendländischen Patriarchen anerkennen wollte, enthielt sich Grotius derartiger Angriffe und war u. U. bereit, den Papst als Oberhaupt der Universalkirche gelten zu lassen[92]. Die Differenz beruht auf dem trotz mancher Gemeinsamkeiten verschiedenen Verständnis der Kirche. Grotius fragt in erster Linie rational nach deren rechtlicher Gestalt, von der er bestimmte, am Naturrecht orientierte Vorstellungen hat. Die hierarchische Struktur, wie sie sich geschichtlich bis hin zur monarchischen Spitze im römischen Bischof herausgebildet hatte, bildet für ihn ein integrierendes Moment im Aufbau der Kirche[93]. Calixt dagegen fragt kritisch zuerst nach der offenbarungsmäßigen Legitimation der geschichtlich gewordenen kirchlichen Einrichtungen und gelangt zu anderen Schlußfolgerungen. Wohl nicht nur wegen der Misshelligkeiten um Daetrius, sondern auch in Anbetracht solcher Verschiedenheiten haben Grotius und Calixt die Korrespondenz nicht mehr fortgeführt.

Unter den Reformierten, mit denen Calixt in freundschaftlichem Briefwechsel stand, sind ferner etwa *Ludwig Crocius* in Bremen[94] und der schon erwähnte *Johann Bergius*[95] zu nennen. Ein Mann wie der führende französische reformierte Theologe *Moses Amyrauld* ließ ihn wissen, daß er ihm, wann und wo immer, seine Dienste für die Einigung der evangelischen Kirchen anbiete[96]. Doch haben diese und andere Beziehungen zu deutschen und ausländischen Reformierten[97], mochten sie auch Calixt das Bewußtsein geben, mit seinen Unternehmungen in einer breiten Front zu stehen, keine größere Auswirkung gehabt.

Beachtung verdient jedoch noch eine andere Verbindung Calixts über die Grenzen des lutherischen Raumes hinaus, die mit dem von Konstantinopel ausgehenden Versuch einer orthodox-protestantischen Annäherung im Zusammenhang steht.

Unter dem Patriarchen Kyrill Lukaris von Alexandrien, später Konstantinopel war Anfang des Jahrhunderts eine Verbindung zwischen der grie-

chisch-orthodoxen und der englischen Kirche angeknüpft worden. 1617 hatte
der Patriarch auf Wunsch des Erzbischofs George Abbot von Cambridge
seinen Protosynkellos, den jungen, begabten Athos-Mönch *Metrophanes*
Kritopulos, zum Studium nach England geschickt. Kritopulos studierte auf
Kosten Jakobs I. sechs Jahre lang in Oxford und London und bereiste
anschließend im Auftrage des Patriarchen Deutschland und die Schweiz, um
die Kirchen und Universitäten des Protestantismus kennenzulernen und darüber nach Konstantinopel zu berichten. Wohl gegen Ende seiner Reise wurde
dieser Auftrag dahin erweitert, daß er auch feststellen sollte, wie sich ein
Weg „zur Vereinigung derselben mit der orthodoxen Kirche finden lasse"[98].
In Genf legte er dem Konsistorium in Kyrills Auftrage drei Thesen zur Vereinigung der Kirchen vor, nach denen 1. in den Fragen des Glaubens die Hl.
Schrift als Norm gelten, 2. zur Erklärung dunkler Schriftstellen die Kirchenväter herangezogen werden und 3. nützliche Bräuche in den jeweiligen Kirchen fortbestehen sollten, sofern sie nicht dem Worte Gottes und der Erbauung der Kirche zuwider wären[99]. Die Genfer Theologen bestärkten Kritopulos in seinen Bemühungen um die kirchliche Einheit, betonten die Gemeinsamkeit des Glaubens an den Heiland Jesus Christus und der Hoffnung
des ewigen Lebens und forderten ihn auf, in den morgenländischen Kirchen
für den Einheitsgedanken zu werben[100]. Die eingeleiteten Verhandlungen
führten aber nicht zum Erfolge. Kyrill Lukaris ließ sich bald darauf dafür
gewinnen, ein deutlich calvinistisch beeinflußtes Bekenntnis nach Genf zu
senden, rief damit den Widerstand der orthodoxen Geistlichkeit hervor,
wurde abgesetzt und 1638 auf Befehl des Sultans hingerichtet. Die Unionsbemühungen fanden damit ihr Ende. Kritopulos selbst, der 1636 Patriarch
von Alexandrien wurde, distanzierte sich von Kyrill[101].

Auf seiner Reise durch Deutschland hatte Kritopulos 1624 zunächst Bremen berührt. Von dort wurde er durch Ludwig Crocius an Calixt empfohlen[102], und während des ganzen Winters 1624/25 weilte er als Gast Calixts
und Hornejus' in Helmstedt[103]. Es war dies gerade die Zeit, in der bei Calixt
die neuen Ideen über die Kirche und ihre Einheit Gestalt gewannen. Die
schriftlichen Zeugnisse, die wir über Kritopulos' Aufenthalt in Helmstedt
besitzen, lassen vermuten, daß er und Calixt in engem Gedankenaustausch
über diese Fragen gestanden haben. Calixt schreibt im Mai 1625, als Kristo-
pulos Helmstedt verläßt, in dessen Album: Οὐκ ἔνι Ἰουδαῖος οὐδὲ ἕλλην·
πάντες γὰρ εἷς ἐστε ἐν Χριστῷ Ἰησοῦ[104].) Diesem bezeichnenden Wort fügt
er hinzu: „memoriae et benevolentiae, praecipue vero conjunctionis cum
ecclesia catholica et apostolica Graeciae totiusque Orientis testandae
ergo"[105]. In dieser Eintragung dürfte bereits mindestens im Ansatz der universale Kirchenbegriff vorliegen, den Calixt in den folgenden Jahren ent-

wickelte. In den angeführten Worten kommt deutlich die zutiefst in dem einen Herrn begründete Verbundenheit zum Ausdruck, die für ihn zwischen der griechischen und der eigenen lutherischen Kirche als Teilen der einen katholischen und apostolischen Kirche bestand.

Als Zeichen dieser Verbundenheit hinterließ Kritopulos seinerseits der Universität Helmstedt eine „Confessio catholicae et apostolicae in oriente ecclesia"[106] auf Wunsch der Professoren, die von ihm Näheres über die Ostkirche zu erfahren wünschten[107]. In diesem Bekenntnis legt er kurz die orthodoxe Lehre von Schöpfung, Menschwerdung Christi, Prädestination, Sakramenten usf. dar, ohne eine wesentliche inhaltliche Beeinflussung seitens der abendländischen Theologie zu zeigen. Hingegen mögen Calixts universalkirchliche Gedanken auf ihn eingewirkt haben. In der Überschrift seines Bekenntnisses erscheint dieselbe Terminologie wie in Calixts Abschiedseintragung: die Ostkirche ist „catholica et apostolica in oriente ecclesia". Auch die westlichen Christen gehören nach Kritopulos in irgendeiner Weise zur Kirche Christi, weshalb er am Schlusse seines Bekenntnisses Christus bittet, er wolle „scandala omnia e medio tollere, *membraque* illius *dispersa* in unum conjungere".[108]

Ob die Möglichkeit für eine Einigung der Kirchen zwischen den Helmstedter Theologen und Kritopulos erörtert wurden, wissen wir nicht. Jedoch wird Conring die Grundstimmung in den Gesprächen mit Kritopulos treffen, wenn er im Vorwort zur Ausgabe von dessen Bekenntnis hervorhebt, daß alle die Union mit der Ostkirche salva veritate wünschten, da in der protestantischen wie in der griechischen Kirche die Fundamente des katholischen und apostolischen Glaubens gleichermaßen erhalten seien[109]. Im Artikel seines Bekenntnisses über die Kirche spricht sich Kritopulos nicht weiter darüber aus. Auch ob Calixt zu jener Zeit über die Absichten des Patriarchen Kyrill in bezug auf eine Einigung mit den Calvinisten informiert war, ist unbekannt. Jedenfalls aber zeigt seine Berührung mit Kritopulos, wie bei beiden der Gedanke der „conjunctio" der lutherischen und der orthodoxen Kirche lebendig war.

Ebensowenig wie die oben geschilderten Verhandlungen und Bemühungen hat auch diese Begegnung ein praktisches Ergebnis für die Annäherung der Kirchen gehabt. Solche Ergebnisse erhoffte auch Calixt selbst noch am ehesten von den Gesprächen mit der römisch-katholischen Kirche, die er unmittelbar von sich aus einzuleiten versuchte.

3. KAPITEL

BEMÜHUNGEN UM DIE WIEDERVEREINIGUNG
MIT DER KATHOLISCHEN KIRCHE

So bereitwillig Calixt auf die Versuche zur Herstellung der innerevangelischen Einheit einging und selbst nach den Möglichkeiten Ausschau hielt, die sich dafür boten, – sein eigentliches Anliegen war doch die Wiedervereinigung mit der katholischen Kirche. Denn zwischen ihr und den evangelischen Konfessionen sah er den wirklichen Riß in der abendländischen Kirche klaffen[1]. Wir konnten oben feststellen, daß er in den Verhandlungen mit Herzog Friedrich Ulrich und mit Durie auf eine Ausweitung der Unionsvorschläge in Richtung auf die katholische Kirche hinwirkte. Das ist bezeichnend für seine Absichten, ebenso wie die Tatsache, daß seine kontroverstheologischen Schriften sich zum größten Teil mit der römisch-katholischen Lehre auseinandersetzten. Für ihn führte der Weg zur abendländischen Kircheneinheit über die Reunion mit der katholischen Kirche. Wo er daher unmittelbar von sich aus Unionsversuche in die Wege leitete, dienten sie der Verständigung mit den Katholiken.

Die Frage, wann er sich derartigen Versuchen zuwandte, führt auf ein Datierungsproblem im Zusammenhang mit seinem „Diskurß von der wahren christlichen Religion unndt Kirchen". Von diesem (zu seinen Lebzeiten nicht veröffentlichten) Diskurs existieren mehrere Abschriften[2], unter denen eine die folgende Aufschrift trägt: „Discursus de Pontificia Religione Quid statuendum et quomodo ipsa ad veram Catholicam religionem sit redigenda, Habitus In Civitate Wimariensi Praesentibus Rege Sueco et Principibus Saxoniae a D. G. Calixto ... Anno 1632"[3]. Hat Calixt also diesen Diskurs, der von der Vereinigung der Katholiken mit den Lutheranern handelt, vor Gustav Adolf gehalten? Ist demnach von Gustav Adolf der Versuch einer Wiedervereinigung der Kirchen erwogen worden, wobei er Calixt zu Rate zog, oder hat Calixt am Anfang seiner irenischen Wirksamkeit versucht, Gustav Adolf für ein solches Unternehmen zu gewinnen? Calixts Bestrebungen hätten damit eine starke politische Akzentierung und möglicherweise eine europäische Bedeutung erlangen können. Indessen ist die Frage zu verneinen. Denn einmal ist von einem Besuch Calixts in Weimar 1632 nichts bekannt. Hätte er dort eine Zusammenkunft mit Gustav Adolf gehabt[4], so müßte sich, wenn schon nicht in seinen Schriften, so doch in seinem Briefwechsel ein Hinweis darauf finden lassen. Auch hätte sein Sohn Friedrich Ulrich in seiner Ausgabe des Diskurses von 1687 und auch sonst ein so wichtiges Ereignis im Leben seines Vaters nicht unerwähnt gelassen. Sodann aber nennt Calixts Schüler Daetrius in einer von ihm angefertigten Abschrift als Jahr der Abfassung 1633[5]. Diese Datierung dürfte die zutreffende sein.

Im Juli 1633 wurde nämlich Calixt von Herzog Ernst dem Frommen von Gotha als Berater für seine Kirchen- und Schulpolitik im neugebildeten Herzogtum Franken berufen[6]. Dieses Herzogtum, das die ehemaligen Bistümer Würzburg und Bamberg umfaßte, war 1633 von dem schwedischen Eroberer an Herzog Bernhard von Weimar übertragen worden, der seinen Bruder Ernst mit der Verwaltung betraute[7]. Calixt stellte sich mit Erlaubnis seines Landesherrn für kurze Zeit zur Verfügung und hielt sich zusammen mit Daetrius von August bis November 1633 in Weimar und Würzburg auf, wo er an mehreren Konferenzen über die Regelung der kirchlichen Verhältnisse und der Fragen des Schulwesens teilnahm[8].

Auf einer dieser Konferenzen, die sich mit der Frage der Behandlung der Katholiken befaßte, muß Calixt den Diskurs vorgetragen haben[9]. Denn im Mittelpunkt desselben steht die Frage, wie „die so noch unter dem Joch des Pabstthumbs stecken, herauszureißen und zu volliger erkendniß der warheit zubringen"[10]. Eben um diese Frage ging es Herzog Ernst. Wie berichtet wird[11], verlangte er theologische Gutachten darüber, „wie bei der Verbreitung der evangelischen Lehre im Herzogthume Würzburg zu Werke zu gehen und zu hoffen sei, daß dort die verführten Leute im Papstthume durch Gottes Gnade allgemach zur Erkenntniß der Wahrheit gebracht würden". Calixt rät: „Sollen (wir) demnach selbige weiln Sie neben uns einen Gott und Vatter und Heylandt Jesum Christum erkennen, und also unsere Brüder sind, und verhoffentlich mitterben des ewigen lebens sein werden, nicht hassen oder verfolgen, sondern nur bearbeiten, daß sie mit Sanfftmuth, glimpf und wolgegründeten beweißthum gewonnen, ihrer Irrthumb entlediget, und mit uns einig zu sein bewogen werden"[12]. Dabei ist der Anfang im Gespräch mit dem katholischen gemeinen Mann wie mit den Gelehrten beim „Nachtmahl, welches ist ein bandt der einigkeit und liebe", zu machen[13] und als Erkenntnisprinzip neben der Schrift die Tradition der Kirche der ersten 500 Jahre zu gebrauchen[14].

Calixt will also die Katholiken nicht unterdrückt und verfolgt, sondern als Brüder anerkannt wissen. Freilich sollen sie zur Erkenntnis ihrer Irrtümer und der reineren evangelischen Wahrheit gebracht werden. In diesem Sinne äußert er sich auch in einem am 2. Dezember 1633 von Helmstedt aus an Herzog Ernst übersandten Gutachten, in dem er es für die Pflicht der lutherischen Obrigkeit erklärt, die evangelische Lehre zu verbreiten[15]. Hier treffen wir auf die betont polemische Seite, die neben der irenischen in Calixts Einigungsbestrebungen hervortritt. Allerdings bezweckt er nicht einseitig eine Bekehrung der Katholiken zum Luthertum. Vielmehr hat er im Auge, Katholiken und Lutheraner – offenbar vermittelst eines Religionsgespräches – auf Grundlage des consensus quinquesaecularis zu vereinigen: „Was uber diesem von Papisten und *andern* eingeführet ist, das muß fallen, oder ye für kein nötig stück und glaubens articul gehalten werden"[16]. Er denkt also an eine Vereinigung, bei der auch die lutherische Seite Zugeständnisse machen soll[17].

Die Situation, die dieser Vorschlag voraussetzt – ein ungeklärtes Verhältnis zwischen lutherischer Obrigkeit und neugewonnener katholischer Bevölkerung – paßt nur auf das Herzogtum Franken. Dies und die Notiz von Calixts Begleiter Daetrius lassen es als gewiß erscheinen, daß Calixt diesen ersten, noch tastenden praktischen Versuch, die Wiedervereinigung mit den Katholiken in einem begrenzten Raume in die Wege zu leiten, 1633 im Zusammenhang mit seiner Tätigkeit als Berater des Herzogs Ernst unternommen hat. Über Calixts weitere Wirksamkeit in Franken besitzen wir keine näheren Nachrichten. Die Kirchenpolitik Herzog Ernsts war nicht sehr glücklich. Trotzdem er den katholischen Glauben grundsätzlich tolerierte, hielt er es für „notwendig, daß ein Christ die Predigten verschiedener Confessionen anhöre und dadurch erfahre, welcher Glaube auf den rechten Weg zur Seligkeit führe"[18]. Für die Schulen bestimmte er, daß sie für Katholiken und Lutheraner gemeinsam sein und in ihnen Lehrer beider Konfessionen unterrichten sollten. Diese und ähnliche Maßnahmen, die die allmähliche Einführung des lutherischen Glaubens zum Ziel hatten, führten zum geheimen Widerstand der katholischen Bevölkerung und fanden mit der Rückeroberung Frankens durch die katholischen Truppen im Oktober 1634 ihr Ende[19].

Der erste bedeutendere Versuch Calixts, mit der katholischen Kirche über die Möglichkeiten der Wiedervereinigung ins Gespräch zu kommen, fällt in das Jahr 1634. Als Anlaß diente ihm eine polemische Schrift seines ehemaligen Studienfreundes Barthold Nihus, der zur katholischen Kirche übergetreten war und ihn in eine kontroverstheologische Diskussion mit dem Ziel seiner Bekehrung[20] verwickeln wollte.

Nihus (1589-1657, zuletzt Weihbischof in Erfurt[21]) hatte von 1607 an in Helmstedt studiert, war des jungen Calixt „Hörer und Freund" und Famulus bei Cornelius Martini gewesen und hatte dann als Erzieher u. a. am Weimarer Hofe gewirkt. Seit einer Reise, die er 1614 nach Köln, Leiden und Antwerpen unternommen hatte und auf der er auch mit katholischen Theologen verschiedentlich in Berührung gekommen war[22], vielleicht auch schon seit seiner Studienzeit hegte er Zweifel hinsichtlich der wahren Kirche. Die Fragen, die ihn bewegten, betrafen das Problem der Kontinuität in der Kirchengeschichte und der Legitimität der Reformation: Kann die Kirche, da Christus ihr doch seinen Beistand verheißen hat, wirklich als Ganze abfallen[23]? Muß sie nicht vielmehr in Lehre und Gestalt durch die Geschichte

hindurch eine sichtbare Einheit darstellen[24]? Vom Kontinuitätsgedanken her
kommt er zur Kritik am protestantischen Schriftprinzip[25]. Nicht die „mor-
tua et suspecta litera" der Hl. Schrift[26], sondern allein die Kirche gewährlei-
stet die zuverlässige Überlieferung der Offenbarungswahrheit[27]; keine der
reformatorischen Lehren ist in der Schrift eindeutig ausgesprochen, sie sind
vielmehr in die Schrift hineingedeutet, um dann als Wahrheiten des Evangeliums ausgegeben zu werden[28]; in den Händen der Protestanten ist die
Schrift „nil nisi pomum Eridos"[29], und daß sie allein theologisches Erkenntnisprinzip sei, ist unbewiesenes Axiom[30]. Den Grund des Abfalls von der
römischen Kirche, die von der Schrift aus an dieser geübte Kritik, meinte
Nihus daher als leeren Vorwand zu erkennen[31]. Vergebens suchte ihn der
Weimarer Hofprediger Kromayer vom Übertritt abzuhalten, indem er darauf hinwies, daß die sichtbare Kirche auf Erden nicht eine einheitliche sein
müsse; „unitatem ad invisibilem potius pertinere, ... visibiles vero (ecclesias) esse plures"[32]. 1622 verließ Nihus heimlich Weimar und wurde in Köln
katholisch. Von da an verfaßte er wiederholt Streitschriften gegen die Helmstedter Theologen. Sie dienten zumeist dem Nachweis, daß allein die römische
Kirche den Anspruch erheben könne, wahre Kirche zu sein, da sie im Besitz
des unfehlbaren Lehramtes sei[33].

1632 sandte er ein Werk an die Universität Helmstedt, das den Titel „Ars
nova dicto sacrae scripturae unico lucrandi e Pontificiis plurimos in partes
Lutheranorum" trug und in dem er dartat, daß die Lutheraner nicht eines
ihrer Dogmen durch eine klare Schriftstelle beweisen könnten. Im übrigen
falle ihnen die Beweispflicht zu, da sie, bevor sie Lutheraner waren, denselben
Glauben wie die römische Kirche hatten. Wer aber jemanden für einen Lüg-
ner erkläre, den er vordem als wahrhaftig anerkannte, der sei gehalten, seine
Behauptung zu beweisen[34]. Dies war die „neue Kunst", die Nihus (wohl in
Anlehnung an Veron) gegenüber den Protestanten zur Anwendung bringen
wollte.

Calixt, der zunächst zu Nihus' Angriffen geschwiegen hatte, beschloß, diese
Schrift zum Anlaß für einen umfassenden Appell an die katholische Theologie zu nehmen. In Nihus' Ars nova war ein für alle künftigen interkonfessionellen Verhandlungen entscheidend wichtiger Punkt berührt. Wenn es tatsächlich die Meinung der katholischen Theologie und Kirche war[35], daß die
Katholiken, da „in possessione", nichts, die Protestanten aber alles zu beweisen hätten, dann war ein Gespräch mit der römischen Kirche nicht mehr
möglich[36]. Umgekehrt eröffnete sich, wenn die katholische Theologie, wie zu
erwarten war, von dieser „neuen Kunst" abrückte, die Aussicht auf ein er-
folgverheißendes Gespräch über die Prinzipien der Offenbarungserkenntnis
und über die Möglichkeiten der Beseitigung der Kirchenspaltung.

Er unterbrach daher seine Arbeit an der Epitome Theologiae moralis, in der er gerade begriffen war, und legte seine Fragen und Vorschläge an die katholische Theologie in einer Abhandlung nieder, die er 1634 zusammen mit dem Fragment seiner Moraltheologie herausgab unter dem Titel „Digressio qua excutitur nova ars, quam nuper commentus est Bartoldus Nihusius, Ad *omnes* Germaniae Academias Romano Pontifici deditas et subditas, inprimis Coloniensem"[37]. An die Kölner Universität richtete er die Digression im besonderen, da Nihus in Köln längere Zeit gelebt hatte und noch verkehrte[38].

In dieser Schrift entwickelt Calixt, nachdem er eingangs auf die Person und die Angriffe von Nihus eingegangen ist[39], folgende Gedanken: das oberste Ziel aller muß heute die Herstellung der Einheit der Christen sein[40]. Es ist schon um der Wohlfahrt des Vaterlandes willen die beiderseitige Aufgabe, sich Gedanken über die dahin führenden Mittel zu machen[41]. Er ist überzeugt, daß die katholischen Theologen ebenso wie er zu Frieden und Eintracht geneigt sind. Jedenfalls setzt er dies voraus, solange nicht das Gegenteil erwiesen ist[42]. Es ist nun von alters her üblich, daß, wer jemandem etwas beweisen will, was dieser negiert, dies aus bestimmten, von beiden anerkannten Prinzipien tun müsse[43]. Daher müssen die Katholiken sowohl wie die Protestanten ihre Lehren aus solchen Prinzipien beweisen; es gilt: „repudiata utrimque Arte nova, adhibeamus veterem, juxta quam ab affirmante exspectatur probatio."[44]

Sodann legt er dar, daß die Erkenntnisprinzipien in disciplina fidei eindeutig gegeben und für beide Teile dieselben seien[45], nämlich die Hl. Schrift und die übereinstimmende Tradition des kirchlichen Altertums. An der Norm von Schrift und Altertum gelte es nun auf beiden Seiten, die Dogmen zu prüfen, um zur Einigung auf der Basis des wirklich Heilsnotwendigen und Verbindlichen zu kommen. Freilich, schreibt er, „dum articulos et capita doctrinae salutaris non nisi e Sacra canonica Scriptura et genuina primorum seculorum antiquitate deduco, et deduci oportere demonstro, Pontificias omnes sequioribus seculis enatas novitates, superstitiones et corruptelas everto"[46]. Aber es ist nicht seine Absicht, mit den Katholiken zu streiten[47]. Vielmehr unterbreitet er einen Vorschlag, wie unter Zugrundelegung dieser von beiden Seiten anerkannten Prinzipien ein Religionsgespräch zur Wiedervereinigung veranstaltet werden könnte[48].

Wenn die Religionsgespräche, die bisher abgehalten wurden, führt er hierzu aus, nicht den erwarteten Erfolg aufzuweisen hatten, so ist doch keineswegs die Hoffnung aufzugeben, durch solche Kolloquien doch noch zum gewünschten Ziele zu gelangen. Es muß nur die „ratio colloquendi" etwas geändert werden. Das Haupthindernis für eine Verständigung lag bei den früheren Religionsgesprächen darin, daß sich in der mündlichen Verhandlung die Gemüter erhitzten und Streit- und Ruhmsucht die Diskussion beherrschten. Diese Schwierigkeit läßt sich beheben, wenn die Gesprächsteilnehmer nach den Konfessionen getrennt in verschiedenen Räumen beraten und nur schriftlich miteinander verhandeln. Sie sollen die Voreingenommenheit für die eigene Konfession ablegen und „soluti juramentis, quibus alterutri forte parti erant adstricti: ... uni soli veritati sacramentum dicere". Es soll dann folgendermaßen verfahren werden: von beiden Seiten sind Richter (aribitri) zu wählen, „viri boni et eruditi, Logices inprimis periti et rationis disputandi", die ebenfalls nur der Wahrheit verbunden sein sollen [49]. Die thesis controversa ist in einer von beiden Seiten gebilligten Fassung vorzulegen und von denjenigen, die sie vertreten, aus den beiderseits anerkannten Erkenntnisprinzipien Schrift und Tradition der Alten Kirche in Form eines Syllogismus zu beweisen [50]. Dabei gesteht Calixt den Katholiken bereitwillig die Benutzung der Vulgata und der Apokryphen zu [51].

Nachdem in der vorgeschlagenen Weise von einer der beiden Gruppen ein Votum formuliert worden ist, ist dieses zunächst dem Richterkollegium vorzulegen. Das Kollegium hat die einzige Aufgabe, den processus disputandi zu prüfen, also zu entscheiden, ob die Kontroversthese aus den zugrundegelegten Prinzipien valide et recte hergeleitet worden ist. Nicht die Wahrheit, sondern die formale Richtigkeit sind also seinem Urteil zu unterwerfen. Hat es festgestellt, daß der legitimus probandi et disputandi modus eingehalten worden ist, wird das betreffende Votum der anderen Gruppe zugeleitet, die ihrerseits ihre Stellungnahme auszuarbeiten und einzureichen hat. Wird das Gespräch nach diesem Verfahren geführt, dann wird erreicht, „ut qui affirmant, aut evincant, aut in probatione deficiant". Dann aber fallen alle Lehren dahin, die keinen Grund in Schrift und Altertum haben, während die wirklich heilsnotwendigen in einer für beide Teile verbindlichen Weise ermittelt werden. Damit werden die Grundlagen für die kirchliche Einigung geschaffen.

Im weiteren Verlauf seiner Ausführungen nimmt Calixt selbst schon eine Gegenüberstellung der Lehren vor, die die beiden Parteien aus Schrift und Tradition begründen müssen. Für die lutherische Seite begnügt er sich damit, das Apostolikum und die Entscheidungen der wichtigeren Synoden von Nicaea bis Arausio (bezeichnenderweise nicht die lutherischen Bekenntnisse) als die „summa Christianismi" darzutun [52]. Dagegen gibt er dann eine lange Zusammenstellung von Kontroverslehren, die die Katholiken zu beweisen haben. Sie betreffen vornehmlich das Papsttum, die Sakramente und die damit im Zusammenhang stehenden Lehrstücke [53]. Abschließend stellt er auch gewissermaßen ein Sofortprogramm zur gegenseitigen Liebe und Duldung auf:

wenn die Christen bis jetzt gehindert werden, verbunden zu sein actu, „jungimur tamen animo et affectu"[54] als Brüder und Glieder des einen Leibes[55].

Welche Bedeutung Calixt dieser Digression beimaß, geht aus dem Vorwort hervor, das er dem Gesamtwerk der Moraltheologie und der Digression voranstellte und an seinen Landesherrn Herzog Friedrich Ulrich richtete. Darin weist er noch einmal auf die Übereinstimmung der Katholiken und Lutheraner hinsichtlich der Prinzipien der Schrift und der altkirchlichen Tradition hin, fordert für das interkonfessionelle Gespräch, daß die heilsnotwendigen Dogmen von den nicht-heilsnotwendigen geschieden werden, und spricht gegenüber dem Herzog die Hoffnung aus, daß er das Werk in Gnaden aufnehmen werde, zumal es demselben Ziele – der kirchlichen Einheit – diene, auf das auch er hinarbeite (vgl. II. Teil 2. Kap.) In einem Begleitbrief, mit dem er am 7. Mai 1634 das Werk dem Herzog übersendet, sagt er ferner über die Digression: „Conatus enim sum in medium proferre, quae ad controversias, quibus non modo ecclesia in partes divellitur, sed ipsa quoque respublica in maximum periculum conjicitur, vel sopiendas, vel saltim, si ea spes nimis ampla est, minuendas, vel certe, si per hominum et temporum malignitatem obtineri nihil amplius potest, compendio dijudicandas faciant"[56]. So begleitete Calixt die Herausgabe seiner Schrift mit großen Hoffnungen, die dem Fernziel der Beseitigung der Kirchentrennung und dem Nahziel galten, mit den Katholiken über die Kontroversfragen in ein echtes Gespräch zu kommen.

Durch seine Freunde in Leiden ließ er der Universität Köln fünf Exemplare zustellen[57]. Entweder erreichten diese nun ihren Bestimmungsort nicht, oder aber die Kölner hielten es nicht für notwendig zu antworten,[58] – jedenfalls wurde mit einer Ausnahme weder aus Köln noch sonst aus dem katholischen Raume in den folgenden Jahren ein Echo vernehmbar[59]. Einzig der französische Kontroverstheologe Franz Veron widmete, vermutlich von Grotius auf ihn aufmerksam gemacht, in seinem 1638 erschienenen Kontroverswerk[60] Calixt einen Abschnitt unter dem Titel „réponse à Calixte, protestant a Saxe, du nouvel art", den er ihm schon Ende 1637 mit einem Briefe übersandte[61]. Zwar stimmt er Calixt in Bezug auf die Normen von Schrift und Tradition bei: „si regulis dominationis vestrae, scilicet scripturae et traditioni haereamus, concordabimus. Huic animorum concordiae studeamus invicem". Aber für ihn tritt die Autorität der Kirche hinzu[62], und hier zeigt sich der fundamentale Unterschied hinsichtlich der Erkenntnisprinzipien zwischen ihm und Calixt. Dieser will die Norm der Schrift und mit ihr verbunden die der Tradition kritisch gegenüber der Kirche angewandt wissen. Für Veron bilden hingegen Schrift, Tradition und Kirche als Erkenntnisprinzipien eine unauflösbare Einheit. Eine Überprüfung bereits gefällter Glaubensentscheidungen ist für ihn nicht möglich. Deshalb ist auch die Isolierung der beiden erstgenannten Prinzipien und die Ableitung eines fundamentalen Glaubens aus ihnen, der zur Basis einer Wiedervereinigung dienen soll, für ihn eine „nouvelle hérésie", hinauskommend „à l'indifférence de religion à salut entre tant des compagnies ou sectes Chrétiennes, inventée par de Dominis"[63] und nicht weit vom Atheismus[64].

Calixt ließ acht Jahre verstreichen[65], bis er sich erneut an die katholische Theologie wandte. Er tat dies, indem er an seine in der Digression gemachten Vorschläge anknüpfte und in einer umfangreichen Untersuchung die kritische Prüfung der Kontroverslehren mit Hilfe der Schrift und der altkirchlichen Tradition am Beispiel der communio sub utraque specie durchführte[66]. Er wies hier nach, daß das Abendmahl unter beiderlei Gestalt von Christus eingesetzt und die communio sub una der Alten Kirche und den folgenden Jahrhunderten bis zum Jahre 1000 oder 1100 unbekannt gewesen sei[67]. Der Abhandlung voran stellte er den Dialog Cassanders über die Suspension des Tridentinum und über die communio sub utraque, Auszüge aus Georg Witzels „regia via" und einige andere irenische Gutachten zu dieser Frage. Im Anschluß an seine Darstellung brachte er eine „Iterata Compellatio" an den Rektor, die Dekane und alle Professoren der Kölner Universität[68]. Darin wiederholt er teilweise wörtlich die Vorschläge, die er in der Digression für ein Religionsgespräch gemacht hatte[69].

In einem an den Herzog August gerichteten Vorwort schlug er vor, daß dieser, der unter den Fürsten wegen seiner umfassenden Bildung berühmt und dazu im Besitze einer der bestausgestatteten Bibliotheken (der Wolfenbütteler) sei, ein solches Gespräch veranstalten solle[70], und bat ihn zugleich, für die Übermittlung der Iterata Compellatio an die Kölner Universität zu sorgen, damit diese nicht wieder den Empfang der Schrift ableugnen könne. Außerdem stellte er dem Herzog anheim, die Digression, sobald sie neu aufgelegt worden sei, und andere etwa noch herauszugebende irenische Schriften an alle Kurfürsten und Fürsten des Reiches und auch an den Kaiser zu senden, der an der Beseitigung der Kirchenspaltung großes Interesse haben müsse[71]. Die katholischen Theologen insgesamt aber forderte er auf zu bekennen, ob sie ihre Lehren mit Hilfe der ars nova und unter Hinweis auf die Unfehlbarkeit des Papstes verteidigen, oder ob sie sie aus Schrift und Altertum beweisen wollten[72], mit anderen Worten: ob sie bereit seien, in die kritische Überprüfung ihrer Lehre und Kirche einzutreten oder nicht.

Am 23. Januar 1643 schickte er dem Herzog die Ende Dezember 1642 ausgedruckte Schrift mit der Bitte, einige Exemplare an den Kurfürsten von Köln zu senden und diesen zu veranlassen, die Universität mit der Prüfung und Beantwortung zu beauftragen. Vielleicht könne der Herzog sich dabei als „huius disputationis ducem, et quasi praesidem ac moderatorem" in Vorschlag bringen. Nachdrücklich wies er auf die Bedeutung der Sache hin. „Non hic minutiae tractantur, sed de summa rei agitur!"[73]

Zu Herzog August stand Calixt in einem nahen Verhältnis, und der Herzog war ihm zeitlebens gewogen. Dies lassen die zahlreichen Briefe erkennen, die beide Männer wechselten und die die verschiedensten Gegenstände behandeln[74]. Herzog August der Jüngere (1579–1666) hatte 1635 die Nachfolge von Herzog Friedrich Ulrich im Fürstentum Braunschweig-Wolfenbüttel angetreten[75]. Die ersten Briefe, die Calixt in dieser Zeit an ihn richtete, zeigen, wie sich recht bald ein Vertrauensverhältnis herausbildete und auch wie Calixt sogleich versuchte, seinen neuen Landesherrn für seine kirchenpolitischen Gedanken zu gewinnen. So schließt er 1635 eines seiner ersten Schreiben an den Herzog, indem er ihm sich und seine „studia, quae unice ad Dei gloriam et sedanda, si fas sit sperare, vel saltim mitiganda ecclesiae dissidia hactenus refero et porro referam" empfiehlt[76]. Herzog August ging auf Calixts Anliegen bereitwillig ein, wie der zwischen ihnen geführte Briefwechsel zeigt[77]. So willfahrte er auch jetzt Calixts Wunsche und sandte am 24. April 1643 mit gleichlautenden Schreiben[78] die Iterata Compellatio an die Kurfürsten von Köln und Mainz. In diesen Schreiben weist er eingangs darauf hin, wie Calixt „eine gute Zeithero bemühet gewesen, mit glimpflicher demonstration denen Irrungen, welche biß dahero das hochschädliche schisma zwischen den Catholischen und Evangelischen verursachet, den weg zu bahnen, wodurch die allerseits exacerbirte gemüther hinwider besenftiget, gute einigkeit aus dem grund hinwider gestifftet und außgeführet" oder wenigstens eine „christliche brüderliche moderation befordert, und die unzeitige verdammungen eingestellt werden möchten". Diese Worte, namentlich der zuletzt ausgesprochene Toleranzgedanke, lassen erkennen, daß auch Herzog August sich eine universalkirchliche Vorstellung zu eigen gemacht hatte, auf Grund deren er das Verhältnis zwischen den Konfessionen auf eine neue Ebene gestellt zu sehen wünschte. Unter Hinweis auf die verderblichen Folgen der Spaltung für das weltliche Regiment und für das Heilige Römische Reich im besonderen betont er von sich, daß „wir jederzeit alles das ienige für ein hochangelegenes Gott wolgefälliges Werk gehalten (haben), wodurch die christliche einigkeit befordert . . . werden möchte". Dazu diene die Digression Calixts und die „iterata compellatio", in denen, im Gegensatz zu Nihus, die Sache mit Glimpf und Freundlichkeit behandelt werde, was er auch den kurfürstlichen Universitäten anzubefehlen bitte. Er versehe sich der Kooperation der Kurfürsten in dieser Angelegenheit.

Von Köln erfolgte wiederum keine Antwort. Dagegen erwiderte der Kurfürst von Mainz, Anselm Kasimir Wambold von Umstadt[79], das Schreiben des Herzogs sehr zuvorkommend. Er rühmte dessen Sorge um die Einheit der

Kirche und die Wohlfahrt des Reiches und versicherte, der Herzog könne „das bestendige sichere Vertrawen zu Uns wol haben, daß gleich wie Wir an Unser müglichsten cooperation und zuthuen geringstes nichts unterlassen" in bezug auf die Befriedung des Reiches, „also auch an Uns nichts werden erwinden lassen, wie ebenmessig und zuvorderst auch die heilsame gnaden-reiche Vereinigung in Relegions sachen ehestes gestifftet werden müge" [80].

Bezeichnend für die geringen Möglichkeiten, welche die katholische Seite gegeben sah, auf Calixts Verständigungsversuch einzugehen, war nun freilich, was der Kurfürst unternahm, um dem Wunsche des Herzogs zu entsprechen. Er beauftragte die Universität Mainz mit der Prüfung der Vorschläge Calixts und mit der Ausarbeitung einer Antwort, welche der Professor der Theologie Vitus Erbermann S. J. übernahm. Unter seinem Vorsitz wurden am 1. Mai 1644 144 Thesen, aufgeteilt in zwölf Sektionen, in feierlicher Disputation während sechs Stunden vorgetragen und erörtert, wobei der Kurfürst zugegen war [81]. Diese Thesen wurden alsdann unter dem Titel „Anatomia Calixtina, h. e. Vindiciae Catholicae pro asserendo S. Romanae Ecclesiae Tribunali in fidei causis infallibili, praeceptoque Communionis sub una specie, etc. contra G. Calixti Nov-Antiquas Impugnationes" veröffentlicht [82].

Der wesentliche Inhalt der polemischen Schrift ist folgender: Calixt hat eine chimerica pacificatio [83] im Sinne, denn er kennt nicht die „jura pacis" [84]. Ein Übereinkommen in den Dogmen ist nicht zu erhoffen, da in den Erkenntnisprinzipien beide Teile keineswegs übereinstimmen [85]. Soll es in den von Calixt vorgeschlagenen Religionsgesprächen zu einem Lehrvergleich kommen, so ist es notwendig, daß ein Teil von seiner Lehre abgehe. „Id vero Catholicorum Fidei nefas est, ne Veritatem prodant", und die Häretiker lassen in ihrem Hochmut erfahrungsgemäß nicht von ihren Irrtümern [86]. Der Katholik kann bereits definierte Dogmen nicht abändern [87]. Er ist — hierin liegt der fundamentale Unterschied in den Erkenntnisprinzipien – an die kirchliche Tradition und Lehrautorität, letztlich an den „adspectabilem veritatis judicem a Christo delegatum", den Papst, gewiesen [88]. Nachdem Erbermann die an diesem Punkte sichtbar werdende Differenz in den Erkenntnisgrundlagen herausgearbeitet hat, kritisiert er Calixts Anschauungen von der Kirche und insbesondere vom fundamentalen, im Apostolischen Symbol enthaltenen Glauben. Unter dem Deckmantel dieses Glaubens werde jedweder Häresie Einlaß in die Kirche gewährt [89]. Calixts Religion sei daher nichts als menschliche Erfindung, seine Kirche eine confusio plusquam Babylonica und eine Wegbereiterin für den Atheismus [90]. Die Wurzel des Calixtschen Irrtums sei, daß Calixt nicht auf die Kirche höre [91], sondern sich selbst eine unfehlbare Entscheidungsgewalt in Sachen des Glaubens anmaße [92]. Weshalb z. B. billige

er den altkirchlichen Konzilien das Recht der Lehrentscheidung und Ketzer-
verdammung zu, nicht aber auch dem Tridentinum?[93] Zum Schluß verliert
sich Erbermann in persönliche Angriffe auf Calixt, der vom Geist des Wider-
spruchs erfüllt[94], von Friedfertigkeit weit entfernt[95] und im übrigen nachweislich Häretiker sei[96]. – Diese Ausführungen bedeuteten die glatte Ablehnung der Vorschläge Calixts. Nach beendigter Disputation erklärte denn
auch der Kurfürst Calixt für widerlegt[97].

Sieht man auf Stil und Ergebnis der Auseinandersetzung, könnte man fragen, warum überhaupt die Mühe einer vielstündigen Disputation aufgewandt
wurde. Denn offensichtlich lag den Mainzern nichts an einem *echten* Gespräch
mit Calixt; von einem wirklichen Verstehenwollen Calixts und seiner Anliegen ist kaum etwas zu spüren. Aber hinter dem Mainzer Verfahren stand
doch wohl die ernsthafte Absicht, sich mit den Ideen Calixts auseinanderzu-
setzen. Die Substanz der Darlegungen Erbermanns bildet eine Konfrontation
des Begriffs der in ihrem Wesen irreformablen katholischen Kirche mit dem
scheinbar willkürlich konstruierten calixtinischen Traditions- und Kirchenverständnis. So widersprüchlich es erscheinen mag, man erhoffte sich davon
offenbar in der Tat eine positive Wirkung im Sinne einer Klärung der „jura
pacis".

Calixt ließ sich durch diese Antwort in seinen Bemühungen nicht beirren.
Der „Anatomia" Erbermanns setzte er eine neue umfangreiche Schrift entgegen, das „Responsum maledicis Theologorum Moguntinorum pro Romani
pontificis infallibilitate praeceptoque communionis sub una vindiciis oppositum", gerichtet an den Kurfürsten von Mainz[98]. Darin ruft er diesen zunächst als Richter darüber an, ob so schwere Anschuldigungen, die die Mainzer Theologen gegen ihn erhoben, daß er nämlich mit seinen Vorschlägen
dem Atheismus den Weg bereite, Häretiker sei usf., zuträfen[99]. Anschließend
gibt er die umfassendste Darstellung seiner auf die kirchliche Einheit bezüglichen Gedanken, die wir von seiner Hand besitzen und die er dem Kurfürsten als Material für sein Urteil in bezug auf jene Vorwürfe[100] unterbreitet.
Sie ist oben bereits in der Darstellung des calixtinischen Kirchenbegriffs verarbeitet[101]. Zum Schluß wiederholt er die Aufforderung an die Mainzer
Theologen, sich der Prüfung der römisch-katholischen Lehren, allen voran
derjenigen von der Unfehlbarkeit und der Gewalt des Papstes, an Hand der
Normen der Schrift und des kirchlichen Altertums zu stellen[102]. Auch nach
der Mainzer Antwort ist er der Überzeugung, daß die Katholiken mit ihm
hinsichtlich dieser Normen als den allein maßgebenden theologischen Erkenntnisprinzipien übereinstimmen[103].

In dieser Schrift ging es Calixt vor allen Dingen darum, den Vorwurf der
Häresie zu entkräften[104]. Denn seine Vorschläge beruhten gerade auf der

Voraussetzung, daß keine der kirchlichen Parteien häretisch sei. Wie sollte ein Gespräch mit den Katholiken, wie er es sich dachte, möglich werden, wenn die lutherischen Gesprächspartner dabei von vornherein als Häretiker auftreten mußten? Vor allem aber: wie war überhaupt jemals mit der römischen Kirche zu einer Vereinbarung zu gelangen, wenn selbst der Rückgang auf das Fundament der Alten Kirche von den katholischen Theologen als willkürlich bezeichnet wurde? Calixt spürt hier die tiefgehende Differenz in der Auffassung des „Katholischen", und es ist ein fast verzweifelter Kampf, den er jetzt um sein Verständnis der katholischen Kirche führt. Eine ernsthafte Ablehnung, noch dazu mit dem Vorwurf der Häresie, erschien ihm noch als so unwahrscheinlich, daß er den Kurfürsten als Richter in dieser Frage gegen die Mainzer Theologen anrief. „Intelligis", so wendet er sich an ihn [105], „Protestantes [106] agnoscere, credere et profiteri, quae ad Christianum constituendum et aeternam beatitudinem obtinendam sufficiant" (nämlich das Apostolische und die anderen altkirchlichen Symbole). Mit welchem Recht kann man die als Brüder zurückweisen, die Gott als seine Söhne anerkannt hat? Sind wir nicht Glieder ein und desselben Leibes unter dem Haupte Christus [107]? Seine Zuversicht in eine positive Stellungnahme des Kurfürsten wird unterstrichen durch einen Vorschlag, den er seinem Appell anhängt. Darin verweist er auf die soeben veröffentlichte Ankündigung des Thorner Religionsgespräches durch den König von Polen und ruft den Kurfürsten auf, auch seinerseits ein derartiges Unternehmen – er denkt etwa an einen Konvent in Frankfurt – in die Wege zu leiten, wie es seine Verpflichtung gegenüber Gott, der Kirche und dem Reiche verlange [108].

Im folgenden Jahre ließ er noch einen zweiten Teil seiner Antwort folgen. Darin setzte er sich eigens mit der Unfehlbarkeit des Papstes auseinander, in der er (obschon nur Lehrmeinung und noch nicht Dogma) die Konsequenzen des Primats am deutlichsten in Erscheinung treten sah. Wenn Christus wirklich den römischen Bischof als Nachfolger Petri zum Vorsteher der Kirche gesetzt hat, führt er aus [109], ist in der Tat zuzugestehen, daß er ihn „ideo praefecit, ut controversias fidei sententia falli nescia, cui mentes fidelium adhaerere oporteat, terminaret." Er teilt zwar nicht die Prämisse, billigt aber der Konklusion immerhin Folgerichtigkeit zu. Die Vorzugsstellung des römischen Bischofs findet er jedoch weder in der Schrift noch im kirchlichen Altertum hinreichend bezeugt. Wie die Geschichte zeige, haben überdies die römischen Bischöfe nachweislich geirrt, so u. a. Vigilius, Honorius und die Päpste des Mittelalters, welche die ihnen vermeintlich von Christus verliehene Autorität auch auf die weltliche Gewalt auszudehnen versuchten. Auch von der Geschichte her fällt so der Unfehlbarkeitsanspruch der Päpste zusammen. Wenn nun aber gefragt wird, wo denn sonst

ein judex controversiarum in der Kirche zu finden sei, so hat man sich vor
Augen zu führen, daß der Menschheit auch z. B. in der Philosophie keine
autoritative Entscheidungsinstanz gegeben ist. Wie die anderen Disziplinen,
so besitzt auch die Theologie ihr spezifisches Fundament, d. h. die Schrift sowie die fundamentalen Glaubensartikel und die altkirchlichen Konzilsbeschlüsse, welche die Wahrheitsfindung ermöglichen und zur Widerlegung falscher Lehren ausreichen. – Die Erörterung der Unfehlbarkeitsfrage lag in der
Logik der Auseinandersetzung mit den Mainzern. Denn in dieser Frage zeigte
sich das Haupthindernis für die katholische Seite, überhaupt in eine ernsthafte
Diskussion auf der von Calixt vorgeschlagenen Basis von Schrift und Altertum einzutreten. Ein erfolgreiches Gespräch über diesen Punkt mußte jetzt
die Bedingung für eine sinnvolle Weiterführung der Diskussion bilden.

Aus Mainz kam als Antwort, allerdings nur erst auf den ersten Teil des
Responsum, ein EIPHNIKON Catholicum, verfaßt von Erbermann[110].
Anfang 1646 übersandte Erbermann dieses Buch dem Herzog August mit
einem Briefe[111], in welchem er nun seinerseits, wie Calixt den Kurfürsten
angerufen hatte, den Herzog zum Richter über die innocentia veritatis
catholicae und angebliche Injurien Calixts im Responsum aufrief. Im übrigen habe sich in Thorn herausgestellt, wie ungeeignet Calixts Methoden zum
Kirchenfrieden seien, „cum ipsemet ibidem manus suas contra omnes, et
manus omnium contra se, velut alter Cain, expertus fuerit". Es gebe keinen
anderen Weg zur Einheit als den im Kapitel IV seines Buches aufgewiesenen
– es heißt dort unmißverständlich: „se Papae Calixtus submittat, et sic erit
pax"[112]; er selbst, früher Lutheraner, sei diesen Weg gegangen und hoffe dies
auch vom Herzog.

In dem Buche selbst, das sich – bezeichnend für den Stil der Auseinandersetzung – zur Hälfte mit der Persönlichkeit Calixts, seiner angeblich mangel-
haften Bildung, Vertrauenswürdigkeit und Demut befaßt[113], übt Erbermann
nochmals scharfe Kritik an den Grundlagen des calixtinischen Unionsgedankens. Das Apostolische Symbol könne doch niemals die Basis für eine Einigung abgeben. „Veritas articulorum Symboli est unica, simplex, atoma: et
haec non est in verbis, sed in sensu et explicatione"[114]. Zur regula fidei inani-
mis muß die regula animata treten, d. h. die Definition der Kirche[115]. Wenn
Calixt sich für die Suffizienz des Apostolischen Symbols auf das verborgene
innere Zeugnis des Heiligen Geistes beruft, so zeigt sich darin der „generalis
error, qui separat omnes Haereticos a Catholicis"[116]. Dem privato omnium
Haereticorum spiritui[117] entspringt auch die willkürliche Begrenzung der
Tradition auf die ersten fünfhundert Jahre der Kirchengeschichte. Es ist nicht
einzusehen, warum spätere Konzilien zurückgewiesen werden müßten[118].
Vollends Calixts Bedingungen des interkonfessionellen Gesprächs sind nicht

von der „Natur" vorgeschrieben, sondern von Calixt erdichtet. Für einen
Katholiken ist es unmöglich, an seinem Dogma zu zweifeln, sich also von
der durch das kirchliche Lehramt bereits getroffenen Entscheidung zu dispen-
sieren [119]. Calixts Weg führt zum Atheismus, Synkretismus und babyloni-
scher Verwirrung [120]. Allein die Unterwerfung unter den Papst ermöglicht
den Kirchenfrieden [121]. Schließlich erbietet sich Erbermann, mit Calixt persönlich zu einem Gespräch in Frankfurt [122] oder sogar in Helmstedt oder
Wolfenbüttel [123] zusammenzutreffen. Zwar sei von solchen Gesprächen für
die kirchliche Einheit nichts zu erhoffen, jedoch biete sich auf ihnen Gelegenheit, die „intima errorum, discordiae et pugnae Sectarum" noch genauer
zu erforschen und die Wahrheit recht ans Licht zu stellen [124].

Auf den zweiten Teil des Responsum Calixts antwortete Erbermann noch
im folgenden Jahre mit einem weiteren Teil seines Irenicums, in welchem er
die göttliche Einsetzung des Papsttums und die Widerspruchslosigkeit der
päpstlichen Dekrete im Laufe der Geschichte gegen Calixts diesbezügliche
Argumente nachzuweisen suchte [125].

Calixt hatte anfänglich die Absicht, auf das Irenicum zu erwidern. Jedoch kam es nicht dazu. Das hatte zunächst wohl seinen Grund darin, daß
ihn nach dem Thorner Religionsgespräch die Auseinandersetzung mit den
orthodox-lutherischen Theologen zu sehr in Anspruch nahm. Aber es ist ihm
dann auch offenbar eine weitere Diskussion mit Erbermann überhaupt als
sinnlos erschienen. Da er später in eine schriftliche Diskussion mit dem Kapuziner Magni eintrat, hätte er auch die Auseinandersetzung mit Erbermann
wieder aufnehmen können, was er aber unterließ. Diese wurde aber von
Hermann Conring fortgesetzt, der mit Erbermann mehrere Streitschriften
wechselte [126]. Erbermann seinerseits griff Calixt noch einmal nach dessen
Tode an in einem „Kurtzen Beweyß ... Daß die unfehlbare und stäts beharr-
liche Kirche Christi Nicht bey den vermeint Evangelischen oder Protestirenden; Sondern einig und allein bey denen dem Hl. Römischen Stuel beypflich-
tenden Catholischen zu finden seye" [127]. Calixt ist danach Patriarch einer
„allgemeinen, auß allerley gattung Glauben versambleten Kirchen" [128], deren
Grundlage, das Apostolische Symbol, utopisch sei, solange es nicht im „wahren, Catholischen Verstand" ausgelegt werde [129].

Durch den Ausgang des Gesprächs mit Erbermann wurde Calixts Optimismus hinsichtlich der Möglichkeiten für eine baldige Wiedervereinigung
stark gedämpft. 1645 kam der Mißerfolg des Thorner Religionsgesprächs
hinzu. Nicht ohne spürbare Enttäuschung schreibt er 1650 an einen Freund:
„inter cogitationes et consilia res (sc. der Wiedervereinigung) adhuc tota
versatur: neque nobis datur esse adeo felicibus, ut repentinus successus spe-
rari debeat" [130].

Gleichwohl ließ er sich nicht entmutigen. 1650 ließ er durch seinen Sohn und späteren Nachfolger Friedrich Ulrich einen neuen Vorschlag für ein katholisch-lutherisches Gespräch veröffentlichen[131]. In diesem Vorschlag sucht er offensichtlich die Erfahrungen von Thorn zu verwerten, wo sich einmal mehr die Nutzlosigkeit der persönlichen Aussprache zwischen den Vertretern der verschiedenen Konfessionen herausgestellt hatte. Heute sei, so erklärt er, ein erfolgversprechender modus conferendi allein im schriftlichen Gespräch zu sehen, das übrigens ohne großen Kostenaufwand durchgeführt werden könne. Hinsichtlich des Verfahrens selbst hält er an seinen bisherigen Vorschlägen fest. Die Gesprächspartner haben ihren Stellungnahmen die Form eines Syllogismus zu geben; die conclusio soll die thesis controversa enthalten. Der andere Partner soll sodann Ober- und Untersatz dieses Syllogismus prüfen. Findet er etwas auszusetzen, ist in gleicher Weise mit dem Prosyllogismus zu verfahren. Dies ist so lange fortzuführen, bis ein Teil den Beweis schuldig bleiben muß. Bevor das schriftliche Votum der einen Seite der anderen ausgehändigt wird, soll eine unparteiische Kommission es auf unsachliche Schärfen und Regelwidrigkeiten der Beweisführung prüfen, um es gegebenenfalls zurückzuweisen. Calixt schlägt weiter vor, daß zwischen den Katholiken zu Hildesheim und der Universität Helmstedt ein solches Gespräch veranstaltet werde. In Braunschweig oder Wolfenbüttel könnten vom Herzog August und vom Kurfürsten von Köln ernannte Beauftragte die Überprüfung der beiderseitigen Stellungnahmen vornehmen. „Talis syllogismorum et responsorum reciprocatio ubi aliquoties facta fuerit, intra paucos menses mira videbimus, et magna lux quaestionibus controversis accedet"[132].

Unerwartet kam jetzt von einer anderen Seite ein Echo auf Calixts Bestrebungen: von dem jungen Landgrafen Ernst von Hessen-Rheinfels, der später auch zu Leibniz in nähere Beziehung trat[133]. Landgraf Ernst, 1623 aus der zweiten Ehe des Landgrafen Moritz in Kassel geboren und streng reformiert erzogen, hatte 1649 die Herrschaft in dem Gebiet Hessen-Rotenburg — er nannte es Hessen-Rheinfels — angetreten, das unter der Landeshoheit von Hessen-Kassel stand. Um den Kaiser für die Unabhängigkeit seines Landesteils zu interessieren, begab er sich 1650 nach Wien. Zwar erreichte er dort in dieser Angelegenheit nichts[134], kam jedoch mit führenden katholischen Kontrovers-Predigern in Berührung[135] und entschloß sich, zur katholischen Kirche überzutreten. Es ist vermutet worden, daß dieser Entschluß mit dem politischen Anliegen im Zusammenhang stand, das er in Wien vertrat[136]. Vielleicht mögen anfangs diesbezügliche Erwägungen in der Tat mitgespielt haben. Jedoch zeigen die zahlreichen Äußerungen des Landgrafen über religiöse Fragen in seinem ausgedehnten Briefwechsel[137] und in seinen Schriften[138], daß im Grunde bestimmte, später stets mit Nachdruck verfochtene

Gedanken über Christentum und Kirche für seine Konversion maßgebend gewesen sein dürften.

Um den Schein der Unbedachtsamkeit bei seinem geplanten Schritt zu vermeiden, und auch wohl, weil er sich doch noch nicht endgültig entschieden hatte[139], faßte er den Plan, in Frankfurt (Main) ein Religionsgespräch zu seiner Unterrichtung zu veranstalten[140]. Hierzu lud er für Dezember 1651 Calixt, den reformierten Theologen Johann Crocius aus Marburg, den lutherischen Theologen Peter Haberkorn aus Gießen und von römisch-katholischer Seite den Kapuziner Valerianus Magni aus Wien mit zwei weiteren Geistlichen ein[141].

In einem Schreiben an die Landesfürsten der genannten evangelischen Theologen vom 8. September 1651 entwickelt er seinen Vorschlag. Danach sollte das Gespräch zu Frankfurt in Form eines schriftlichen Meinungsaustausches vor sich gehen, und dieser später publiziert werden. Als Materie des Gesprächs waren zwei Fragen vorgesehen, die je einem der beiden Teile – die Evangelischen wurden als eine Gruppe gerechnet – vorgelegt werden sollten. Den römisch-katholischen Gesprächspartnern „oblige zu beweisen / Daß unser Herr Christus dem Apostel Petro die jurisdiction über die allgemeine Christliche Kirche gegeben / in welcher der Römische Bischoff Petro succedire / und auß selbigem Titul einen solchen unfehlbaren Beystand deß Hl. Geistes habe / daß wann er ex cathedra etwas definirt / so den christlichen Glauben betrifft / er nicht irren könne". Die Evangelischen aber sollen die Frage beantworten, ob im Laufe der Kirchengeschichte „oder noch jetzo sey einiger Mensch oder Versamlung der Menschen / so in Vortrag- und Außlegung der von Gott geoffenbarten Lehre nicht könne wegen der Assistentz deß Hl. Geistes abweichen von deme / so in der Hl. Schrifft enthalten ist", der man daher zu folgen schuldig sei[142]. Die katholischen Theologen hatten also die Unfehlbarkeit des Papstes, die protestantischen aber auch ihrerseits das Vorhandensein einer unfehlbaren Lehrautorität trotz der Trennung vom Papst zu beweisen. Schon die Fragestellung zeigt, daß Landgraf Ernst für den Katholizismus so gut wie gewonnen war[143]. Denn beide Fragen gehen von der Voraussetzung aus, daß es in der Kirche eine unfehlbare menschliche Autorität geben müsse, die die Glaubenswahrheit garantiert.

Es ging dem Landgrafen nur um den konkreten Nachweis dieser Autorität, der ihm nicht mehr zweifelhaft gewesen sein dürfte. Allerdings scheint er doch erst allmählich zur letzten Sicherheit gelangt zu sein. Denn Calixt, den er „vor den Moderatesten von allen Protestirenden Theologen" hielt[144], gestand er, daß seine Lehre „plus reliquis argumentis contra Catholicos nos detinuit cunctabundos inter Calixtinos et Pontificios"[145]. Und seinem Bruder Hermann schrieb er später[146], er habe anfangs der Hoffnung auf eine Union nach den Grundsätzen Calixts Raum gegeben, dann aber eingesehen, daß es in der Wahrheitsfrage nur zwei Richtschnuren gebe, die eine der Autorität und stetigen Übereinstimmung, die andere des menschlichen Witzes und der Privatauslegung.

Der Rat der Stadt Frankfurt sagte dem Landgrafen seine Unterstützung zu. Jedoch erhielt er von den befragten Fürsten hinhaltende oder abschlägige Antworten [147]. Die Herzöge von Braunschweig hielten es – wohl mit Rücksicht auf den ,synkretistischen' Streit – für nicht angängig, daß Calixt mit einem Reformierten (Crocius) und einem Ubiquitisten (Haberkorn) zusammen erschien [148]. Sie lehnten eine Beurlaubung Calixt ab und schlugen stattdessen vor, das Kolloquium schriftlich zu führen [149]. Dies entsprach dem Vorschlag, den Calixt 1650 gemacht hatte, und vermutlich hat er über Herzog August die Antwort der welfischen Höfe in diesem Sinne beeinflußt. Der Landgraf erklärte sich mit dem Vorschlag des schriftlichen Gesprächs einverstanden und setzte fest, daß die einzelnen Stellungnahmen gedruckt nach Frankfurt eingereicht werden sollten [150]. Jetzt stellte er fünf Fragen, deren schriftliche Beantwortung er erbat, nämlich

1. zu welcher Kirche sich die Beteiligten bekennten,

2. welche Glaubenslehren es seien, von deren Anerkennung die Zugehörigkeit zu dieser Kirche abhänge,

3. in welchen Lehrentscheidungen nach ihrem Dafürhalten die Kontroversfragen gelöst seien,

4. ob und wo sich nach der Apostel Zeiten ein Mensch oder eine Gruppe von Menschen finde, „qui habeat infallibilem autoritatem proponendi doctrinam fidei", und

5. woher im Falle der Leugnung einer solchen Autorität die Christen sonst ihre Glaubenslehre schöpfen müßten [151].

Alsbald gingen die Antworten der Katholiken [152], Crocius' [153] und Calixts [154] ein. Calixt äußert in seiner Stellungnahme vom 14. Dezember 1651 zunächst sein Befremden über die Fragen, die für eine förmliche Disputation, wie er sie wünsche, kaum geeignet seien, und übersendet seine „Widerlegung Wellers" unter besonderem Hinweis auf den darin wiederholten Vorschlag zum Gesprächsverfahren [155]. Die Frage nach der Kirche beantwortet er mit einer kurzen Darstellung seiner Auffassung von der universalen katholischen Kirche, die aus den mehr oder weniger reinen Teilkirchen bestehe. Die heilsnotwendige Lehre sei genugsam in den altkirchlichen Symbolen niedergelegt, und in den nicht-heilsnotwendigen Lehren müsse Freiheit herrschen. Unfehlbar sei kein Mensch und keine Versammlung als solche, jedoch ein jeder, der seine Lehre klar aus der Schrift und der altkirchlichen Tradition beweisen könne. Glaubensgewißheit werde aber gegeben durch die efficacia spiritus sancti, die mit dem Worte Gottes verbunden sei [156].

In einer acht Tage später abgesandten Fortsetzung seiner Antwort[157] fordert er dann eine Diskussion des wichtigsten Kontroverspunktes, nämlich der päpstlichen Unfehlbarkeit, unter Zugrundelegung der Normen von Schrift und Altertum, und ruft dazu nicht nur den Mitunterredner Pater Magni auf, sondern *alle* römisch-katholischen Theologen und Universitäten Deutschlands[158]. Gleichzeitig wiederholt er die wesentlichen Gedanken seines umfassenden Gesprächsvorschlages an die Katholiken vom Jahre 1634[159]. Wir haben somit in dieser Continuatio seiner Antwort eine nochmalige Erneuerung desselben zu sehen. Augenscheinlich dachte Calixt daran, zu versuchen, das private Religionsgespräch des Landgrafen Ernst in ein allgemeines interkonfessionelles Gespräch über die Kirchenspaltung und die Wiedervereinigung umzuwandeln.

Das Echo auf diesen Versuch war mehr als enttäuschend. Schon Anfang Dezember 1651 hatte der Landgraf in aller Eile ein Religionsgespräch zwischen Haberkorn und zwei weiteren Lutheranern und den Kapuzinern in Rheinfels abhalten lassen. Es blieb ohne Ergebnisse und diente dem Landgrafen nur dazu, das Gesicht zu wahren. Denn unmittelbar danach entschloß er sich endgültig zum Übertritt. Am 6. Januar 1652 legte er mit seiner Gemahlin in Köln das katholische Glaubensbekenntnis ab. In einem Brief an Papst Innozenz X., vom gleichen Tage, spricht er seine Freude darüber aus, „e tenebris praetensae Reformationis in admirabile et *irreformabile* lumen catholicae veritatis et unitatis" zurückgekehrt zu sein[160].

Das Motiv für den Übertritt ist das gleiche, das wir schon bei Nihus kennenlernten. Der Landgraf war überzeugt, daß wirkliche Gewißheit über die Offenbarung nur in der unfehlbaren Kirche gefunden werden könne, die sich durch die Kennzeichen der Einheit, ungebrochenen Entwicklung und ständigen Übereinstimmung auswies[161], – mochte die Unfehlbarkeit nun beim Papst als solchem oder, wie er später betonte, als Präses eines allgemeinen Konzils liegen[162]. Dagegen erschienen die evangelischen Kirchen als ein „abyssus von Konfusion". Die protestantischen Bemühungen um die Interpretation des Wortes Gottes deutete er als Ausdruck des Subjektivismus. „Alles läuft im Zirkel privati scrutinii humani herum und hinaus"[163], auch Calixt „sein gantzes werck, gleichwie der andern ihres, auf das privatum scrutinium hinausläuffet"[164].

Calixt kam dieser plötzliche Übertritt unerwartet. Er hatte gehofft, der Landgraf werde wenigstens das Ende der Disputation abwarten[165]. Durch die Konversion wurde er jetzt, was das Gespräch betraf, vor eine neue Situation gestellt, der er sofort Rechnung trug. Da der nächstliegende Zweck des Gesprächs, nämlich den Landgrafen zu überzeugen, hinfällig geworden war, konnte dieses umso besser in eine allgemeine interkonfessionelle Diskussion über das Papsttum und die römische Kirche umgewandelt werden.

Nun denn, ruft er dem Landgrafen zu[166], die Disputation möge nicht abgebrochen werden. „Ganz Deutschland wird Dir verpflichtet sein, wenn Du, was begonnen ist, nicht abbrechen läßt. Und nicht allein Deutschland, sondern ganz Europa, ja die Christen in der ganzen Welt!" Denn es sei an der Zeit, daß Deutschland endlich erkenne, „was von der Religion, die viele nach ihrem Belieben und nach ihrer Willkür durch Zutaten oder Veränderungen umwandeln und entstellen, zu halten ist" und welche „jene wahre und echte, von Christus und den Aposteln stammende" Religion sei[167]. Landgraf Ernst soll also das Religionsgespräch fortführen, damit in ihm vor aller Welt die zwei verschiedenen Kirchenbegriffe und -ansprüche zum Kampf antreten können und die wahre Gestalt der Kirche, zugleich die wahre Grundlage für eine Wiedervereinigung, sichtbar wird.

Es ist bewegend zu sehen, wie Calixt noch in seinen letzten Lebensjahren und inmitten der Anfeindungen seitens seiner lutherischen Glaubensgenossen[168] mit aller Energie auf das so lange erhoffte, echte Gespräch drängt. Landgraf Ernst ging auch darauf ein, daß die schriftliche Diskussion zwischen Calixt und Pater Magni fortgeführt würde, freilich aus keinem anderen Gedanken, als „das er (Calixt) sich entlichen finden undt zur Römisch Catholischen Kirchen vile zuführen, ein instrument sein möchte"[169]. Im Laufe des Jahres 1652 wechselten Calixt und Magni noch mehrere Schriften, die die Frage der päpstlichen Unfehlbarkeit betrafen[170]. Auch interessierte sich der Kurfürst von Mainz für ihre Diskussion, wodurch diese eine leichte politische Note erhielt[171]. Jedoch wurde eine Ausweitung des Gesprächs nicht erreicht. Sachlich brachte es keinen Fortschritt, und schließlich endete es in persönlichen Vorwürfen.

Es war logisch konsequent, aber doch ein Nachteil, daß Calixt bei seinen Gesprächsversuchen alles Gewicht auf die theologischen Prinzipienfragen, Schrift, Tradition, kirchliche Unfehlbarkeit legte und hier den entscheidenden Durchbruch erhoffte. In der Diskussion sowohl mit Erbermann als auch mit Landgraf Ernst und Magni stand die grundsätzliche Frage im Vordergrund: kann die Kirche auf die Basis von Schrift und kirchlichem Altertum zurückgeführt werden, muß sich also auch die römische Kirche in den Punkten, die einer Wiedervereinigung nach den Vorstellungen Calixts entgegenstehen, reformieren lassen, oder kann sie in ihrer Lehre und Gestalt, wie sie sich in den nachfolgenden Jahrhunderten, garantiert durch das unfehlbare Lehramt, verbindlich herausgebildet hat, keiner Reformation unterliegen? Hinter dieser Fragestellung ließ er die anderen Kontroversfragen, so die Probleme der Soteriologie, ganz zurücktreten. Unausweichlich mußte ihm an der Frage der Reformabilität der Kirche, die auf die entscheidenden Kontroversfragen der Ekklesiologie führte, der schärfste Widerstand der zeitgenössischen katholischen Theologen entgegentreten. Zwei miteinander nicht ausgleichbare Anschauungen traten hier einander gegenüber. Während Calixts katholische Gesprächspartner die Zusammengehörigkeit von Offenbarung und kirchlicher Lehre und die Kontinuität und Irreformabilität der kirchlichen Lehrentwicklung verfechten, versucht Calixt, gerade die Scheidung des Fundamentalen von seiner Explikation durchzuführen, und macht getreu altprotestantischer Kirchengeschichtskritik die bleibende Fehlbarkeit und Reformbedürftigkeit der Kirche von ihrem Urbild im Neuen Testament und im christlichen Altertum her geltend. Wie weit die Verschiedenheit der Anschauungen beide Seiten voneinander trennte, haben die katholischen Theologen deutlicher bemerkt als er. Sein Erkenntnisoptimismus ließ ihn den Gegensatz als eine mit Hilfe der Logik verhältnismäßig leicht lösbare Frage ansehen, während er in Wirklichkeit nicht zu überbrücken war.

Einen letzten Vorstoß in Richtung auf die Reunion mit der katholischen Kirche finden wir im Zusammenhang mit dem Regensburger Reichstag 1653/54 [172], der nach dem Friedensschluß 1648 der weiteren Befriedung des Reiches dienen sollte. Freilich ging die Initiative hier nicht von Calixt selbst, sondern von seinem ehemaligen Hörer, dem konvertierten Mainzer Staatsmann Johann Christian von Boineburg, und von seinem Schwager Schwartzkopff [173] aus, der Braunschweig-Wolfenbüttel in Regensburg vertrat.

Schon im März 1653 ging das Gerücht, der Kaiser und der Kurfürst von Mainz planten eine Einladung Calixts nach Regensburg [174]. Eine solche erfolgte zwar nicht, aber die Briefe, die der Gesandte Schwartzkopff während des Reichstages an Calixt schrieb, lassen erkennen, daß in den privaten Gesprächen der Gesandten, nicht zuletzt derjenigen der römisch-katholischen Reichsstände, Calixts Gedanken über den Kirchenfrieden eine nicht unerhebliche Rolle spielten. Boineburg ließ einen Augustinerpater Kontroverspredigten über die Einigungsvorschläge Calixts halten, denen hervorragende Persönlichkeiten beiwohnten [175]. Der französische Gesandte, der kaiserliche Oberhofmeister Fürst Auersperg [176] und andere interessierten sich für Calixts Schriften, von denen dieser, so viele noch in seiner Druckerei vorhanden waren, nach Regensburg sandte [177]. Kaiser Ferdinand III. selbst wurde von Schwartzkopff die „Widerlegung Wellers" zugestellt [178]. Ende Februar 1654 schreibt er an Calixt: „Imperator liest fleißig in der Widerlegung, und hatte ich insonderheit eingeschlagen den Ort, da der distinctio de desiderio concordiae etc. item de necessitate bonorum operum zu finden ist. Werde mehr ad manus Imperatoris schaffen." [179] Der schwedische, altenburgische, mecklenburgische, brandenburgische und braunschweigische Gesandte tranken auf das Wohl Calixts [180], und selbst bei den kaiserlichen Damen war die Rede von seinen Ideen [181]. Zu ernsthafter Erwägung seiner Vorschläge kam es aber nicht, und er selbst rechnete wohl auch nicht damit. Das Resultat der Schwartzkopffschen Bemühungen war lediglich, wie dieser schreibt[182], daß „der Herr Gevatter niemals der ganzen Welt mehr bekannt worden, als eben durch diesen Reichstag". Diese Tatsache hätte eine günstige Ausgangsposition für spätere Bemühungen abgeben können. Doch fanden die Reunionsbestrebungen von lutherischer Seite mit Calixts Tode 1656 ein vorläufiges Ende.

Unter den Bemühungen Calixts um die Verständigung mit der katholischen Kirche wurde bisher sein Wirken in Thorn 1645, das auch diesem Ziel galt, unerwähnt gelassen. Es wird im folgenden im Zusammenhang dargestellt.

4. KAPITEL

DAS THORNER RELIGIONSGESPRÄCH 1645

Das „Colloquium caritativum" von Thorn 1645 bildet den Höhepunkt der in Polen staatlicherseits unternommenen Bemühungen zur Wiederherstellung der kirchlichen Einheit; zugleich ist es der letzte große Versuch eines Religionsgesprächs der abendländischen Hauptkonfessionen in der neueren Kirchengeschichte[1]. Das Thorner Gespräch verdankte sein Zustandekommen dem Wunsch des polnischen Königs Ladislaus IV., den konfessionellen Spaltungen und Auseinandersetzungen, die in verschiedenen Gebieten des Landes eine Quelle ständiger Unruhe bildeten, auf friedlichem Wege ein Ende zu bereiten. Die securitas reipublicae verlange Frieden und innere Ruhe, die staatliche Einheit auch die kirchliche, heißt es im königlichen Ausschreiben, ut omnes tandem in eandem sententiae et amoris unitatem conspirent, qui in eodem Patriae sinu sese amplexantur ut cives[2]. Dem König und noch ausgesprochener seinen katholischen Ratgebern schwebte als letztes Ziel die Rückführung der polnischen Protestanten zur katholischen Kirche vor, wobei sie gegebenenfalls geringfügige Zugeständnisse zu machen bereit waren, die aber der päpstlichen Bestätigung vorbehalten werden sollten[3]. Das Gespräch mit den polnischen Reformierten und Lutheranern selbst sollte, wie beschwichtigend nach Rom mitgeteilt wurde, lediglich der cointelligentia partium dienen[4]. Ursprünglich schon für Oktober 1644 angesetzt, wurde das Kolloquium auf Wunsch der durch Zeitnot bedrängten Reformierten[5] endgültig für den 28. August 1645 anberaumt und seine Dauer auf drei Monate festgelegt[6].

Für Calixt bedeutete die Veranstaltung des Religionsgesprächs die unverhoffte Erfüllung der von ihm selbst so lange vergeblich wiederholten Forderungen nach einem offiziellen Gespräch der Konfessionen[7]. In dem angekündigten Kolloquium mußte er *die* Chance erblicken, die seine Zeit für die Verwirklichung der Unionsideen bot. So hat er denn auch nichts unterlassen, um seine eigene Teilnahme am Religionsgespräch zu erreichen und die schließlich sehr geringen Möglichkeiten zu nutzen, die sich in Thorn für das Verständigungswerk eröffneten.

Schon bald nach der Ankündigung erhielt er von dem geplanten Gespräch Kenntnis[8]. Wir hörten oben schon, daß er in seiner Antwortschrift an die Mainzer Theologen den Kurfürsten von Mainz aufforderte, ein entsprechendes Gespräch in Frankfurt zu veranstalten[9]. Im Laufe des Jahres 1644 sammelte er die auf das Thorner Kolloquium bezüglichen Dokumente und Nachrichten und veröffentlichte sie Anfang 1645 zuammen mit einer eigenen Consideratio et Epicrisis, in der er seine Gedanken über das Religionsgespräch darlegte[10]. Sie ist aufschlußreich für die Erwartungen, mit denen er dem Kolloquium entgegensah. Ohne Zweifel sollte sie auch dazu dienen, ihn selbst für die Teilnahme zu empfehlen.

In der Stellungnahme gibt er zunächst seiner unverhohlenen Freude über die Absicht des polnischen Königs Ausdruck[11], um dann seine uns bekannten Gedanken über Kirchenspaltung und Kircheneinheit mit besonderer Rücksicht auf das bevorstehende Kolloquium zu entwickeln. Alle, die die Taufe erhalten haben, nicht gegen ihr Gewissen sündigen und glauben, was im Apostolischen Symbol enthalten ist, sind Christen[12]; das gilt für alle diejenigen, die in Thorn zusammenkommen werden, und deshalb sollen sie auch als Christen miteinander konferieren. „Alii alios, ut Christiani Christianos, habeamus et tractemus."[13] Soll das Gespräch zum Erfolg geführt werden, muß der Anfang mit den heilsnotwendigen Dogmen gemacht werden[14], da in den übrigen Dingen Übereinstimmung nicht unbedingt notwendig ist[15]; die Diskussion ist unter Zugrundelegung der Normen von Schrift und kirchlichem Altertum[16] mit Hilfe von Syllogismen zu führen als dem einzigen Mittel der Wahrheitsfindung, mit dem alle Streitfragen gelöst werden können[17]. Läßt man sich von dem Gesichtspunkt leiten, bei den einzelnen Lehrstücken zwischen dem Fundament und den Schulmeinungen zu unterscheiden, wird man etwa in der Gotteslehre und den Lehren von Erbsünde und Rechtfertigung unschwer übereinkommen[18]. In der Erbsündenlehre z. B. ist „summa et fundamentum..., omnes homines communi et carnali modo ex Adamo progenitos nasci obnoxios irae et damnationi, nec liberari et servari posse, nisi per unigenitum Filium Dei"[19]. Dies genügt zu wissen. Die gelehrten Schulmeinungen sind kein Grund zur Trennung[20]. Zu allererst aber wird vom Papsttum zu handeln sein, denn fällt dessen göttliche Autorität, dann fallen auch die zu seiner Stützung eingeführten weiteren römischen Neuerungen[21]. Die Kirchenspaltung wird ihr Ende finden, wenn der Papst darauf verzichtet, jure divino

Haupt der Kirche und unfehlbar zu sein, wenn er seinen Weltherrschaftsanspruch aufgibt, sich mit seiner altkirchlichen Stellung begnügt und die Unterwerfung unter kein Dogma verlangt, das nicht im Evangelium oder im Zeugnis der Alten Kirche gefunden werden kann[22]. Vom Thorner Gespräch ist nicht schon die Lösung aller Fragen zu erwarten[23]. Aber dort kann der Grund gelegt werden, auf dem in weiteren Kolloquien, die allenthalben folgen mögen, weitergebaut werden muß[24].

Es waren also nicht geringe Erwartungen, die Calixt mit dem bevorstehenden Religionsgespräch verband. Seinem Wunsche, selbst an diesem Verständigungsversuch mitzuwirken, kam die Bekanntmachung König Ladislaus' entgegen, daß auch auswärtige Theologen von den polnischen Religionsparteien als Delegierte nach Thorn entsandt werden könnten[25]. Die polnischen Lutheraner wandten sich daraufhin an die Universität Wittenberg, von welcher der Theologieprofessor Johann Hülsemann nach Thorn abgeordnet wurde[26]. Der Rat der Stadt Danzig, zu dem Calixt persönliche Beziehungen hatte, erwog kurze Zeit, ihn zum Danziger Delegierten zu wählen. Doch wurde dies von Abraham Calov, zu dieser Zeit Rektor des Gymnasiums und Pastor in Danzig, unter Hinweis auf Calixts Neigung „ad tepiditatem Philippicam" verhindert[27]. Dagegen erfolgte seine Berufung durch den Kurfürsten Friedrich Wilhelm von Brandenburg.

Als polnischer Lehnsträger im Herzogtum Preußen hatte der Große Kurfürst das Thorner Kolloquium mit eigenen Vertretern zu beschicken. Angesichts der innerprotestantischen Schwierigkeiten, denen er sich in seinen eigenen Ländern gegenübersah, lag ihm daran, solche lutherischen und reformierten Vertreter auszuwählen, die sich für die Verständigung aufgeschlossen zeigten[28].

Unter den Theologen der lutherischen Universität Königsberg fiel seine Wahl auf die gemäßigten Levin Pouchen, Michael Behm und Christian Dreier[29]. Als reformierte Vertreter ernannte er den Hofprediger Johann Bergius und den Frankfurter Professor Friedrich Reichel[30]. Ferner ließ er am 14. Juni 1645 durch Hofprediger Bergius eine Berufung an Calixt ergehen[31].

Höchstwahrscheinlich ist es Bergius gewesen, der dem Kurfürsten die Berufung Calixts nahelegte. Er schätzte Calixt schon seit langem[32] und vermochte Friedrich Wilhelm um so leichter von der Eignung Calixts für ein solches Gespräch zu überzeugen, als dieser dem Kurfürsten bereits durch dessen Tante, die Herzoginwitwe Anna Sophie von Braunschweig-Wolfenbüttel, bekannt geworden war[33]. Von der Berufung Calixts versprachen sich der Kurfürst und Bergius, eine wenigstens taktische Annäherung der lutherischen und reformierten Theologen — in Form etwa eines gemeinsamen Auftretens in Thorn — zu erreichen[34]. Vermutlich hofften sie auch, daß durch eine solche

Zusammenarbeit eine Annäherung der beiden evangelischen Konfessionen in den kurfürstlichen Landen überhaupt angebahnt werden könnte. Calixt nahm die Berufung erfreut an[35] und begab sich mit Genehmigung seiner Landesfürsten[36] alsbald nach Thorn. In Begleitung seines Sohnes Friedrich Ulrich und seines Schülers Latermann[37] traf er dort am 23. August 1645 ein[38].

In Thorn erwartete ihn ein doppelter Mißerfolg: der persönliche, daß er nicht in die lutherische Gruppe aufgenommen wurde und infolgedessen am eigentlichen Gespräch gar nicht teilnahm, und der von ihm noch schwerer empfundene sachliche, daß die Verhandlungen vollständig scheiterten und für die Verständigung fast nichts getan werden konnte. Lediglich im Verkehr und in der Zusammenarbeit mit den Reformierten konnte er einige positive Erfahrungen sammeln. Sie gaben ihm Anlaß, sich näher mit der Möglichkeit einer Union mit diesen zu beschäftigen.

Bei seiner Ankunft in Thorn fand er eine kurfürstliche Weisung vor, daß von brandenburgischer Seite vorerst niemand am Kolloquium teilnehmen solle[39]. Der Große Kurfürst hatte das Recht beansprucht, sich ebenso wie der polnische König durch einen Gesandten auf dem Kolloquium vertreten zu lassen, der an der Leitung der Verhandlungen beteiligt werden sollte. Von polnischer Seite wurde dies Ersuchen abgewiesen, und während der darüber gepflogenen Unterhandlungen verbot der Kurfürst zunächst die Beteiligung seiner Kollokutoren am Religionsgespräch[40]. Die Königsberger Professoren kamen auf Grund dieser Umstände überhaupt erst einen Monat nach Beginn des Kolloquiums nach Thorn[41].

Calixt schien somit zur Untätigkeit verurteilt. Jedoch traten am 26. August die lutherischen Bürgermeister von Thorn und Elbing an ihn heran, er möchte ihren Abgeordneten „adsistentz leisten"[42], wozu er sich bereit erklärte. Indessen ergaben sich am folgenden Tage Schwierigkeiten hinsichtlich seiner Person. Die Vertreter Danzigs, die eine Zusammenarbeit mit den Reformierten strikt ablehnten, waren in dieser Frage mit den Vertretern von Thorn und Elbing in eine Auseinandersetzung geraten und erklärten, sie würden diese in die lutherische Fraktion, die sie mit den übrigen polnischen Lutheranern bilden wollten[43], nicht aufnehmen, es sei denn, Thorn und Elbing stellten sich auf den Boden der Konkordienformel und führten den sogenannten Nominal-Elenchus bei sich ein[44]. (Dieser Terminus, von dem Calixt, wie er schreibt[45], zuvor noch „niemahln gehöret", besagte, daß die calvinistischen Irrlehrer von der Kanzel herab mit Namen zu nennen und zu widerlegen waren.) Thorn und Elbing verweigerten dies zunächst, sonderten sich auch bei der Eröffnungssitzung am 28. August von den übrigen Lutheranern ab[46], unterwarfen sich dann aber doch den Danziger Forderungen. Am 30. August teilten Sekretäre der beiden Städte Calixt mit, daß die Vokation nicht aufrechterhalten werden könne, da, so berichtet Calixt, „unter den Theologen sich befunden (vermutlich Hülsemann und Calov), die meine Person bey sich nicht wolten gedulden"[47]. Daher blieb er von der lutherischen Fraktion ausgeschlossen. Dies änderte sich auch nicht, als Ende September die übrigen kurfürstlichen lutherischen Theologen anlangten. Diese hatten selbst Mühe, aufgenommen zu werden[48].

Die intransigente Haltung der Danziger Theologen, die zusammen mit Hülsemann in der lutherischen Partei dominierten, war kein günstiges Vorzeichen für einen Erfolg des Religionsgesprächs. Wenig anders stand es aber auch bei den Reformierten und Katholiken. Während erstere schon früher erklärt hatten, ohne eine Durchführung der Reformation auch in der Papstkirche sei eine Wiedervereinigung nicht möglich[49], dachten die Katholiken, wie wir hörten, lediglich an eine Rückführung der Protestanten in die römische Kirche. Im Grunde kam also jede der drei Parteien nach Thorn in der Absicht, nichts von der eigenen Position aufzugeben. Das Religionsgespräch nahm einen entsprechenden Verlauf.

Am 28. August eröffnete der königliche Gesandte und Leiter des Gesprächs, Ossolinski (Krongroßkanzler Georg von Teczyn, Herzog von Ossolin) in feierlicher Sitzung im großen Rathaussaal das Kolloquium[50]. Anwesend waren 26 katholische Theologen unter Führung des Bischofs Georg Tyszkiewicz von Samogitien[51], 24 reformierte Theologen und eine Anzahl Laien unter Führung des Kastellans von Chelm, Zbigneus von Goray Gorayski[52], und 15 – später waren es 28 – lutherische Theologen sowie mehrere Laien unter dem Vorsitz von Sigismund Güldenstern, Starost von Stuhm, der jedoch, da er infolge eines Sturzes nicht erscheinen konnte, durch Hülsemann vertreten wurde[53]. Ossolinski ließ eine königliche Instruktion für die Verhandlungen verlesen. Danach wünschte der König – formell überließ er die Beschlußfassung über das einzuschlagende Verfahren den Delegierten[54] –, daß das Gespräch in drei „Aktionen" verlaufen sollte. In der ersten sollte jede Partei eine genaue und unmißverständliche Darstellung ihrer Lehre und ihrer Ansichten über die Streitfragen geben. In der zweiten sollte über Wahrheit und Falschheit derselben geurteilt werden, in der dritten die Erörterung der Kontroversen hinsichtlich praxes und mores folgen[55]. Die Verhandlungen sollten teils schriftlich, teils mündlich vor sich gehen. Im ersten Falle hatten der Gesandte und die Parteiführer die Schriftstücke daraufhin zu prüfen, ob sie etwas Verletzendes enthielten, und dann zurückzuweisen. Für die mündliche Aussprache hatte jede Partei bestimmte Redner auszuwählen[56]. Nach längeren Verhandlungen einigten sich die Parteien im wesentlichen auf diese Instruktion[57].

Das Religionsgespräch kam nicht über den Beginn der actio prima hinaus[58]. Nach wechselseitigem Austausch von kurzen, allgemeinen Bekenntnissen in den ersten Septembertagen überreichten die Katholiken am 13. September entsprechend der königlichen Instruktion eine eingehende Darstellung ihrer Lehre[59]. Die Reformierten antworteten mit einer Specialior declaratio doctrinae Ecclesiarum Reformatarum Catholicae de praecipuis Fidei controversiis[60]. Beide Darstellungen gelangten am 16. September in öffentlicher Sitzung zur Verlesung.

Dabei erhob sich bezüglich des reformierten Bekenntnisses eine Auseinandersetzung zwischen den Katholiken und Reformierten, an der das Gespräch schließlich scheiterte. Von katholischer Seite wurde beanstandet, daß sich die reformierte Declaratio „katholisch" nannte[61]. Ferner hatten die Reformierten erklärt, eine Kirche, die die grundlegende Lehre vom Glauben umstoße, das Band brüderlicher Liebe mit anderen Kirchen zerreiße und diese tyrannisch unterdrücke, sei häretisch und antichristlich. Das bezog der Bischof von Samogitien nicht zu Unrecht auf die römische Kirche und erklärte, diese Stelle laufe der königlichen Instruktion zuwider, die Beleidigungen der anderen Parteien verbiete. Dem schloß sich der Gesandte Ossolinski an[62]. Von nun an gingen die Verhandlungen im wesentlichen um die Auslegung der königlichen Instruktionen in der Frage, ob in der Darstellung des Glaubens eine kritische Erwähnung der Gegner zulässig und ob die reformierte Declaratio ins Protokoll aufzunehmen sei oder nicht[63]. Dieselbe Frage ergab sich hinsichtlich des lutherischen Bekenntnisses, einer kurzen Zuammenfassung der Lehre Augsburgischer Konfession, die am 20. September überrreicht wurde, aber keine größere Bedeutung erlangte[64].

Ossolinski ließ sich, verärgert über die instruktionswidrigen Glaubenserklärungen der Protestanten, vom König abberufen. Sein Nachfolger, Graf Johann Lesczynski, ließ am 25. September durch den Jesuitenpater Schönhof die königliche Instruktion näher erläutern, ohne die Debatte darüber zum Abschluß bringen zu können[65]. Daraufhin erwirkte Schönhof persönlich beim König eine ‚Willenserklärung hinsichtlich der Instruktion', die am 10. Oktober den Parteien bekanntgegeben wurde. Die Protestanten antworteten darauf, indem sie selbst Abgesandte zum König schickten, um ihm ihre Forderungen hinsichtlich der Instruktion vorzutragen[66]. Der König, äußerlich wohlwollend, vermied es, bindende Zusagen zu machen und forderte vielmehr auch seinerseits eine Umarbeitung der evangelischen Lehrdarstellungen. Diese wurde sowohl von den Reformierten als auch von den Lutheranern verweigert, und so wurde nach einigen weiteren ergebnislosen Verhandlungen das Religionsgespräch am 21. November 1645 abgebrochen[67].

Äußerlich gesehen, scheiterte dieser Versuch einer Versöhnung der drei Konfessionen in Polen an einer Frage der Geschäftsordnung. Aber dahinter verbargen sich die tieferen Gegensätze und Entscheidungen. Wenn die katholische Fraktion und die Leitung des Kolloquiums Erklärungen wie die reformierte mit den Anschuldigungen gegen die römische Kirche nicht zugelassen wissen wollten, so stand der Wille dahinter, nichts von dem Wahrheitsanspruch und von dem Selbstverständnis der katholischen Kirche auch nur von ferne aufzugeben. Wenn andererseits die Protestanten eine Abänderung ihrer Erklärungen in der von der katholischen Seite gewünschten Form verweigerten – sie hätten dies wenigstens insoweit tun können, als sich auch das katholische Bekenntnis aller direkten Angriffe enthielt, – so wurde den Katholiken damit vor Augen geführt, daß auch die Protestanten nicht auf Kompromisse einzugehen gewillt und alle Versuche ihrer Rückgewinnung zur Zeit ganz aussichtslos waren. Die Enttäuschung darüber brachte Schönhof in der Sitzung vom 3. Oktober zum Ausdruck. Der König und die katholische Partei, sagte er, hätten gehofft, daß die katholische Wahrheit, nachdem sie vor den Dissidenten erst einmal in ihrer wahren Gestalt ans Licht getreten war, Glauben gefunden hätte. Daran seien Kosten und Kraft gewendet worden [68]. Diese Hoffnung hatte sich als trügerisch erwiesen. Da keine der Kirchenparteien bereit war, etwas von ihren Ansprüchen aufzugeben, wurde das Gespräch sinnlos.

Calixt war, trotzdem er an den Hauptverhandlungen nicht teilnehmen konnte, nicht untätig geblieben. Sobald nämlich die Reformierten erfahren hatten, daß Thorn und Elbing seine Vokation zurückgezogen hatten, wandten sie sich an ihn mit der Bitte, er möchte sich doch ihren Theologen anschließen und sie beraten [69]. Er stimmte zu, zumal er überhaupt gern gesehen hätte, „daß Evangelische und Reformirte, oder Lutterische und Calvinisten in denen stücken, darin sie wider die Papisten concordiren, sich hetten zusammen gethan" [70]. Von nun an nahm er an den Verhandlungen der Reformierten in ihrem Beratungszimmer im Rathaus teil, sooft sie ihn darum ersuchten [71], und entfaltete dabei eine fruchtbare Tätigkeit.

So wirkte er an der Ausarbeitung der reformierten Stellungnahmen mit, in denen sich bis hinein in manche Formulierungen sein Einfluß verfolgen läßt. Das gilt besonders für die erste Generalis Confessio der Reformierten vom 1. September in den Darlegungen über die Glaubensregel. Als Norm für die Erkenntnis des heilsnotwendigen Glaubens wird die Hl. Schrift bezeichnet. Das Heilsnotwendige ist quoad credenda im Apostolischen Symbol als in einem Kompendium zusammengefaßt. Ergeben sich Zweifel oder Kontroversen hinsichtlich des wahren Sinnes der Schrift, so sind als gewisse und unbezweifelbare Erklärungen die Entscheidungen von Nicaea, Konstantinopel, Ephesus, Chalcedon, der 5. und 6. Synode gegen Nestorianer und Eutychianer und der Synoden von Mileve und Arausio gegen die Pelagianer heranzuziehen. „Quin imo quidquid primitiva Ecclesia ab ipsis usque Apostolorum temporibus, unanimi deinceps et Notorio Consensu, tamquam Articulum fidei necessarium credidit, docuit, idem nos quoque ex Scripturis credere et docere profitemur." — Es folgt in der reformierten Erklärung dann das Bekenntnis zur Confessio Augustana invariata und variata, zum böhmischen Konsens und zum Konsens von Sendomir[72].

In den Aussagen über das Apostolische Glaubensbekenntnis und über die normative Funktion der altkirchlichen Konzilsbeschlüsse und des Consensus des christlichen Altertums erkennen wir sogleich Calixts Gedanken wieder. Calov warf ihm denn auch später vor, er habe „den Reformirten ihre Confession schmieden helffen", die „eben die Calixtinische Professio" sei[73]. Calixt stritt dies nicht direkt ab[74].

Über die „specialior declaratio" der Reformierten fertigte er auf Bitten des Präses der reformierten Theologen[75] ein besonderes Gutachten an, das sich vornehmlich mit den Lehren von der Prädestination und vom Abendmahl beschäftigte. In bezug auf die Prädestinationslehre sprach er seine Freude darüber aus, daß die Reformierten in Thorn das absolute Dekret in dem Sinne gemildert hatten, daß der Gläubige der göttlichen Gnade wieder sollte verlustig gehen können. Hier sah er jetzt den Weg zu völliger Übereinstimmung der Protestanten frei[76]. Dagegen hielt er in der Lehre von der Eucharistie eine Einigung nicht für möglich, solange auf reformierter Seite das Sakrament als bloßes Zeichen angesehen und die Realpräsenz des Leibes Christi geleugnet wurde[77]. Doch war er auch hier hoffnungsvoll. „Die zeit über, daß mit den Reformirten ich etwas umbgangen", berichtet er[78], „habe ich mich bemühet jhnen solche determination des modi zu verleiden und zu benehmen, und dahin zu disponiren, daß sie es bey den Worten Christi nach jhrem gemeinen richtigen und rechten Verstande bewenden, und den modum göttlicher Weißheit und Allmacht heimgestellet müchten bleiben lassen ... Wann mich satsame anzeige und Wort nicht triegen, sind damals unter den Reformirten fürnehme Herrn und verstendige Leute hiemit friedlich und einig gewesen".

In der Declaratio specialis selbst deutet namentlich der Artikel über die Kirche auf Calixts Einfluß hin. Es heißt dort[79]: „Interea non diffitemur, inter ... Ecclesias varios esse Puritatis et Perfectionis gradus, nec statim desinere esse veram Christi Ecclesiam si quae non per omnia, vel in Doctrina, vel in Sacramentorum Usu" etc. „pura sit ... modo interim Fidei et Cultus Doctrinam et Praxin fundamentalem et salvificam retineat, et Christianae ac Fraternae cum aliis Ecclesiis Caritatis vinculum non plane dissolvat". Der Gedanke vom Fundamentalen als dem Kriterium der Zugehörigkeit zur wahren Kirche und von der verschiedenen Reinheit der konkreten Kirchen ist eben der

9 Schüssler

Gedanke Calixts. Auch hier dürfte eine Einwirkung von seiner Seite oder doch wenigstens eine unmittelbare Berührung mit seinen Ideen vorliegen.

Die Wirksamkeit in Verbindung mit den Reformierten hat ferner einen Niederschlag gefunden in einem Gutachten über die römische Kirche, das er für den Vorsitzenden der reformierten Partei, Gorayski, abfaßte. Darin legte er dar, „in welchen puncten die Pontificii von der alten Catholischen Lehr abgewichen, abgebrochen und hinzugethan, was etwan, ob es schon nicht war, dannoch zu gedulden stünde, oder gar so grob, daß man ... widersprechen muste"[80]. Als errores intolerabiles, die eine Versöhnung der Protestanten mit der römischen Kirche verhindern, bezeichnet er hier die Lehren von der päpstlichen Lehrgewalt, Unfehlbarkeit, Weltherrschaft und vom Primat[81], in zweiter Linie die Lehren von der Communio sub una und namentlich vom Meßopfer[82]. Dagegen sieht er die Möglichkeit einer Einigung in den Lehren von der Erbsünde und von der Rechtfertigung, sofern man hier von den Schulterminologien absehe und jeweils die fundamentalis doctrina[83] erhebe.

Das Wesentliche in der christlichen Lehre von der *Sünde*[84] bildet nach ihm die Aussage, propter peccatum Adami omnes qui ex eo communi modo gignantur, nasci obnoxios aeternae damnationi, nec eam evadere posse, nisi per Dei gratiam et Christi meritum. Die sich daran anschließenden Fragen nach der quidditas peccati originalis usw. findet er zwar in der tridentinischen Lehre nicht korrekt genug beantwortet; da es sich dabei aber um Fragen handele, die nur den engeren Kreis der Schultheologen interessierten, könnten die diesbezüglichen Meinungsverschiedenheiten geduldet werden, wenn nur die fundamentalis doctrina unverrückt festgehalten werde.

Für die *Rechtfertigungslehre* stellt er eine Formel auf, die seiner Meinung nach wegen ihrer Allgemeinverständlichkeit die Grundlage für die Einigung der Parteien abgeben könnte[85]. Sie lautet:

„Qui se peccatores agnoscunt et dolent, Evangelio adsentiuntur, in Filium credunt, et in ejus merito ac morte confidunt (quae tamen absque praeveniente et excitante et cooperante divina gratia fieri nequeunt) illi Deo reconciliantur, remissionem peccatorum consequuntur, e statu irae et damnationis in statum gratiae et salutis transferuntur, in eo permansuri, et aeternae gloriae certe futuri participes, si, ex quo crediderunt, et reconciliati Deo sunt, observationi mandatorum divinorum operam dederint, secundum carnem non vixerint, et praeeunte et cooperante ope divina a peccatis contra conscientiam committendis sibi caverint: Sic in praesente vita justificabuntur homines et in futura glorificabuntur."

Diese Sätze stellen eine Minimalformel der Rechtfertigungslehre dar, die die wesentlichen Elemente der calixtinischen Auffassung enthält (vgl. I. Teil

3. Kap.) und dabei bewußt entgegenkommend gegenüber der katholischen Seite gefaßt ist. Sie ist das Ergebnis der oben erörterten begrifflichen und sachlichen Angleichung, welche die ursprüngliche konfessionelle Kontroverse verdeckte. Calixt zieht hier ebenso wie in der Darlegung über die Sünde nur die irenische Konsequenz aus seinen theologischen Ansätzen. Maßgebende Faktoren des Rechtfertigungsprozesses sind die Gnade, an der alles hängt, die gleichwohl als gratia praeveniens, excitans und cooperans das selbsttätige menschliche Heilssubjekt voraussetzt, und der Glaube, der aufs engste mit der Liebe, der Erfüllung der Gebote (bzw. der Meidung der Todsünden) verbunden ist, welche den Gnadenstand bewahrt. Die Differenzen um die Wirklichkeit der Sünde und der Gerechtigkeit im Glaubenden werden durch die Formel vom status gratiae et salutis verdeckt, die Calixt für ausreichend zur Bezeichnung des Sachverhalts hält, nicht weil er den Kompromiß auf Kosten der Präzision sucht, sondern weil er tatsächlich davon überzeugt ist, daß die darüber hinausgehenden Fragen unwichtig sind. So schwächt die Definition die ursprünglichen Differenzen ab bzw. verbleibt im Unbestimmten, eröffnet aber andererseits auch echte Verständigungsmöglichkeiten in der Verhältnisbestimmung von Gnade und menschlicher Selbsttätigkeit, Glaube und Liebe. Es ist fraglich, wie weit ein ernsthaftes Gespräch darüber geführt hätte. Bei einigem guten Willen würde sich aber möglicherweise eine Übereinkunft zwischen calixtinischer und nachtridentinischer Theologie haben erreichen lassen. Theologiegeschichtlich ist Calixts Definition jedenfalls insofern beachtenswert, als sie den weitestgehenden Einigungsvorschlag in der Rechtfertigungslehre bilden dürfte, der aus dem lutherischen Raum im 17. Jahrhundert vor Molanus und Leibniz an die katholische Theologie gerichtet worden ist.

Glaubte Calixt im Bereich der Lehre Hoffnungszeichen für eine Verständigung feststellen zu können, so sah er allerdings *eines* aller gegenseitigen Annäherung schlechthin entgegenstehen, und das bezeichnet seine Thorner Consideratio als den unerträglichsten Irrtum der Väter von Trient: die Verdammung der Andersdenkenden, die selbst in Fragen ausgesprochen werde, die gar nicht heilsnotwendig seien. Solange die Trienter Anathemata aufrechterhalten würden, sei an keine Versöhnung der Parteien zu denken[86]. Die Unnachgiebigkeit der römischen Kirche in dieser Frage sollte später auch das Haupthindernis für die Unionsbemühungen von Molanus und Leibniz bilden.

Wäre es zu echten Verhandlungen zwischen Katholiken und Protestanten auf dem Thorner Kolloquium gekommen, hätte das Gutachten Calixts vielleicht einige Bedeutung erlangen können. So aber blieb es unbeachtet, und eine gewisse Rolle spielten lediglich, wie erwähnt, die Ratschläge, die er schriftlich oder mündlich für die Reformierten abgab[87]. Im großen und gan-

9*

zen blieb, wie schon so oft, sein Einsatz für die Einheit oder wenigstens Annäherung der Kirchen ohne sichtbaren Erfolg, und die Hoffnungen auf eine
Verständigung der Konfessionen, die er mit dem Thorner Gespräch verbunden
hatte, wurden durch den Ausgang zunichte gemacht.

Kurz nach dem Abbruch des Religionsgesprächs reiste er aus Thorn ab[88].
Anfang Dezember war er wieder in Helmstedt und sandte Berichte an die
Herzöge, die seine Enttäuschung über das erfolglose Kolloquium erkennen
lassen, auf dem „kein einig Argument pro vel contra proponiret". Er vermutete – freilich ohne dafür Beweise zu besitzen –, daß auf Grund einer
päpstlichen Intervention von der katholischen Partei der Abbruch des Gesprächs absichtlich herbeigeführt worden sei[89].

Ermutigend war für ihn allein die Fühlungnahme mit den Reformierten.
Johann Bergius hatte er bereits auf der Hinreise nach Thorn in Berlin persönlich kennengelernt[90]. Vermutlich hätte er die freundschaftliche Beziehung zu
ihm, die in Thorn noch vertieft wurde, dazu benutzt, nach der dortigen erfolgreichen Zusammenarbeit eingehendere Gespräche mit den deutschen
Reformierten einzuleiten; jedoch zwang ihn der nun beginnende ‚synkretistische‘ Streit, mit Rücksicht auf die orthodoxen Lutheraner die Bemühungen
um eine Verständigung mit den Reformierten vorerst einzustellen. 1655
klagt Bergius in einem Brief an Calixt, wie sehr sie sich in ihrer gegenseitigen
Korrespondenz zurückhalten müßten, „ne forte ex literario nostro com-
mercio, si malevolis innotescat, calumniandi ansam arripiant"[91].

Nur einmal trat Calixt noch mit Vorschlägen für die innerevangelische
Verständigung hervor, und zwar in einer Schrift, die – vermutlich sogar ohne
sein Zutun[92] – 1650 unter dem Titel Judicium de controversiis quae inter
Lutheranos et Reformatos agitantur erschien[93]. Dieses Gutachten stammt aus
den Jahren 1641/42, wie seine damaligen Briefe an Herzog August zeigen[94].
Er sucht darin das Fazit aus der Auseinandersetzung mit der zeitgenössischen
reformierten Theologie zu ziehen. Zunächst stellt er wiederum fest, daß
beide Teile Christen seien, da sie den gleichen fundamentalen Glauben be-
säßen[95]. Weil hinsichtlich der darüber hinausgehenden Streitfragen Toleranz
herrschen könne, stehe der Einheit nichts entgegen[96], auch etwa in der noch
besonders umstrittenen Frage der Realpräsenz Christi im Abendmahl nicht.
Denn wie es vorkommen könne, daß jemand durch Krankheit am Gebrauch
des Sakraments gehindert, aber dennoch selig werde, so schließe auch eine
falsche Meinung über dasselbe nicht von der Seligkeit aus und bilde daher
auch kein Hindernis für die kirchliche Einheit[97]. Diese weittragende These,
die das Ergebnis viel späterer lutherisch-reformierter Diskussionen um das
Verhältnis von gemeinsamem Abendmahlsverständnis und -vollzug vorweg-
nimmt, führt Calixt bereits nahe an die Grenze der eigenen Konzeption. Sie

bedeutet zwar nicht die Preisgabe, aber doch die grundsätzliche Suspendie-
rung einer für ihn selbst unzweifelhaften (wenn auch nicht ausdrücklich unter die fundamentalia gerechneten) Glaubenserkenntnis zugunsten der Einheit. Der Vorschlag brachte damit eines der weitreichendsten Zugeständnisse,
die er um der Einheit willen zu machen bereit war. Auch diese Veröffentlichung blieb jedoch ohne praktische Folgen, und mit ihr enden seine Versuche, mit den Reformierten das Gespräch über den Kirchenfrieden anzuknüpfen.

Nach der Schilderung der praktischen Bemühungen um die Verständigung
der Konfessionen bleibt noch darzustellen, wie seine Ideen und Versuche in
der lutherischen Kirche aufgenommen wurden. Sie riefen hier die Auseinandersetzung hervor, die nach dem gegen ihn erhobenen Hauptvorwurf später
die Bezeichnung „Synkretistischer Streit" erhielt.

5. KAPITEL

DIE AUSEINANDERSETZUNG UM DAS SELBSTVERSTÄNDNIS DES LUTHERTUMS (DER SOGENANNTE SYNKRETISTISCHE STREIT)

Am 25. August 1645 suchten die Danziger Delegierten für das Thorner
Religionsgespräch, Botsack und Calov, Calixt in seiner Thorner Herberge
auf, um mit ihm wegen der bevorstehenden Verhandlungen Fühlung aufzunehmen. Dabei kam das Gespräch auf die Calvinisten, speziell auf die
Frage, ob man sich auf dem bevorstehenden Kolloquium mit Johann Bergius
und den anderen Reformierten als Brüdern in Christus verbinden könne.
Als Calixt äußert, seiner Ansicht nach seien die Calvinisten nicht „zu verdammen und aus der Zahl wahrer Christen zu stoßen", fährt Calov zornig
auf, ein heftiger Wortwechsel entspinnt sich, schließlich bricht Calixt das Gespräch ab mit dem Bemerken, sich auf diese Art und Weise nicht über diesen
Gegenstand unterreden zu wollen[1].

Diese Szene bildet den Ausgangspunkt zu der mit großer Erbitterung
innerhalb des Luthertums geführten Auseinandersetzung um den sogenannten „Synkretismus".

Die Kirchengeschichtsschreibung hat sich im 19. Jahrhundert mehrfach mit
dem „Synkretistischen Streit" beschäftigt[2]. Die Fragestellung wurde dabei
hauptsächlich durch die Gesichtspunkte bestimmt, die sich aus der aktuellen
Problematik des lutherisch-reformierten Verhältnisses und des Kampfes zwischen Orthodoxie und Liberalismus ergaben. Der in diesen Fragen eingenom-
mene Standpunkt beherrscht weitgehend Betrachtungsweise und Urteil. Der
konservative H. Schmid etwa hebt die berechtigte Abwehr der das luthe-

rische Bekenntnis bedrohenden calixtinischen Tendenzen durch die lutherische Orthodoxie hervor und gibt dieser nachträglich Recht; umgekehrt sucht Henke den Kampf Calixts und seiner Anhänger um die Freiheit der theologischen Wissenschaft, um die Scheidung von Lehre und Glaube und um eine gemäßigte, wenigstens der innerevangelischen Verständigung günstige Theologie herauszustellen. In diesen beiden Darstellungen kommen die entgegengesetzten Deutungsmöglichkeiten am klarsten zum Ausdruck. Abgeschwächt kehren die gleichen Standpunkte in den Untersuchungen aus den ersten Jahrzehnten unseres Jahrhunderts wieder, die sich vorwiegend um eine Klärung der Stellung Helmstedts in der Geschichte des alten Protestantismus bemühen. So sieht K. Müller Calixt vorwiegend unter dem Blickpunkt des Kampfes gegen eine erstarrende Orthodoxie, während O. Ritschl und Leube den „Abfall" Calixts „von der Eigenart des reformatorischen Protestantismus" feststellen (Ritschl), dem gegenüber die Orthodoxie, so sehr sie in der Polemik versagte, das geschichtliche und auch theologische Recht auf ihrer Seite hatte[3]. So wesentlich die genannten Gesichtspunkte für das Verständnis des „Synkretistischen Streites" sind, insbesondere etwa die Frage nach dem Verhältnis der calixtinischen Theologie zu der – bei den verschiedenen Forschern nicht immer deutlich bestimmten – „Eigenart des reformatorischen Protestantismus", so ist doch sowohl in der älteren wie in der neueren Literatur darüber die eigentliche Sachfrage, um die die Auseinandersetzung ging, nicht genügend berücksichtigt worden. Gerade im Hinblick auf die Geschichte des ökumenischen Gedankens im Luthertum ist sie nun aber besonders belangvoll. Neben einer Unzahl von Streitfragen größeren oder geringeren Gewichtes, die im Verlauf des Streites in die Diskussion gezogen werden und zumeist die Stellung Calixts zu diesen oder jenen Positionen des orthodoxen Luthertums zum Gegenstand haben, betrifft die grundlegende sachliche Kontroverse das Verständnis der Kirche und ihrer Einheit. Man kann die eigentliche Streitfrage so formulieren: Ist es allein die lutherische Kirche, die inmitten einer Flut des Abfalls von der reinen Lehre des Evangeliums im Besitze der Wahrheit ist und die eine, wahre, sichtbare Kirche Christi darstellt? (So die orthodoxen Lutheraner.) Oder ist die lutherische Kirche Glied einer größeren, universalen Gemeinschaft und teilt sie sich in den Besitz der Wahrheit mit den anderen Konfessionen, die gemeinsam mit ihr jene eine Kirche Christi ausmachen, deren äußere Einheit es wiederherzustellen gilt? (So Calixt und seine Anhänger.) Es ist mithin die Frage nach dem Verständnis der lutherischen Kirche, die – wie im folgenden zu zeigen versucht wird – im Mittelpunkt des Streites steht, welcher daher recht eigentlich als eine Auseinandersetzung um das Selbstverständnis des Luthertums zu begreifen ist.

Der Streit erregte die lutherische Kirche länger als ein halbes Jahrhundert. Seinen Höhepunkt erreichte er bereits 1655 mit dem Versuch einer anti-calixtinischen Bekenntnisbildung, setzte sich aber in einem langjährigen Kampfe der sächsischen Orthodoxie gegen die lutherisch-reformierten Verständigungsbemühungen und schließlich gegen den Jenenser „Synkretismus" fort, um erst in den neunziger Jahren zuende zu kommen. In den genannten Arbeiten (besonders von Schmid und Henke) ist die Geschichte des Streites im einzelnen untersucht worden, so daß für den Verlauf der Auseinandersetzungen auf diese Darstellungen verwiesen werden kann[4]. Die Durchsicht des Quellenmaterials erbrachte an Fakten im wesentlichen nichts Neues. Um die Grundkontroverse zwischen der Helmstedter und der sächsischen Theologie zu verdeutlichen, soll im folgenden jedoch unter Heranziehung der Quellen erneut ein Einblick in die Entfaltung der Auseinandersetzung vermittelt werden. Wir beschränken uns dabei auf den ersten Abschnitt des Streites[5] bis zum sog. „Consensus repetitus" 1655. Dieser Abschnitt ist der wichtigste, und an seinem Ende wird auch bereits das Ergebnis der Auseinandersetzung als Ganzer sichtbar.

Der Kampf des orthodoxen Luthertums gegen Calixt und seine Schule beginnt 1646 in Königsberg mit den sogenannten Latermannschen Händeln[6]. Wie bereits erwähnt, war Calixt bei seiner Reise nach Thorn von seinem Schüler Johann Latermann begleitet worden[7]. Dieser begab sich von Thorn aus nach Königsberg, wo er dank dem Wohlwollen des Großen Kurfürsten als außerordentlicher Professor der Theologie angestellt wurde[8]. Seine Habilitationsschrift „De aeterna Dei Praedestinatione"[9] vom März 1646 gab den Anstoß zu lebhaften Auseinandersetzungen in Preußen. Offensichtlich von dem Interesse geleitet, einer Verständigung mit den Reformierten den Weg zu bahnen[10], begrüßte Latermann in dieser Schrift ähnlich wie Calixt die Milderung der calvinistischen Lehre vom absoluten Dekret durch die Arminianer[11] und die Thorner Declaratio als Zeichen der Annäherung[12]. Weiterhin erhob er im Sinne Calixts die Forderung, daß keine Konfession sich für irrtumsfrei halten, sondern alle bereit sein sollten, voneinander zu lernen[13].

Diese und einige andere anstößig erscheinende Äußerungen boten den Anlaß zunächst für Streitigkeiten in der Königsberger theologischen Fakultät, die schließlich die Einforderung auswärtiger Gutachten beschloß. In einem diesbezüglichen Rundschreiben[14] des Wortführers der Königsberger Orthodoxie, Coelestin Myslenta, wurde Latermann der Neigung zum Calvinismus, der Abweichung von den symbolischen Büchern, der Einführung heterodoxer Lehren wie des Helmstedter Traditionsprinzips u. a. beschuldigt. Namentlich wurde ihm vorgeworfen, daß er gelehrt hatte, Calvinianos esse vere Christianos, ideoque a damnatione ipsorum abstinendum. Ein calvini-

scher Geist sei es, der eine Union mit den Reformierten befürworte. Ohne
Zweifel waren für Myslenta bei dieser Anklage auch konkrete Befürchtun-
gen im Hinblick auf die Kirchenpolitik des Großen Kurfürsten maßgebend [15].

Während die Königsberger Theologieprofessoren Dreier, Pouchen und
M. Behm Latermanns Partei ergriffen [16] und Myslenta in der Fakultät iso-
lierten, stellte sich ein großer Teil der Geistlichkeit und der einflußreichen
Laien Preußens hinter diesen. Ebenso sprachen sich die meisten der Gutachten, die alsbald in Königsberg eingingen, scharf gegen Latermann aus, weniger wegen einzelner spezieller Lehrabweichungen, als wegen seiner Haltung
gegenüber den Calvinisten, wobei versteckt oder offen als eigentliche Quelle
seiner Anschauungen Helmstedt bezeichnet wurde [17]. Diese „Censurae theologorum orthodoxorum", die erst 1648 veröffentlicht und in Helmstedt bekannt wurden, lassen bereits den Gegensatz im Kirchenverständnis erkennen,
der in der Frage des Verhältnisses zum Calvinismus aufbricht. Neben der
Kritik an einzelnen Punkten wie dem calixtinischen Traditionsprinzip, der
Lehre von der Notwendigkeit guter Werke u. a. richtet sich der Hauptvorwurf gegen Latermanns gut calixtinische Forderung, die Calvinisten als
wahre Christen anzuerkennen und ihre Verdammung einzustellen. Hierin
erblickten die orthodoxen Theologen die Aufgabe des Wahrheitsanspruchs
des Luthertums zugunsten eines „Synkretismus" und „Samaritanismus". Die
Vorwürfe der Censurae werden dementsprechend zumeist in der formellen
Anklage zusammengefaßt, daß Latermann und seine Lehrer von den beschworenen lutherischen Bekenntnissen abgewichen seien [18].

Für den Fortgang der Auseinandersetzung in der grundlegenden Kontroverse war wichtiger als die anschließenden Königsberger Kämpfe [19] eine
Aktion der theologischen Fakultäten von Wittenberg, Leipzig und Jena. Die
drei Fakultäten vereinigten sich am 29. Dezember 1646 zu einer gemein-
schaftlichen „Admonitio" an Calixt und seinen Kollegen Hornejus [20]. Mit
diesem Angriff wurden die Helmstedter Theologen selbst unmittelbar in
den Streit gezogen. Der Anstoß zu der Aktion ging vom Kurfürsten Johann
Georg von Sachsen aus, der von seinem Oberhofprediger Weller über eine
kürzlich gehaltene Disputation Hornejus' über die Heilsnotwendigkeit der
guten Werke informiert worden war und an die Fakultäten von Leipzig und
Wittenberg die Aufforderung richtete, Helmstedt wegen solcher „Neuerungen" zu ermahnen [21].

Die in nicht eigentlich unfreundlichem Tone gehaltene Mahnung wendet
sich gegen die Lehrabweichungen in verschiedenen Punkten, unter welchen
ausdrücklich nur diejenige bezüglich der guten Werke genannt wird. In der
Öffentlichkeit seien bereits (Helmstedtische) Lehren verbreitet, „quae"', so
heißt es bedeutsam, „et receptae utrimque consensionis formulae et cate-

chesi rudiorum... non obscure contraveniant". Es müsse Sorge getragen werden, „ne fundamentales bases instauratae et conservatae hactenus doctrinae
Evangelicae per Nos ipsos moveri et labefactari videantur". Das Anliegen,
das die Admonitio verfolgte, war ein doppeltes: zunächst einmal wollte sie
die Helmstedter in der Frage der guten Werke auf den Weg der Orthodoxie
zurückrufen, die durch die calixtinische Lehre gefährdet schien. Allein hinter
dieser Absicht stand ein zweites Anliegen, das in dem kirchlichen Selbstverständnis der orthodoxen Theologie begründet war: die Durchsetzung des
Anspruchs, über Einheit und Reinheit der lutherischen Lehre zu wachen. Daß
im übrigen der Angriff in der Kontroverse um den „Synkretismus" seine
eigentliche Wurzel hatte, zeigt der enge zeitliche und sachliche Zusammenhang mit der Auseinandersetzung in Preußen, an der sich die Fakultäten
kurz vorher schon mit ihren Gutachten beteiligt hatten. Auch bezeugt ein
Wittenberger Theologe, Wilhelm Leyser, selbst, daß man die Disputation
des Hornejus nur als willkommenen Anlaß benutzt habe, um „die Wurzel
und den Ursprung des Übels" (des Synkretismus) in Helmstedt selbst anzugreifen[22].

Calixt fühlte sich durch das Mahnschreiben, das am 23. Februar 1647 in
Helmstedt eintraf[23], aufs tiefste verletzt, namentlich durch die „ungehewre
beschuldigung", daß er dem lutherischen Katechismus (so deutete er cate-
chesis) zuwider lehre und die „grundfeste der Evangelischen Lehr ver-
sehrete"[24]. In scharf gehaltenen Schreiben an Hülsemann, den er für die
Admonitio verantwortlich machte[25], verwahrte er sich dagegen. Den Grund
der sächsischen Aktion suchte er darin, daß man in Helmstedt andere „Meinungen" als in Sachsen lehre. Den sächsischen Theologen warf er vor, für die
ihrigen den unbedingten Wahrheitsanspruch zu erheben und damit ein neues
Papsttum aufzurichten, während er und seine Helmstedter Kollegen in die
Stellung von Häretikern gedrängt würden. Nachdrücklich wies er Hülsemann außerdem darauf hin, daß die Konkordienformel, auf die sich die
Sachsen beriefen, „eine Schrift, kaum älter als ich und von wenigen verfaßt",
in Helmstedt gar nicht in Geltung stand. Solle ein Streit vermieden werden,
müsse im übrigen die Admonitio zurückgenommen werden[26]. Auch in dieser
Auseinandersetzung zeichnen sich die gegensätzlichen Positionen in bezug
auf das Selbstverständnis des Luthertums ab. Nur steht hier im Unterschied
zu den Königsberger Kämpfen die Frage der Uniformität und Autorität der
rechten Lehre im Vordergrund. Dem sächsischen Vorhaben, die Helmstedter
der Abweichung vom lutherischen Glauben zu überführen, setzen diese den
Protest gegen eine neue „Pontificia cathedra"[27], d. h. die orthodoxe Lehr-
ausschließlichkeit entgegen, mit welcher der kirchliche Ausschließlichkeitsanspruch in engstem Zusammenhang stand.

Bisher war der Streit noch auf die Königsberger Verwicklungen und den Schriftwechsel zwischen den theologischen Fakultäten beschränkt gewesen. Im Februar 1648 trat er in eine neue Phase, als die erwähnten „Censurae" der orthodoxen Fakultäten über Latermann in Helmstedt eintrafen. Calixts Eindruck von der Lektüre der gegen den Helmstedter „Synkretismus" gerichteten Gutachten war deprimierend. Wenn weiter so geschrieben werde, äußerte er gegen seinen Schwager, sei es im deutschen Protestantismus bald gänzlich um die christliche Religion geschehen[28]. In den orthodoxen Anschuldigungen und dem sich in ihnen aussprechenden Selbstverständnis vermochte er nur eine verhängnisvolle Abkehr von dem Luthertum zu sehen, dem er sich zugehörig fühlte. Im ersten Augenblick führte man in Helmstedt die „Censurae" auf die aus Neid geborene Absicht der kursächsischen Universitäten zurück, den Ruin der Academia Julia herbeizuführen[29]. Die Universität, die sich in der Veröffentlichung als Ganze angegriffen fühlte, rief gegen dieses Vorhaben den Schutz des Landesherrn Herzog August an[30]. Calixt und Hornejus legten darüber hinaus in einer besonderen Beschwerdeschrift vom 20. April 1648 dar[31], daß sich der Angriff in sachlicher Beziehung offenbar vor allem gegen die Pflege der aristotelischen Philosophie, des kirchlichen Altertums, des studium pietatis und der kirchlichen Einheitsbestrebungen in Helmstedt richte. Daß der eigentliche Gegensatz in der im letzten der genannten Punkte anklingenden Frage nach dem Verständnis der Kirche und ihrer Einheit lag, erkannten sie anscheinend nicht sofort. Jedoch schon in einer Zusammenstellung der Streitfragen für die welfischen Herzöge vom 30. September 1648[32] rücken sie den Vorwurf des Synkretismus und Samaritanismus in den Vordergrund und deuten an, daß der Königsberger Streit – der Anlaß der Censurae – auf der Verschiedenheit des Kirchenverständnisses beruhe. Es sei zu vermuten, daß, weil Myslenta die Reformierten „als ergeste Ketzer und verdammete Leuthe dem Teufel zueignet, und aber woll weiß, daß allhie zu Helmstedt, obschon kein error Calvini gut geheißen, dennoch mit dergleichen judicirn und verdammen inne gehalten wirdt, Ihme dieselbe sein gemüth so wild und wüste gemachet". Die welfischen Höfe verlangten daraufhin am 20. November 1648 eine Apologie, die von der Autorität des kirchlichen Altertums, von der Notwendigkeit der guten Werke und von der Erkennbarkeit der Trinität und des Sohnes Gottes im Alten Bunde handeln sollte, „Insonderheit aber und vor allen ding von dem studio Concordiae, seu tolerantia inter dissidentes in Ecclesia, derohalben man euch eines also genannten Syncretismi beschuldigen wollen"[33].

Anfang 1649 leiteten die Herzöge auf Grund der Beschwerden der beiden Professoren[34] Verhandlungen mit Kursachsen zur Beilegung der theologischen Streitigkeiten ein. Diese Verhandlungen, die sich über mehrere Jahre erstreckten, führten zu keinem Ergebnis. Der Grund dafür lag vor allem in der Haltung des Kurfürsten Johann Georg, der mit seinen Theologen die Überzeugung teilte, daß die calixtinische Theologie einen Abfall vom echten Luthertum darstelle. Auf ein Schreiben der welfischen Höfe vom 4. Februar 1649[35], in dem ein beiderseitiges Verbot der Veröffentlichung von Streitschriften vorgeschlagen wurde, erwiderte er am 16. Juni[36], ein solches Verbot komme für die sächsischen Theologen nicht in Frage, da ihre Lehre nicht unverteidigt bleiben dürfe. Die Helmstedter wollten „nicht genzlichen der Lutherischen (Religion) zugethan sein, sondern gedächten ... aus allen Theilen oder Religionen das ienige allein anzunehmen, welches (nach ihrer Ansicht) der warheit und den Catholischen glauben und Sitten gemes were", d. h. „ein gewaltiges schisma" einzuführen. Es müsse dafür gesorgt werden, daß die welfischen Lande „mit uns ... in einigkeit des Glaubens verbleiben". Sollten die Helmstedter aber fortfahren zu schreiben — inzwischen begann der Austausch von Streitschriften zwischen Helmstedt und den sächsischen Universitäten —, so könnten sie uns „nicht verdencken, daß wir als Director der Evangelischen im Römischen Reich dahin trachteten, wie wir unserer auch anderer Evangelischen Fürsten und Stände, von denen wir hierinnen schon ersuchet, Land undt Leute für solcher Spaltung behüten können".

Der Anspruch, über die an der welfischen Landesuniversität zu lehrende Theologie zu entscheiden, mußte von den welfischen Herzögen schon aus politischen Gründen zurückgewiesen werden. Auf einer Konferenz der herzoglichen Räte in Hildesheim am 22. April 1650 wandte sich der Wolfenbüttelsche Kanzler Schwartzkopff (Calixts Schwager) scharf gegen „das expresse von Chur Sachsen angedeutete und angemaßte Directorium in sacris, welches von großer und gefährlicher consequentz"[37], und in einem gemeinsam beschlossenen Schreiben an den Kurfürsten von Sachsen wurde diesem lediglich das directorium ordinis der evangelischen Stände, aber keine darüber hinausgehende Vorrangstellung zugestanden (geschweige denn seinen Theologen). Zugleich wurde vorgeschlagen, den Zwist der Theologen durch eine politische Konferenz zu einem Ende zu bringen.

Weder jetzt noch später erfolgte eine kursächsische Antwort. Die braunschweigischen Versuche, auf politischem Wege einen Ausgleich zu finden, endeten damit ergebnislos. Dieser Ausgang war umso eher zu erwarten gewesen, als die gegensätzlichen theologischen Anschauungen auch bei den maßgebenden politischen Stellen beider Seiten wirksam waren, wie sich besonders in der Frage eines „directorium in sacris" zeigte. Für die z. T. nachweislich von den Ideen Calixts beeinflußten braunschweigischen Politiker war der Gedanke einer Uniformität und Ausschließlichkeit theologischer „Meinungen" unvollziehbar. Kurfürst Johann Georg dagegen sah es als eine Gewissenspflicht an, als Director des Corpus Evangelicorum auch über den Bereich seines Landes hinaus für die Reinerhaltung der evangelischen Lehre und für ihre Einheit (den Helmstedtern wirft er ein „schisma" vor!) zu sorgen.

Da sich hierzu der politische Weg angesichts des Widerstandes der welfischen Regierungen als nicht gangbar erwies, ließ er im August 1650 durch ein Gutachten der Wittenberger theologischen Fakultät feststellen, den Helmstedtischen Neuerungen könne nicht durch politische Konvente, sondern nur durch gründliche Widerlegung und durch eine „Convocation rechtgläubiger Theologen" begegnet werden. Hierin, vielleicht auch schon in einem Befehl an die Leipziger und Wittenberger Theologen vom Januar 1648, eine Widerlegung der Helmstedter Neuerungen „von Artickeln zu Artickeln" abzufassen [38], ist wohl der erste Ansatz zu dem Versuch zu sehen, die calixtinische Theologie wegen ihres unorthodoxen Verständnisses der Kirche und ihrer Einheit durch einen offiziellen Bekenntnisakt aus der lutherischen Kirche auszuscheiden.

Auch von anderer Seite war bereits die Einsetzung eines Theologenkonvents vorgeschlagen worden, allerdings mit dem Ziel der Schlichtung. Schon 1648 hatte Herzog Ernst von Gotha einen Schritt in dieser Richtung unternommen, dem weitere Vermittlungsversuche und schließlich sogar während des Regensburger Reichstages 1653/54 der bemerkenswerte Vorschlag folgten, ein lutherisches Konzil unter dem König von Dänemark zur Beilegung der Streitigkeiten einzuberufen. Ein ähnlicher Gedanke – die Einrichtung eines theologischen Schlichtungskollegiums in Verden – wurde zeitweilig auf schwedischer Seite erwogen, freilich später wieder fallengelassen. Auch die verschiedenen Vorstöße Herzog Ernsts hatten kein praktisches Ergebnis [39].

Unterdessen entbrannte in der Form literarischer Auseinandersetzung der entscheidende Kampf der lutherischen Orthodoxie gegen den calixtinischen „Synkretismus". In zahlreichen Streitschriften begannen die orthodoxen Theologen Material gegen die calixtinische Theologie zusammenzutragen, während Calixt und seine Anhänger sich damit begnügten, in verhältnismäßig wenigen Arbeiten ihre Auffassungen zu verteidigen. Es ist für unseren Zusammenhang ohne Belang, diese Auseinandersetzung zu verfolgen, in deren Verlauf immer mehr einzelne theologische Fragen in die Diskussion einbezogen wurden. Es genügt, den grundlegenden Gegensatz des orthodoxen Luthertums zu der universalen Kirchenidee Calixts darzustellen, wie er in den wichtigsten Streitschriften der orthodoxen Theologen, darunter vor allem denjenigen von Abraham Calov, dem scharfsinnigsten Gegner Calixts, herausgearbeitet wurde [40].

Die palmaria hypothesis Syncretismi, die die orthodoxen Kritiker als den Hauptirrtum Calixts bekämpfen, ist die Lehre von der Suffizienz des Apostolischen Symbols[41]. Auf diese Grundthese führen sie richtig die übrigen Hypothesen seiner universalkirchlichen Konzeption zurück, wie seine Scheidung der fundamentalen und nichtfundamentalen Glaubensartikel, seine neue Bestimmung der Häresie, seine Lehre vom kirchlichen Altertum als zweitem Erkenntnisprinzip neben der Schrift, seine Geringschätzung der Unterscheidungslehren der Gegenwart usw. Die entscheidende Frage der orthodoxen Kritik an Calixt ist, ob alles, was zu glauben notwendig ist, wirklich explicite vel expresse im Apostolischen Symbol enthalten ist[42]; ob also Irrtümer in bezug auf Glaubenslehren, die im Apostolikum nicht aufgeführt sind, nicht als fundamental und ihre Verfechter nicht als Häretiker zu gelten haben; ob infolgedessen mit ihnen ungeachtet ihrer Irrtümer die Gemeinschaft gepflegt, d. h. ob der „Syncretismus inter Lutheranos, Papistas et Calvinianos" hergestellt werden soll[43]. Mit guten Gründen bestreiten die Orthodoxen die Ausgangsthese. Weder die Schrift noch die altkirchliche Tradition wissen davon, daß das Apostolische Symbol die heilsnotwendigen Glaubenslehren *genugsam* enthält[44]. Vor allem zeigt aber ein Blick auf das Symbol selbst, daß einige der wichtigsten christlichen Lehren in ihm nicht oder nicht genügend zum Ausdruck gebracht sind. Mit großer Sicherheit arbeiten die orthodoxen Theologen als den Hauptunterschied zu Calixt die verschiedene Bestimmung des Heilsnotwendigen heraus. Nach Calov gehören auch die im Apostolikum nicht aufgeführten Lehren von der Erlösung, von der Genugtuung und vom Verdienst Christi, von der Rechtfertigung und vom rechtfertigenden Glauben, von der Dreifaltigkeit, von der unio personalis der zwei Naturen in Christus, von der universalen Gnade, von den göttlichen Attributen, von Sünde, Gesetz und Buße und von Wort und Sakrament zu den heilsnotwendigen Glaubensaussagen, die den Glauben konstituieren[45]. Wie diese Aufstellung im einzelnen auch zu bewerten sein mag, – die Orthodoxie bewies an diesem Punkt einen stärkeren Sinn für die Notwendigkeit geschichtlicher Entfaltung der christlichen Lehre und für die eigene reformatorische Überlieferung als Calixt. Allerdings verfiel sie in das entgegengesetzte Extrem, indem sie schließlich fast die gesamte kirchliche Lehre in den Bereich des Fundamentalen einbezog[46].

Die Unhaltbarkeit der These Calixts sucht die orthodoxe Kritik auch an deren innerer Widersprüchlichkeit nachzuweisen. Die diesbezüglichen Einwände richten sich besonders gegen Calixts Verhältnisbestimmung zwischen den fundamentalen Glaubensartikeln und der späteren kirchlichen Auslegung. Wenn die Annahme des bloßen Wortlautes des Apostolischen Symbols genügen soll, um Glied der katholischen Kirche zu sein und das Heil zu erlangen, dann müssen auch alle Häretiker und Sekten wie die Sozinianer, Wiedertäufer usw. zu dieser universalen Kirche gehören[47]. Calixt vermied diese Konsequenz, indem er zur näheren Erklärung der heilsnotwendigen Glaubensartikel die altkirchliche Tradition heranzog und verbindlich machte. Damit aber ergab sich, wie die orthodoxen Kritiker feststellten, ein Widerspruch: Entweder war das Apostolische Symbol nach seinem Wortlaut suffizient, dann bedurfte es keiner Erläuterung durch die Kirche; oder es kam auf seinen catholicus sensus an, wie er mit Hilfe der Tradition ermittelt werden sollte; dann fiel aber die These von der Suffizienz dahin[48]. Calixt hatte diesen Widerspruch dadurch zu beseitigen versucht, daß er unterschied zwischen dem, was der einzelne zu glauben, und dem, was die Kirche zu lehren hatte[49]. Die Orthodoxen konnten jedoch mit Recht behaupten, daß dies die Aufhebung der Suffizienz des Symbols als Glaubensgrundlage der universalen Kirche bedeutete. Diese bestand in Wirklichkeit für Calixt in der gesamten altkirchlichen Glaubenstradition. Damit verschob sich aber die Frage vom Apostolikum auf das Traditionsprinzip. Auch hier konnten die orthodoxen Theologen nach der Suffizienz fragen. Warum sollte *allein* die Überlieferung der ersten fünf Jahrhunderte verbindlich sein[50]? Vor allem war hier nun aber der Punkt, an dem das lutherische Bekenntnis für sie auf dem Spiele stand. In der calixtinischen Lehre erblickten sie die Umkehrung des bisherigen Verhältnisses von Schrift und Tradition (nur zum Teil mit Recht, wie wir gesehen haben). Obwohl sie selbst faktisch eine ähnliche Umkehrung vollzogen, suchten sie doch prinzipiell die Autorität, Perspikuität und Perfektion der Schrift zu sichern, die sie bei Calixt gefährdet sahen[51], und verwarfen daher seinen Traditionsbegriff als unvereinbar mit dem Schriftprinzip.

Die Kritik, die sie weiter an einer immer steigenden Zahl einzelner Lehrpunkte bei Calixt üben, hängt sich mehr an Begriffsschlagworte, als daß sie die gemeinte Sache trifft. Auf seine Grundthese kann Calixt nach Ansicht seiner Gegner nur kommen, weil er überhaupt nicht mehr auf dem Boden der lutherischen Reformation steht: Wenn er z. B. die altkirchliche Tradition als zweites theologisches Erkenntnisprinzip neben die Schrift stellt, wenn er die pura naturalia in der Erbsündenlehre verteidigt[52], wenn er die guten Werke als Bedingung zur Erlangung der Seligkeit bezeichnet[53], dann verrät sich darin seine Neigung zum Papismus; wenn er die Unterscheidungslehren gegenüber den Calvinisten für geringfügig hält oder gewissen Formulierungen der deutschen Reformierten nahekommt, so enthüllt sich darin seine kryptocalvinistische Tendenz[54]; seine Behandlung der Rechtfertigungslehre zeigt, daß er zu dieser Summa der lutherischen Lehre keine wirkliche Beziehung hat[55]. Die Vorwürfe gehen hin bis zum Atheismus[56]. Wesentlich erscheint an ihnen allen jeweils nicht so sehr der Nachweis eines sachlichen Irrtums, als vielmehr der Grundeinwand, für den die Orthodoxen die Bestätigung suchen: daß er den Wahrheitsanspruch des Luthertums nicht ernst nehme.

In diesem Punkt wird man der orthodoxen Kritik zustimmen müssen. Mit der Negierung der Heilsnotwendigkeit späterer Glaubensentscheidungen und Lehrentwicklungen war in der Tat das geschichtliche Recht der lutherischen Reformation und Kirche zwar nicht verneint, aber doch entscheidend relativiert. Die orthodoxe Theologie erhob hier im Grunde denselben Einwand wie die katholische: der Ungeschichtlichkeit und daher Unmöglichkeit einer Reduktion des christlichen Glaubens auf das Minimum von – wenn auch wesentlichen – Sätzen, das im Apostolikum gegeben war. Wenn die Orthodoxie den Grund dafür, daß Calixt auf seine These kommen konnte, in seiner mangelnden Beziehung zu den zentralen Positionen des Luthertums suchte, so konnte sie dies mit einem gewissen Recht tun, da Calixt tatsächlich ein wirkliches inneres Verhältnis zur reformatorischen Rechtfertigungsproblematik nicht besaß; freilich befand sie sich dabei insofern auch im Unrecht, als sie selbst sich in der Sünden- und Rechtfertigungslehre nicht so wesentlich von Calixt unterschied, daß am orthodoxen Verständnis gemessen seine Theologie einen wirklichen Abfall dargestellt hätte. Die Fragen, die vom Blickpunkt der ursprünglichen reformatorischen Ansätze aus in diesem Zusammenhang an ihn zu stellen sind, können weithin an die Orthodoxie überhaupt gerichtet werden. Abgesehen von der universalkirchlichen Idee stellen seine theologischen Anschauungen nicht mehr als eine Variante, freilich die am meisten ,katholisierende‘, der orthodox-lutherischen Theologie dar. Die orthodoxen Argumente verfangen deshalb in diesem Zusammenhang auch nicht recht, und die Unmenge von Abweichungen, die schließlich Calixt vorgeworfen werden, verdeckt nur die Unsicherheit, die in bezug auf die echten theologischen Differenzen mit der calixtinischen Theologie bestand. In Calixt schreckten die Orthodoxen die möglichen Konsequenzen der eigenen theologischen Voraussetzungen, ohne daß sie doch in der Lage gewesen wären, das Unreformatorische, das sie bei ihm spürten, überzeugend nachzuweisen. Die theologische Sicherung des reformatorischen Erbes gelang ihnen in der Tiefe nicht mehr; sie verbissen sich daher umso mehr in die Verteidigung des durch einen bestimmten Lehrbegriff gestützten konfessionellen Absolutheitsanspruchs des Luthertums. Am überzeugendsten wirkt deshalb auch ihre Polemik dort, wo es um die Rechtfertigung des ausschließlichen Wahrheitsanspruchs der Reformation geht. Sie verteidigen ihn mit einer wahren Leidenschaft des Gehorsams, die auch dort, wo die Argumente nicht tiefer dringen, eindrucksvoll bleibt.

Es wäre durchaus denkbar gewesen, daß sich die Auseinandersetzung mit dem „Synkretismus" auf die berechtigte Kritik an Calixts Lösungsversuch des Einheitsproblems konzentriert hätte. Doch ist es bezeichnend, daß im „Synkretismus" gar nicht so sehr Calixts spezielle Begründung des universalen Kirchenbegriffs bekämpft wird (diese wird nur mitwiderlegt), sondern der Gedanke einer universalkirchlichen Gemeinschaft, an der das Luthertum teilhaben könnte, schlechthin. Das ist für das Verständnis des Streites von großer Wichtigkeit. Denn damit wurde die Diskussion von der besonderen Frage des Calixtinismus auf das Einheitsproblem im allgemeinen ausgeweitet und erhielt eine viel grundsätzlichere Bedeutung für die lutherische Kirche.

Die Begründung für ihre Ablehnung nicht nur des Helmstedter, sondern jedes „Synkretismus" haben die orthodoxen Theologen im Verlauf des Streites in äußerster Zuspitzung herausgearbeitet. Ihre grundlegende Überzeugung ist, daß allein die lutherische Kirche die wahre Kirche darstellt, da nur sie sich im vollen Besitze der Wahrheit befindet[57]. Auf Grund ihres – von dem der katholischen Gegner Calixts nicht prinzipiell verschiedenen – Begriffs der Glaubenswahrheit lehnen sie es ab, die Angehörigen anderer Konfessionen als wahre Christen anzuerkennen. Diese sind, da sie getauft sind, wohl Christen quoad initiationem, aber nicht quoad continuationem[58]; die Gemeinschaften der Katholiken, Calvinisten, Arminianer usw. können nicht im eigentlichen Sinne als Kirchen gelten, sondern nur analog mit Rücksicht auf die wenigen in ihnen, die in den heilsnotwendigen Dingen mit der orthodoxen Kirche Christi übereinstimmen[59]; wegen der fundamentalen Irrtümer der Katholiken, Calvinisten usw. verbietet der Gehorsam gegen die Wahrheit die brüderliche Gemeinschaft mit ihnen[60]. Auch die Orthodoxen wollen den Kirchenfrieden. Da dieser aber „in pia consensione sanae doctrinae verbi divini" besteht, machen sie zur Vorbedingung, daß die Katholiken und Calvinisten ihren Heterodoxien abschwören und sich zur unveränderten Augsburgischen Konfession und zur Konkordienformel bekennen[61]. Das πρῶτον ψεῦδος der Calixtiner ist, daß sie ohne diese entscheidende Bedingung den „Synkretismus" mit Katholiken und Calvinisten eingehen wollen[62]. Für die Orthodoxen heißt das den Frieden nicht „in der Einigkeit des Geistes / in dem Wort der Göttlichen Wahrheit" suchen[63], sondern „Christum cum Belial, veritatem cum mendacio, lucem cum tenebris, justitiam cum injustitia" vermengen[64] und einen „Mischmasch von allerley Religion" herstellen[65]. In Wahrheit sind „diese Religionen ... so weit von einander / daß darinn (im Fundament des Glaubens) alle partheyen in ewigkeit nicht können verglichen werden / non mutatis erroribus, nec correctis hypothesibus"[66]. Wie die Gesunden und Reinen im Alten Testament mit Unreinen und Aussätzigen „gar keine Gemein- und Freundschafft machen" durften und sich von ihnen fernhalten mußten, so soll daher das Luthertum es auch gegenüber Papismus und Calvinismus halten[67].

Zur Untermauerung des konfessionellen Absolutheitsanspruchs entwickeln die orthodoxen Lutheraner eine fast sektenhafte Auffassung von der reinen Lehre. Die lutherische Lehre ist vollkommen und bedarf keiner Korrektur oder Ergänzung durch die Glaubenserkenntnis anderer Kirchen; bei ihr gibt es kein Heu und Stroh neben der rechten Lehre, in den Bekenntnisschriften findet sich nichts Unnützes oder Unrichtiges[68]. In dem Grundsatz der „Synkretisten", nicht einer Religionspartei, sondern allein der Wahrheit zu folgen, sehen die Orthodoxen bereits den erklärten Abfall. „Quasi penes nostram partem non staret veritas, sed adhuc inquirenda esset"[69]! Sie fordern demgemäß, daß die Calixtiner sich nicht nur (wie diese wollten) auf die Bekenntnisschriften „quatenus" – soweit sie mit der Schrift übereinstimmten – verpflichten dürften, sondern ihnen simpliciter zustimmen müßten[70]. Schrift und Bekenntnis, theoretisch noch als norma normans und norma normata unterschieden, werden faktisch zur Einheit. Eine Differenz zwischen beiden, ja auch nur die Verbesserung der Bekenntnisaussagen von der Schrift her stellt keine ernsthafte Möglichkeit mehr dar.

In dieser Auffassung der orthodoxen Gegner Calixts ist der reformatorische Gedanke von der reinen Lehre konsequent zuende geführt. Die von den Reformatoren auch betonte bleibende Fehlsamkeit und deshalb ständig notwendige Offenheit der Kirche für die Korrektur durch die Schrift kommt daneben nicht mehr zur Geltung[71]. Luthers Haltung kennzeichnete ein Doppeltes: einerseits die kompromißlose Behauptung der Wahrheit, wie sie sich ihm in der Schrift erschlossen hatte, selbst wenn dies die Aufhebung der Kirchengemeinschaft (etwa mit den Oberdeutschen) bedeutete; andererseits aber die mit dem Appell an die Schrift zugleich gegebene Bereitschaft, sich eben aus der Schrift überwinden zu lassen. Dabei ist allerdings das absolute Wahrheitsbewußtsein für ihn das Bestimmende. Die lutherische Orthodoxie hat daran angeknüpft und im Zuge der konfessionellen Kämpfe den von Luther für seine evangelische Erkenntnis erhobenen exklusiven Wahrheitsanspruch auf das gesamte Bekenntnis – über dessen Inspiration diskutiert wurde – und darüber hinaus sogar auf die das Bekenntnis explizierende Theologie ausgedehnt. Dabei wirkte sich die metaphysische Grundlage aus. Die orthodoxen Theologen ziehen aus dem Grundsatz der Konvertierbarkeit des unum und des verum[72], d. h. aus dem Grundsatz der Einheit der Wahrheit die äußersten Konsequenzen: da es, wie eine Wahrheit, so auch nur eine gültige Explikation geben kann, muß diese mit der Wahrheit ein unteilbares Ganzes bilden. Daraus folgen der Ausschließlichkeitsanspruch für das lutherische Bekenntnis und für die bekenntnisgemäße Theologie. Auch Calixt ging, wie gezeigt, von dem metaphysischen Grundsatz der Unteilbarkeit der Wahrheit aus und urteilte mit der Orthodoxie, daß er auch für die theologische

Explikation der Offenbarung gelte. Aber er nahm von der nicht metaphysischen, sondern „praktischen" Erwägung aus, daß der zur Seligkeit führende christliche Glaube als etwas jedermann Verständliches und Mögliches von der gelehrten Erklärung unterschieden werden müsse, die dargestellte Differenzierung zwischen Wesentlichem und Unwesentlichem vor und gelangte so zu seiner universalkirchlichen Konzeption. Hier liegt der entscheidende Unterschied zu den orthodoxen sowohl wie zu den katholischen Gegnern.

Von ihrem Verständnis der reinen Lehre aus wurde die orthodoxe Theologie folgerichtig dazu geführt, zur Durchsetzung des für diese erhobenen Wahrheitsanspruchs im Luthertum eine Art lehramtlicher Entscheidungsgewalt herauszubilden. Die Autorität der symbolischen Bücher und der sie interpretierenden theologischen Tradition verlangte nach der Instanz, die sie verbindlich geltend machte. Es sei, erklärte man auf orthodoxer Seite[73], "ἀθεόλογον, eam libertatem et aequitatem ... omnibus permittendam, ut unusquisque in nostra Ecclesia reprehendat, quicquid erroneum judicat ... Annon ita innumerae sectae proditurae sunt, hac admissa licentia? Et cui bono libelli fuerint Symbolici, si haec licentia cuilibet relinquenda?" Das Verfahren des orthodoxen Luthertums gegenüber Calixt und seiner Schule stellt den Versuch dar, daraus die praktische Folgerung zu ziehen. Sowohl die preußischen wie die sächsischen Orthodoxen werfen den Calixtinern die Abweichung von den beschworenen lutherischen Bekenntnissen vor (in Helmstedt, wo das Konkordienbuch nicht in Geltung stand, vom Braunschweiger Corpus Julium). Sie selbst nehmen für sich in Anspruch, die Lehrabweichungen festzustellen, von den heterodoxen Theologen Rechenschaft darüber zu verlangen und endlich mit Hilfe eines neuen Bekenntnisses die Häresie aus der lutherischen Kirche auszuscheiden.

Mit Leidenschaft mußte sich dagegen der Protest der calixtinischen Lutheraner erheben, nicht freilich, wie ein Teil der Forschung wollte, von einem moderneren, sondern von ihrem altkirchlich-historisierenden Christentumsverständnis aus. Sie konnten im lutherischen Bekenntnis – und noch weniger in seiner orthodoxen Deutung – nicht die unfehlbare Festsetzung der Wahrheit und in der lutherischen Kirche nur einen, allerdings den reinsten Teil der größeren, universalen katholischen Kirche sehen. Wurde der Kampf von orthodoxer Seite um die Ausschließlichkeit des lutherischen Bekenntnisses und seiner orthodoxen Explikation geführt, so jetzt von der calixtinischen um das universalkirchliche Selbstverständnis des Luthertums. Man kann sagen, daß die lutherische Kirche an einem Scheidewege stand. Die bis dahin zwar schon oft erörterte und umstrittene, aber nicht endgültig beantwortete Frage nach ihrem Verhältnis zu den anderen Konfessionen stellte sich jetzt in ganzer Schärfe. Sollte sie sich künftig als die allein reine Gemeinde Christi verstehen, die keine Gemeinschaft mit anderen christlichen Kirchen hatte, oder sollte sie sich von ihren gemeinchristlichen Ansätzen her wenigstens die Offenheit für eine ökumenische Gemeinsamkeit bewahren?

Mit dem Erscheinen der großen orthodoxen Streitschriften war der Kampf in sein entscheidendes Stadium getreten. Das Verhalten der Hauptbeteiligten war in der Folge sehr verschieden. Calixt veröffentlichte 1651 eine großangelegte Verteidigungsschrift, die „Widerlegung Wellers", des Dresdner Oberhofpredigers, dem er die kursächsischen Angriffe hauptsächlich zur Last legte [74]. Darin brachte er neben einer ausführlichen Rechtfertigung einzelner ihm vorgeworfener Lehren und seines Verhaltens in Thorn noch einmal eine Darstellung seiner wichtigsten Gedanken über die Kirche und ihre Einheit. Nach dieser Veröffentlichung beteiligte er sich nicht mehr an der Auseinandersetzung. Das Verhalten der orthodoxen Gegner ließ ihm zum gegenwärtigen Zeitpunkt eine Verständigung als aussichtslos erscheinen, und in der Hoffnung, der Kampfeseifer der Orthodoxie werde sich in wenigen Jahren von selbst legen [75], ignorierte er fortan den Streit. Er nahm noch einmal, wie wir hörten, die Versuche auf, mit den Katholiken ins Gespräch über die Wiedervereinigung zu kommen, und trotz des Mißerfolgs dieser neuerlichen Bemühungen bis zuletzt mit dem Gedanken der kirchlichen Einheit beschäftigt [76], starb er in Helmstedt am 19. März 1656.

Während er sich aus der Auseinandersetzung zurückzog, begann die orthodoxe Theologie an demjenigen Werke zu arbeiten, mit dessen Hilfe sie den Kampf unwiderruflich in ihrem Sinne zu entscheiden hoffte. Wie bereits erwähnt, wurde in Kursachsen spätestens seit 1650 erwogen, durch eine Versammlung orthodoxer Theologen die calixtinischen Irrlehren offiziell zu verwerfen. Im Verfolg dieses Gedankens wurde Anfang 1652 von den kursächsischen Oberkonsistorialtheologen auf kurfürstlichen Befehl ein „ungefährlicher Entwurff" der Irrtümer Calixts zusammengestellt, der von den beiden theologischen Fakultäten Wittenberg und Leipzig verbessert und ergänzt wurde und in dem „nechst dem Syncretistischen Haupt Grunde" vierundneunzig Abweichungen der Calixtiner festgestellt waren [77]. Da die thüringischen Herzöge dem Entwurf, der ihnen zur Prüfung übersandt wurde, ihre Billigung nicht zu geben bereit waren, gerieten die Arbeiten für die gemeinsame Erklärung zunächst ins Stocken. Doch wurden zu Beginn des Jahres 1655 die theologischen Fakultäten von Leipzig und Wittenberg durch das Dresdner Oberkonsistorium erneut aufgefordert, die „dissonantien" der Helmstedter von den lutherischen Bekenntnissen darzulegen. Am 9. Februar wurden in Leipzig und am 7. März in Wittenberg entsprechende Entwürfe ausgearbeitet, aus denen das als „Consensus repetitus fidei vere Lutheranae" bezeichnete Werk hervorging. Es wurde auf eine kurfürstliche Weisung vom 14. März von den kursächsischen Theologieprofessoren unterschrieben[78].

Im „Consensus repetitus"[79] werden in achtundachtzig Punkten die Abweichungen Calixts und seiner Anhänger von der im Sinne der Orthodoxie gedeuteten Augsburgischen Konfession festgestellt. Die Heterodoxien, die verurteilt werden, sind die Lehren von der Suffizienz des Apostolischen Symbols, vom Consensus antiquitatis, die Leugnung der Ubiquität, die Lehre von der Notwendigkeit der guten Werke, Calixts exegetische Meinung, daß im Alten Testament nur eine undeutliche Offenbarung der Trinität vorliege, und viele andere Lehrpunkte. Im Mittelpunkt (totius negotii fundamentum) steht der Grundirrtum Calixts: sein Zweifel an dem ausschließlichen Wahrheitsanspruch der lutherischen Kirche. In Punkt 1 wird die Behauptung verworfen, daß die lutherische Kirche durch kaum geringere Irrtümer als die päpstliche und calvinistische befleckt sei, und in Punkt 2 die These, daß in der päpstlichen und calvinistischen Kirche die fundamenta salutis (soweit in Glaubenserkenntnis bestehend) erhalten geblieben seien. Später wird noch ausdrücklich erklärt, daß demgemäß die Katholiken und Calvinisten qua tales nicht als wahre Glieder der Kirche gelten könnten[80].

Der Consensus repetitus stellt den konsequentesten Ausdruck der von der lutherischen Orthodoxie für die lutherische Kirche und Lehre in Anspruch genommenen Ausschließlichkeit dar. Die Erklärung bringt nicht nur die berechtigte Verwerfung eines unzureichenden Begriffes von der Kirche und ihrer Einheit und die weniger berechtigte Verurteilung nicht-konformer theologischer Lehren. Sondern mit diesem Dokument spricht die Kirche der reinen Lehre ihr Nein gegenüber den in ihrer eigenen Mitte hervorgetretenen Bestrebungen zur interkonfessionellen Verständigung und zugleich ihr Nein gegenüber einer ökumenischen Gemeinsamkeit der christlichen Kirchen überhaupt.

Von größter Bedeutung für die weitere Entwicklung war es nun, daß es nicht gelang, den Consensus repetitus als Bekenntnisschrift in den lutherischen Kirchen einzuführen. Dies bestimmt den Ausgang des synkretistischen Streites in seinem ersten Abschnitt. Wie schon erwähnt, hatten die thüringischen Herzöge bereits 1652 eine Mitwirkung in der Angelegenheit abgelehnt. Auch nach der Fertigstellung des Werkes waren sie nicht bereit, sich an dem geplanten Vorgehen gegen die Calixtiner zu beteiligen[81]. Von den welfischen Herzögen konnte ein Einschreiten gegen die calixtinische Theologie, die sich anschickte, in den welfischen Ländern die beherrschende Stellung zu erringen, überhaupt nicht erwartet werden. Die kursächsischen Bemühungen, dem Consensus repetitus im lutherischen Raum verbindliche Geltung zu verschaffen, waren daher zum Scheitern verurteilt.

So war das Ergebnis der bisherigen Auseinandersetzung, daß sich die orthodoxe und die calixtinische Theologie unverändert als zwei konkurrierende Richtungen in der lutherischen Kirche gegenüberstanden. Der noch die folgenden Jahrzehnte hindurch zwischen ihnen fortgeführte Kampf änderte darin nichts. Das bedeutete aber für das Luthertum, daß es im Verlauf des 17. Jahrhunderts nicht gänzlich einer sektenhaft-exklusiven Tendenz verfiel, sondern sich seine gesamtkirchlichen Ansätze bewahrte. Im Zeitalter des konfessionellen Absolutismus das Bewußtsein der Ökumenizität wachgehalten zu haben, darf bei allen ihren Schwächen als das Verdienst der calixtinischen Theologie um das kirchliche Selbstverständnis des Luthertums bezeichnet werden.

III. TEIL

DIE NACHWIRKUNGEN CALIXTS

1. KAPITEL

UNMITTELBARE NACHWIRKUNGEN

Unter den Nachwirkungen Calixts kommt den unfruchtbaren weiteren Auseinandersetzungen um den „Synkretismus" nur geringe Bedeutung zu[1]. Eine wichtigere Folge seiner universalkirchlichen Theologie war, daß der Gedanke von der universalen, alle Kirchen umfassenden Gemeinschaft der Christen in weiteren Kreisen Wurzel schlug und zur Auflockerung des konfessionalistischen Denkens führte.

Ohne daß seine Begründung des universalen Kirchenbegriffs, die Thesen von der Genugsamkeit des Apostolischen Symbols, von der Autorität des kirchlichen Altertums usf., im einzelnen übernommen wurden, setzte sich hier und da, zumal im nordwestdeutschen Luthertum, die Überzeugung durch, daß die Katholiken und Calvinisten gleichberechtigte Mitchristen seien. Calixts Antwort auf das Problem der Einheit und Gespaltenheit der Kirche wurde von manchen geradezu als Erlösung empfunden. Calixt habe man es zu danken, äußert etwa sein Schüler Justus Gesenius, hannoverscher Oberhofprediger, wenn man endlich wisse, wen man in der Fülle der konfessionellen Verschiedenheiten und Gegensätze als Christen und Bruder annehmen dürfe[2]. Und selbst ein Mann wie der Liederdichter Andreas Heinrich Bucholtz, der mit Calov befreundet war, betont diesem gegenüber, daß man doch die Calvinisten und Katholiken für Christen halten sollte, wenn sie auch in vielem irrten. Den Streit darum nennt er eine Tragödie[3].

Die Schüler Calixts, die von der Mitte des 17. Jahrhunderts an für ein Menschenalter[4] in den Kirchen der welfischen Herzogtümer maßgebende Positionen einnahmen – der schon erwähnte Gesenius als Hofprediger in Hannover, Brandan Daetrius als Hofprediger und Superintendent in Wolfenbüttel, Joachim Hildebrand als Obersuperintendent in Celle, Gerard Molanus als hannoverscher Kirchendirektor – folgten ihm sämtlich in seiner

Lehre von der fundamentalen Übereinstimmung der großen Konfessionen, ohne freilich zunächst seine Reunionsbestrebungen fortzuführen. Diese wurden erst später von Molanus in Zusammenarbeit mit Leibniz wieder aufgenommen.

An der Universität Helmstedt wurde die Tradition Calixts vor allem durch Friedrich Ulrich Calixt fortgesetzt, der Nachfolger seines Vaters wurde. Calixts Kirchengedanken vertrat dort auch der Jurist Hermann Conring[5], der freilich den Begriff der Universalkirche entscheidend anders begründet. Er geht nämlich nicht von der fest umgrenzten Basis der von Gott geoffenbarten heilsnotwendigen Glaubensartikel aus, sondern von der Idee einer der Natur und der Vernunft gemäßen Religion, die seinem Staatsideal entspringt. Von da aus relativiert er die Wahrheitsansprüche der verschiedenen Kirchen[6]. Seine Folgerungen – die Unvollkommenheit und Partikularität der Konfessionskirchen, die Erhaltung der fundamenta salutis bei ihnen allen u. a.[7] – sind die gleichen wie bei Calixt. Aber durch die Begründung aus der Vernunft schreitet er zur Relativierung fort. Auf ihn trifft daher der gegen Calixt noch zu Unrecht erhobene Vorwurf des Indifferentismus zu, in den die Orthodoxie ihre Furcht vor der langsam heraufkommenden relativistischen Weltanschauung kleidete[8]. Wir haben oben gesehen, daß die Theologie Calixts von ihrem Ansatz her nicht auf eine Relativierung ausging, sondern gerade die Sammlung auf das dogmatisch Unerläßliche und Heilsnotwendige intendierte. Erst wenn die strenge dogmatische Voraussetzung verlassen wurde, konnte das formale Gerüst des calixtinischen Kirchengedankens zu der uncalixtinischen Konsequenz verleiten, die konfessionellen Unterschiede relativistisch einzuebnen. Von hier aus war der Weg zum aufgeklärten Konfessions- und Religionsrelativismus nicht mehr weit. Conring hat diesen Weg eingeschlagen. Wir werden noch bei dem Theologen Fabricius eine ähnliche Entwicklung beobachten.

In den welfischen Herzogtümern wirkte sich der Einfluß der calixtinischen Theologie auch auf politischem Gebiet aus. Sie bestimmte bereits in den westfälischen Friedensverhandlungen die Haltung der braunschweigischen Gesandten unter Führung von Jakob Lampadius. Von der Vorstellung der Alten Kirche als der allein wahren Kirche aus fühlten sie sich über den konfessionellen Zwiespalt erhaben und wirkten in Osnabrück für wechselseitige Toleranz der Konfessionen wenigstens auf der politischen Ebene[9].

Ebenso machte sich in der Kirchenpolitik der calixtinische Einfluß geltend. Vom Hofe in Hannover wurde während der westfälischen Verhandlungen dem Großen Kurfürsten der Vorschlag gemacht, daß „die Lutherische und Reformirte mit einander verglichen und diese Vereinigung auch unter während hiesigen (westfälischen) Tractaten ... durch Zusammenschickung vorgenommen werden möchte"[10]. Hier klingen die Unionsvorschläge an, die 1634 Herzog Friedrich Ulrich von Wolfenbüttel in Zusammenarbeit mit der Helmstedter theologischen Fakultät ausgearbeitet hatte. Freilich wurde der hannoversche Plan nicht weiter verfolgt. Aber in den braunschweigischen Landen selbst wurden auf Anregung von Herzog August Maßnahmen wie die Abschaffung der feierlichen Verdammung der Katholiken und Calvinisten bei der Ordination durchgeführt[11]. Dies bedeutete, daß fortan der bei der Amtseinsetzung der Geistlichen manifestierte Wahrheitsanspruch des Luthertums zwar nicht aufgegeben, aber doch in der Form abgeschwächt wurde. Dem konvertierten Herzog Johann Friedrich von Hannover wurde das Privatexerzitium der katholischen Religion zugestanden[12]. Andererseits führte der Umstand, daß die calixtinische Theologie von den welfischen Höfen offiziell gefördert wurde, zu einer Verstärkung des landesherrlichen Einflusses in der Kirche[13].

Die bedeutendste kirchenpolitische Folge der Unionstheologie Calixts in der Mitte des 17. Jahrhunderts war jedoch das lutherisch-reformierte Religionsgespräch zu Kassel 1661. Das Gespräch wurde von dem calvinistisch gesinnten Landgrafen Wilhelm VI. von Hessen-Kassel zwischen je zwei Theologen der Universitäten Rinteln und Marburg mit dem Ziel veranstaltet, eine Verständigung zwischen den beiden evangelischen Konfessionen zu erreichen und den Kirchenfrieden in seinen Ländern herzustellen[14]. Die lutherische Universität Rinteln war 1648 mit einem Teil der Grafschaft Schaumburg an Hessen-Kassel gefallen. Seit den fünfziger Jahren herrschte an ihr die calixtinische Theologie. 1650 wurden Heinrich Martin Eccard, 1651 Johann Henichen, beide Schüler Calixts, Professoren der Theologie daselbst, 1653 ferner der spätere Kieler Theologe Peter Musaeus, der Hausgenosse Calixts gewesen war und schon seit 1648 als Professor der Philosophie in Rinteln wirkte. 1659 kam in Molanus, der zunächst zum Professor der Mathematik berufen wurde, ein weiterer Schüler Calixts an die schaumburgische Universität[15]. Ohne Zweifel war es die offenkundige calixtinische Tendenz der theologischen Fakultät, die den Landgrafen dazu bestimmte, das Unternehmen eines lutherisch-reformierten Kolloquiums zu wagen.

Auf seine Einladung hin traten Henichen und Musaeus in Kassel mit den reformierten Marburger Theologen Curtius und Hein zu einer Konferenz zusammen, die vom 1. bis 9. Juli 1661 dauerte[16]. Auf Wunsch des Landgrafen sollten beide Teile untersuchen, „worinne sie einstimmig und in welchen Stücken sie voneinander wären"; ob etwa vorhandene Streitfragen „den Grund des Glaubens" beträfen oder nicht; endlich, wie, wenn schon nicht volle Einigkeit, so doch eine für beide Seiten tragbare Form des Zusammenlebens in seinen Ländern gefunden werden könnte[17].

Die gemäß dieser Instruktion geführten Verhandlungen hatten nach dem Schlußbericht folgendes Ergebnis: Zunächst stellte man fest, daß in vier wichtigen Lehrpunkten keine Übereinstimmung erzielt werden konnte. Sie betrafen 1. das Abendmahl, für das die Lutheraner die manducatio oralis des Leibes Christi auch durch den Ungläubigen geltend machten, während die Reformierten diese nicht zugestehen wollten; 2. die Prädestination: die Lutheraner vertraten die göttliche Gnadenwahl als de voluntate conditionata, d. h. gebunden an die gottgesetzten ordentlichen Heilsmittel, und gaben die Möglichkeit zu, daß der Christ der Gnade wieder entfallen könne, was die Reformierten leugneten; 3. die Person Christi: die Reformierten hielten gegenüber den Lutheranern daran fest, daß die göttlichen Eigenschaften nicht in abstracto von der menschlichen Natur ausgesagt werden könnten; 4. die Kindertaufe, näherhin die Frage, ob die Kinder gläubiger Eltern schon vor der Taufe in den Gnadenbund aufgenommen seien – so die Reformierten – oder nicht.

Trotz dieser Dissense wurde aber im *Fundament* des Heilsglaubens Einigkeit festgestellt und hinsichtlich der verschiedenen Lehrmeinungen brüderliche Duldung vereinbart[18]. Daraus zog man bestimmte kirchenpolitische Folgerungen. Es sollte künftig in öffentlicher Predigt „mit keinem Wort der Widerpart" gedacht werden; das Volk sollte nicht mit schweren Fragen irregemacht, „sondern alles zur Erbauung im Glauben und christlichen Leben" gerichtet werden; endlich wurde der Landgraf aufgefordert, das begonnene Werk des Kirchenfriedens weiter zu fördern und womöglich Brandenburg und Braunschweig in den „Friedensbund" mit einzubeziehen[19]. Außerdem sollten die Universitäten, die „sich schon in fundamentalibus verglichen", zu einer Konferenz zusammentreten und die Kontroversen erörtern, von welchen die meisten innerhalb kürzester Zeit („wenig Monath/ja Wochen") geschlichtet oder doch gemildert werden könnten[20]. Die Teilnehmer des Kasseler Kolloquiums hofften also, daß nach dem Vorbild dieser Konferenz weitere lutherisch-reformierte Religionsgespräche eingeleitet und mit ihrer Hilfe in kurzer Zeit wenigstens eine partielle evangelische kirchliche Einigung zustandegebracht werden könnte.

Es ist nicht auszumachen, inwieweit bei den Kasseler Verhandlungen etwa Schriften und Vorschläge Calixts zugrundegelegt wurden, da das Protokoll nicht erhalten ist[21]. Der Einfluß seiner Ideen liegt aber auf der Hand. Die Grundgedanken des Kasseler Übereinkommens entsprechen den Vorschlägen, die Calixt zum innerevangelischen Kirchenfrieden gemacht hatte. Dies gilt zunächst einmal für die These von der Einigkeit der Lutheraner und Reformierten im fundamentalen Glauben. Die Kasseler Erklärung gebraucht fast dieselben Worte wie Calixt, wenn sie feststellt, daß Lutheraner

und Calvinisten auf Grund des gemeinsamen Heilsglaubens „wahre Gliedmaßen der Kirchen / und Mit-Consorten des wahren seligmachenden Glaubens / auch Mit-Erben des ewigen Lebens" seien [22]. Was sodann die Lehr-
verschiedenheiten betraf, hatte er die sachlichen Differenzen in der Präde-
stinations- und Tauflehre und in der Christologie nicht verkleinert, aber betont, daß die Unterschiede, da sie das heilsnotwendige Fundament nicht berührten, einer Verständigung der Kirchen nicht entgegenstünden [23]. Von der
gleichen Voraussetzung gehen die Kasseler Konferenzteilnehmer aus. Wie er
ziehen sie die Folgerung, daß zwischen den beiden Kirchen ein Verhältnis
der Toleranz hergestellt werden müßte [24]. Auch die Erwartung, daß durch
geeignete Religionsgespräche in kürzester Zeit die meisten Kontroversfragen
gelöst werden könnten, war diejenige Calixts [25]. Die Empfehlung, mit den
benachbarten Kirchen in ähnliche Verhandlungen wie die von Kassel einzutreten, entsprach der Anregung der theologischen Fakultät Helmstedt von
1634, mit den benachbarten Konfessionsverwandten Gespräche über die
Möglichkeiten des Kirchenfriedens aufzunehmen [26]. In der Forderung, öffentlich nur zu erörtern, was sich auf die Erbauung und das christliche Leben
beziehe, finden wir einen wörtlichen Anklang an den vermutlich auf Calixt
zurückgehenden Vorschlag Herzog Friedrich Ulrichs von Wolfenbüttel von
1634, daß öffentlich nur „gelehret und geprediget werde, waß zur erbauung
dienlich" sei [27]. Möglicherweise hat die Kasseler Konferenz also auch an die
damaligen offiziellen Vorschläge angeknüpft.

Wären die Kasseler Beschlüsse verwirklicht worden, so hätte der „Friedensbund" der evangelischen Konfessionen in Hessen-Kassel geradezu ein
Modell der evangelischen Union werden können, die Calixt vorgeschwebt
hatte. Die gemäßigten Marburger Reformierten und die Rintelner Calixtiner
waren einander so weit entgegengekommen, wie dies nach den vergeblichen
Bemühungen noch der dreißiger Jahre wenigstens von der lutherischen Seite
kaum hatte erwartet werden können. Es bedeutete daher einen schweren
Schlag für die evangelischen Einigungsbestrebungen, daß der Konferenz von
1661 auf Grund einer veränderten Kasseler Kirchenpolitik seit 1663 die
Calvinisierung der lutherischen Gebiete Hessen-Kassels folgte. Auch die
Universität Rinteln (seit 1665 endgültig unter hessischer Verwaltung) wurde
calvinistisch; die lutherischen Theologen gingen außer Landes [28]. Die Be-
fürchtung der lutherischen Orthodoxie, daß die calixtinischen Unionsbemühungen von den Reformierten lediglich zur Ausdehnung ihres eigenen Ein-
flußbereiches benutzt würden, schien sich zu bestätigen [29]. Der Kasseler Eini-
gungsversuch fand infolgedessen keine Nachahmung.

Die Rintelner lutherischen Theologen blieben gleichwohl den Ideen Calixts treu, wenn sie auch vor den Folgen allzu großen Vertrauens gegenüber

den Reformierten warnten [30]. Durch Musaeus, der an die 1665 gegründete Universität Kiel berufen wurde, erhielt die dortige theologische Fakultät in ihren Anfängen eine calixtinische Prägung. Weitere Bemühungen um die kirchliche Einheit gingen freilich in den nächsten Jahren vom gemäßigten Luthertum nicht aus. Die calixtinischen Friedensbestrebungen fanden vielmehr unter dem Eindruck der Ereignisse im Anschluß an das Kasseler Gespräch ein vorläufiges Ende [31].

Neben den kirchenpolitischen Nachwirkungen begegnet als weitere, allerdings nur mittelbare Folge der Theologie Calixts eine Reihe von Konversionen zum Katholizismus während der zweiten Hälfte des 17. Jahrhunderts. Noch zu seinen Lebzeiten erlebte es Calixt, daß seine Schüler Christoph von Rantzau und Heinrich Julius Blume zur katholischen Kirche übertraten. Rantzau, der später vom Kaiser in den Grafenstand erhoben und zum Reichshofrat ernannt wurde [32], erklärte zu seiner Konversion, er würde die römische Kirche als die allein wahre nicht so bald erkannt haben, wenn er „nicht zuvor von ihm (Calixt) gelernet hette / daß sie ja nicht der Sitz des Anti Christs / . . . sondern mit Warheit eine Kirche sey / darin der jenig / so gottselig lebt / könne zum ewigen Heyl gelangen / weil sie die fürnembste Glaubens Artickel / darauff unsere Seeligkeit . . . beruhet / unverfälscht / und beständig behält" [33]. Bei einem römischen Aufenthalt im Jubeljahr 1650 habe er die hingebende Andacht der Pilger bei der Öffnung der heiligen Pforte wahrgenommen, und dabei sei ihm klar geworden, daß diese Kirche wahrhaft vom Hl. Geist regiert werde und allein die „Antiquitet" recht bewahre. Obwohl Calixt nichts ferner lag, als durch seine Lehre von der Erhaltung des heilsnotwendigen Fundaments bei den anderen Kirchen Konversionen den Weg zu bahnen, zeigt doch das Beispiel Rantzaus, daß seine Lehre, indem sie das herkömmliche lutherische Geschichtsbild durchbrach und eine neue Sicht der römischen Kirche ermöglichte, den Konfessionswechsel fördern konnte.

Dies wird auch bei Blume deutlich. Eben zum Professor für Kirchengeschichte an der Universität Helmstedt ernannt, wurde er im Herbst 1651 dem jungen Herzog Johann Friedrich von Hannover nach Italien nachgeschickt, um ihn vom Übertritt zum Katholizismus abzuhalten [34], freilich umsonst, da Johann Friedrich inzwischen den Schritt bereits getan hatte. Dagegen ließ sich Blume, der einen Sieg der lutherischen Orthodoxie über Calixt und seine Schule im ‚synkretistischen Streit' und damit das Ende der Überlieferung des wahren Altertums in der lutherischen Kirche erwartete [35], von dem Kreis um Johann Friedrich gewinnen und wurde 1653 katholisch [36]. Für das orthodoxe Luthertum bedeuteten diese Übertritte eine Bestätigung der katholisierenden Tendenzen des Calixtinismus [37].

Die bedeutendste Konversion, die der calixtinischen Theologie zur Last gelegt wurde, erfolgte jedoch erst ein halbes Jahrhundert später. Es war diejenige der Wolfenbüttelschen Prinzessin Elisabeth Christine, die 1708 den späteren Kaiser Karl VI. heiratete und Mutter Maria Theresias wurde[38]. Bei dieser Konversion war der Umstand von Bedeutung, daß zur Rechtfertigung des Übertritts Gutachten von einer Reihe protestantischer Gelehrter verlangt wurden; unter ihnen sprach sich dasjenige des aus der calixtinischen Schule hervorgegangenen Helmstedter Theologen Johannes Fabricius offen für die Erlaubtheit des Übertritts aus.

Es ist nachgewiesen worden, daß der Anstoß zur Einforderung der Gutachten von Leibniz ausging[39]. Eine Konversion aus politischen Motiven, wie sie der Großvater der Prinzessin, Herzog Anton Ulrich von Wolfenbüttel, von ihr wünschte und in hohem Alter 1710 noch selbst vollzog[40], wäre auch ohne die Einschaltung von Theologen möglich gewesen. Leibniz verfolgte aber im Zusammenhang mit seinen Reunionsbemühungen den Plan, bei dieser Gelegenheit eine irenische Manifestation des protestantischen Gelehrtentums auf breiter Grundlage herbeizuführen, die ihm eine bessere Ausgangsposition für seine damaligen Bestrebungen bieten sollte[41]. Er erreichte damit jedoch das Gegenteil, da das Gutachten von Fabricius nicht nur das orthodoxe Luthertum erneut gegen die Reunionsbemühungen aufbrachte, sondern auch den hannoverschen Hof dagegen einnahm, der wegen der Aussichten auf die englische Krone jeden Schein eines Sympathisierens mit dem Katholizismus vermeiden wollte.

Der zentrale Punkt in dem von Leibniz inspirierten[42] Gutachten des Fabricius war, „daß auch bey der Römisch-Catholischen Kirche der Grund des Glaubens seye, und man also auch in derselben recht glauben, christlich leben, und selig sterben könne". Fabricius begründete seine These damit, daß die katholische Kirche mit der lutherischen den seligmachenden Glauben, den Dekalog und das Vaterunser, die Sakramente Taufe und Abendmahl sowie das Amt der Schlüssel gemeinsam habe. Die Frage, ob die evangelische Prinzessin mit unverletztem Gewissen zur katholischen Kirche übertreten dürfe, bejahte er daher, wobei er sich noch besonders auf die Erwägung stützte, daß ihr die Heirat mit dem König von Spanien zweifelsohne nach göttlicher Providenz angetragen werde[43].

In dieser Stellungnahme wird die relativistische Konsequenz sichtbar, die aus dem calixtinischen Kirchenbegriff abgeleitet werden konnte, wenn die eigentliche Intention Calixts aufgegeben wurde[44]. Nach dem Gutachten des Fabricius ist es im Grunde einerlei, welcher Kirche man zugehört, wenn diese nur den fundamentalen Glauben bewahrt und die von Christus eingesetzten Sakramente gebraucht[45]. Für Calixt, der bei aller Betonung des gemeinsamen Fundamentes doch auf die Unterschiede der Reinheit zwischen den verschiedenen Konfessionen größtes Gewicht gelegt hatte [46], wäre diese Schlußfolgerung undenkbar gewesen.

Fabricius' Gutachten bedeutete, als es veröffentlicht wurde, einen Skandal für Hannover [47], und er mußte auf sein Lehramt resignieren. Sein Rücktritt und der etwa gleichzeitige ergebnislose Ausgang der Molan-Leibnizschen Reunionsverhandlungen bezeichnen das Ende des Einflusses des Calixtinismus in den welfischen Ländern.

2. KAPITEL

NACHWIRKUNGEN IN DEN REUNIONSBESTREBUNGEN VON MOLANUS UND LEIBNIZ

Einen letzten Höhepunkt in der Geschichte der Nachwirkungen Calixts bilden die Reunionsversuche von Molanus und Leibniz am Ausgang des 17. Jahrhunderts. Denn auch Molan und Leibniz haben in ihren universalkirchlichen Ideen und in ihren Reunionsvorschlägen in manchen Punkten, wenngleich in verschiedener Weise, an Calixt angeknüpft. Wir suchen dafür in diesem Kapitel den Nachweis zu führen und damit zugleich einen Beitrag zur ideengeschichtlichen Erhellung der Bestrebungen der beiden Ireniker zu geben [1].

Gerard Wolter Molanus [2] hatte noch als Student in Helmstedt Calixt gehört. Für unseren Zusammenhang ist es von Bedeutung, daß er im Grundbestand seiner Theologie ganz wesentlich durch die Anschauungen seines Lehrers bestimmt ist [3]. So übernimmt er in der theologischen Erkenntnislehre das Doppelprinzip von Schrift und Tradition, wobei er unter Tradition mit Calixt das Zeugnis der gegenwärtigen Kirchen der fünf Patriarchate und den Consensus der Alten Kirche der ersten fünf Jahrhunderte versteht [4]. In seiner Rechtfertigungslehre vollzieht er wie Calixt die enge Verknüpfung von fides und praxis [5]. Besonders wichtig ist, daß er sich auch Calixts universalen Kirchenbegriff in seinen grundlegenden Elementen zu eigen macht. Die großen Konfessionskirchen sieht er, wie schon das Traditionsprinzip andeutet, im Grundlegenden geeint und daher wenigstens in virtueller Gemeinschaft verbunden [6]. Dabei lebt er jedoch aus einer anderen Grundstimmung als Calixt. Viel sorgloser, großzügiger und optimistischer beurteilt er die konfessionellen Unterschiede und Kontroversen; die Feststellung, daß diese im Grunde nur verbal seien [7], fließt ihm leicht aus der Feder. Sie war ihm Überzeugung. Wäre er als Katholik geboren, erklärt er, würde er katholisch geblieben sein [8]. Das bei Calixt noch in manchen Punkten wirksame altlutherische Bild von der römischen Kirche teilt er nicht mehr. Das Antichrist-Problem existiert für ihn nicht[9]. An der römisch-katholischen Kirche verwirft er im wesentlichen nur Mißbräuche der Praxis[10], während er sich andererseits von manchen Vorzügen beeindruckt zeigt. So lebte er als Abt des Klosters Loccum nach der Regel des hl. Benedikt[11] und rühmte sich seines Zölibats[12]. In einem entscheidenden Punkt ging er in seiner Kirchenanschauung über Calixt hinaus: in der Anerkennung der dogmatischen Unfehlbarkeit der universalkirchlichen Konzilien[13]. An diesem Punkt vollzog er ähnlich wie Leibniz eine bemerkenswerte und wohl die weitestgehende Annäherung an das katholische Kirchenverständnis.

Gleichwohl hielt er mit Calixt die lutherische Kirche für die reinste und dankte Gott dafür, daß er ihn in ihr habe geboren werden lassen, in der „nicht allein zu finden alles, was man zur Erlangung der ewigen Seligkeit glauben, thun und lassen müsse, sondern in welcher man überdem die heiligen Sakramente nach Christi Einsetzung administrirt, auch den Schein aller Abgötterey, Aberglaubens, Untreu und Verfolgung unschuldiger Nebenchristen (wie in der französischen Kirchenpolitik) samt dem Gewissenszwang meidet, hasset und verwirft"[14]. Ein Angebot Johann Friedrichs, zur katholischen Kirche überzutreten und ein Bistum (sowie hunderttausend Taler) zu erhalten, schlug er aus[15].

Zutiefst von der Notwendigkeit einer sichtbaren Einheit der Kirche überzeugt, verfolgte er in seinen späteren Jahren mit großer Energie die Idee und die Pläne einer Wiedervereinigung der Konfessionen. Dabei schwebte ihm wie früher Calixt vor allem die Reunion mit der katholischen Kirche vor[16]. Die Vereinigung mit den Reformierten kam für ihn erst in zweiter Linie in Betracht[17]. Auch in seinen praktischen Vorschlägen zur Herstellung der kirchlichen Einheit ging er von bestimmten Ansätzen Calixts aus, grenzte sich aber auch, wo es ihm notwendig schien, von diesem ab. In den Verhandlungen zeigte er, wie wir noch sehen werden, bemerkenswerte Selbständigkeit und realistischen Sinn.

Verbindungslinien zu Calixt lassen sich auch von dem universalen Kirchenbegriff *Leibnizens* aus zurückverfolgen. Die theologischen und kirchlichen Anschauungen Leibnizens sind in ihren geschichtlichen Voraussetzungen noch längst nicht zur Genüge erforscht worden. Eine nähere Untersuchung würde gerade unter theologiegeschichtlichem Gesichtspunkt verlohnen, da Leibniz am Ende des konfessionellen Zeitalters steht und die Kontroverstheologie beider Seiten, die er sehr genau kannte, in einer originellen und eindrucksvollen Weise verarbeitet und zusammenfaßt. Die Erforschung seiner theologischen Auffassungen wird freilich durch den Umstand erschwert, daß er sich nicht immer klar über sie geäußert und auch in manchen

Fragen zu verschiedenen Zeiten einen verschiedenen Standpunkt eingenommen hat. Das läßt sich gerade an dem Gedanken der Universalkirche verfolgen.

Eine umfassende Untersuchung des Leibnizschen Kirchengedankens ist naturgemäß im vorliegenden Zusammenhang nicht zu leisten. Wir gehen hier lediglich den Zusammenhängen zwischen Leibniz und Calixt näher nach. Daß gewisse Beziehungen vorliegen, ergibt sich schon einem oberflächlichen Blick. Der Name Calixts taucht bei Leibniz gelegentlich in nicht unwichtigen Zusammenhängen auf. Es läßt sich darüber hinaus nachweisen, daß Calixt an manchen Stellen bei Leibniz gleichsam als ungenannter Gesprächspartner vorausgesetzt werden muß. Eine genauere Prüfung der fraglichen Zusammenhänge führt zu dem Ergebnis, daß gewisse calixtinische Gedanken nicht ohne Einfluß auf Leibniz geblieben sind.

Daß Leibniz Calixt nicht nur gelesen, sondern auch als Theologen besonders geschätzt hat, zeigt schon allein die Tatsache, daß er am Beginn seiner Korrespondenz mit Bossuet diesem die Lektüre Calixts als des hervorragendsten Vertreters der lutherischen Theologie empfiehlt[18]. Hier und bei anderer Gelegenheit bringt er zum Ausdruck, daß er in Calixt vor allem den Bahnbrecher für die theologia moderata, die konfessionell gemäßigte und „freiere" lutherische Theologie[19], und den Vorkämpfer für die kirchliche Reunion sieht[20]. Gemeinsam mit Molan versteht er sich in gewisser Weise als Fortsetzer der Einigungsbestrebungen Calixts, wie gerade auch die an dessen Vorschlägen geübte Kritik zeigt[21]. Aber über diese allgemeine Hochschätzung der Theologie und der Bestrebungen Calixts hinaus lassen sich auch in Leibnizens Kirchenbegriff selbst Beziehungen zu calixtinischen Gedanken feststellen.

Darauf führt die autobiographische Bemerkung Leibnizens über die Anfänge seiner Beschäftigung mit den Problemen der Kontroverstheologie. Er berichtet, daß ihm, als er fast noch ein Knabe gewesen sei, in der Bibliothek seines Vaters kontroverstheologische Schriften in die Hand gekommen seien, die er mit großem Vergnügen gelesen habe. „An den Schriften des Calixt fand ich große Freude; ich hatte auch viele andere verdächtige Bücher, welche nur durch ihre Neuheit sich genügend empfahlen. Damals sah ich zum ersten Male ein, daß nicht alles gewiß ist, was gewöhnlich dafür gilt, und daß oft mit großer Heftigkeit über Dinge gestritten wird, welche nicht von großer Bedeutung sind"[22]. Leibniz hat also sehr früh unter einem gewissen Eindruck der Schriften Calixts gestanden[23]. Dieser Eindruck kann, wenn Leibniz ihn noch viele Jahre später so ausdrücklich hervorhebt, nicht nur oberflächlich gewesen sein. Die Formulierung gibt darüber hinaus einen Hinweis darauf, daß es offenbar ein bestimmter Grundgedanke Calixts war, der in

dem jungen Leibniz etwas Entscheidendes wach werden ließ. Wenn er damals unter dem Eindruck der Lektüre Calixts – wenn auch nicht dieser allein –
begann, nicht alles für gewiß zu halten, was als gewiß galt, und nicht alles
für wichtig, worüber gestritten wurde, so darf man hierin einen Zusammenhang mit Calixts Unterscheidung zwischen Wichtigem und Unwichtigem,
Fundamentalem und Nichtfundamentalem vermuten. Dieser Zusammenhang wird um so wahrscheinlicher, wenn man sich vergegenwärtigt, daß eben
zu der Zeit, von der Leibniz berichtet, der synkretistische Streit seinen
Höhepunkt erreicht hatte und daß die Universität seiner Vaterstadt Leipzig
in der Auseinandersetzung eine Hauptrolle spielte[24]. Das „Verdächtige" der
Lektüre des jungen Leibniz wird im Blick auf die herrschende orthodoxe
Partei verstanden werden müssen. Auf der Unterscheidung zwischen Wesentlichem und Unwesentlichem beruhte gerade Calixts umstrittener universaler Kirchenbegriff. Auf dem Boden entsprechender Unterscheidungen hat
Leibniz später seine universale Kirchenanschauung entwickelt. Dies alles
legt die Annahme nahe, daß in diesem Punkt ein unmittelbarer Einfluß
Calixts vorliegt, ja man kann die Frage stellen, ob nicht möglicherweise die
Ideen Calixts sogar den Anstoß zur Ausbildung der Leibnizschen Konzeption der Universalkirche gegeben haben.

Leibniz ist freilich in seiner Kirchenanschauung über den universalkirchlichen Ansatz, den er bei Calixt fand, weit hinausgegangen. Die Überzeugung von der Übereinstimmung der Konfessionen in fundamentalibus bildet
bei ihm biographisch wie logisch allenfalls nur den Anfangspunkt, von dem
aus er zu seiner universalen Kirchenanschauung weiter fortschritt[25]. Ähnlich wie Molan gelangte er schon früh zu einem ausgeprägt „katholischen"
Kirchenbegriff[26]. Dieser weist in Begründung und Gestalt eine gewisse Verwandtschaft mit der Kirchenauffassung des späten Grotius auf. Mit diesem
verbindet Leibniz namentlich die rechtlich-soziologische Betrachtungsweise.
Wie für Grotius, so ist auch für ihn die Kirche eine notwendigerweise rechtlich strukturierte Gemeinschaft, eine geschichtlich-moralische „Person" mit
ihren eigenen Ordnungsgesetzen[27]. Mit realistischer Einschätzung der rechtlich-sozialen Gegebenheiten und Erfordernisse und zugleich mit humanistischer Ehrfurcht vor der Geschichte, zumal der frühen Kirche, akzeptiert er
die dogmatische und rechtliche Entwicklung der katholischen Kirche[28]. Die
hierarchische Gestalt gehört nach ihm zum Wesen der Kirche, er bejaht sie
mit Einschluß der päpstlichen Spitze als Garanten der notwendigen religiösen Einheit[29]. Dem Papst ist er bereit, den primatus ordinis und potestatis
sowie den Vorsitz in den ökumenischen Synoden kraft göttlichen Rechts zuzugestehen[30]. Das, was er als grundlegendes Prinzip des Katholizismus erkannte, hat er selbst vertreten: die Unfehlbarkeit der Kirche in ihrer legiti

men Repräsentation auf den universalen Konzilien[31]. Infolgedessen hat er auch die Lehrüberlieferung der katholischen Kirche, soweit er sie für legitim hielt, angenommen[32]. Normen der kirchlichen Lehre waren für ihn dabei wie für die Calixtiner die Heilige Schrift, die Tradition des kirchlichen Altertums und die Beschlüsse der gesamtkirchlichen Synoden[33].

Es lag nahe, daß die Grundgedanken seiner Kirchenanschauung ihn sich der katholischen Kirche nähern ließen[34]. Sachlich wie stimmungsmäßig hat er allerdings in dieser Beziehung eine Wandlung durchgemacht. Die „katholische" Grundgestalt des Kirchenbegriffs hat er indessen zeitlebens beibehalten, ihr nur später eine stärkere universalkirchliche Note gegeben. Niemals hat er jedoch die universale katholische Kirche, die ihm vor Augen stand, mit der römisch-katholischen einfachhin identifiziert. Vielmehr war er immer davon überzeugt, daß zu dieser universalen Kirche auch die Protestanten gehörten. Nicht weil er die römische und die protestantischen Kirchen als gleichberechtigte Teile der einen Kirche nebeneinandergestellt hätte; solche Gedanken deuten sich erst leise an, als er sich im Alter der innerevangelischen Union und vor allem der Verbindung mit der Ostkirche zuwendet[35] und von daher noch stärker als früher die geschichtliche Relativität der jeweiligen konfessionellen Entwicklungen in den Blick bekommt. Er rechnete vielmehr die Protestanten zur katholischen Kirche, weil er sie für rechtgläubig hielt und als von der römischen Kirche zu Unrecht ausgeschlossen betrachtete[36].

Es ist bezeichnend für seine harmonisierende Betrachtungsweise, daß er keine wirklich kirchentrennenden Unterschiede zwischen den Konfessionen zu entdecken vermochte. Die Differenzen zwischen der römischen Kirche und den Protestanten hielt er — soweit er sie nicht auf Mißverständnisse zurückführte — für ausgleichbar oder für unerheblich[37]. Freilich ist er hierin auch zugleich der Erbe der Kontroverstheologie des 17. Jahrhunderts. Sein unabhängiger Blick erkannte viel schärfer als die Vertreter der Spätorthodoxie auf der einen und der katholischen Kontroversisten auf der anderen Seite, daß in vieler Hinsicht eine faktische theologische Angleichung und Annäherung stattgefunden hatte. Er zieht nur in einer freilich stark vereinseitigenden Weise das Fazit aus der theologischen Entwicklung, und hierbei kam ihm die calixtinische Theologie zu Hilfe, die ihm als eine legitime Interpretation der Reformation galt[38]. Die wirklichen Unterschiede zwischen Reformation und Katholizismus hat er nicht gesehen und nach Lage der Dinge auch wohl nicht sehen können. Die Rechtfertigungskontroverse etwa erklärte er aus einer Verschiedenheit des jeweils ins Auge gefaßten juristischen oder moralischen Aspekts[39]. Schon Calixt hatte in den entscheidenden Punkten der Sünden- und Rechtfertigungslehre eine Verständigung für nicht unmög-

lich gehalten. Sein Schüler Molan lieferte Leibniz die theologische Bestätigung für seine Ausgleichsversuche. Die Differenzen bezüglich Tradition und
Lehramt meinte Leibniz durch den Hinweis auf die Confessio Augustana
beseitigen zu können, wo die protestantischen Stände seiner Ansicht nach die
Verbindlichkeit eines allgemeinen Konzils anerkannt hatten; auch hierin
fand er Unterstützung bei den calixtinischen Theologen. Die realen Gründe
für die Kirchentrennung fand er im Bereich der Praxis. Die Mißbräuche der
vorreformatorischen Kirche in der Handhabung der kirchlichen Gewalt, in
der Volksfrömmigkeit u. a. gaben den Reformatoren das Recht, die kirchliche Erneuerung zu fordern[40]. In der Kritik an den Mißbräuchen bleibt
auch bei Leibniz noch etwas vom altprotestantischen Geschichtsbild wirksam.
Gelegentlich trägt er Gedankengänge vor, die an Calixts Kritik der mittelalterlichen Kirche erinnern, so wenn er von der Habsucht und Neugier und von
den Weltherrschaftsansprüchen spricht, die die Kirche im Mittelalter kennzeichnen[41], von der Kulmination dieser Ansprüche bei Hildebrand[42], vom
Verfall der Kenntnis des Altertums und vom Auftreten der Bettelorden als
einer blind gehorchenden Miliz der Kurie[43]. Da die römische Kirche die be-
rechtigten Reformanliegen der Protestanten abwies, ist die Kirchenspaltung
eingetreten. Das Konzil von Trient hat die Heilung der Spaltung noch
weiter erschwert. Die Anathematismen des Konzils hält Leibniz für den
größten Schaden, den es der Kirche zugefügt habe; in dieser Kritik an den
Anathematismen bezieht er sich ausdrücklich auf Calixt[44]. Keine der getrennten Kirchen ist jedoch nach Leibniz häretisch, und auch keine schisma-
tisch, sofern sie nicht der Einigung obstacles contraires à la charité entgegen-
stellt[45]. Sie gehören daher alle noch zur universalen Kirche[46].

Im Vergleich mit den universalkirchlichen Ideen Calixts und weithin der
humanistisch-altkatholischen Irenik überhaupt ist Leibnizens Konzeption
durch eine realistischere, da geschichtliche Beurteilung der kirchlich-konfes-
sionellen Gegebenheiten ausgezeichnet. Er hat die diesbezüglichen Mängel
der früheren irenischen Konzeptionen empfunden und ausdrücklich zu korrigieren versucht. Mit deutlicher Kritik an (dem nicht namentlich genannten)
Calixt stellt er einmal fest, daß der Weg der Reduktion der heilsnotwendigen Wahrheiten auf das gemeinsame Fundament der altkirchlichen Konzilsentscheidungen zur Reunion ungeeignet sei, weil damit den Prinzipien
beider Seiten zu nahe getreten werde[47]. Leibniz erkannte als Aufgabe, die
beiderseitigen ‚Prinzipien‘ zu achten, d. h. die historisch gewordenen Indivi-
dualitäten der Konfessionen zu bewahren und miteinander zu versöhnen,
ohne die Eigenentwicklungen gänzlich zu streichen, wie Calixt dies wenigstens im Bereich der Lehre wollte. Auf der anderen Seite haftet seiner Konzeption allerdings das allzu Konstruierte an; offensichtlich werden die ver-

söhnenden Momente im Reunionsinteresse einseitig hervorgehoben; die Versuche, die Kontroversen in den Fragen der Rechtfertigung, der Kirche usf. auszugleichen und Tridentinum und Confessio Augustana zu harmonisieren, wirken mitunter beinahe sophistisch. In dieser Art, die Fragen zu behandeln, schimmert bei Leibniz ein Zug durch, auf den neuerdings mit Recht aufmerksam gemacht worden ist: ein gewisser Spiritualismus, der ihn letztlich keiner geschichtlichen Verwirklichung des Christentums ganz verbunden sein ließ [48]. Es ist bezeichnend, daß er die konfessionellen Kontroversen unabhängig von jeder kirchlichen Bindung untersuchen wollte, gleichsam wie einer, der unverhofft von einer anderen Welt auf die unsere getreten wäre [49]. Schon Zeitgenossen haben in dieser „Unparteilichkeit" einen Indifferentismus gewittert. Leibniz nährte diesen Verdacht noch, wenn er gelegentlich betonte, daß in der Religion im Grunde allein die Liebe zu Gott (amour de Dieu) entscheide [50]. Indessen hat er schon gegenüber Pellisson-Fontanier deutlich gemacht, daß seine Anschauung von der Gottesliebe im Zusammenhang des positiven Offenbarungsglaubens verstanden werden muß [51]. Er hat die geschichtliche Offenbarung und darüber hinaus sogar die unfehlbare kirchliche Auslegung angenommen und damit eine Verbindlichkeit geschichtlichen Heilshandelns Gottes anerkannt, die der Spiritualismus in seiner grundsätzlichen Geschichtsfremdheit nicht kennt [52]. Die spiritualistische Komponente seines Denkens ist daher nicht überzubewerten. Gleichwohl muß aber festgestellt werden, daß dem „unparteiischen" Philosophen das Kirchenproblem in einem letzten Sinne nicht zur existenziellen Frage geworden ist [53].

Wenn er sich nichtsdestoweniger in so zahlreichen Unternehmungen und Projekten für die kirchliche Reunion einsetzte, so dürfte der Grund dafür letztlich in seinem universalen Harmoniestreben zu suchen sein. Man wird mit der neueren Forschung die entscheidenden Anliegen Leibnizens darin sehen können, daß er den christlichen Gottesglauben und damit die geistigen Grundlagen Europas auf dem Boden einer neugewonnenen Verbindung von Glauben und Vernunft gegen die Gefahren behaupten und befestigen wollte, durch die er sie bedroht sah [54]. Schon als junger Mann zeichnet er in einem Briefe an Arnauld ein eindrucksvolles Bild von den Problemen und den Herausforderungen der Zukunft: In dem philosophischen Zeitalter, das anbricht, wird das philosophische Wahrheitsstreben weite Kreise ergreifen. Wird dann nicht die christliche Wahrheit im rechten Zusammenspiel mit der Vernunft geboten, wird der christliche Glaube in eine verzweifelte Lage geraten. Schlimmere Gegner als die Häretiker werden gegen ihn aufstehen, und Naturalismus und Atheismus, die letzte der Häresien, werden über Europa hereinbrechen [55]. Offensichtlich lebte Leibniz im Bewußtsein dieser Gefahr, sah aber zugleich auch noch die Möglichkeit, ihr zu begegnen. Diesem Ziel diente nicht nur seine Philosophie, sondern ebenso sein Wirken für die Förderung der Wissenschaften, für die Verständigung und den Ausgleich zwischen den Nationen oder Staat und Kirche und nicht zuletzt das unablässige Mühen um die Annäherung und Wiedervereinigung der Konfessionen. Ähnlich wie schon Calixt und die Ireniker aus der ersten Hälfte des Jahrhunderts erkannte er scharfsinnig die gefährlichen Folgen der Kirchenspaltung, „qui a fait tant de préjudice à la Chrestienté et causé tant de maux spirituels et temporels"[56]. Das Schisma zu beseitigen, mußte schon in Anbetracht dieser Wirkungen eine Hauptaufgabe darstellen. Dieses Motiv begegnete sich mit dem anderen, das für ihn aus dem Wesen der Kirche als Gemeinschaft der Liebe floß: die Einheit derer herzustellen, die in der einen Liebe zu Gott verbunden waren[57]. Ebenso wie in der Beurteilung der kirchlichen Kontroversen und in der Konzeption der Einheit faßt er damit auch in der Begründung der Irenik die wesentlichen Gesichtspunkte der Unionstheologie vor ihm in einer vertiefenden Sicht zusammen.

Wie in den Anschauungen Molans und Leibnizens, so lassen sich Nachwirkungen der Ideen Calixts auch in den Reunionsverhandlungen nachweisen, die von den beiden Männern geführt wurden. Die Geschichte der Molan-Leibnizschen Reunionsbemühungen weist zwei Brennpunkte auf: die Verhandlungen mit Spinola und die Korrespondenz mit Bossuet. Die Seele der ersteren war Molan[58], während die Diskussion mit Bossuet wesentlich von Leibniz geführt wurde. Den Abschluß der gemeinsamen irenischen Wirksamkeit bilden Verhandlungen über die Union mit den Reformierten. Die Geschichte dieser Unionsversuche ist hier nicht im einzelnen zu verfolgen. Wir zeigen lediglich an einigen der wichtigsten Punkte, inwieweit auch in den Einigungsprojekten calixtinische Gedanken eine Rolle gespielt haben.

Christoph Rojas y Spinola (Bischof von Tina, seit 1686 von Wiener Neustadt)[59] war einer der wenigen Katholiken im 17. Jahrhundert, die sich ernstlich um die Wiedervereinigung der Kirchen mühten. Von den siebziger Jahren des Jahrhunderts an wirkte er für die Reunion und unternahm teils unter dem Vorwande politischer Missionen im Dienste Kaiser Leopolds I., teils im ausdrücklichen Auftrage desselben[60] verschiedentlich Reisen an die protestantischen Höfe Deutschlands, um Verhandlungen über die Wiedervereinigung anzuknüpfen. Sein letztes Ziel war dabei naturgemäß, die Protestanten in der einen oder anderen Form zur katholischen Kirche zurückzuführen. In den Verhandlungen suchte er durch Andeutung möglicher und auch wohl von ihm selbst erhoffter Zugeständnisse seitens der Kurie seine protestantischen Gesprächspartner zunächst einmal für die Reunion zu erwärmen, in der Hoffnung, die Bereitschaft zur Rückkehr werde sich dann eines Tages von selbst einstellen[61]. Während seine Bemühungen in der Pfalz, in Sachsen und Brandenburg und an einigen anderen protestantischen Höfen[62] ohne nennenswerten Erfolg blieben, fand er in Hannover bei dem katholischen Herzog Johann Friedrich und später bei dessen Bruder und Nachfolger Ernst August großes Entgegenkommen[63]. Bei Johann Friedrich war dabei die persönliche religiöse Überzeugung maßgebend, während Ernst August den Reunionsversuchen im Zusammenhang mit seinen Bemühungen um die neunte Kur seine Förderung angedeihen ließ. Nach vorbereitenden Verhandlungen 1682[64] weilte Spinola vom Januar 1683 an fast ein halbes Jahr in Hannover, um mit den welfischen Theologen die Möglichkeiten der Reunion durchzusprechen. Dabei legte er als Verhandlungsgrundlage die angeblich von einem protestantischen Anonymus, in Wahrheit aber von ihm selbst verfaßte Schrift „Regulae circa Christianorum omnium Ecclesiasticam Reunionem" vor[65]. Die „Regulae" liefen im wesentlichen auf folgendes hinaus:

Die Hauptkontroversen der Konfessionen sind bei gutwilliger Deutung nicht kirchentrennend. Ihre definitive Entscheidung soll durch ein allgemeines Konzil erfolgen, dem sich beide Seiten zu unterwerfen haben und auf dem der Papst den Vorsitz führt. Bis zur Einberufung des Konzils soll eine einheitliche Hierarchie vom Pfarrer über die Bischöfe und Erzbischöfe hinauf bis zu den fünf Patriarchen wiederhergestellt werden, unter welchen dem Papst der Primat nach menschlichem Rechte zukommt. Das Konzil wird neben den anderen Kontroversen zu entscheiden haben, ob der Papst den Primat jure divino innehat und unfehlbar ist und ob dem Tridentinum letzte Gültigkeit zukommt.

Den hannoverschen Theologen erschien das Projekt zunächst unannehmbar, namentlich wegen der weitgehenden Festlegung auf das Papsttum[66]. Auf Befehl Ernst Augusts arbeitete Molan jedoch einen Gegenvorschlag aus[67], nach welchem die „Regulae" korrigiert werden sollten. Dieser Gegenvorschlag, betitelt „Methodus reducendae Unionis Ecclesiasticae inter Romanenses et Protestantes"[68], bildet das entscheidende Reunionsdokument, das von protestantischer Seite im Verlauf der bedeutsamen Verhandlungen vorgelegt worden ist. Alle weiteren Vorschläge und Entwürfe, auch in der Diskussion mit Bossuet, bewegten sich in dem Rahmen, der durch die „Methodus" abgesteckt wurde. Molan machte in dieser Schrift deutlich, von welchen Voraussetzungen man auf protestantischer Seite ausging und wieweit man der römischen Kirche glaubte entgegenkommen zu können. Dabei suchte er die calixtinische Konzeption so fortzuentwickeln bzw. zu korrigieren, daß ein echtes Gespräch mit der katholischen Seite möglich wurde. Er bezeichnete es ausdrücklich als den Mangel der Vorschläge Calixts, daß sie die unerläß-

liche Basis des Gemeinsamen auf das Apostolikum und die anderen altkirchlichen Symbole beschränkt hatten. Demgegenüber stellte er als Grundsatz
auf, daß die Mittel zur Wiedervereinigung nichts hinsichtlich der grundlegenden Positionen (hypotheses) der beiden Parteien präjudizieren dürften[69]. Er suchte also den Fehler Calixts zu vermeiden, der in unhistorischer
Weise der späteren Lehrentwicklung und damit auch den konfessionellen
Unterscheidungslehren letztlich ihre Relevanz abgesprochen hatte. Das bedeutete aber, daß die Bewältigung der Kontroversen der Gegenwart wieder
zur Hauptaufgabe im Einigungsgespräch wurde.

Auch in einem anderen Punkt ging Molan über die calixtinische Ausgangsposition wesentlich hinaus: Die Entscheidung über die konfessionellen
Streitfragen sollte nach Calixt allenfalls in die Hände einer Synode gelegt
werden, der aber Autorität nicht aus sich, sondern nur im Maß der Übereinstimmung mit Schrift und kirchlichem Altertum zukommen sollte. Für
Molan ist das Universalkonzil dagegen *das* Mittel der Wiedervereinigung,
und es besitzt auf Grund des Beistandes des Heiligen Geistes unbedingte
Autorität[70]. Im übrigen bleibt aber der calixtinische Kirchenbegriff durchaus
die Grundlage seiner Vorschläge. Wesentliche Voraussetzung seines Re-
unionsplans ist die Überzeugung, daß die getrennten Konfessionen in fundamentalibus übereinstimmen und daher bereits in der communio virtualis
stehen[71]. Deshalb kann das Werk der Einigung überhaupt mit Aussicht auf
Erfolg angegriffen werden. Auch die konkreten Vorschläge für die Herstellung der Einheit sind von dieser Voraussetzung her zu verstehen. Es sind in
großen Zügen folgende:

Die Vereinigung soll in drei Etappen erfolgen. Die erste Etappe bringt den
faktischen Zusammenschluß der getrennten Kirchengemeinschaften. Er verlangt von protestantischer und katholischer Seite Zugeständnisse: Den Protestanten wird das Recht eingeräumt, unter beiderlei Gestalt zu kommuni-
zieren und die lutherische Rechtfertigungslehre und die Priesterehe beizu-
behalten; die Privatmessen bleiben bei ihnen abgeschafft, ihre Geistlichen
sollen als rechtmäßig ordiniert gelten und die bischöflichen Rechte der evangelischen Fürsten ungeschmälert bleiben. Dafür sollen die Protestanten den
Papst als jure ecclesiastico positivo obersten Bischof anerkennen und ihm
in spiritualibus Gehorsam leisten, die communio sub una nicht als Häresie
verwerfen und ihre Geistlichen der kirchlichen Hierarchie eingliedern. In der
zweiten Etappe werden von einer Theologenkonferenz die Hauptkontroversen erörtert und wenn möglich geklärt werden. In der dritten Etappe wird
die verbindliche Entscheidung der verbliebenen Streitpunkte durch das allgemeine Konzil erfolgen. Auf diesem sollen die evangelischen Superinden-
ten gleichberechtigt mit den katholischen Bischöfen Sitz und Stimme erhal-

ten. Für die Verhandlungen macht Molan eine Reihe von Vorschlägen, die denen Calixts entsprechen. So sollen die Kontroversen in Form des Disputationsverfahrens erörtert werden; die Norm für die Entscheidungen des Konzils soll die Hl. Schrift in der übereinstimmenden Interpretation der Alten Kirche und der heutigen Patriarchate bilden; eine Berufung auf das Tridentinum wird von vornherein ausgeschlossen [72].

Die „Methodus" stellt ein wohlabgewogenes, wenn auch nicht in allen Stücken gleichmäßig starkes kirchenpolitisches Dokument dar. Sie fixiert sorgfältig die äußerste Grenze, bis zu der die protestantische Seite entgegenzukommen bereit war. Diese Grenze begann erst dort, wo die römische Kirche die vorgängige Anerkennung von Fakten verlangte (Papsttum, Autorität des Tridentinum), über welche nach Meinung Molans allererst das Konzil die legitime Entscheidung fällen konnte. Darin kommt die „Methodus" den Vorschlägen sehr nahe, die Spinola versuchsweise in den „Regulae" gemacht hatte. Sie präzisiert zugleich die protestantischen Bedingungen für die Vereinigung. Vielleicht wären diese nicht sämtlich unannehmbar für die katholische Seite gewesen. Hätte aber die römische Kirche wirklich das Risiko eingehen können, die universale Verbindlichkeit der Trienter Dekrete und die Stellung des Papstes von einer neuerlichen Konzilsentscheidung abhängig zu machen? Derartige Zugeständnisse hätten geradezu das Opfer der Selbstverleugnung um der unsicheren Rückgewinnung einiger Protestanten willen bedeutet.

Obwohl die „Methodus" viel verhieß und durch die freilich zögernd gegebene Zustimmung der Helmstedter Theologen Friedrich Ulrich Calixt und Gebhard Meyer noch an repräsentativem Gewicht gewann [73], blieb sie doch hinter dem von Spinola Erhofften zurück [74]. Er konnte sie lediglich zur Kenntnis nehmen und versprechen, sie der Kurie zur Prüfung zu übermitteln. Noch im selben Jahr begab er sich auch nach Rom, wo sein Bericht in einer günstigen Konstellation freundliche Aufnahme fand. Auf die Vorschläge Molans einzugehen, sah man sich aber nicht in der Lage [75]. Die Unionsverhandlungen kamen infolgedessen ins Stocken, und in den nächsten Jahren hinderten außerdem andere Aufgaben Spinola (inzwischen Bischof von Wiener Neustadt) daran, seine Pläne weiter zu verfolgen.

Erst Anfang der neunziger Jahre wurden die Verhandlungen erneut aufgenommen, und zwar durch die Vermittlung von Leibniz, der über den Stand der Dinge genau unterrichtet worden war und, obwohl nicht Teilnehmer der Konferenz von 1683, schon zu dieser Zeit Verbindung mit Spinola aufgenommen hatte. Molan hielt zwar eine Reunion nicht für möglich, solange die „Methodus" von der römischen Kirche nicht akzeptiert wurde [76], erklärte sich aber bereit, über eine Präliminarunion im Sinne der mutua tolerantia Calixts zu verhandeln[77]. Um die gemeinsame Basis, die eine solche Union voraussetzte, zu erweisen, verfaßte er 1694 eine neue Schrift unter dem Titel „Liquidationes controversiarum", in der er ganz im Sinne Calixts an den konfessionellen Kontroversen zeigte, daß die meisten Unterschiede nur verbal seien, die realen aber das Fundament nicht berührten. Von einer positiven Stellungnahme der katholischen Seite erhofften er und Leibniz die Einstellung der wechselseitigen Verdammung und die Schaffung einer reunio praeliminaris „salvis cuiusque partis opinionibus et ritibus tolerabilibus"[78]. Spinola konnte jedoch auch auf diesen Vorschlag nicht eingehen. Seine Annahme hätte die Anerkennung der Protestanten als Nicht-Häretiker und die Gleichberechtigung der lutherischen Kirche impliziert. Infolgedessen verliefen auch diese neuerlichen Verhandlungen, die nach dem Tode Spinolas (1695) noch mit seinem Nachfolger auf dem Bischofsstuhl von Wiener Neustadt, dem Grafen Buchheim, fortgesetzt wurden[79], erfolglos.

Ebensowenig führte die Korrespondenz mit *Bossuet* zu dem Resultat, das die Beteiligten sich erhofften[80]. Auch aus diesen Verhandlungen geht hervor, daß sich nicht mehr zwei verschiedene Kirchenbegriffe unüberbrückbar gegenüberstanden, sondern durchaus die Basis für eine Annäherung und möglicherweise sogar Verständigung gegeben gewesen wäre. Es war eine nachgeordnete Frage, die „quaestio facti"[81] der Ökumenizität des Trienter Konzils, an welcher die Einigung scheiterte. Auch hier wurde die Diskussion im Grunde genommen nicht zu ihrem wirklichen Ende geführt, sondern vorzeitig abgebrochen.

Der Briefwechsel zwischen Leibniz und dem Bischof von Meaux hatte ursprünglich einen literarischen Anlaß gehabt. Den Anstoß zur Erörterung der Fragen der Kircheneinigung gab Leibniz, der eine Beteiligung Bossuets an den Reunionsverhandlungen mit Spinola wünschte und ihm Unterlagen über den Unionskonvent von 1683 zukommen ließ[82]. Bossuet zeigte sich zunächst nicht interessiert; als aber Leibniz ihn 1691 erneut zur Teilnahme an den Arbeiten für die Reunion drängte, kam es zu den bedeutsamen Verhandlungen in den Jahren 1691–93 und 1699–1701.

Da Bossuet unterdessen die Dokumente von 1683 abhanden gekommen waren, erbat er sich eine neue Abschrift der Akten[83]. Um die protestantische Seite nicht am Anfang gleich offiziell festzulegen, beschlossen jedoch Leibniz und Molan, ihn von den hannoverschen Verhandlungen in Form einer privaten Stellungnahme zu unterrichten, und Molan übernahm die Ausarbeitung eines entsprechenden Schriftstücks. Seine „Cogitationes privatae"[84], die Bossuet im Dezember 1691 übersandt wurden, stellen eine breitere Ausführung der Vorschläge der „Methodus" von 1683 dar und sollten die Grundlage für die folgenden Verhandlungen abgeben. Das bedeutete, daß auch in

der Diskussion mit Bossuet der Versuch gemacht werden sollte, einen kirchenpolitischen Ausgleich zwischen dem fortgebildeten calixtinischen Kirchenbegriff und dem römisch-katholischen Kirchenverständnis zu finden. Obwohl
Bossuet die Schrift Molans mit einer eigenen Arbeit erwiderte[85], wurden die
weiteren Verhandlungen nun allerdings nicht so sehr um die speziellen Reunionsvorschläge geführt, als vielmehr um jene eine Frage der Geltung des
Tridentinum. Das lag in der Wendung begründet, die Leibniz der Diskussion alsbald gab. So notwendig ihm die praktischen Vorschläge, wie sie
Molan ausgearbeitet hatte, erschienen, für so wesentlich hielt er die Aufgabe,
zunächst diesen Fragenkomplex als Voraussetzung aller weiteren Schritte zu
klären.

Seine Argumentation gegenüber Bossuet[86] läuft im Kern auf die These
hinaus, daß rechtens noch gar kein verbindliches Urteil von seiten der römischen Kirche über die Protestanten ergangen und beide Teile daher verpflichtet seien, ihre Differenzen auf einem künftigen allgemeinen Konzil auszutra-
gen. Um seine These durchführen zu können, mußte er auf der einen Seite
unterstellen, daß die Protestanten wirklich bereit waren, sich einem allgemeinen Konzil als letztentscheidender und unfehlbarer Instanz zu unterwerfen[87]. Auf der anderen Seite kam alles auf den Nachweis an, daß das Tridentinum noch nicht das letzte Wort der römischen Kirche gewesen war, da
ihm die Ökumenizität fehlte. Er bezeichnet diesen Umstand im Hinblick auf
die Reunionspläne geradezu als ein providentielles Faktum[88]. Bei alledem
blieb er auf der Linie der Molanschen „Methodus". Zweifellos hatte es ihn
stark beeindruckt, daß sich 1683 immerhin eine beachtliche Gruppe von
Geistlichen und Professoren hinter die „Methodus" gestellt hatte. Um so
wichtiger war es, nicht über die Grenzen, die hier abgesteckt worden waren,
hinauszugehen, damit das Ganze nicht wieder gefährdet wurde. Die Anerkennung des Tridentinum lag jenseits dieser Grenzen und war auch in Zukunft von den lutherischen Theologen unmöglich zu erwarten. Aber nicht
nur aus diesen Erwägungen heraus bestritt Leibniz dem Konzil seine ökumenische Legitimation. Er war aus historischen Gründen in der Tat davon
überzeugt, daß die Ökumenizität mindestens sehr fragwürdig war. Nicht
etwa deshalb, weil die Protestanten in Trient nicht Sitz und Stimme gehabt
hatten, sondern weil es dem Konzil auch nach römisch-katholischen Maß-
stäben seiner Meinung zufolge an Ökumenizität gebrach[89]. Gleichwohl
wollte er die Reunionsfrage nicht unbedingt mit dieser speziellen historisch-
juristischen Frage verknüpfen. Was er meinte auf jeden Fall für die protestantische Seite erreichen zu sollen, war die Abhaltung eines neuen Konzils.
Selbst wenn das Tridentinum die erforderlichen Eigenschaften aufgewiesen
haben sollte, erklärt er einmal, werde ein neues allgemeines Konzil über die

Auslegung der tridentinischen Dekrete entscheiden müssen[90]. Doch ist dies nur ein gelegentlicher Gedanke. Schon aus historischer Gewissenhaftigkeit bestand er auf seiner Beurteilung des Tridentinum. Bossuet hat diesen Standpunkt mißverstanden oder sogar absichtlich als prinzipielle Leugnung der konziliaren Unfehlbarkeit gedeutet[91]. Er scheint die Sache überhaupt mehr als Frage der individuellen Konversion Leibnizens und allenfalls einiger Hannoveraner betrachtet zu haben; sonst hätte er vermutlich die Chancen, die die Vorschläge Molans und Leibnizens boten, besser wahrzunehmen gesucht. Auf eine präzise Erörterung des historischen Sachverhalts ließ er sich schließlich nicht mehr weiter ein, sondern forderte rundweg die Unterwerfung unter das Tridentinum als Bedingung der Reunion[92]. In die Verhandlungen kam damit ein scharfer Ton, das Gespräch wandelte sich zur Auseinandersetzung, um dann zunächst für Jahre unterbrochen und nach erneutem vergeblichem Briefwechsel endgültig abgebrochen zu werden. Damit endete dieser große evangelisch-katholische Verständigungsversuch, der unter Bedingungen unternommen wurde, wie sie lange Zeit nicht wiedergekehrt sind. Es war zugleich auch das letzte Einigungsgespräch, in dem versucht wurde, eine Brücke zwischen der von Calixt inspirierten universalen Kirchenidee und dem römisch-katholischen Kirchenbegriff zu schlagen.

Die Ideen Calixts versprachen dagegen noch einmal, eine tragfähige Grundlage für den innerprotestantischen Kirchenfrieden abzugeben, als 1697 auf Anregung von Leibniz zwischen Berlin und Hannover Verhandlungen über eine lutherisch-reformierte Union aufgenommen wurden. Um ein Gespräch über die Union anzuknüpfen, ließ Leibniz 1697 durch Friedrich Ulrich Calixt eine neue Ausgabe von Georg Calixts Schrift „De tolerantia Reformatorum" besorgen und nach Berlin senden[93]. Auf Weisung Kurfürst Friedrichs III. arbeitete daraufhin der reformierte, selbst lebhaft an der innerevangelischen Verständigung interessierte Hofprediger *Daniel Jablonski* einen Unionsentwurf aus, der im Dezember 1697 in Hannover überreicht wurde. Er bemühte sich um den Nachweis, daß der zwischen beiden Kirchen bestehende Unterschied „den Grund Christlichen Glaubens keineswegs anfechte"[94], und schlug vor, in eine unparteiische Prüfung der beiderseitigen Lehren einzutreten und als ersten Schritt auf dem Wege zur Union die tolerantia ecclesiastica zu vereinbaren[95].

Ernst August von Hannover beauftragte Molan und Leibniz mit der Abfassung eines Gutachtens zu diesem Entwurf, das Anfang 1698 fertiggestellt wurde[96]. Sie vertraten darin den schon von Calixt aufgestellten Grundsatz, daß die „absonderlichen Dogmata der reformierten Kirchen nicht unter diejenigen welche den Grund des Glaubens evertiren" zu zählen seien; die Reformierten seien als „gliedmaßen der allgemeinen christlichen Kirche und

brüder in Christo und miterben des zukünftigen ewigen lebens" anzuerkennen (dies war fast wörtlich die Formulierung Calixts)[97]. Die Lehrunterschiede
in bezug auf die göttlichen Eigenschaften, die Person Christi, die ewige
Gnadenwahl und das Abendmahl wollten sie nicht verkleinern. Diese Differenzen sollten jedoch der wechselseitigen Toleranz, die sie als das nächste
kirchenpolitische Ziel bezeichneten, nicht im Wege stehen.

Nachdem dieses Gutachten, das die Zustimmung zu den Vorschlägen
Jablonskis bedeutete, vertraulich nach Berlin übermittelt worden war, fand
im Sommer 1698 ein Gespräch von Leibniz, Molan und Jablonski in Hannover statt. Man stellte fest, daß die Gegensätze der beiden Konfessionen nicht
fundamental seien, und einigte sich darauf, eine gemeinsame protestantische
Unionskirche unter der Bezeichnung „Evangelische Kirche" vorzuschlagen[98].
Das war ein Ergebnis, das ganz in der Linie der Vorstellungen Calixts über
den evangelischen Kirchenfrieden lag, wenn er sich auch über die Art des
anzustrebenden Zusammenschlusses nicht näher geäußert hatte[99].

Der Vorschlag hatte freilich auch dasselbe Schicksal wie die Bemühungen
Calixts. Von Berlin aus wurden die Unionspläne – wohl wegen des Widerstandes der kurbrandenburgischen Lutheraner – wieder fallen gelassen, und
auch der später noch zwischen Leibniz und Jablonski geführte Briefwechsel
zeitigte kein weiteres Resultat[100]. Mit dem erfolglosen Ausgang dieser Unterhandlungen stehen wir auch am Ende der kirchenpolitischen Wirkungen,
die von der ökumenischen Theologie Calixts ausgingen.

SCHLUSSWORT

Die universalkirchlichen Ideen Calixts und die aus ihnen erwachsenen irenischen Bestrebungen müssen, wie besonders am Synkretismus-Streit deutlich
wird, auf dem Hintergrund der Frage nach der Ökumenizität der lutherischen Kirche gesehen werden. In den Kämpfen um die Reformation hatte das
lutherische Verständnis der Kirche und ihrer Einheit im Augsburgischen Bekenntnis seinen grundlegenden Ausdruck gefunden. Nach Artikel VII bildeten die reine Lehre des Evangeliums und die rechte Verwaltung der Sakramente die entscheidenden Kennzeichen der Kirche, und zur kirchlichen Einheit genügte demgemäß die Übereinstimmung hinsichtlich der doctrina evangelii und der administratio sacramentorum[1]. In dieser Bestimmung wird das
bleibende Problem sichtbar, das sich für das Luthertum im Hinblick auf die
kirchliche Einheit ergibt: wie nämlich das maßgebende Kriterium des kirchlichen Konsensus näherhin zu verstehen und zu umschreiben ist. In den weiteren Auseinandersetzungen der Reformationszeit fand das frühe Luthertum
die Antwort, daß die Gemeinschaft im reformatorischen Bekenntnis die Einheit in der Wahrheit gewährleiste. Die Kämpfe um das Bekenntnis lassen
sich von daher als ein Ringen um die Übereinstimmung nach Confessio Augustana VII als der Bedingung der kirchlichen Einheit begreifen. Auf der
Grundlage des abschließenden Bekenntnisses, der Konkordienformel von
1577, entwickelte die lutherische Orthodoxie folgerichtig das exklusiv-kon-
fessionalistische Kirchenverständnis, das für den nachreformatorischen Protestantismus weithin kennzeichnend ist.

Der calixtinische Universalismus ist als eine Reaktion des altkatholischen
Kirchengedankens gegen diese Entwicklung im Luthertum zu verstehen. Die
universalkirchliche Theologie Calixts erwuchs freilich, wie unsere Darstellung
gezeigt hat, aus mehreren Wurzeln. Einerseits ließen ihn die melanchthonische Tradition der Heimat und der starke humanistische Einfluß während
der entscheidenden Studienjahre sich frühzeitig der Alten Kirche zuwenden
und in ihr das Idealbild der Kirche überhaupt erkennen; weiter war es die
Unionstheologie erasmianischer Prägung, die ihn zu seiner Konzeption der
Universalkirche anregte. Andererseits stand er in der Tradition der reformatorischen Theologie, von der seine dogmatischen Anschauungen bestimmt
wurden, mochte auch der reformatorische Gehalt infolge der Verbindung mit

dem Aristotelismus eine charakteristische Brechung erfahren. Auch in der Lehre von den fundamentalen Glaubensartikeln erwiesen sich bestimmte lutherische Motive als wirksam, und in seinem Kirchenverständnis blieb Calixt mindestens formal durchaus auf dem Boden des Augsburgischen Bekenntnisses. Denn er ging von der unbezweifelten Voraussetzung aus, daß rechte Lehre und Sakramentsverwaltung für die kirchliche Einheit ausreichend seien. Nur beschränkte er im Unterschied zur Orthodoxie den notwendigen Konsensus auf die Übereinstimmung im Apostolischen Glaubensbekenntnis. Diese Übereinstimmung wurde für ihn zum Wesensmerkmal der wahren Kirche und – zusammen mit dem altkirchlichen Zeugnis – zur Basis für die Wiedervereinigung der Konfessionen. War seine Lösung auch für das Luthertum unannehmbar, so kann sie gleichwohl als der legitime Versuch einer Selbstprüfung der lutherischen Theologie und Kirche hinsichtlich ihres ökumenischen Selbstverständnisses gelten. Ihrem ganzen Charakter nach gehört seine universalkirchliche Theologie allerdings trotz der lutherischen Grundlagen zum Typus der altkatholischen Irenik, deren besondere Lösungsversuche und Schwierigkeiten sich in ihr wiederholen.

Es zeigte sich, daß die Hauptschwäche der Konzeption Calixts in ihrer Ungeschichtlichkeit[2] und der damit zusammenhängenden Simplifizierung der christlichen Wahrheit lag. Der Ausgangspunkt war für ihn zunächst ein einfacher und an sich legitimer Gedanke: daß es nämlich gelte, zu der Glaubensmitte, dem „Grunde" zurückzufragen, von dem her der Christ, und sei es der schlichteste, lebt und die Kirche ihre Einheit gewinnt. Wenn er diesen „Grund" im Apostolikum fand, so nicht – jedenfalls nicht primär –, weil alle darin übereinstimmten, sondern weil er darin das necessarium zu erkennen glaubte, in welchem die unitas erfordert war. Die Anknüpfung an das vinzentianische Kriterium der raumzeitlichen Übereinstimmung ergab sich ihm dabei aus der Tatsache, daß alle Konfessionen das Apostolikum und das altkirchliche Zeugnis als verpflichtende Lehrgrundlage anerkannten. In der vergröbernden Interpretation des sogenannten Consensus quinquesaecularis stellte sich seine These später naiver dar, als sie in der Tat gemeint war.

Die kritischen Fragen, die an seine Konzeption der kirchlichen Einheit zu richten sind, können mithin nicht schon dem Versuch als solchem gelten, die fundamentalia zur Grundlage der kirchlichen Versöhnung zu machen. Die Kritik muß vielmehr bei der Lösung einsetzen, zu der er gelangte. Der entscheidende Punkt ist hier die Begrenzung des heilsnotwendigen Glaubens auf den Inhalt des Apostolikums. In seinem Vertrauen auf die Klarheit und Durchsichtigkeit der Heilswahrheit glaubte er, eine saubere Scheidung zwischen den vermeintlich eindeutigen und jedem Gutwilligen unmittelbar verständlichen Fundamentalartikeln und ihrer Explikation vornehmen zu können. Diese Scheidung ermöglichte es ihm, die fundamentalen Glaubenswahr-heiten gewissermaßen von der Geschichte ihrer Deutung abzulösen und un-ter Zuhilfenahme einer nicht haltbaren historischen Konstruktion im Apo-stolikum zu lokalisieren. Es lag ihm völlig fern, damit der Relativierung das Wort zu reden. Er legte ja vielmehr auf die unverbrüchliche Geltung der grundlegenden Dogmen gerade allen Nachdruck. Aber die Relativierung wurde unvermeidlich, wenn der einende Glaube in dieser ungeschichtlichen Weise minimalisiert und simplifiziert wurde. Hier mußte er denn auch auf den Widerstand aller Konfessionen einschließlich der eigenen stoßen. Seine Gegner hüben und drüben besaßen zwar kein ausgeprägteres Verständnis für die Geschichtlichkeit der Kirche und des Dogmas, aber doch ein stärkeres Bewußtsein von dem Gewicht des historisch Gewordenen, dessen Wahrheits-anspruch sie im Gehorsam gegen die überkommenen Traditionen – hier der Reformation, dort der römischen Kirche – verteidigten.

Der calixtinische „Fundamentalismus" vermochte somit nicht die Basis für ein fruchtbares Reunionsgespräch zu bieten. Trotz ihrer entscheidenden Schwächen eröffnete die Konzeption Calixts auf der anderen Seite aber doch auch echte ökumenische Perspektiven. Denn die Eingrenzung des Fundamen-talen auf einen gemeinsamen Bereich, der alle großen Kirchen als Teile der einen, universalen Kirche legitimierte, gab die Möglichkeit, die verschiedenen Eigenüberlieferungen und nicht zuletzt die gemeinsame Tradition des christ-lichen Altertums und des Mittelalters nicht nur kritisch, sondern auch positiv zu werten und in das Bild der Universalkirche einzubauen. Von daher ge-winnen Calixts Reunionsideen wiederum einen sehr gefüllten Hintergrund. Und wenn auch seine irenischen Bemühungen scheiterten, so wurde seine universalkirchliche Theologie, wie wir sahen, in anderer Beziehung doch auch historisch wirksam. So vermochte sie dort, wo sie sich – wie teilweise im nordwestdeutschen Luthertum – gegen die Orthodoxie durchsetzte, ein ge-samtkirchliches Bewußtsein zu fördern. Und indem sie die Gedanken der alt-katholischen Unionstheologie in einer originalen Ausprägung auf lutheri-schen Boden verpflanzte, leitete sie hier jene irenische Bewegung ein, deren Höhepunkt die Reunionsbestrebungen von Molan und Leibniz bildeten. Darüber hinaus half sie dem Gedanken der Verständigung zwischen Luthe-ranern und Reformierten den Weg bahnen, der anderthalb Jahrhunderte später zur Union der beiden Konfessionen in einigen deutschen Ländern ge-führt hat.

Die calixtinischen Ideen und Bestrebungen können jedoch nicht nur histo-rische Bedeutung als Manifestation eines vom Bild der Alten Kirche inspi-rierten Kirchengedankens und Friedenswillens im Luthertum beanspruchen. Vielmehr bieten sie darüber hinaus eine Reihe von Gesichtspunkten, die trotz der erörterten Mängel auch heute im Gespräch zwischen den Konfessionen sachliche Tragweite besitzen dürften.

So darf bei den Bemühungen um die Wiederherstellung der kirchlichen Einheit die Wahrheitsfrage nicht umgangen, sie muß vielmehr in den Mittelpunkt gestellt werden. Dabei ist Ernst zu machen mit der *Einheit der Wahrheit*. Wenn diese Voraussetzung entfällt, erübrigt sich die Wahrheitsfrage und damit auch das Gespräch um die Einigung selbst[3].

Geht es im Gespräch der Konfessionen um die eine Wahrheit, deren Verständnis sie trennt, so ist jedoch zwischen dem, was wesentlich zur christlichen Glaubensüberlieferung gehört, und dem, was zu ihr in entfernterer Beziehung steht, also zwischen *Fundamentalem* und Nichtfundamentalem zu unterscheiden. Die kirchentrennenden Verschiedenheiten sind demgemäß darauf zu prüfen, ob bzw. inwieweit sie wirklich denjenigen Bereich des christlichen Glaubens berühren, innerhalb dessen die Lehreinheit unbedingt erforderlich ist. Auch wenn die von den ‚altkatholischen‘ Irenikern versuchten Unterscheidungen zwischen fundamentalen und nichtfundamentalen Wahrheiten nicht nachvollzogen werden können, muß im Gespräch um die Einheit doch die Frage nach der Grenze zwischen Wesentlichem und Unwesentlichem im Auge behalten werden.

Das Gespräch miteinander setzt sodann die Anerkennung eines wie auch immer näher zu bestimmenden gemeinsamen Christseins der Getrennten voraus. Für die Verständigung ist infolgedessen die Anknüpfung an die *Gemeinsamkeiten in Vergangenheit und Gegenwart* von wesentlicher Bedeutung. Für Calixt war ebenso wie für Molan und Leibniz ein leitender Gesichtspunkt in der Betrachtung der Kirchengeschichte der Gedanke der Kontinuität. Nur auf dem Boden eines Kirchenverständnisses, das um eine Kontinuität der Kirche und um die daraus resultierenden gemeinsamen Bindungen weiß, ist ein ernsthaftes Gespräch um die Wiedervereinigung der Konfessionen möglich.

Mit ihrer Betonung der Kontinuität nahmen sowohl Calixt als auch Molan und Leibniz ein Anliegen der lutherischen Kirchengeschichtsbetrachtung auf[4]. Daneben fehlte auch das andere Moment des lutherischen Verständnisses der Kirche und ihrer Geschichte nicht, das Offensein für das immer neue Wirken des Heiligen Geistes. Allerdings ist ein Überwiegen des Kontinuitätsgesichtspunkts auf Kosten desjenigen der Aktualität nicht zu verkennen. Das kommt besonders etwa in der Deutung der Reformation zum Ausdruck. Das Verständnis der Reformation als des – bis jetzt noch nicht ans Ziel gekommenen – Versuchs, den Zustand der Kirche im fünften Jahrhundert zu restaurieren (Calixt) oder die Depravationen der Theologie und Sittlichkeit des Spätmittelalters zu korrigieren (Leibniz), reicht nicht aus, um der geschichtlichen

Wirklichkeit gerecht zu werden [5]. Das Ernstnehmen der Möglichkeit, daß der Kirche im Verlauf ihrer Geschichte aus der Offenbarung neue Erkenntnisse aufgehen können, ist aber für ein fruchtbares Gespräch zwischen den Konfessionen ebenso unerläßlich wie das Ernstnehmen der Kontinuität ihrer Geschichte. Grundlage des Einigungsgesprächs muß daher ein Kirchenverständnis sein, das Kontinuität und Aktualität gleicherweise berücksichtigt.

Mit dem Rückgang auf die gemeinsame Geschichte wird ein Faktor erschlossen, der in jedem universalen Kirchenbegriff eine wichtige Rolle spielen wird: die gemeinsamen strukturellen Merkmale, die – als „vestigia ecclesiae" oder wie immer verstanden – alle großen Kirchen verbinden und geradezu ihre Kennzeichen als Kirche ausmachen. So sind allen Kirchen gemeinsam: die Heilige Schrift und die altkirchlichen Symbole; die Sakramente der Taufe und der Eucharistie; das kirchliche Amt (vielfach bis hin zum Bischofsamt). Hinsichtlich dieser Merkmale besteht noch in gewissem Sinne die kirchliche Einheit, ja die Einheit ist in ihnen gleichsam vorgeformt, und daran kann das Einigungsgespräch zwischen den Kirchen anknüpfen.

Die Einigungsbestrebungen Calixts wie Molans und Leibnizens zeigen ferner, daß Vorbedingung für ein fruchtbares Gespräch die Erarbeitung einer *gemeinsamen philosophischen und theologischen Sprache* ist. Calixt und auch noch Molan und Leibniz befanden sich in der seither nicht wiedergekehrten Situation, daß sie bei ihren Gesprächspartnern in einem hohen Maße die gleiche wissenschaftliche Denk- und Redeweise voraussetzen konnten, die es gestattete, daß man einander verstehen und bis zu einem gewissen Grade auch zu einer Verständigung kommen konnte. Das interkonfessionelle Gespräch der Gegenwart steht vor der Aufgabe, allererst gemeinsame begriffliche Voraussetzungen zu schaffen, die ein gegenseitiges Verstehen und einen echten Dialog ermöglichen.

Das Ernstnehmen der Geschichte und ihres Auftrags läßt endlich den Graben zwischen den Reformationskirchen und der *katholischen Kirche* als die Haupttrennung erkennen, die es zu überwinden gilt. Calixt, Molan und Leibniz können als Zeugen dafür gelten, daß es eine Dringlichkeitsordnung in der Wiedervereinigung gibt und die kirchliche Einheit sich letztlich an der Verständigung mit der katholischen Kirche entscheidet.

Die calixtinische Irenik vermag indessen nicht nur konstruktive Hinweise wie die vorstehenden zum interkonfessionellen Gespräch beizutragen, gerade auch ihr typisches Versagen ist erhellend für die Gegenwart. Denn die grundlegenden Schwierigkeiten der von Calixt im Anschluß an die altkatholische Unionstheologie entwickelten Lösung des Einheitsproblems führen auf entscheidende Fragen auch der heutigen ökumenischen Diskussion. Wenn sich die von Calixt vorgeschlagene Unterscheidung zwischen Fundamentalem und

Nichtfundamentalem als undurchführbar erweist, andererseits aber eine solche Unterscheidung eine unabweisbare Aufgabe im Einigungsgespräch bildet, so stellt sich die Frage, wie denn der Wesensgehalt der Offenbarung überhaupt auf angemessene Weise vom Nichtwesentlichen abgehoben werden kann. Diese Frage läßt sich nur auf dem Wege über eine Klärung der Bedingungen beantworten, unter denen sich die geschichtliche Überlieferung der christlichen Wahrheit vollzieht. Damit aber stehen wir vor dem zentralen kontroverstheologischen Problem des Verhältnisses von Offenbarung und Überlieferung.

Die Reformation suchte dieses Verhältnis mit Hilfe des sogenannten Schriftprinzips in der Weise zu bestimmen, daß die Heilige Schrift als das allein zuverlässige, von menschlicher Entstellung freie Zeugnis vom Worte Gottes aller menschlichen Überlieferung gegenübergestellt wurde. Die Schrift hatte danach als Richter über der Kirche und ihrer Lehrüberlieferung zu stehen, und die Schriftgemäßheit wurde dementsprechend das maßgebende Kriterium aller christlichen Lehre. Das Schriftprinzip brachte nun aber eine ganz wesentliche Schwierigkeit mit sich. Der Grundsatz „sola scriptura", der auf der einen Seite der strengsten Bindung an das reine, unverfälschte Wort Gottes dienen sollte, bedeutete auf der anderen Seite die ständige Korrigibilität der kirchlichen Verkündigung und damit die Bedrohung der Beständigkeit kirchlicher Lehre und Gestalt durch häretische Mißdeutung, die sich ihrerseits auf die Schrift berief. Diese Bedrohung hat der alte Protestantismus gesehen und dadurch abzuwehren versucht, daß er die reformatorische Bekenntnistradition zur verpflichtenden Norm für alle kirchliche Lehre erhob. In der Linie dieser Lösung steht auch Calixt, nur maß er den reformatorischen Bekenntnissen keinen großen Wert bei, sondern entwickelte zur Sicherung des Dogmas gegen das häretische Fehlverständnis das altkirchliche Traditionsprinzip. Dabei folgte er ebenso wie die lutherische Orthodoxie der Tendenz, der Tradition eine unwiderrufliche Geltung zuzuerkennen. War die Autorität der Tradition hier wie dort grundsätzlich in der sachlichen Übereinstimmung mit der Schrift begründet, so trat bei Calixt das formale Kriterium der raumzeitlichen Übereinstimmung hinzu, während die lutherisch-orthodoxe Theologie *faktisch* die Nichtrevidierbarkeit des Bekenntnisses praktizierte. In beiden Fällen ist der Versuch erkennbar, die bezeichnete Schwierigkeit mit Hilfe eines neuen Traditionalismus definitiv zu lösen.

Weder der Bekenntnistraditionalismus der Orthodoxie noch das Traditionsprinzip Calixts konnten jedoch eine zureichende Antwort auf das Problem von Beständigkeit und Wandel in der kirchlichen Überlieferung bieten. Der orthodoxe Traditionalismus verdeckte den geschichtlichen Charakter der Überlieferung eher als daß er ihn klärte. Und ebenso erwies sich das Traditionsprinzip Calixts, das im Grunde auf der vom Gelehrten dekretierten Abgrenzung eines idealen Zeitraums der Kirchengeschichte beruhte, als unzulänglich, um die Frage der Verbindlichkeit kirchlicher Lehrüberlieferung zu beantworten und das Wesen kirchen- und dogmengeschichtlicher Entwicklung verständlich zu machen. Calixt verkannte, daß zur Wahrheit ihre Geschichte, und daß deshalb auch zum „Fundament" nicht nur ein Bestand, sondern auch dessen Verständnis und Überlieferung gehören; er vermochte infolgedessen auch die Lösung, die ihm bei seinen katholischen Gesprächspartnern entgegentrat, nämlich das Verständnis der Weitergabe der christlichen Wahrheit als Selbstauslegung der Offenbarung in der kirchlichen Überlieferung, nicht voll zu erfassen. Er meinte, die katholische Kirche dahin bringen zu sollen – und das hielt er für möglich –, tausend Jahre ihrer geschichtlichen Entwicklung den kritischen Normen von Schrift und Altertum, wie er sie verstand, zu unterwerfen. Das hier zutage tretende mangelhafte Verständnis des Problems entsprach allerdings der allgemeinen Lage in der Kontroverstheologie. In der konfessionellen Auseinandersetzung standen die einseitig zugespitzten Positionen gegeneinander, ohne daß es im gesamten nachreformatorischen Zeitalter zu einem fruchtbaren Gespräch über den Fragenkomplex von Schrift und Tradition gekommen wäre. Der protestantischen These von der Suffizienz der Schrift setzte die katholische Apologetik die Lehre von der mündlichen Tradition als zweiter Glaubensquelle entgegen, der protestantischen Behauptung der Klarheit diejenige der Interpretationsbedürftigkeit der Schrift, der protestantischen Verfechtung ihrer normativen Autorität den Erweis der Notwendigkeit eines lebendigen judex controversiarum. Dabei verteidigte der alte Protestantismus mit dem Schriftprinzip im Grunde nicht die prinzipielle Offenheit der Kirche gegenüber der Schrift, sondern die eigene theologische Tradition, die er in den „deutlichen" Stellen der Schrift bestätigt fand und in Abgrenzung gegen Katholizismus, Calvinismus und nicht zuletzt Calixtinismus schließlich in einem diffizilen System fundamentaler Glaubenslehren fixierte. Die katholische Theologie, der von der vorgegebenen Überlieferungsstruktur her das Gefühl für die Geschichtlichkeit des Dogmas näher lag, vermochte andererseits den Zusammenhang der Faktoren Schrift, Tradition und Lehramt im Überlieferungsprozeß nicht hinreichend sichtbar zu machen, um einen eindeutigen Überlieferungsbegriff zu gewinnen.

Die theologische Entwicklung hat seither das Problem, um das es in der konfessionellen Kontroverse geht, deutlicher hervortreten lassen. Man wird es als das Problem der grundsätzlichen Wertung der kirchlichen Auslegung (als Vollzug und als Überlieferungsgut) im Verhältnis zur Offenbarung bezeichnen können. Das verschiedene Verständnis dieses Verhältnisses bedingt auf der einen Seite die Auffassung der kirchlichen Überlieferungsgeschichte als einer kontinuierlichen Entfaltung des Dogmas unter der regulierenden Leitung des unfehlbaren Lehramts, auf der anderen Seite die dialektische Bestimmung der Beziehung zwischen Schrift und Überlieferung, derzufolge die Kirche ständig und total der Korrektur und Erneuerung durch die Schrift geöffnet ist[6]. An dieser grundlegenden Verschiedenheit sind die Bemühungen Calixts und letztlich auch Molans und Leibnizens um die katholische Kirche gescheitert. Die Ursache ihres Mißerfolgs lag in der Natur des Gegensatzes, aber auch in der Tatsache, daß sie der konfessionellen Verschiedenheit nicht gerecht wurden und nicht gerecht werden konnten, da sie dem Selbstverständnis weder der einen noch der anderen Seite genügend Rechnung trugen. Um so deutlicher zeigt sich, daß nur die zureichende Klärung der überkommenen Kontroverse und der in ihr sichtbar werdenden Frage nach der Geschichtlichkeit der Kirche auch das Grundproblem einer Lösung näher bringen kann, das sich jeder ökumenischen Bemühung stellt: wie sich das von Christus her Einende, das „Fundament", so bestimmen läßt, daß eine echte Einigungsbasis gewonnen und dabei doch dem geschichtlich Gewordenen Rechnung getragen wird. Die Verständigung zwischen den Konfessionen wird von der Bewältigung dieser Fragen abhängen, um die unablässig und geduldig gerungen werden muß.

ABKÜRZUNGEN

Vollständige Titelangaben s. Quellen- und Literaturverzeichnis

Schriften Calixts

App. theol.	Apparatus theologicus
De conj. cler.	De conjugio clericorum tractatus
De praec. capp.	De praecipuis christianae religionis capitibus
Digr. de arte nova	Digressio de arte nova
Diskurs	Diskurs von der wahren christlichen Religion und Kirchen
Epit. Theol.	Epitome Theologiae
Epit. Theol. mor.	Epitome Theologiae moralis
Orr. sel.	Orationes selectae
Prooem.	Sancti Augustini, Vincentii Lerinensis etc. ed., Prooemium
Resp. Mog.	Responsum theologorum Moguntinorum vindiciis oppositum
Scripta facientia etc.	Scripta facientia ad colloquium Torunii indictum
WW	Widerlegung der Verleumdungen, damit D. J. Weller etc.

Andere Titel

A	Leibniz, Sämtliche Schriften und Briefe (Akademieausgabe)
ADB	Allgemeine Deutsche Biographie
H I; II 1, 2	Henke, Georg Calixtus Bd. I; II 1, 2
Henke, Briefw.	Henke, Georg Calixtus' Briefwechsel
RE	Realenzyklopädie f. Protestantische Theologie und Kirche ³1896 ff.
S. C.	Calov, Syncretismus Calixtinus
Syst. I	Calov, Systema locorum theologicorum I

Archive, Bibliotheken

Archiv Wolf.	Niedersächsisches Staatsarchiv Wolfenbüttel
Bibl. Wolf.	Herzog-August-Bibliothek Wolfenbüttel
CG Extr.	Cod. Guelf. . . . . Extravag. (Bibl. Wolf.)
UB Gött.	Niedersächsische Staats- und Universitätsbibliothek Göttingen
UB Hamburg	Staats- und Universitätsbibliothek Hamburg
UB Kiel	Universitätsbibliothek Kiel

ANMERKUNGEN

Die vollständigen Titelangaben finden sich im Quellen- und Literaturverzeichnis. Einige Quellen des 17. Jhs. werden nicht nach Seiten bzw. Blättern (Bl.), sondern nach Thesen (Th.) zitiert, um die Auffindung der angezogenen Stellen zu erleichtern.

VORWORT

[1] „Caeterum magna hoc tempore dubitatio existere videtur, ubi Catholica et Apostolica illa Ecclesia quaerenda sit: hominibus enim per dissidia et contendendi studium in multas partes divisi et ecclesiis quibusque seorsim sibi congregantibus, unaquaeque harum Orthodoxum et Apostolicum nomen sibi aptare cupit. Quare si gens aliqua earum sit, quae nunquam Evangelico jugo subditae fuerint, ad Christianam autem religionem accedere hodie velit, dubitare possit, ad quamnam ecclesiarum se conferre debeat: tam ea res obscura et ambigua esse videtur, singulis se solos pios esse putantibus, caeteros autem nullo loco habentibus." Metrophanes Critopulus, Confessio 81.

[2] Vgl. HIRSCH, Geschichte der neueren evangelischen Theologie I 1. Buch.

[3] S. III. Teil 2. Kap. Anm. 56.

[4] Hier und im folgenden wird der Begriff des „Altkatholischen" nicht im Sinne des modernen Altkatholizismus, sondern allgemeiner zur Kennzeichnung einer an der Alten Kirche orientierten Kirchenanschauung gebraucht (so auch z. B. KANTZENBACH, Das Ringen um die Einheit der Kirche).

[5] Vgl. II. Teil 2. Kap.   [6] Vgl. KANTZENBACH aaO.

[7] Geschichte der synkretistischen Streitigkeiten 1846.   [8] H I, II 1853/60.

[9] Dogmengeschichte des Protestantismus IV 363 ff.

[10] Kalvinismus und Luthertum im Zeitalter der Orthodoxie I 257 ff.

[11] Gottfried Arnold 474 ff.   [12] KANTZENBACH aaO. 230—244.

[13] Geschichte der Ökumenischen Bewegung I 106 ff.

[14] Vgl. BENZ, Leibniz und die Wiedervereinigung der Kirchen 100 Anm. 3. — Auf Grund der Darstellung Kantzenbachs aaO. stellt G. HOLTZ in seiner Besprechung ThLZ 83 (1958) Sp. 778 fest, daß „eine evangelische ökumenische Theologie bei Calixt Entscheidendes nicht zu lernen" vermag. Das trifft zu, sofern damit positive Lösungen gemeint sind, die Calixt der heutigen lutherischen Theologie anbieten könnte. Gleichwohl dürften die grundsätzlichen Fragen und Anliegen, die sich bei Calixt zu Wort melden, eine Auseinandersetzung mit ihm nicht nur rechtfertigen, sondern für eine ökumenische Theologie des Luthertums auch erfordern. Während der Drucklegung gewährte mir freundlicherweise Dr. Johannes Wallmann noch Einblick in seine im Erscheinen begriffene Dissertation „Der Theologiebegriff bei Johann Gerhard und Georg Calixt" (Zürich 1960, in Vorb. bei Mohr/Tübingen). Sie berührt unsere Thematik nur am Rande, trägt aber wertvolle Ergebnisse zum Gesamtbild der Theologie Calixts bei. Wichtig ist namentlich die Untersuchung des Verhältnisses von Theologie und Glaube, an dem Wallmann die Unterschiede zwischen der Orthodoxie und Calixt scharf herausarbeitet, wobei er Calixt stärker als die bisherige Forschung und auch als die vorliegende Arbeit bereits im Vorblick auf die Aufklärung und Schleiermacher deutet.

I. TEIL

CALIXTS THEOLOGIE

1. KAPITEL

VON MEDELBY ZUR HELMSTEDTER PRIMARPROFESSUR

[1] Die Angaben Henkes zur Abstammung und Jugend Calixts (H I 79 ff.) konnten durch Material, das ihm nicht zur Verfügung stand, ergänzt bzw. richtiggestellt werden. In den folgenden Anmerkungen ist darauf jeweils hingewiesen.

[2] S. Anm. 1.   [3] H I, II.

[4] Über Johannes Calixtus vgl. J. MOLLER, Cimbria literata I 83 f.; HALLING, Beiträge zur Familiengeschichte des Geschlechtes Callisen 3 ff. und: Meine Vorfahren und ihre Verwandtschaften 540 ff. Zur Abstammung der Mutter Calixts vgl. ebd. 545 f. und Stammtafel 550, wo die ungenauen Angaben der Leichenprogramme für Georg und Friedrich Ulrich Calixt (und danach Henkes I 81) auf Grund der Mitteilungen von O. Moller, Erneuertes Andenken an Gerdt von Merfeldt 13 korirgiert werden. Nach O. MOLLER, dem die entsprechenden Quellen zugänglich waren, wurde Calixts Mutter Catharina 1541 als Tochter des Ratsverwandten Claus Rickertsen geboren. Sie heiratete am 28. 7. 1566 den Kaufmann Titke Paulsen und nach dessen Tode am 23. 5. 1585 im Hause ihres Schwagers Gerdt v. Merfeldt Johannes Calixtus. Sie starb 1634. Außer ihrem Sohn Georg hatte sie noch eine Tochter aus erster Ehe.

[5] Henke gibt I 80 im Anschluß an J. MOLLER, Cimbria literata III 121 richtig Medelby als Geburtsort an. Dagegen nennen H. N. A. JENSEN, Versuch einer kirchlichen Statistik des Herzogtums Schleswig, Flensburg 1840, 466; ACHELIS, Schleswig-holsteinische Studenten der Theologie auf der Universität Helmstedt 1574—1636 in: Schriften des Vereins f. schleswig-holsteinische Kirchengeschichte, 2. Reihe 8 (1928) 429 und erneut ebd. 12 (1953/54) 188; CHR. VOIGT, Flensburg, ein Heimatbuch, I Fl. 1929, 447 Flensburg als Geburtsort. Quelle für diese These ist O. MOLLER, Erneuertes Andenken des G. v. Merfeldt, der sich 13 auf eine Stelle in Jonas Hoyers Diarium Flensburgense (MS UB Kiel) beruft. An der betreffenden Stelle seines Diarium (18) stellt Hoyer die „Doctores so alhir geboren" zusammen und nennt an erster Stelle Georg Calixt. Entweder hat er nun aber in der Absicht, eine möglichst glanzvolle Aufstellung zu geben, den nahen Umkreis der Stadt mit einbezogen, oder er war nicht mehr genau informiert, denn die Aufstellung stammt aus der Zeit nach 1616, in welchem Jahre Calixt den Doktorgrad erwarb. Jedenfalls spricht Calixt selbst in der Widmung seiner Ausgabe der Disputationes de praecipuis christianae religionis capitibus von 1613 an den Rat der Stadt Flensburg davon, daß er „urbem vestram *paene* natalem" nennen könne. Als Geburtsort ist demnach Medelby festzuhalten.

[6] In der von O. MOLLER, Erneuertes Andenken des Bürgermeisters Heinrich von Merfeldt, 6 mitgeteilten Widmung einer Disputation de natura Logices vom Jahre 1604 nennt Calixt seine Verwandten Boethius und Jakob von Wetring und Heinrich von Merfeldt „Maecenates mei". — Hiernach ist H I 84 f. zu ergänzen.

[7] Der Begriff der Orthodoxie hat eine Doppelbedeutung: er bezeichnet einmal die rechtgläubige, im Anschluß an die reformatorischen Bekenntnisse entwickelte Theologie; sodann die Gesamtheit der orthodoxen Theologen selbst. Im folgenden wird der Begriff im Sinne dieser Doppelbedeutung einmal für die gesamte lutherische Orthodoxie mit Einschluß Calixts, zweitens aber auch, enger gefaßt, zur Bezeichnung der lutherischen Gegner Calixts bzw. ihrer Theologie gebraucht. Es wird jeweils aus dem Zusammenhang deutlich werden, in welchem Sinne der Begriff verwendet wird.

[8] WW T f. Vgl. zum Zusammenhang FEDDERSEN, Kirchengeschichte Schleswig-Holsteins II, 280, 287 f.; WILHELM JENSEN, Schleswig-Holstein und die Konkordienformel, Schriften des Vereins f. schleswig-holst. Kirchengeschichte, 2. Reihe 15 (1957), 85 ff.

[9] Vgl. u. S. 70.   [10] Vgl. Calixts Äußerung H I, 83 f. Anm. 4.

[11] Vgl. MICHELSEN, Melanchthon und Schleswig-Holstein.

[12] Er war Tischgenosse Melanchthons, vgl. ACHELIS, Schleswig-holsteinische Studenten (wie Anm. 5).

[13] Hierzu und zum Folgenden vgl. H I 81 ff.   [14] Johannes Calixtus, Elegia.

[15] Wie Anm. 10.

[16] Dies berichtet Calixts Freund Radigin (Schleswig 16. 10. 1616, in Bibl. Wolf. CG Extr. 84, 11.

[17] Z. B. Colloquium Haemelsb., 32, 35.

[18] Nach GEORG CLAEDEN, Historische Nachrichten der Stadt Flensburg, 1751 (MS UB Kiel p. 342) trat Calixt am 5. Juli (H I 84 nennt richtig Juli) 1598 in die Schule ein. Zum Lehrplan vgl. O. M. BRASCH, Flensborg Latin- og Realskoles Historie (o. J.), zur Flensburger Schulzeit auch Chrysander, Diptycha Professorum Theologiae 99.

[19] Vgl. BRASCH, aaO. 34 ff.

[20] Im Katalog der Bibliothek, die der Stifter der Schule, ein ehemaliger Franziskaner namens Lütje Nommen, der Schulbücherei vermachte, finden sich neben den bedeutenderen Kirchenvätern die Namen Beda, Rupert von Deutz, Hugo von St. Viktor, Albertus Magnus, Bonavenura, Nikolaus von Lyra, Bernhardinus von Siena, Pico della Mirandola, Gabriel Biel, Cochlaeus, John Fisher, Georg Witzel, Alphons a Castro, Albert Pighe, Johann Faber, Johann Eck u. a. Vgl. O. MOLLER, Erneuertes Andenken — Ludolphus Naamani, Flensburg 1774, 45 ff.

[21] In einem Brief des späteren Pfarrers an Calixt vom 27. 3. 1611 (UB Gött. Cod. MS Philos. 110 I 233).

[22] Vgl. ACHELIS aaO. 430.

[23] Zur Geschichte der Universität Helmstedt in ihrer Frühzeit vgl. bes. H I 1—78; 88—105.

[24] Vgl. PETERSEN, Geschichte der aristotelischen Philosophie im protestantischen Deutschland 263 ff.

[25] Über Caselius vgl. RE III 735 ff.; KOLDEWEY, Geschichte der klassischen Philologie auf der Universität Helmstedt, 38 ff. — Über Martini bes. MAX WUNDT, Die deutsche Schulmetaphysik des 17. Jhs., 98 f. — Calixt nennt in einem Brief von 1624 Caselius und Martini als diejenigen, „quorum familiaris et paene intimus semper fui" (UB Gött. Cod. MS Philos. 92, 65).

[26] Zum Studiengang s. H I 106 ff.

[27] Gegen RITSCHL, Dogmengeschichte des Protestantismus IV 370 ist mit Henke I 113 doch wohl daran festzuhalten, daß Martini Calixts Lehrer auch in der Dogmatik wurde, zumal Calixt Martinis Haus- und Tischgenosse war.

[28] Hrsg. von H. J. Scheurle, Wolfenbüttel 1650.   [29] Vgl. RITSCHL aaO.

[30] Zum Folgenden vgl. H I 118 ff.   [31] Vgl. Titius, Laudatio funebris B 2.
[32] Ebd. B 3.

[33] Georgi Calixti Holsati de Pontificio Missae sacrificio Tractatus, veröffentlicht Frank-
furt/M. 1614.   [34] S. H I 148 Anm. 2.

[35] Die Akten der Disputation wurden nach seinem Tode herausgegeben (Colloq. Haemelsb.).

[36] H I 276.   [37] Nicht Horn, wie Wundt aaO. 104 aus Hornejus liest. (Vgl. H I 253).
[38] Vgl. III. Teil 1. Kap.   [39] Vgl. II. Teil 3. Kap.   [40] Vgl. II. Teil 5. Kap.
[41] Vgl. H I 331 ff.

[42] Zu den Familienverhältnissen Calixts vgl. H I 310 ff. Er lebte in Helmstedt in einem
großen Hause, in dem er auch ein Studentenkonvikt beherbergte. Gute äußere Verhältnisse
gestatteten ihm sogar den Erwerb einer eigenen Druckerei (1628), in der fast alle seine späteren Schriften gedruckt worden sind. Vgl. dazu H I 438 ff. und Husung, Georg Calixtus zu
Helmstedt, ein gelehrter Drucker.

[43] Also praktisch des Rektors, da, wie üblich, das Rektorat Angehörigen von Fürstenhäu-
sern, etwa Prinzen des Welfenhauses, vorbehalten war.   [44] Vgl. H I 381 ff.

[45] Vgl. H II 1, 61 f.   [46] Vgl. H I 414.   [47] Vgl. u. 3. Kap.

[48] Zur Bedeutung der Trennung von Dogmatik und Ethik für die protestantische Theologie vgl. Karl Barth, Kirchliche Dogmatik I 2, 878. Auf diesen Fragekreis kann im folgenden nicht eingegangen werden.   [49] Vgl. II. Teil 5. Kap.

2. KAPITEL

ARISTOTELISCHE PHILOSOPHIE

[1] Vgl. Weber, Reformation, Orthodoxie, Rationalismus I 2, 351. S. auch u. 3. Kap.

[2] Zum Zusammenhang von Vernunft und Werkerei vgl. Lohse, Ratio und Fides 17 ff.

[3] Vgl. von Loewenich, Luthers Theologia crucis 87 ff. Zum Folgenden ferner Schlink,
Weisheit und Torheit in: Kerygma und Dogma 1 (1955) 1 ff.

[4] Vgl. Link, Das Ringen Luthers um die Freiheit der Theologie von der Philosophie
166 ff.   [5] S. Anm. 4.   [6] WA I 355, 2 f. Concl. 29, vgl. Concl. 24.

[7] Vgl. Lohse aaO. über die befreite Vernunft bei Luther (bes. 43, 98 ff.). Link formuliert als Kriterium der reformatorischen Verhältnisbestimmung, daß die Philosophie,
in den Dienst der Theologie genommen, den „Blick auf das gnädige Handeln Gottes mit
uns Menschen als Sündern" freihalten müsse (aaO. 164 f.). In diesem Zusammenhang ist
auch auf den praktischen Gebrauch der Philosophie durch die Reformatoren hinzuweisen.
Sie bedienen sich in ihrer theologischen Arbeit unbedenklich philosophischen Begriffsmaterials verschiedenster Herkunft. Darüber hinaus ist zu fragen, ob nicht grundlegende Ansätze Luthers wie die Paradoxien der theologia crucis („philosophia sacra" gegen die des
Aristoteles, v. Loewenich aaO. 84) oder die Theorien über die göttliche Allwirksamkeit oder
über die Ubiquität als Durchbrüche auch zu neuen philosophischen Aussageweisen zu deuten
sind (vgl. E. Seeberg, Luthers Theologie in ihren Grundzügen 46 ff.; Schlink aaO. 6 [„ge-
schichtlich-existenzielles" Denken durchbricht die scholastische Denkform], 20).

[8] Vgl. Lohse aaO. 105 u. ö.

[9] Für das Verhältnis Orthodoxie-Luther ist jedoch auch in diesem Zusammenhang die
Vielschichtigkeit in Luthers Denken in Rechnung zu stellen, die verschiedene Anknüpfungen
erlaubte.

[10] Vgl. PETERSEN, Geschichte der aristotelischen Philosophie im protestantischen Deutschland 43 ff.; SCHLINK aaO. 7 f. Zur Geschichte der Wiederaufnahme der aristotelischen Philosophie im Altprotestantismus vgl. bes. WEBER, Die philosophische Scholastik des Protestantismus und: Reformation, Orthodoxie, Rationalismus I 2, II; PETERSEN aaO.; LEWALTER, Spanisch-jesuitische und deutsch-lutherische Metaphysik; MAX WUNDT, Die deutsche Schulmetaphysik des 17. Jahrhunderts.

[11] Vgl. PETERSEN aaO. 53.

[12] Vgl. An den christlichen Adel, WA VI, 457, 35 ff.

[13] Vgl. SCHLINK aaO. 7.

[14] Vgl. R. SEEBERG, Lehrbuch der Dogmengeschichte IV, 2, 435.

[15] Vgl. ebd. 436 ff. und ELERT, Morphologie I 46 ff.

[16] Flacius hatte im Anschluß an gewisse Aussagen Luthers die Erbsünde als die Substanz des Menschen bestimmt und damit die These von der radikalen Verderbtheit des gefallenen Menschen zu sichern versucht. Seine Lehre wurde wegen ihrer „manichäischen" Konsequenzen verworfen.   [17] Bekenntnisschriften 775, 36 ff.

[18] Vgl. LEWALTER aaO. 59 u. öfter.   [19] Vgl. ebd. 29, 55.   [20] Vgl. u. S. 13.

[21] Zur Geschichte der Schulmetaphysik vg. bes. WEBER, Die philosophische Scholastik; LEWALTER aaO.; WUNDT aaO.   [22] Vgl. WUNDT aaO. 40 f.

[23] Vgl. LEWALTER aaO. 40; WUNDT aaO. 60.   [24] WUNDT aaO. 35.

[25] Seit dem Hoffmannschen Streit (s. o. S. 3) schärft er seinen Schülern ein: „si quispiam ... existimet alicubi Philosophiam Theologiae contradicere, eum nos censebimus male de Deo ejusque donis judicare, quippe qui eum sibi adversum faciat, secumque pugnantem, quando omnis veritatis auctor Deus est, mendacium autem a Diabolo." Epistola in qua respondet etc. Den gleichen Standpunkt vertritt Calixt.

[26] Vgl. WUNDT aaO. 99.   [27] Vgl. LEWALTER aaO. 58 f.

[28] Vgl. LEWALTER passim.

[29] Vgl. LEWALTER aaO. 41, 59. — Einen Überblick über die Forschung gibt LEWALTER 8 ff.   [30] Vgl. ebd. 31.

[31] Vgl. ebd. 76. — Die Bemerkung KANTZENBACHS, Das Ringen um die Einheit 235, daß die Helmstedter Aristoteliker „eine schulmäßige Metaphysik mit polemischer Tendenz gegen die philosophische Scholastik der lutherischen Orthodoxie betrieben" hätten, gibt den Sachverhalt nicht genau wieder. Es ist ein und dieselbe Schulphilosophie, die in Abweisung des Ramismus in Helmstedt *und* Wittenberg, Leipzig usw. ausgebildet wurde. (Eine gewisse Sonderstellung nahm lediglich Altdorf ein.) In Helmstedt wurde nur das humanistische Anliegen dabei stärker betont.

[32] Die genannten Motive erklären die Rezeption der Metaphysik — und d. h. des *ganzen* Aristoteles — zu einem guten Teil. Es bliebe jedoch noch aufzuhellen, wie es dazu kam, daß den Bedürfnissen, die zur Wiederaufnahme der aristotelischen Philosophie führten, mit einem *reinen* Aristotelismus Rechnung getragen wurde, ohne Berücksichtigung anderer philosophischer Ansätze. Weiter wäre zu fragen, ob die wissenschaftlichen Notwendigkeiten allein schon die Begeisterung zu erklären vermögen, mit der die neue Wissenschaft weithin aufgenommen wurde. Einen bemerkenswerten, aber nicht befriedigenden Versuch, die Schulmetaphysik in Beziehung zum Geist des Barock zu setzen und von daher zu deuten, hat Eschweiler, Die Philosophie der spanischen Spätscholastik, unternommen (‚Praktischer' Intellektualismus ein gemeinsames Bedürfnis des Barockzeitalters, dem die suarezische Metaphysik entgegenkam. Vgl. dazu LEWALTER aaO. 16 ff. und WUNDT aaO. 268 ff.). Überzeugender WUNDT aaO. 264 ff. (Die deutsche Schulmetaphysik und der Geist des Barock), bes. 276: Die Metaphysik zeigt, daß „man die Welt nicht mehr aus dem Menschen,

sondern den Menschen aus der Welt verstehen wollte". — Diesen Fragen ist im Zusammenhang der vorlgd. Arbeit jedoch nicht weiter nachzugehen.

[33] Vgl. z. B. Epit. Theol. Prolegg. I. (de usu disciplinarum in Theologia) Bl. 11, 16 ff.;
Quastio de causa odii qua hodie exercetur philosophia (1619) in: Orr. sel. 125 ff.

[34] Vgl. H I 108 f.   [35] Vgl. Or. fun. in memoriam C. Martini.

[36] Vgl. Epit. Theol. Prolegg. I Bl. 11.   [37] Wie Anm. 35.

[38] JöCHER, Allgemeines Gelehrten-Lexikon III 227 über C. Martini: „Man beschuldigt
ihn, daß er immer gesagt hätte: wer die Logic und Methaphysic wohl gelernet hätte, der
könnte im Augenblick die Bibel verstehen."

[39] Vgl. De praec. capp. 122 (Deus non foret, si sibimet contradicat) und 259 (Deus potest
facere quidquid non implicat contradictionem).

[40] Turrianus sollte als Erkenntnisprinzip das päpstliche Lehramt, Calixt die Hl. Schrift
dartun. Colloqu. Haemelsb. 7.   [41] Ebd. 34.

[42] Ebd. 53 f.

[43] Nachrichten darüber im Briefwechsel des jungen Calixt, Bibl. Wolf. CG Extr. 84, 11
und UB Gött. Cod. MS philos. 110 I.

[44] Erhalten sind Disputationum Logicarum Quarta de Praedicamentis VII posterioribus;
Quaestiones philosophicae XII (beides 1610).

[45] Disputationum methaphisicarum VII. de caussis formali et finali (1617), fin.: „Dux
tibi (dem Respondenten) Calixtus, tradens mysteria veri, nocte nimis caeca, quae latuere
diu."

[46] Vgl. LEWALTER aaO. 59, 76. S. auch Anm. 47.

[47] Or. fun. in memoriam C. Martini 15 (zit. auch H I 108 Anm. 1): der Arbeit Martinis
und nach ihm Anderer ist es zu danken, „ut nunc . . . tam conveniente et legitimo ordine
constitutam traditamque teneamus methaphysicam, qualem ne ipse quidem viderit Aristoteles, et nemo forte ante nostram aetatem".   [48] Zu Ramus vgl. PETERSEN aaO. 129 ff.

[49] App. theol. 52. Gegenüber dem Ramismus gebraucht Calixt das Beispiel des Arztes,
der sich nicht damit begnügen dürfe, die Namen der Krankheiten zu kennen, sondern auch
mit ihren Ursachen vertraut sein müsse.

[50] Vgl. Or. fun. in memoriam C. Martini 15; Quaestiones philos. Qu. I.

[51] Vgl. Or. fun. ebd. u. Epit. Theol. Prolegg. I Bl. 17.

[52] „A vocabulis actus, potentiae, causae, effectus, necessarii, contingentis, totius, partium,
substantiae, accidentis, positivi, privativi Theologus nec abstinet nec abstinere potest."
Prolegg. I ebd. Die Bl. 19 angeführten Beispiele für den Gebrauch der Methaphysik in der
Theologie entstammen der Dogmatik.   [53] Ebd. Bl. 18.

[54] Or fun. in memoriam C. Martini 16 (zit. auch H I 108 Anm. 2). Vgl. auch LEWALTER
aaO. 76.

[55] Orr. sel. 128. Ebd.: Dici non potest, quantum vim boni in universam mortalium
nationem diffundat Philosophia."   [56] Vgl. LEWALTER aaO. 54 f., 72.

[57] Vgl. ELERT, Morphologie I 46 f.

[58] Epit. Theol. Prolegg. I Bl. 2; App. theol. 3. Vgl. C. Martini, Comp. Theol. 57 ff.,
239 ff.   [59] Epit. Theol. 22.

[60] De veritate unicae religionis christianae Th. 1. Vgl. Melanchthon (C. R. XIII 647):
„Deus est mens aeterna, sapiens, verax, justa, casta, beneficia, conditrix mundi, servans
rerum ordinem, et puniens scelera."

[61] App. theol. 3 (principia menti nostrae naturaliter insita).

[62] Epit. Theol. 22. Zu idealistischen Ansätzen der Orthodoxie vgl. WEBER, Reformation,
Orthodoxie und Rationalismus I 2, 345 f.   [63] Vgl. Epit. Theol. Prolegg. I Bl. 2.

⁶⁴ Vgl. App. theol. 3.

⁶⁵ Vgl. ebd. 71 (Religio juxta merum et solum dictamen naturae).

⁶⁶ Ebd. 67.   ⁶⁷ De veritate unicae religionis chr. Th. 3; 4.   ⁶⁸ Ebd. Th. 17 ff.

⁶⁹ App. theol. 59 ff. (De diversis religionibus, quae in orbe terrarum vel olim fuerunt, vel etiam hodie sunt.)   ⁷⁰ Vgl. ebd. 75.   ⁷¹ Vgl. ebd. 91 und Epit. Theol. 25, 30.

⁷² Vgl. Epit, Theol. 22 ff.   ⁷³ Ebd. 19 f.   ⁷⁴ De veritate etc. Th. 25; 31.

⁷⁵ Vgl. etwa De conjugio clericorum.   ⁷⁶ Epit. Theol. mor. 45 ff.

⁷⁷ Ebd. 46 ff. Zum thomistischen Naturrecht vgl. FELIX FLÜCKIGER, Geschichte des Naturrechts I (1954) 473 ff.   ⁷⁸ Vgl. z. B. App. theol. 70; De ver. rel. chr. etc. Th. 7.

3. KAPITEL

LUTHERISCHE THEOLOGIE

¹ De ver. rel. chr. Th. 10.   ² Epit. Theol. 22 f.

³ Vgl. De ver. rel. chr. Th. 6 (necessitas) u. ö.   ⁴ Epit. Theol. 62   ⁵ Ebd. 2.

⁶ Zum Verhältnis von Offenbarung und Vernunft in der altprotestantischen Theologie vgl. TROELTSCH, Vernunft und Offenbarung; WEBER, Der Einfluß der prot. Schulphilosophie und: Reformation, Orthodoxie, Rationalismus. — Die Auffassung des Verhältnisses von Offenbarung und Vernunft in der lutherischen Theologie des 17. Jhs. charakteristisch formuliert bei GEORG KÖNIG, Casus conscientiae, Altdorf 1654, 115 f.: Nos rationem humanam magnifacimus, et pro singulari Dei beneficio acceptamus illiusque usum quoad veritatem connexionum, etiam in divinis, apud nostros depraedicamus, scientes, quod fideles νουνεχῶς oporteat credere; At pro norma credendorum eam nunquam admittimus".

⁷ Allgemeinere Darstellungen der Theologie Calixts bei GASS, Geschichte der prot. Dogmatik II 68 ff.; DORNER, Geschichte der prot. Theologie 606 ff.; FRANK, Geschichte der prot. Theologie II 1 ff.; RITSCHL aaO. 374 ff.   ⁸ Epit. Theol. Prolleg. I Bl. 3.

⁹ Epit. Theol. 55, vgl. 31 f.

¹⁰ Zur späteren Auffassung von der Inspiration s. u. S. 58 f.

¹¹ Colloquium Haemelsb. 7, vgl. Epit. Theol. 35.   ¹² Epit. Theol. 18 f., vgl. 14.

¹³ Vgl. de praec. capp. 86: S. Scriptura sufficiens et perfecta.

¹⁴ Ebd. 85: patet de rebus fidei supremum judicium deferendum esse soli Spiritui S. prout in Scripturis loquitur.   ¹⁵ Epit. Theol. 38.

¹⁶ Vgl. de praec. capp. 85 f. und Prooem. 29.

¹⁷ Die Vorlesungen von 1616 wurden drei Jahre später als Epitome Theologiae gedruckt. — Zur analytischen Methode vgl. WEBER, Der Einfluß 20 ff. und ALTHAUS, Die Prinzipien der reformierten Dogmatik 40 ff.   ¹⁸ Vgl. WEBER aaO. 22.

¹⁹ In der Synopsis Theologiae analytico ordine comprehensa, Gießen 1610 (Das Heilsziel der Rechtfertigung bzw. der Wiederherstellung des göttlichen Ebenbildes (I) ist vom Menschen (II) durch die von Gott gegebenen Mittel (III) zu erlangen), vgl. WEBER, Reformation, Orthodoxie, Rationalismus II, XVII; XIX; vgl. ders., Der Einfluß 28.

²⁰ Vgl. ebd. 29 (Mentzer wurde kaum beachtet).   ²¹ Epit. Theol. 4-6.

²² Ebd. 63 ff.   ²³ Ebd. 68 ff.   ²⁴ Ebd. 136 ff.

²⁵ Die Ekklesiologie behandelt Calixt in einem eigenen, zweiten Teil der Dogmatik (ebd. 277 ff.). Hierin ist ihm später der Reformierte Ludwig Crocius gefolgt, vgl. WEBER, Der Einfluß 31 f., 43.

[26] Vgl. Epit. Theol. 63 f.: „Unicuique rei suum bonum suamque perfectionem competere nemini dubium esse potest, . . . Haec autem perfectio suo perfectibili proportionata est, ita ut illa minor aut deterior esse non possit re perficienda: Neque enim perfectio foret, si . . . appetitum ejus (subjecti sui) sufficienter (non posset) explere." Calixt führt dies dann für die anima rationalis durch. — Ähnlich leitet schon Cornelius Martini seine Dogmatik ein (Comp. Theol. 1 f.). Er kennt zwar noch nicht die analytische Methode in der Theologie, stellt aber die Darstellung ebenfalls bereits unter den Gesichtspunkt des praktischen Zieles. Sie beginnt mit den Worten: „Tandem ergo, Anima mea, restituere Tibi. Quid hactenus tam diversam trahunt curae et cogitationes tot modis te indignae? . . . dum in via sumus, de hospitio cogita vel potius de patria . . . Age itaque, mens . . . te ipsam, quae sis, quae fueris, quae futura sis, inquirere et investigare tenta." Es folgt eine ausführliche Darstellung der natürlichen Erkenntnis Gottes und der Seele. Dann setzt die eigentliche dogmatische Darlegung ein. Calixt geht aber mit der Einführung der analytischen Methode über Martini hinaus.

[27] Vgl. z. B. Epit. Theol. 85 (Catholica ὀρθοδοξία).

[28] De praec. capp. 17. Vgl. MIGNE PSG XXXVI, 2, 147/8 A/B.

[29] Vgl. Resp. Mog. Th. 93; De haeresi Nestoriana 23.

[30] Vgl. De praec. capp. 36 ff. (de persona et officio Christi); Epit. Theol. 150 ff.; Disp. de persona et officio Christi 1623.   [31] Disp. de persona et officio Christi Th. 52.

[32] Epit. Theol. 166 ff.

[33] Vgl. Bekenntnisschriften, Konkordienformel Epitome VII, VIII; Solida Declaratio VII, VIII.   [34] Vgl. MEYER, Kirchengeschichte Niedersachsens 105 f.

[35] De praec. capp. 43 ff. und Epit. Theol. 155 ff.

[36] Vgl. De praec. capp. 262.   [37] Am ausführlichsten Epit. Theol. 93 ff.

[38] Vgl. WEBER, Der Einfluß 150 f.

[39] Vgl. De praec., capp. 110 f.: „Refellitur (Flacius) non multo negocio". Die Hl. Schrift zeige, „peccatum originis accidens esse, quod neque per se subsistat, neque sit pars subsistentis, sed insit in alio, tamquam in subjecto". Vgl. auch Ritschl aaO. 376.

[40] Vgl. z. B. FRANZ DIEKAMP, Katholische Dogmatik II (⁶1930) 157. Auch die lutherischen Orthodoxen bedienen sich des Substanzschemas, bringen aber weitere Differenzierungen in der Bestimmung des accidens an, vgl. H. SCHMID, Dogmatik (⁷1893) 175.

[41] Epit. Theol. 94, vgl. 101. — Calixt beschreibt folgende dotes supernaturales: der erste Mensch erkannte von Gott, was unserer natürlichen Erkenntnis unzugänglich ist; er wußte sodann um das übernatürliche Ziel, die Seligkeit der Seele und des Körpers; ferner besaß er eine weit vollkommenere Erkenntnis der natürlichen und philosophischen Wahrheiten als wir, hatte den vollkommen freien Willen, kannte keinen Widerstreit zwischen Vernunft und Sinnlichkeit, genoß die besondere Bewahrung vor Krankheit und Tod und gebot ohne Mühe über die Tierwelt, ebd. 96 f. Er faßt also als übernatürliche Schenkungen zusammen, was die katholische Theologie als dona supernaturalia und praeternaturalia unterscheidet.

[42] Circa omnia, quae non naturali lumine cognoscuntur, dico voluntatem proprie loquendo neque liberam neque servam esse, sed plane nullam, da die übernatürliche Erkenntnis fehlt. Ebd. 111 f.   [43] Zum Ganzen vgl. Epit. Theol. 105.   [44] De praec. capp. 96 f.

[45] Hominem in statu post lapsum habere ea, quae proprio et stricto sensu naturalia appelavimus; Supernaturalia vero omnia amisisse. Epit. Theol. 106.   [46] Ebd.

[47] De Praec. capp. 95 f.   [48] Ebd. 98.   [49] Ebd. 112; Epit. Theol. 118, 122, 125.

[50] De praec. capp. 104.

[51] Vgl. zum Zusammenhang PAUL ALTHAUS, Die christliche Wahrheit (⁴1958) § 32 Imago Dei.

⁵² Vgl. dazu F. K. Schumann, Imago Dei, in: Festschrift gleichen Titels für Gustav Krüger 1932.

⁵³ Zum Begriff des naturale in der theologischen Anthropologie Calixts vgl. die Darlegung in: De peccato tractatus diversi, De pecc. orig. 6. — Hier eine semipelagianische Tendenz anzunehmen, wie Weber, Der Einfluß 149 will, ist im Zusammenhang kein Anlaß gegeben. Vgl. aber u. S. 59.

⁵⁴ Die Unbefangenheit und Selbständigkeit wird auch von Ritschl aaO 372 und Weber, Reformation, Orthodoxie, Rationalismus II 67, 70 als Charakteristikum hervorgehoben.

⁵⁵ So Statius Buscher, Cryptopapismus novae Theologiae Helmstadiensis (1640).

⁵⁶ De principiis, a quibus dependet salus aeterna, et mediis, quibus ad eam pervenitur, Epit. Theol. 136 ff. Vgl. 171.

⁵⁷ „Praedestinatio (est) actio divinae voluntatis, qua Deus ex mera misericordia, ante jacta fundamenta mundi secundum beneplacitum suum, quod proposuit in se, intuitu meriti Christi, ad vitam aeternam ordinavit, quotquot praescivit hoc meritum vera et non intermoritura fide apprehensuros.“ Ebd. 145.

⁵⁸ De praec. capp. 134.   ⁵⁹ Ebd. 131 f.   ⁶⁰ Ebd. 138 u. oft.

⁶¹ Ebd. 139. — Der Glaube hat dabei nicht den Charakter des meritum, sondern der conditio, ebd. 136.

⁶² Disp. theol. de gratuita justificatione (1650) Th. 1. — Der Ausdruck ist topos der Orthodoxie, vgl. z. B. Quenstedts Formulierung, Weber, Reformation, Orthodoxie, Rationalismus II, XVII.

⁶³ Justificare = justum declarare, pronunciare, reputare, De praec. capp. 151. Vocabulum justificationis forense esse, ebd. — Zu Melanchthon vgl. Meinhold, Melanchthon 82 f.

⁶⁴ Epit. Theol. 174. Vergebung der Sünden und Anrechnung der Gerechtigkeit Christi sind dabei ein einziger Akt, in dem nur ratione objectorum unterschieden wird, De praec. capp. 163.

⁶⁵ Ebd. 151 ff. und Epit. Theol. 171 ff. — Es bedeutet doch wohl eine zu starke theologische Belastung des Kausalschemas, wenn Weber aaO. II 67 Anm. 4 die Bezeichnung des Glaubens als Instrumentalursache der Rechtfertigung schon bedenklich findet.

⁶⁶ Epit. Theol. 188 f.

⁶⁷ Verbum Dei (est) indicium divinae voluntatis, unde cognoscamus, quid a nobis Deus fieri velit, et quomodo erga nos affectus sit, ebd. 195. Ebd. 199 f. die Lehre vom dreifachen Brauch des Gesetzes, wobei primus et praecipuus usus die Anzeige der Menge der Sünden und der Größe des Zornes Gottes ist. 200: Evangelium (est) doctrina, quae explicat misericordiam Dei erga nos, docetque nos receptos in gratiam, et consecuturos υἱοθεσίαν ac aeternam salutem, ob merita ac oboedientiam Filii, si credamus in eum.

⁶⁸ Ebd. 180. Vgl. 194: Spiritus S. eam efficit per suum verbum.

⁶⁹ „fides habitus quidem inellectus est, quo, quae a Deo revelata sunt, cognoscimus, et vera esse firmiter et sine ulla formidine credimus. Verum haec fides communis . . . Daemonibus.“ Ebd. 192.

⁷⁰ „Fiducia autem habitus est voluntatis, quo ipsa in eo, quod proponitur et promittitur, secure adquiescit.“ Sie ist fides justificans. Ebd. 192 f.   ⁷¹ Vgl. ebd. 176 ff.

⁷² Ebd. 190 f. (donatio inchoatae justitiae infallibile consequens).

⁷³ „Non negamus quidem nos justitiam inhaerentem, quam in justificatis operetur Spiritus S. verum per eam negamus in judicio Dei justos recenseri“. Ebd. 187.

⁷⁴ „Christus igitur et Spiritus s. fidem in cordibus nostris producens producit simul innovationem et caritatem“. De praec. capp. 178.

⁷⁵ „hae divinae actiones omnes simul sunt tempore, nempe donatio fidei salvificae, im-

putatio ejusdem fidei ad justitiam, imputatio passionum Servatoris, et remissio peccatorum, imputatio meriti activi; et acceptatio ad vitam aeternam, denique donatio sive infusio, sive inchoatio quaedam justitiae inhaerentis." Epit. Theol. 190.   [76] Vgl. ebd. 261 ff.

[77] Summa capitum Religionis Christianae 29 f.

[78] Calixt an Hülsemann 26. 2. 1647 (Archiv Wolf. L ALT Abt. 37 Nr. 287 (Abschr.).

[79] „Ich habe ja die rede Gute Wercke sind nöhtig zur Seligkeit / niemahln und an keinem ort gebrauchet / begehre auch nicht selbige zu gebrauchen." WW, C 4 f. — Die Stellungnahme der Konkordienformel zur Kontroverse um die guten Werke s. in: Bekenntnisschriften, Konk. Epitome IV, Solida Declaratio IV.   [80] Epit. Theol. mor. 5 ff.

[81] Ebd. 4: Spiritus est inclinatio ab inhabitante gratia Spiritus sancti orta etc., vgl. 10: ita sese habet homo fidelis et renatus cum secundum Spiritum, quo ad spiritualia quaeque et bona opera incitatur etc.; tum secundum carnem, cujus imbecillitates et vitia, nisi cum mortali vita, penitus exuere et deponere non potest.

[82] Vgl. De praec. capp. 104 ff.   [83] Vgl. Denz. Nr. 792.

[84] Für die Geschichte der konfessionellen Kontroverse wäre es wichtig, die Entwicklung der altprotestantischen Theologie in ganzer Breite daraufhin zu untersuchen, inwieweit sie sachlich zu einer Annäherung an die zeitgenössische katholische Theologie kam. In der großen Darstellung Webers ist diese Fragestellung thematisch zwar aufgenommen, bleibt aber faktisch am Rande.

[85] De praec. capp. 217: „Sacramentum dicimus actionem a Deo institutam, quae adplicat certo ritu externum et visibile signum, et habet adnexam promissionem, per eam tamquam divinum instrumentum fidem et gratiam regenerationis adoptionisque vel conferri, vel confirmari et obsignari." (Strictor significatio).   [86] Ebd. 220 f.

[87] Ebd. 228 f.; Epit. Theol. 209.   [88] Epit. Theol. 209 f.   [89] Ebd. 212 ff.

[90] De praec. capp. 241.

[91] „Est enim sancta coena actio, a Christo instituta, in qua, quando benedictus panis accipitur et comeditur, simul accipitur et comeditur verum substantiale corpus Christi: Et quando benedictus calix accipitur et bibitur, simul accipitur et bibitur verus substantialis sanguis Christi: ut commemoratione mortis ejus, promissio testamentaria et fides eam amplexa confirmetur et obsignetur." Epit. Theol. 220.

[92] Vgl. ebd. 227 ff., 230 ff. und die einschlägigen Kontroversschriften.   [93] Ebd. 228.

[94] De sacrificio Christi semel in cruce oblato, et initerabili (1638) Th. 145.

[95] Epit. Theol. 277 ff.

[96] Ebd. 281. — Vgl. dazu die Definition Melanchthons (R. SEEBERG, Lehrbuch der Dogmengeschichte IV 2, 451): „Ecclesia visibilis est coetus amplectentium evangelium Christi et recte utentium sacramentis, in quo deus per ministerium evangelii est efficax et multos ad vitam aeternam regenerat, in quo coetu tamen multi sunt non renati, sed de vera doctrina consentientes." Die Definition Calixts kommt damit sachlich überein. Bei ihm steht jedoch der Gesichtspunkt der Lehre noch stärker im Vordergrund (docentes et discentes) als bei Melanchthon, der die Lehre ebenfalls stark betonte.

[97] Praecipua et potisssima pars (ecclesiae) sunt electi et vere credentes. Epit. Theol. 282.

[98] „Invisibilem (ecclesiam) . . . utpote humanis oculis imperviam, Deo relinquimus. Nos Ecclesiam accipere oportet, prout de ea ex Verbi externa praedicatione et administratione Sacramentorum judicium fieri potest." Ebd. 281 f.

[99] Ebd. 286. Weiter nennt Calixt hier (287) das ministerium verbi.

[100] „Sic rempublicam Christi, hoc est, veram Ecclesiam ibi esse rectissime cognosco, ubi servantur leges Christi, nempe ubi secundum Verbum Christi docentur articuli fidei administrantur sacramenta". Ebd. 322.   [101] Ebd. 282 f.

[102] Doctrina verbi divini de lege et evangelio, eique annexa(!) sacramenta, ebd. 286.

[103] Ebd. 281.   [104] Vgl. zur Entwicklung im Luthertum ELERT, Morphologie II, 54 ff.

[105] Epit. Theol. 287, 291. Zur Einsetzung des ministerium verbi vgl. ebd. 237 ff.

[106] Ebd. 290 f.   [107] Ebd. 292 ff.   [108] Ebd. 287.

[109] Vgl. ebd. Darin ist nicht, wie RITSCHL aaO. 393 meint, ein besonderes Moment der Kirchenanschauung Calixts zu sehen. Die Auffassung Ritschls, daß Calixt ein „klerikales Kirchenideal" vertreten (399) und eine Aristokratie gelehrter Theologen als oberste Leitung der Kirche gewünscht habe (397), beruht auf einer Überbewertung isolierter Äußerungen Calixts. Zu Melanchthon vgl. R. SEEBERG aaO. 452 f.

[110] „Quidquid id facit ad ordinem, et decorum, et externam Ecclesiae gubernationem in pace et concordia commodius administrandam, a nemine improbari debet, dummodo tamen absoluta necessitas et jus divinum constitutionibus humanis non affingatur, et omnes quo ad ea, quae propria et praecipua ministrorum Verbi esse diximus, pares esse concedantur." Epit. Theol. 295.   [111] Ebd. 294 f.   [112] Ebd. 297, 314.   [113] Vgl. o. Anm. 26.

[114] Vgl. Epit. Theol. 136 (supernaturalis animae juxta et corporis beatitudo).

[115] Vgl. lib. de bono perfecte summo s. aeterna beatitudine (1643).

[116] Vgl. die Schrift De immortalitate animae et resurrectione carnis (1627), die er unter dem Eindruck des Todes seines ältesten Knaben vollendete. Mit Recht findet RITSCHL aaO. 379 hier die eigentlichen Motive der Frömmigkeit ausgesprochen.

[117] Vgl. auch den Bericht über seine letzten Tage H II 2, 308 ff. KANTZENBACH, Das Ringen um die Einheit 241, ist aber darin zuzustimmen, daß er die Rechtfertigungsfrage in der Radikalität, wie sie in der Reformation und auch im orthodoxen Luthertum noch bewußtgehalten wurde, nicht empfunden hat. Bezeichnend ist auch, daß das Gewißheitsproblem bei ihm im Zusammenhang mit der Rechtfertigung keine bedeutende Rolle gespielt hat, dagegen wohl im Zusammenhang mit Offenbarung und Schrift.

[118] Vgl. RITSCHL aaO. 387.

[119] Vgl. dazu KARL BARTH, Kirchliche Dogmatik I 2, 617 ff. — Das sachliche Recht dieser Modifikationen zu untersuchen, ist hier nicht der Ort. Hierzu wäre u. a. die Klärung der dogmatischen Frage notwendig, inwieweit alle Theologie auf die Indienstnahme der Philosophie, und nicht beliebiger, sondern — wie die katholische und altprotestantische Theologie lehren — bestimmter philosophischer Denkformen angewiesen ist.

[120] Docens qua via ad aeternam beatitudinem perveniatur, Epit. Theol. 62.

[121] Vgl. de praec. capp. 150.

4. KAPITEL

HUMANISTISCHE GESCHICHTSBETRACHTUNG

[1] S. u. Kap. 7.   [2] Vgl. H I 49, 146.

[3] Zur humanistischen Geschichtsschreibung im 16. und 17. Jh. vgl. ERICH SEEBERG, Gottfried Arnold, bes. 280 ff., 474 ff. Vgl. auch MEINHOLD, Melanchthon 90 ff.

[4] TITIUS, Laudatio funebris, B/B 2; zit. auch bei LEUBE, Kalvinismus und Luthertum I 277.

[5] De ss. Trinitatis mysterio exercitatio, Vorwort. Ebd.: „Non minus vere quam praeclare dicitur: Novitas in philosophia suspecta, in Theologia falsitas est."

[6] Vgl. zu den Wurzeln dieses Geschichtsbildes EDUARD FUETER, Geschichte der neueren Historiographie ([3]1936) 307; E. SEEBERG aaO. 285, 474.

[7] Vgl. o. S. 13.   [8] Vgl. App. theol. 155 f.   [9] Vgl. ebd. 70 f.   [10] Vgl. o. S. 13 f.
[11] Vgl. Epit. Theol. mor. 59.   [12] Vgl. Titius aaO. B.

[13] „Naturrechtlich" i. S. des Glaubens an die Stabilität der menschlichen Natur und der menschlichen Verhältnisse, der von der entwickelnden und individualisierenden Geschichtsbetrachtung des Historismus abgelöst werden wird, vgl. FRIEDRICH MEINECKE, Die Entstehung des Historismus 3, 5.

[14] Comperiebam judicium ipsius (Martinis Beurteilung der alten Philosophie) congruere cum re ipsa. Titius aaO.

[15] App. theol. 31. Vgl. Orr. sel. 116: „Tertium quod praestat historia, idque vel primo loco censendum, hoc est, quod de veritate religionis adversus omnem Idololatriam et falsos Dei cultus egregium et certum testimonium perhibet."

[16] Bes. Epit. Theol. Prolegg. I Bl. 24 f.; App. theol. 30 ff.; De Studio Historiarum Oratio (1638, in: Orr. sel.).

[17] „Proximum tamen est, ut haec ipsa rerum ante nos gestarum cognitio ad usum in vita communi et civili referatur" etc., s. Anm. 18.

[18] Orr. sel. S. 113 f. Zum humanistischen Verständnis der Historie als matrix prudentiae vgl. E. SEEBERG aaO. 281.

[19] „Praeterquam enim novisse oportet, quid singulis seculis et temporibus in Ecclesia Christi gestum fuerit, suppeditat Ecclesiastica historia Theologo secundariam quandam argumentandi rationem, qua ad confirmanda dogmata et refellendos errores utatur." App. theol. 31 (= Epit. Theol. Prolegg. I Bl. 24).

[20] Vgl. App. theol. 182.   [21] Ebd. 184.

[22] Materiell ist Calixt u. a. von den Zenturiatoren, von Melanchthon, besonders auch von Casaubonus abhängig, den er vor allen anderen schätzte (vgl. App. theol. 133). Zum Verhältnis zu Casaubonus vgl. auch u. 6. Kap. Anm. 76.

[23] Lediglich ein Fragment De statu rerum in ecclesia occidentali seculis VIII, IX, X et deinceps, Quando Pontificis dominatus et corruptelae invaluerunt, also einer mittelalterlichen Kirchengeschichte unter dem Gesichtspunkt des durch das Papsttum verursachten Verfalls, liegt vor (App. theol. ed. 1661, Anhang).

[24] Ausführungen zum Grundsätzlichen an den Anm. 16 gen. Orten.

[25] Epit. Theol. Prolegg. I Bl. 25.   [26] App. theol. (ed 1661) 206.

[27] Epit. Theol. 224 auch seculum Pontificium genannt.

[28] So Epit. Theol. mor. 96 (variae ecclesiae aetates, prima, media, ultima).

[29] App. theol. 180.   [30] Ebd. 53.

[31] Vgl. etwa De conjugio clericorum 163, 208, 231, 315.

[32] Vgl. ebd. 37, 148, 454 u. a.   [33] App. theol. 162.

[34] Vgl. De praec. capp. 287.   [35] Vgl. Epit. Theol. 299 ff.

[36] App. theol. 171 f. — Bei der Reorganisation der Universität Helmstedt 1650 wurde die theologische Fakultät entsprechend Calixts System gegliedert. Die fünf Ordinarien hatten zu behandeln 1. loci communes, 2. die theologischen Kontroversen und ihre Geschichte, 3. Altes Testament, 4. Neues Testament und 5. kirchliches Altertum und Kirchengeschichte (vgl. H II 2, 61 f.). Calixt hatte den Lehrstuhl für Kontroverstheologie (controversiae theologicae et historia certaminum) inne.

[37] App. theol. 164. Wegen der Anstößigkeit des Wortes „scholastisch" zieht Calixt die Bezeichnung „akademische Theologie" vor.

[38] Ebd. 164-170. Zur Behandlung des Dogmas vgl. auch LEUBE aaO. 285.

[39] Hornejus an die sächsischen theologischen Fakultäten am 8. 3. 1647 (Archiv Wolf. L. ALT Abt. 37 Nr. 287).

⁴⁰ Zur Differenzierung innerhalb der altkirchlichen Tradition s. aber u. Kap. 6.

⁴¹ Vgl. z. B. Disp. theol. de Praedestinatione (1617) Th. 39; Disp. theol. de sancta Eucharistia (1618) Th. 20, 24 (bezeichnend der Ausdruck *purior* antiquitas).

⁴² De Pontificio Missae sacrificio 63.   ⁴³ De praec. capp. ed. 1613, Dedikation Bl. 2.

5. KAPITEL

SPALTUNG UND EINHEIT DER KIRCHE

¹ Zur Geschichte des Begriffs vgl. RITSCHL aaO. 245.

² Der Biograph Henke findet in den späteren Anschauungen Calixts eine bruchlose Fortbildung des von Anfang an eingenommenen Standpunktes. Auch GASS, Georg Calixt und der Synkretismus und Geschichte der protestantischen Dogmatik II 68 ff. differenziert nicht genügend.   ³ Vgl. RITSCHL aaO. 374, 398 ff.   ⁴ Vgl. LEUBE aaO. 289 ff.

⁵ KANTZENBACH aaO. 236 ff.

⁶ Mißverständlich heißt es bei KANTZENBACH aaO. 239, Calixt ‚spreche' vom consensus quinquesaecularis. Der Begriff ist von Calixts Gegner Dorsche aufgebracht und von Calixt selbst nicht gebraucht worden. Vgl. RITSCHL aaO. 401 f.

⁷ Nicht erst entstanden, wie KANTZENBACH aaO. 238 Anm. 20 richtig gegen LEUBE aaO. 289 bemerkt. Nicht jetzt erst tritt der irenische Gesichtspunkt allerdings „voll ausgebildet" hervor (KANTZENBACH 238), sondern schon früher, s. S. 53 f.

⁸ Vgl. o. Kap. 3.   ⁹ De praec. capp. 283.   ¹⁰ Ebd.

¹¹ Ebd. 279.   ¹² Ebd. 288.

¹³ „Certum autem est, et articulus fidei, Deum numquam non habiturum suam ecclesiam, a quo agnoscatur et colatur. Et quoniam vera agnitio et cultus Dei nequit stare cum erroribus, qui fundamentum, hoc est, articulos fidei evertunt, certum quoque est hanc ecclesiam in fundamenta et articulos fidei minime impingere; alioquin enim ecclesia non esset, quum de ejus essentia sit vera Dei agnitio et cultus." S. 287. „Catholica enim Christi ecclesia superstes esse potest, etiamsi … particulares omnes et universa visibilis ita adfligatur, ut … non adpareat." Ebd. 288.

¹⁴ Vgl. schon Melanchthon, s. BUSCH, Melanchthons Kirchenbegriff 55. Vgl. auch u. S. 47.

¹⁵ De praec. capp. 287.

¹⁶ „Omnium enim hominum, qui ecclesiam constituunt, scientia est imperfecta. Neque ulla facta est promissio, fore ne umquam in ullo erret ecclesia." Ebd. 287 f.

¹⁷ Vgl. Anm. 13 (de ejus essentia vera Dei agnitio etc.).   ¹⁸ Epit. Theol. 303 ff.

¹⁹ Ebd. 304.   ²⁰ Ebd. 301.   ²¹ Colloquium Haemelsb. 52.

²² Vgl. De Pontifice Romano 50: omnes mortales qui Christo nomen dederunt et per baptisma inserti sunt.   ²³ De praec. capp. 143 f.

²⁴ Ecclesia Pontificia ebd. 108 und oft.   ²⁵ Ebd. 62 (crassi errores).

²⁶ De Pontificio Missae sacrificio, 7 (generalis publicaque quaedam ἀποστασία).

²⁷ „animadverto inter omnes haereticos eminere, quos quoties a nonnullis Catholicos adpellari audio, … eos dico qui Romanum Pontificem universae ecclesiae praesidem, … principem, imo universi orbis Dominum agnoscunt et adorant. Non esse aliam sectam perniciosiorem nemo, credo, vestrum est, …qui dubitet aut ignoret." De Pontifice Romano 3.

²⁸ Vgl. ebd. 44 ff.

²⁹ LEUBE hebt aaO. 280 mit Recht hervor, daß der Gedanke einer Union mit der katholischen Kirche in dieser Zeit für Calixt unmöglich ist.

[30] De Pontifice Romano 52.

[31] Vgl. z. B. Expositio literalis in epistolas ad Thessalonicenses 48 ff.

[32] De Pontificio Missae sacrificio 7.   [33] De praec. capp. 247.

[34] Ebd. 242. Vgl. Disp. theol. de Praedestinatione 1617, Th. 9.

[35] De praec. capp. 124.   [36] Vgl. Epit. Theol. 220 ff.   [37] De praec. capp. 247.

[38] Die wahre Kirche ist für ihn stets die katholische Kirche. Auf die Bezeichnung katholisch legt er großes Gewicht. Vgl. auch o. S. 29.

[39] Vgl. z. B. De Pontifice Romano 50: Deus harum (Galliae, Italiae, Hispaniae) nationum populos eripiat. Illucescat dies qua Europa universa et totus orbis Christianus Romanum Pontificem Antichristum agnoscant etc.

[40] Vgl. Oratio de Imminuta et adulterata moneta (1621), Orr. sel. 14: „Adversae ... partis homines pertinaciter tuentur errores, quos semel fuerunt amplexi: et dum non videri volunt errasse, veritati contumaciam opponunt."

[41] Über das Gespräch mit Becanus 1610 berichtet er Resp. Mog. Th. 129, daß er „jam tum de odiis et dissidiis Christianorum mitigandis cogitarem, eoque facientia proponerem". Zu der Begegnung mit Casaubonus vgl. o. S. 4.

[42] Vgl. Epit. Theol. 305 oder Quaestio de causa odii, quo hodie exercetur Philosophia (1619), Orr. sel. 133.   [43] W W Ll 4.

[44] Vgl. De Pontifice Romano 4. Noch vor Ausbruch des Krieges spricht Calixt hier von der Gefahr, daß die Papstanhänger „nobis idololatrica relligione animarum salutem, et aperta vi vel fraude sanguinem et vitam eripiant".

[45] Vgl. Oratio de imminuta et adulterata moneta, Orr. sel. 1 ff.

[46] Vgl. H I 381 ff.: Hofmeister, Die Universität Helmstedt z. Z. des Dreißigjährigen Krieges 241 ff.

[47] Oratio de Caesareae Majestatis dignitate et auctoritate (1626), Orr. sel. 21. — Calixt hat an diese Feststellung jedoch keine weitergehenden ethischen Erwägungen geknüpft.

[48] Ebd. 24 f.   [49] Ebd. 25 (fatale religionis dissidium als princeps causa molorum).

[50] Die Frage nach der wahren Kirche und der Zweifel am Anspruch der eigenen Konfession bricht in weiteren Kreisen auf, als sich im dreißigjährigen Kriege die Kirchentrennung so verhängnisvoll in Form der machtpolitischen Auseinandersetzung bemerkbar macht. In den Briefen, die im Laufe der Jahre in mancherlei Angelegenheiten an Calixt gerichtet werden, begegnen wir Fragen wie diesen: „Quaenam vera illa sit ... Ecclesia Catholica". „An sola Lutheranorum Ecclesia talis sit, vel alibi aliae exsistant, conjunctim vel divisim talem constituentes Ecclesiam Catholicam et Apostolicam?" (Joh. H. Freytag an Calixt (1636), UB Gött. Cod. MS Philos. 111, 208). Oder „quaenam sit tot Ecclesarium apostolica, catholica et vera", da doch die Griechen und Lateiner, Afrikaner und Nestorianer, Armenier, Lutheraner und Calvinisten sich der reinen Lehre und des rechten Sakramentsgebrauchs rühmen. (H. Bente an Calixt (1648), UB Gött. Cod. MS Philos. 110, I, 67).

[51] Vgl. Elert, Morphologie I 242.

[52] Vgl. dazu Ritschl aaO. I 304 ff., IV 243 f.; R. Seeberg, Lehrbuch der Dogmengeschichte IV 2, 452, 455 f.; Busch aaO. 33 f., 54 f.; Kantzenbach aaO. 109 f.

[53] S. o. Anm. 14.   [54] Vgl. Busch aaO. 54.   [55] R. Seeberg aaO. 452.

[56] Vgl. ebd.   [57] Vgl. u. II. Teil 5. Kap.

[58] Vgl. Kantzenbach aaO., bes. 51 ff., 119 ff., 176 ff.   [59] Ebd. 87, vgl. 132.

[60] Ebd. 132 ff.   [61] Ebd. 199.   [62] Vgl. Nolte, Georgius Cassander, 216 ff.

[63] Zur reformierten Irenik vgl. Ritschl aaO. IV 253 ff.

[64] Vgl. auch u. II. Teil 2. Kap.   [65] Vgl. dazu Ritschl aaO. 268 ff.

[66] Zur orthodox-lutherischen Polemik in diesem Zusammenhang vgl. Leube aaO. 272 ff.

[67] Über ihn vgl. bes. NOLTE aaO. und KANTZENBACH aaO. 203 ff.

[68] Cassander hatte als erster ein deutlich umrissenes Reunionsprogramm. Neben ihm wäre vor allem Georg Witzel zu nennen. Zu Witzel vgl. KANTZENBACH aaO. 176 ff. und WINFRIED TRUSEN, Um die Reform und Einheit der Kirche. Zum Leben und Werk Georg Witzels, 1957. [69] Vgl. KANTZENBACH aaO. 214.

[70] Tractatus de officio pii viri ca. religionis dissidium, abgedr. in: De Dominis, De Republica Ecclesiastica III 323 ff. 323: „statui mihi ab omni partium studio abstinendum, . . .libertatemque iudicandi . . . retinendam." Vgl. auch KANTZENBACH aaO. 222.

[71] „Ad ipsam directam regiamque viam inquirendam mandato divino me cogi et impelli putabam." Tractatus 323.

[72] „Quicquid . . . in utraque hac Ecclesiae parte, sive ea antiquo nomine Catholica, sive nuper nato Evangelica nuncupetur, integrum, sanum, doctrinae Evangelicae et Apostolicae traditioni consentaneum invenio, id ut Christi Ecclesiae proprium veneror et amplector: eamque Ecclesiam, quod in fundamento verae et Apostolicae doctrinae, quae brevissimo illo fidei symbolo continetur (gemeint ist das Apostolische Symbol), consistat, nec impio schismate a reliquarum Ecclesiarum communione se separet, veram Ecclesiam veraeque Ecclesiae et Catholicae Ecclesiae Christi membrum esse judico." — Ebd. 327. Auch zit. KANTZENBACH aaO. 215 Anm. 42.

[73] Vgl. Tractatus 327; NOLTE aaO. 118; KANTZENBACH aaO. 215. — Als Fundament bezeichnet Cassander auch Christus pro nobis mortuus et resuscitatus, welchem Fundament nach 1. Kor. 3 Heu usw. statt Gold hinzugefügt werden könne, Tractatus 326.

[74] Ebd. 328. [75] Vgl. KANTZENBACH aaO. 211 f.

[76] Ebd. 225. Zur Anwendung des vinzentianischen Kanons vgl. ebd. 211.

[77] Vgl. die Consultatio de articulis inter Cath. et Prot. controversis, dazu KANTZENBACH aaO. 216 ff.

[78] Vgl. De Republica Ecclesiastica I, Vorw. IV: „Quis illam (Christi Ecclesiam) inveniet? Oriens dicet Ecclesiam in Occidente totam periisse: Nos Occidentales Romani, illam in Oriente vel quasi exstinctam lugemus, vel fastidimus. Septentrio nos non Christo, sed Antichristo servire clamat: Nos Septentrionem extra Ecclesiam ponimus naufragantem." . . .

[79] Eine eingehendere Untersuchung über De Dominis steht noch aus. Neuerdings vgl. Delio Cantimori, Su M. A. De Dominis, Archiv f. Reformationsgeschichte 49 (1958) 245 ff., der seine „passione fanatica per l'idea della riconciliazione delle Chiese" unterstreicht. — Auf die Ideen von De Dominis dürfte auch Paolo Sarpi von Einfluß gewesen sein, mit dem er in Verbindung stand. Zu den Anschauungen Sarpis vgl. BORIS ULIANICH, Considerazioni e documenti per una ecclesiologia di Paolo Sarpi, Festgabe Joseph Lortz (1958) II 363 ff.

[80] De Dominis endete im Gefängnis; Grotius wurde, seit den remonstrantischen Streitigkeiten in seiner Heimat verfemt, teils des Sozinianismus, teils des Kryptopapismus verdächtigt; gegen Calixt wurde vom orthodoxen Luthertum der Vorwurf der Religionsmengerei erhoben und ein neues Bekenntnis aufgestellt (vgl. u. II. Teil 5. Kap.).

[81] Teil I und II London 1617, 1620; Teil I—III Hanau 1617—22. Eine gute Inhaltsübersicht im Dictionnaire de Théologie Catholique IV 2 Sp. 1668 ff. Art. D. (Sp. 1669 wird statt Hanau irrtümlich Hannover als Erscheinungsort des 3. Teils angegeben).

[82] Antiqua Ecclesia firma regula credendorum, De Rep. Eccl. III 75.

[83] „Fides Christiana vere Catholica, vere Apostolica et sane pura est illa, quam universalis perpetuo tenuit Ecclesia: cuius veram formam . . . facile quisque in antiqua Christi Ecclesia primis quinque saeculis potest contemplari." Ebd. II, Anhang (Ostensio errorum Suarez) 905.

[84] „Patres sanctos orthodoxos, Doctores incorruptos, Concilia antiqua . . . contemple-

mur. Eorum norma nos, et nostra metiamur; eorum stemus argumentis." Ebd. I, Vorw. V. Vgl. III S. 75 f. (Vincenz v. Ler.).

[85] „Idem vero Georgius Cassander vir doctus, catholicus, pius, ac prudens, hoc ipsum remedium schismati huic inter Catholicos et Protestantes, quod ego nunc expono, ipse quoque opportunum censuit, imo necessarium, ut interim, dum controversiae agitantur, unusquisque in sua, inquit, fide, ego dicerem, in sua opinione, permittatur; modo omnes recipiant scripturam, et symbolum Apostolicum; ego vero addo etiam alia antiqua symbola, imo omnes in unam fundamentalium omnium confessionem formandam consentiant." Ebd. III 320.   [86] Ebd. Vgl. 104.

[87] „Dogmata fidei essentialia, et fundamentalia, ex utraque parte eadem sunt. Neutra pars ulla vera haeresi est contaminata", ebd. 315, vgl. 198: „Veras pariter Ecclesias (neben der Kirche des Ostens und der römischen Kirche) Catholicae Christi Ecclesiae viva membra esse posuimus eas omnes, quae jam proprie reformatae dicuntur, quae videlicet aut Lutherum, aut Calvinum, eorumque socios Magistros habuerunt, nec ipsorum reformationem haeresi, aut schismate contaminarunt."   [88] Ebd. 315 f. Vgl. auch Anm. 87.

[89] Vgl. ebd. und 321.

[90] „... formula fidei fundamentalis universali utriusque partis, h. e. Catholicorum, et Protestantium consensu firmari potest, et stabiliri, et in reliquis per mutuam tolerantiam schismata tollenda essent, et unitas ecclesiae sarcienda." Zuvor: „Satis unitam ecclesiam catholicam detinent antiqua symbola, quae Trinitatis, et Incarnationis fidem explicitam profiteantur, et si volumus addere necessitatem divinae gratiae contra Pelagianos et Semipelagianos." Ebd. 316. — Die Konzilien waren nicht aus sich unfehlbar, aber irrtumsfrei, wenn sie ihre Entscheidungen aus der Schrift und ex sensu antiquae, nondum corruptae Ecclesiae herleiteten, ebd. S. 46 f.   [91] Vgl. ebd. I, Praef. und III 199.   [92] Ebd. III 322.

[93] Vgl. dazu Dict. de Théol. Cath. aaO. Sp. 1673.

[94] Vgl. De Rep. Eccl. III 199. Andererseits soll aber die formula fidei fundamentalis genügen.   [95] Vgl. De Pontifice Romano 79.

[96] Vgl. App. theol. (ed. 1661) 195 (M. A. de Dominis, vir ecclesiasticae antiquitatis peritissimus, ingenio judicioque maximus; zit. De Rep. Eccl. lib. 4,7); Prooem. 28 (De Rep. 7 zum Kanon des Vincentius); Expos. lit. in ep. ad Titum (1666, von 1627) 10, u. a.

[97] So stimmt die Aufzählung der altkirchlichen Zeugnisse für die regula fidei (das Apostolische Symbol) in Prooem. 82 ff. mit derjenigen von de Dominis in De Rep. Eccl. III 316 nahezu überein. Vgl. auch Positiones summam doctrinae christianae complexae Th. 14 ff. Ebd. Th. 22: „Symbolo Apostolico jam addenda esse alia Symbola verum articulorum Symboli Apostolici sensum explicantia prudenter suadet M. Antonius de Dominis lib. VII" etc.   [98] 1616 erschienen dessen Opera Omnia in Paris.

6. KAPITEL

ECCLESIA CATHOLICA

[1] Oratio de Caesareae Majestatis dignitate et auctoritate (1626), Orr. sel. 26 f.

[2] Expos. lit. in ep. ad Titum 1628. — H I 437 nennt irrtümlich den Herbst 1628.

[3] Ebd. 34-36.   [4] Vgl. o. zu den Darstellungen Leubes und Kantzenbachs.

[5] Vgl. Prooem. 58 (ad facilius et expeditius revincendos haereticos); App. theol. 154, 167 u. a.   [6] Prooem. 89.

[7] „Quae ... Scripturarum ... et legitimae antiquitatis testimonio destituuntur, tamquam fundamenta fidei et salutis nobis obtrudi non patimur." App. theol. 154.

[8] Prooem. 89. Vgl. De doctrina christiana (ed. 1655) Admonitio 264 zur Edition des Commonitorium 1629: „huc ... totum tenderet, ut omnem circa fundamenta et dogmata fidei innovationem et immutationem damnaret, et antiquitati ejusque universali consensui tenacissime inhaereret." 1634 in der Digr. de arte nova 124: in dem Prooemium von 1629 „paucis ostendo, quomodo quae exiguo illo, sed eximio et hactenus omnium voce suffragiisque approbato libello (dem Commonitorium) traduntur, decidendis et finiendis controversiis, quae ecclesiae catholicae reformatae cum non-reformata sive pontificia intercedunt, faciant. Nempe adscendendum esse ad veram et genuinam antiquitatem" etc. Schon 1628 heißt es App. theol. 110: „Faxit Deus, ... ut Servatorem suum, qui agnoverunt ... excussis erroribus, sublatis schismatis et ejuratis haeresibus eadem incedant regula et idem sapiant" etc. 1631 druckt er in seiner Kontroversschrift über die Priesterehe einen Abschnitt aus Witzels Via Pacis ab (De conj. cler. Appendix), in dem die Beilegung der konfessionellen Kontroversen an Hand der Norm der Alten Kirche vorgeschlagen wird. Vgl. auch Diskurs (1633) Th. 106: „Schliesslichen zu langerwünschter Gott wohlgefelliger christlichen einigkeit zugelangen ist kein bessers, vielleicht auch kein ander mittel, alß daß man setze die alte der Apostolischen und ersten fünff seculorum symbola und confessiones, ... Was über diesem von Papisten und andern eingeführet ist, das muß fallen, oder ye für kein nötig stück und glaubens articul gehalten werden."

[9] 1626 und 1627 an den genannten Orten.   [10] S. u. S. 72 f.

[11] Vgl. KELLER-HÜSCHEMENGER, Das Problem der Fundamentalartikel bei Joh. Hülsemann 97.

[12] Vgl. Positiones summam doctrinae christianae complexae Th. 13: „Quicquid homini Christiano sive credendum sive agendum incumbit, vel ad articulos fidei, vel ad usum sacramentorum, vel ad integritatem morum, vel ad observationem rerum ex se alias indifferentium (Th. 43 ff. werden als solche die leges et ceremoniae Ecclesiasticae aufgeführt) spectat. Hisce quatuor universa Christiana Philosophia absolvitur." Entsprechend Praef. zur Ausgabe von Cassanders Dialogus de Communione sub utraque specie a 2 und Resp. Mog. Th. 20 ff.   [13] S. Anm. 12.   [14] Resp. Mog. Th. 25, vgl. Th. 64 f.

[15] Ebd. Th. 43 ff.; Scripta facientia etc., Epicrisis I 3 f. — Vgl. BONAVENTURA, In sententias 1, 3. dist. 35. art. 1 qu. 1; hierzu RITSCHL aaO. IV 320, 418 f., KELLER-HÜSCHEMENGER aaO. 110 ff.   [16] Resp. Mog. Th. 70. Vgl. auch RITSCHL aaO. 418.

[17] Resp. Mog. Th. 44, 99.

[18] Ebd. Th. 71; De visibili Ecclesiastica monarchia (1674) Th. 21.

[19] Vgl. Resp. Mog. Th. 30.

[20] „... legem sive regulam, qua in beatitudinem dirigerentur, et quam sequerentur et observarent, tulit (Deus) et praescripsit, nempe evangelicam. Haec est, ut Servatorem suum agnoscant et ejus satisfactione ac meritis nitantur." Epit. Theol. mor. 68.

[21] De pactis Th. 197.

[22] Vgl. WEBER, Der Einfluß 46 und o. 3. Kap. Calixt faßt jedoch auch den Begriff der „Praxis" in einem weiteren Sinne, vgl. Orr. sel. 105, wo zur Praxis auch Sittlichkeit, Sakramentsgebrauch und Friede und Gedeihen der Kirche gerechnet werden: „Theologia est practica, ut pridem monuimus. Sine quo itaque sibi constat recta in Deum fides, vitae pietas, legitimus usus sacramentorum et ecclesiae tranquillitas, indifferenter habendum est."

[23] Als allgemeiner Grundsatz gilt: „Iterum etiam atque iterum moneo, Theologiam nostram practicam esse, et proinde quaestiones, quae ad praxin a nobis, inquam, praestandam et exercendam praxin nihil faciant, pro indifferentibus habendas". Scripta facientia

etc. K 3. Schon 1611 De praec. capp. 150: „quodcunque dogma, per quod spes, consolatio, doctrina, correctio, institutio haberi nequeat, alienum esse a scriptura, et ab ejus fine distare."   [24] Vgl. zum Ganzen bes. Resp. Mog. Th. 28-35.   [25] Vgl. ebd. Th. 120 f.
[26] Prooem. 82.   [27] Diskurs Th. 102; vgl. Resp. Mog. Th. 42.   [28] Diskurs aaO.
[29] Resp. Mog. Th. 32.   [30] „Proximum igitur et immediatum, ut ita dicam, medium est notitia et fides Redemtoris Jesu Christi θεανθρώπου, cum qua complicatur . . . aliorum quoque nonnullorum notitia et fides, quod sine hisce itidem cognitis et creditis integra esse nequeat." Ebd. Th. 64.
[31] Ebd. Th. 30 f. Über den Zusammenhang der priora und posteriora des Symbols auch ebd. Th. 62 f.   [32] Epit. Theol. mor. 74 f.
[33] „Aliquando nostris, aliquando alienis verbis", Resp. Mog. Th. 63. Z. B. WW Ll 4: Einem jeglichen zu seinen verständigen Jahren gekommenen Menschen, wo er selig werden soll, ist zu wissen und zu glauben nötig, daß
„der einige almächtige Gott Schöffer Himmels und der Erden / sey Vater / Sohn und hl. Geist: daß des Vaters eingeborner Sohn umb unser der Menschen willen uns von Sünde / Todt und Verdamnis zu erretten / menschliche Natur an sich genommen / gelitten und gestorben / von den Todten aufferstanden / auffgefahren gehn Himmel / sitze zu der rechten Gottes / und von dannen kommen werde zu richten die lebende und die todte: Daß unter dessen aus seinem Befehle geprediget werde das Evangelium / und welche demselben gleuben / eine heilige Gottwolgefellige Kirche oder Gemeine machen / darinne vergebung der Sünden zu erlangen: daß die Todten werden aufferstehen mit jhren eigen Leibern / und welche gutes gethan haben / ins ewige Leben gehen / welche aber böses gethan / ins ewige Fewr." In seinen Paraphrasen des Apostolischen Symbols verwendet Calixt zumeist auch Begriffe späterer Bekenntnisse (fides prolixius exposita, vgl. Sanctae Catholicae et Apostolicae ecclesiae symbola et confessiones, WW App., Nachw.). Vgl. dazu die Lehre von der Tradition, 7. Kap.   [34] Vgl. Resp. Mog. Th. 30.
[35] „Quum autem quae symbolo Apostolico continentur haec ipsa sint, quae cuivis ad salutem cognosci et credi necessaria; hinc liquet, haec etiam ipsa in Sacris libris . . . per se et primario proponi atque intendi." Ebd. Th. 71.
[36] Vgl. ebd. Th. 35, 118; De pactis Th. 60.   [37] Resp. Mog. Th. 117.
[38] Vgl. Scripta facientia H 3 ff.   [39] Resp. Mog. Th. 72. Zur Modifikation der Inspirationslehre vgl. ferner RITSCHL aaO. 408 ff.
[40] Laudatio funebris D 2.   [41] Vgl. WEBER, Der Einfluß 31 Anm. 3.
[42] WW Iii 3.   [43] Vgl. o. S. 14.   [44] Vgl. u. II. Teil 5. Kap.
[45] Vgl. Resp. Mog. Th. 22 — 27.
[46] „Welche nun dieß (die Fundamentalartikel) mit wahrem glauben ergreiffen, die machen eine gemeine, hauffe und versamlung, welch ist die heilige Christliche Kirche, hin und wider durch die Welt verstreuet, in welcher durch denselben glauben erlanget wirdt vergebung der Sünde." Calixti bericht de tolerantia. Bibl. Wolf. CG Extr. 84, 2, 25. „Welche dieses (die Fundamentalartikel) festiglich gleuben und nicht nach dem Fleisch, sondern züchtig, gerecht und gottselig leben in dieser Welt, und wieder jhr gewissen nichts handeln, nichts bejahen noch verleugnen, ob sie schon in etzlichen Stücken und errägeten Fragen es nicht recht und genaw treffen, und des hl. Nachtmals sich gebrauchen wie es jhnen werden kann, und sie auch recht zu sein vermeinen, so kan ich doch bey mir anders nicht ermessen oder statuiren, als daß sie Christen sind, und dannenhero würdig, daß man ihnen mit Christlicher liebe und gewogenheit begegne." WW Ll 4 f. Oft ähnlich.
[47] Digr. de arte nova 451, 460, vgl. WW Mm 3.
[48] Coelestis Patris et Ecclesiae catholicae filii. Sanctae Catholicae et Apostolicae eccle-

siae symbola etc., Nachwort. Vgl. Consideratio doctrinae Pontificiae 8: „Quicunque itaque ubique locorum Christum dominum et redemtorem agnoscunt, et una cum Patre et S. Spiritu venerantur et adorant, et quae porro ad habendam salutem agnosci opus est, ex Scriptura docent et discunt, et juxta institutionem Christi Sacramentis utuntur, et abnegata impietate sanctimoniam sectantur, illi unam, sanctam, Catholicam et Apostolicam Ecclesiam toto terrarum orbe diffusam, constituunt." Dabei sind necessitate medii notwendig nur die fundamentalen Glaubenswahrheiten und der gute Wandel, vgl. o. S. 55.

[49] Vgl Acta inter Ernestum etc. 181 ff. (Catholicum autem idem est, quod universale etc.).   [50] De doctrina christiana (ed. 1655) Admonitio 288.

[51] Resp. Mog. Th. 34; vgl. dazu Epit. Theol. 320.   [52] Epit. Theol. 291.

[53] Ebd. 318. Vgl. de visibili ecclesiastica monarchia Th. 42 und 48; De auctoritate antiquitatis ecclesiasticae Th. 43.

[54] Epit. Theol. 318; ed. 1653, 297 f.; vgl. Prooem. 29 und Scripta facientia etc. G 4.

[55] De auctoritate antiquitatis ecclesiasticae Th. 41.

[56] D. Calixti bericht de tolerantia (wie Anm. 46). De visibili ecclesiastica monarchia Th. 43 (2): „Exorto igitur haeretico quocunque fundamentales articulos negante vel oppugnante, non eget homo fidelis indice vel judice..." Vgl. ebd. Th. 45: „Si exoriatur itaque qui articulos fidei, quae fundamenta salutis sunt, neget aut evertat, haeresin esse novit ex se homo fidelis." De auctoritate antiquitatis ecclesiasticae Th. 41: „ad agnoscendas et vitandas et damnandas haereses conciliis simpliciter opus non esse." Zum Begriff des Häretikers vgl. auch o. 5. Kap.   [57] De visibili ecclesiastica monarchia Th. 57.

[58] Vgl. Prooem. 82.   [59] D. Calixti bericht de tolerantia (wie Anm. 46).

[60] Disputatio de Primatu Romani Pontificis (1650) 2 f.   [61] S. u. 7. Kap.

[62] Vgl. z. B. Acta inter Ernestum etc. 303.

[63] Ebd. 36 ff. (aliae magis aliae minus purae).

[64] Ebd. 132.   [65] Ebd. 175.

[66] Monita D. Horneji bei D. Calixti bericht, Bibl. Wolf. CG Extr. 84, 2, 27.

[67] WW Mm 2.   [68] Digr. de arte nova 207.   [69] Cassandri Dialogus, Praef. a 4.

[70] Acta inter Ernestum etc. 177 f.   [71] Vgl. S. 30.

[72] Zur Geschichte dieses Gedankens vgl. Friedrich Heiler, Altkirchliche Autonomie und päpstlicher Zentralismus (1941) 308, 311 (Nikolaus von Cues). Die altkirchliche Grundlage gibt namentlich das VIII. ökumenische Konzil ab.   [73] Vgl. App. theol. 105.

[74] „Sic itaque oriens ab occidente, Graeci a Latinis, Latini non-reformati sive Pontificii a Reformatis, et Reformati ipsi inter se divisi." Epit. Theol. mor., Epist. dedic. b. S. auch 7. Kap.   [75] Acta inter Ernestum etc. 176.

[76] Vgl. neben de Dominis vor allem Cassander (zu beiden o. 5. Kap.), dessen Dialog über die communio sub utraque specie Calixt 1642 herausgab. Auch auf Witzel beruft er sich gelegentlich, achtet aber Cassander als „in scribendo accuratior" und „in partibus incessendis moderatior" im Vergleich zu Witzel höher, De conj. cler. 614. Ein unmittelbarer Einfluß von Casaubonus läßt sich im Zusammenhang der Kirchenanschauung Calixts nicht nachweisen (gegen E. SEEBERG, Gottfried Arnold 475 Anm. 1, wonach Calixt „die entscheidenden Gedanken seines Lebens von Casaubonus empfangen" habe. Vgl. dazu auch RITSCHL aaO. 398 Anm. 21).

[77] Vgl. WEBER, Reformation, Orthodoxie, Rationalismus II, XVII.

[78] FERD. CHR. BAUR hat bisher als einziger diesem Zusammenhang bei Calixt größere Beachtung geschenkt und die (freilich kritisch zu befragende) Vermutung geäußert, daß sich bei Calixt eine Analyse des Wesens der Religion ankündige, „wie es sich in der Form des religiösen Bewußtseins ausspricht". (Über den Charakter und die geschichtliche

Bedeutung des calixtinischen Synkretismus, Theol. Jbb. 7, 1848, 191.)   [79] Vgl. S. 26 f.

[80] Vgl. S. 69.

[81] Vgl. Epit. Theol. mor. 74 f. Dabei gilt (74): „Lex, quae fidem exigit, praecipua est."

[82] Vgl. S. 25. Auf die gesetzliche Auffassung der Religion macht auch RITSCHL aaO. 382 ff. aufmerksam.

[83] 1654. Der Pakt-Gedanke findet sich schon in De Pontificio Missae sacrificio 1614, bes. 121 f. und in der Epit. Theol. mor. 1634 70 f. Die Schrift De pactis führt den hier vorgetragenen Gedanken nur weiter aus. Eine Beziehung zur Foederaltheologie des Reformierten Coccejus ist nicht zu erkennen.

[84] De pactis Th. 43. Vorher galt das pactum legale, nämlich das Gebot im Paradies, ebd. Th. 20.   [85] Ebd. Th. 43 (quod lex et mandatum appelari posset, pactum appelat.)

[86] Epit. Theol. mor. 68 (ut Servatorem suum [homines] agnoscant et ejus satisfactione ac meritis nitantur), vgl. auch Anm. 20.   [87] De pactis Th. 56.

[88] „Lex quidem evangelica, rationem et modum, quo observato post deperditam primaevam innocentiam salus obtineatur, praescribens, qua substantiam suam una est et eadem, nempe Credendum esse in Christum servatorem mundi." Epit. Theol. mor. 70 f.

[89] Die Kirche wird dementsprechend als „quasi Christiana quaedam respublica" verstanden. In Wort und Sakrament, durch die sie gesammelt wird, ist (sicut in legibus est ἡ σωτηρία τῆς πόλεως) salus et incolumitas Ecclesiae (Epit. Theol. 277 f.). Christus schreibt der Kirche als ihr Monarch vor, „quid sit credendum et agendum, quo per fidem perveniatur ad aeternam salutem: articuli fidei et doctrina Sacramentorum" (ebd. 284).

[90] Auf Luther beruft sich Calixt z. B. Digr. de arte nova 447 ff. Nach Luther seien in der Kirche unter dem Papsttum Schrift, Taufe, Altarsakrament, Absolution, Predigt, Ordination, Katechismus (die zehn Gebote, die Glaubensartikel, das Vaterunser) erhalten geblieben, wiewohl „alles schwechlich zugangen" (Vgl. LUTHER, Von der Winkelmesse und Pfaffenweihe 1533, WA 38, 221, 18 ff.).

[91] Vgl. MEINHOLD, Was ist Luthertum? 13 ff.

[92] Vgl. S. 69.   [93] Vgl. II. Teil 5. Kap.

7. KAPITEL

KIRCHENGESCHICHTE UND KIRCHLICHE EINIGUNG

[1] Im folgenden werden Calixts Arbeiten und Äußerungen zur Kirchengeschichte nach 1626 zugrundegelegt. Seine kirchengeschichtlichen Auffassungen hat er ausführlicher besonders im Apparatus theologicus (1628), im Tractatus de conjugio clericorum (1631), im Diskurß von der wahren christlichen Religion (1633), in der Digressio de arte nova (1634) und im Responsum Theologorum Moguntinorum vindiciis oppositum, pars altera (1645) dargelegt. Aber auch sonst finden sich in seinen Schriften vielfach Bemerkungen oder Exkurse zur Kirchengeschichte.

[2] „Ecclesiam Jorosolymis coepisse, et inde per totum terrarum orbem esse propagatam, et in particulares innumeras, partim cognitas partim incognitas, omnes tamen sub capite Christo per fidem et caritatem unitas, diffusam. Diuturnitate temporum factum est, ut variae mutationes circa particulares alias atque alias contigerint: aliae videlicet prorsus defererint et a fundamento penitus exciderint; aliae fundamentum retinuerint, et super eo aurum, argentum lapidesque preciosos, id est, commodas Scripturae et exortarum

quaestionum expositiones et utiles ritus aedificaverint; aliae fundamentum quidem retinuerint, sed ei inaedificaverint ligna, faenum et stipulam, id est, erroneas opiniones et ritus
ociosos aut superstitiosos. Hinc itaque factum, ut dum inter se particulares ecclesiae com-
parantur, aliae magis aliae minus purae deprehendantur." Acta inter Ernestum etc. 36.

[3] App. theol. 166, 181 u. ö.   [4] Diskurs Th. 1.

[5] „Es ist unzweifelhafft, daß die Kirche, welche unser Herr Christus selbst, und ...
die Heiligen apostel gestifftet, und deren Nachfolger ferner erhalten, erweitert und
gebawet, die rechte wahre Christliche Apostolische und Catholische Kirche sey". Ebd.

[6] Prooem. 41.   [7] Vgl. De quaestionibus num mysterium ss. Trinitatis etc. Th. 45.

[8] De auctoritate antiquitatis ecclesiasticae Th. 47, vgl. Th. 35.

[9] Vgl. z. B. De conjugio clericorum 341.   [10] KANTZENBACH aaO. 222—226.

[11] Georgii Wicelii Via Regia etc., ed. Conring 1650, 134 (communio patrum, qui ante
mille annos ecclesiam Christi rexerunt). Vgl. TRUSEN aaO. 42 f.

[12] Isaac Casaubonus (ed.), Antwort König Jakobs I. an Kardinal du Perron, von
Calixt zit. Digr. de arte nova 258. Für Casaubonus beginnt der Verfall im 6. Jahrhundert, vgl. E. SEEBERG aaO. 477.

[13] Ostensio errorum Suarez, De Rep. Eccl. II 905 und ö. Vgl. auch o. S. 50 f.

[14] Vgl. z. B. Schmalkaldische Artikel Teil II Art. IV. Bekenntnisschriften 428.

[15] Matthias Flacius, Catalogus testium veritatis, ed. 1608, ✱✱ 3 v.

[16] Vgl. Acta inter Ernestum etc. 140.   [17] Vgl. MEINHOLD, Was ist Luthertum? 20.

[18] Digr. de arte nova 447.   [19] De conjugio clericorum 436.

[20] Ebd. 435 f. Zum Ursprung der Phokas-These vgl. E. SEEBERG aaO. 285.

[21] Acta inter Ernestum etc. 186 ff. teilt Calixt die Päpste in fünf Klassen ein: die classis optimorum pontificum, die die römischen Bischöfe bis zur Zeit Konstantins d. Gr. umfaßt; die classis bonorum bis zu Gregor d. Gr.; die classis mundanorum bis zum 9. Jh.;
die classis improborum bis zu Gregor VII., mit welchem die fünfte Klasse der pontifices
antichristiani beginnt. —

[22] Die dominatio der Päpste in Kirche und Welt bildet auch für Casaubonus das Haupt-
moment der Verfallsgeschichte, vgl. Isaaci Casauboni de rebus sacris et ecclesiasticis exercitationes XVI. Ad Card. Baronii prolegomena in Annales etc., Frankfurt/M. 1615, Epist.
dedic. a 4: „Accessit tot malis cumulus ingens, dominatio terribilis unius, in Ecclesiam
pretioso sanguine Christi liberatam, ab aliquammultis seculis introducta. Sedes enim Ro-
mana, quae prima inter Patriarchales quondam satis habebat censeri; Domina Ecclesiarum
esse atque agnosci dudum est cum voluit. Et Rom. Pontifex, postquam potestatem suam
in rebus spiritualibus ad ultimum fastigium perduxerat; pertaesus fortunae suae, quasi
nihil dum egisset, ad temporalem dominationem animi mentem convertit." Calixts Bild
von der Verfallsgeschichte deckt sich mit dieser Sicht.

[23] Vgl. Epit. Theol. mor. Praef. a 2.

[24] Vgl. De conjugio clericorum 576 (Pontificiae ambitioni, superbiae et tyrannidi fastigium imposuit). Vgl. auch Anm. 22.   [25] De conjugio clericorum 590.

[26] Ebd. 590 f.

[27] Epit. Theol. mor. Praef. a 3; vgl. auch z. B. App. theol. 95 f., 126 ff.

[28] Diskurs Th. 31.   [29] De conjugio clericorum 511, 576 und öfters.

[30] Diskurs Th. 77.   [31] Vgl. Epit. Theol. mor. Praef. a 3.

[32] So App. theol. 138 f., wo er sagt, daß ihre Leistungen nicht ignoriert werden dürften
(nos non decet ignorare). Zumal da, wo der Mangel an Sprachkenntnis sich nicht bemerkbar
mache, „saepenumero egregios se praestent".

[33] Vgl. Digr. de arte nova 448 ff.

[34] Vgl. Diskurs Th. 57: „Do nun die Zeit vorhanden, und das maß voll gewesen, hat Gott den seligen Herrn Lutherum erwecket, der die nohtwendige und vollige reformation der durch Päbstliche triegerey und mißbreuche verwirreten Kirchen nicht mit geringerm success, alß frewdigkeit angefangen und hinaußgeführet."   [35] Vgl. App. theol. 155 f.

[36] „Tantae .. molis et tam necessariae reformationis opus absque adminiculis subsidiisque in eam rem necessariis perfici non poterat." Ebd. 155. „Factum itaque non sine numine et providentia Dei opt. max.", dass beim Ende des byzantinischen Reiches „in Italiam transirent viri ejus nationis eruditi, et secum Graecas Musas adducerent", ebd. 156.

[37] Diskurs Th. 57, vgl. Epit. Theol. mor. Praef. a 4.

[38] Z. B. App. theol. 152. — Zum Lutherbild der Orthodoxie vgl. Zeeden, Martin Luther und die Reformation I, bes. 71 ff.

[39] De auctoritate antiquitatis ecclesiasticae Th. 34. Vgl. auch z. B. App. theol. 158 (reformatio juxta Scripturam et antiquitatem ecclesiae).

[40] „Praeeunte igitur et moderante divina gratia et providentia, auspiciis et ductu magni viri B. Martini Lutheri majores nostri intolerabile illud jugum excusserunt, ecclesiam a superstitionibus purgarunt, Principibus securitatem et oboedientiam, Sacramentis integritatem, Scripturis suum usum et splendorem, Christo Mediatori suam gloriam reddiderunt, et mentes atque facultates suas in libertatem adseruerunt." App. theol. 151.

[41] Vgl. Digr. de arte nova 425.   [42] Vgl. De conjugio clericorum 161.

[43] Vgl. Digr. de arte nova 124 und oben 6. Kap. Anm. 74.

[44] „Utri ... parti Scissura imputari debeat, res ipsa loquitur", Digr. de arte nova 425. Die Schuld für die Kirchenspaltung liegt eindeutig beim Papst.

[45] Diskurs Th. 102.

[46] „Nulla inter eas (ecclesias occidentales) plura fundamento superaddit, quam Pontificia; et ista omnia vel pleraque ad quaestum cleri ac monachorum facientia, et ad augendam potentiam Romani Pontificis", Acta inter Ernestum etc. 37.

[47] Ebd. 37 f.   [48] Ebd. 37.   [49] Ebd.

[50] Ebd. In Abtruck Zweyer Sendschreiben 4 wird ihm sogar die Äußerung in den Mund gelegt, die Kirche sei nirgends besser bestellt, „alß in unserm Vatterlandt (Schleswig-Holstein) unnd hier im Herzogthumb Braunschweig / Wolffenbuttel und Calenbergischen Gebiets. Dan da höret man nichts / weder von Bäpistischen Aberglauben unnd verfälschung / noch vom Sacrament schwarm / noch von der schändlichen ubiquitisterey."

[51] Ein erster Anklang findet sich schon 1625 in XX. Priorum Capp. Exodi — Expositio in dem Satze (zu Ex. IV 2-5): „per reformationem Lutheri nihil novi introductum, sed, quod Scripturis pridem fuerat declaratum, et ex iis, quin etiam *testimonio primitivae et aliarum totius orbis ecclesiarum,* abunde poterat confirmari, productum est et defensum."

[52] Epit. Theol. 42 ff.; vgl. auch De praec. capp. 87 ff.   [53] Epit. Theol. ebd.

[54] Zur Problematik dieses Begriffs der Tradition in der nachtridentinischen Theologie vgl. Josef Rupert Geiselmann, das Konzil von Trient über das Verhältnis der Hl. Schrift und der nicht geschriebenen Traditionen, in: Die mündliche Überlieferung. Beiträge zum Begriff der Tradition hrsg. von M. Schmaus (1957) 123 ff.

[55] Vgl. Flacius, Catalogus testium veritatis.

[56] Dies meint W. Elert, Morphologie I 184 feststellen zu können.

[57] Resp. Mog. Th. 39.   [58] Prooem. 41.

[59] De auctoritate antiquitatis ecclesiasticae Th. 11.

[60] Vgl. App. theol. 160: priore tanto inferius, quanto operosius; 166: argumentum secundarium; De auctoriate antiquitatis ecclesiasticae Th. 1: Posterioris (principii) auctoritas pendet a priori et hinc demonstratur.   [61] Prooem. 58 und oft.

[62] Vgl. De doctrina christiana ed. 1655, Admonitio 290: Die Aussagen der alten Bekenntnisse „a posteriori per consensum .. confirmantur." „A priori vero demonstrari possunt, quod e Sacris scripturis deducuntur et cum Symbolo Apostolico conveniunt."

[63] Nihilominus unum tantum (est) simpliciter primum et summum principium. De auct. antiq. eccl. Th. 1.

[64] Bericht von Calixt und Hornejus an die welfischen Herzöge vom 25. 1. 1649, Bibl. Wolf. CG Extr. 84, 2, 1.

[65] „quod observari cupimus, Deus in Scriptura, quam per Prophetas et Apostolos condi voluit, mysteria sive articulos fidei et sacramenta saluti nostrae necessaria tradit revelando et sciscendo, sive instituendo et mandando: ecclesia vero eadem tradit nec revelando nec instituendo, sed de revelatis ac institutis divinitus, testificando. Usus autem apud ecclesiasticos scriptores obtinuit, ut posteriore hoc sensu vox Traditionis potissimum capiatur." Prooem. 29.

[66] Daher bleibt auch zwischen seinem Traditionsbegriff und dem tridentinischen ein prinzipieller und nicht nur ein quantitativer Unterschied, wie RITSCHL aaO. IV 405 meint.

[67] Vgl. z. B. BUSCHER, Cryptopapismus novae Theologiae Helmstadiensis B 4.: „Corpus Doctrinae (Julius, das in Braunschweig gültig war) saget ausdrücklich / das alle Lehrer sollen nach der Schrift gerichtet werden / und also auch die Alten Väter in der ersten Kirchen. Calixtus saget: Daß die alten Väter neben der Schrifft sollen richten" etc.

[68] So schon im App. theol. (1628) 160. Ausführlich legt er seine Lehre von der Tradition im Anschluß an Vincentius im Prooemium zur Ausgabe von Augustins de doctrina christiana und Vincentius' Commonitorium 1629 dar.   [69] Vgl. Prooem. 31.

[70] Vgl. o. Kap. 5.   [71] Vgl. Commonitorium I c. 2 f. Dazu Calixts Prooem. 20 ff.

[72] Prooem. 31; De auctoritate antiquitatis ecclesiasticae Th. 9.

[73] Vgl. Prooem. 37; De auctoritate antiquitatis ecclesiasticae ebd.

[74] Prooem. 31.   [75] Ebd. 33.   [76] De auctoritate antiquitatis ecclesiasticae Th. 14.

[77] Ebd.   [78] Ebd., vgl. Th. 13.   [79] De conjugio clericorum 2 und oft.

[80] De igne Purgatorio (Justus Gesenius, praes. G. Calixtus) Th. 10 u. ö.

[81] App. theol. 91-111.   [82] Ebd. 97 ff.

[83] Prooem. 32 f.; De auctoritate antiquitatis ecclesiasticae Th. 13. — Digr. de arte nova 212 sagt Calixt, es sei heute nahezu unmöglich, den consensus universalis mit Gewißheit festzustellen.   [84] Vgl. Prooem. 35 f.   [85] Vgl. o. 5. Kap. Anm. 6.

[86] Prooem. 81 f.   [87] Digr. de arte nova 213.

[88] Vgl. Diskurs Th. 96 f.; Prooem. 47; Digr. de arte nova 213 und 463. Diskurs Th. 96 nennt er außerdem noch das Ancyranum, Neocaesariense, Gangrese, Antiochenum und Laodicenum.   [89] Prooem. 47 f.   [90] Vgl. ebd. 45.   [91] Ebd. 46 f.   [92] Diskurs Th. 95.

[93] Darauf macht KANTZENBACH aaO. 239 mit Recht gegenüber RITSCHL aufmerksam, der (aaO. 400) eine kritiklose Idealisierung des kirchlichen Altertums bei Calixt findet.

[94] Calixt deutet die Stelle Commonitorium I c. 28 (Calixts Ausgabe 259), wonach die „antiqua sanctorum Patrum consensio non in omnibus divinae legis quaestiunculis, sed solum, certe praecipue, in fidei regula" zu befolgen sei, dahin, daß auch Vincentius nur den consensus bezüglich des Heilsnotwendigen im Auge gehabt habe, vgl. Prooem. 82.

[95] Vgl. o. S. 40.

[96] „ille sensus in iis quidem, quae ad fundamentum fidei pertinent, longe verissimus .., quo a principio et universaliter Ecclesia Catholica Scripturas intellexit." De auctoritate antquitatis ecclesiasticae Th. 7. Vgl. Prooem. 29. — Selbstverständlich gilt, articulos fidei doctrinamque de Christo saluti nostrae necessariam secundum se sive, ut ita dicam, substantiam suam augmentum porro capere non posse, De pactis Th. 70.

[97] Vgl. De auct. antiq. eccl. Th. 38.   [98] Ebd. Th. 47

[99] „Rem tamen ipsam, sive materiale quod vocant, ab omnibus credi oportet. Et hoc ipsis ad salutem satis est." Ebd. Th. 38.

[100] Die Frage, ʻob genugsam zu glauben und erlaubt, öffentlich zu lehren, dasselbe seiʻ, ist also (gegen KELLER-HÜSCHEMENGER aaO. 169 ff.) nicht nur bei Hülsemann, J. Meisner, J. Musaeus und Turetin, sondern auch bei Calixt gesehen.

[101] Vgl. Digr. de arte nova S. 428.

[102] „Quin non nemini videri possit, post tot emensa secula vix ullam alicujus momenti moveri posse quaestionem, de qua non pridem in communem quandam sententiam pii et eruditi convenerint", De visibili ecclesiastica monarchia (ed. 1674) Th. 59. Vgl. auch Resp. Mog. Th. 93.   [103] Vgl. Kontroversschriften wie De conj. cler.

[104] De conjugio clericorum, epist. dedic. + 2 v, + 3.

[105] Epit. Theol. 62; vgl. o. 3. Kap.   [106] Epitome Theologiae (ed. 1661) 40.

[107] Vgl. z. B. App. theol. 154, 160, 166. Die Formel begegnet in der einschlägigen Zusammenhängen aller späteren Schriften.

[108] Die Anerkennung des Vicentius auf katholischer Seite gibt Calixt in der Ausgabe von 1655 (Admonitio 264) als einen der Gründe für die Edition des Commonitorium an.

[109] Die Reduzierung der Dogmatik auf altkirchlicher Grundlage (vgl. KANTZENBACH aaO. 242) bedeutet nicht, daß der Dogmatiker nach Calixt „auf eigene Gedankenarbeit verzichten" müsse (LEUBE aaO. 303) und die Theologie auf das Niveau einer „nur noch statistischen und antiquarischen Leistung" herabgedrückt werde (RITSCHL aaO. 405). Denn die christlichen Glaubenswahrheiten sind auch nach Calixt in der jeweiligen Gegenwart zu entfalten und zu verteidigen, wobei nur die Maßgabe gilt, daß die theologischen „explicationes ... analogae sint fidei, et in ipsum fundamentum nec directe nec indirecte impingant" (Scripta facientia etc. K. 2). Allerdings kann es keine weitere Entwicklung des Dogmas geben, da alles Wesentliche in den Bekenntnissen der Alten Kirche bereits ausgesagt ist.   [110] S. u. III. Teil 2. Kap.   [111] II. Teil 3. und 5. Kap.

[112] Auch hierfür wird das Schrifttum von 1626 an als Ganzes herangezogen, da die Stellungnahmen in diesem Zeitraum trotz der in der Entwicklung liegenden Unterschiede sachlich zusammengehören.   [113] WW Mm 3.

[114] Vgl. Diskurs Th. 105: „Der aber ist ein rechter schismaticus, der zur trennung uhrsach giebt, vom frieden abgeneigt ist, und keine billige einigungsmittel zulassen will."   [115] Ebd. Th. 62, 63.   [116] Vgl. Orr. sel. 27.

[117] Epit. Theol. mor. Praef. a 2.   [118] Ebd. bv.

[119] Calixt und Hornejus an die welfischen Herzöge am 30. 9. 1648. Bibl. Wolfb. CG Extr. 84, 2, 17.   [120] Prooem. 82 fi, 89.

[121] Oratio de caussis calamitatum quae ecclesiam occidentis post coeptam reformationem afflixerunt, Orr. sel. 95.

[122] „Patriae necessarium ... ut tandem aliquando de igne dissidiorum nostrorum, quae totius Europae incendio pabulum subministrare videntur, sopiendo, aut, si ea spes nimis vasta est, saltim minuendo cogitemus. Dubium enim nullum est, nos per mutuam illam vehementissimam et acerbissimam animorum abalienationem pristinam gentis nostrae decus, quin omnem prosperitatem paullatim amittere, et nobismetipsis patriaeque universae perniciem et πανολεθρίαν accersere." Digr. de arte nova 170.

[123] Orr. sel. 22.

[124] Vgl. Digr. de arte nova 477: „Spes est occasionem emersuram, per quam a pluribus opera ad sopienda vel minuenda religionis dissidia, principem nostrorum temporum calamitatem et reipublicae non minus quam ecclesiae perniciosam, conferatur." Vgl. auch

Desiderium etc. Th. 5; Scripta facientia etc. F 4: Der Herr habe gelehrt (Mt 6, 33), „quaerendam primum esse pacem regni Dei, et pacem regni terreni superadditum iri.“

[125] Vgl. Epit. Theol. mor. 11.   [126] Vgl. Digr. de arte nova 203.   [127] WW Mm 3.
[128] Digr. de arte nova 219.   [129] De immortalitate animae et ressurrectione carnis 147.

[130] „Per me profecto dissidia ecclesiae, quibus eam dilacerari et deturpari, plus, quam dici potest, doleo, augmentum non capient: si quid vero ad tollenda, aut saltim minuenda valeam conferre, nullas sive curas sive vigilias, nullum vel studium vel periculum, modo huc faciat, aut videri queat facere, declinabo: quin ne quidem vitae et sanguini meo, si eo concordia Ecclesiae redimi possit, umquam pepercero, nedum ut laborem subterfugiam, qui tantus numquam objicitur, quin hac fini susceptus non modo non ingratus aut molestus, sed etiam jucundus sit futurus.“ Digr. de arte nova 167.

II. TEIL

CALIXTS KIRCHENPOLITISCHE WIRKSAMKEIT

1. KAPITEL

DER WEG ZUR WIEDERVEREINIGUNG

[1] „Omnes curas, omnes animi nisus illuc contulit“, bestätigt Titius aaO. C 3; vgl. SCHRADER, Memoriae Calixti oratio D 3. Schrader berichtet auch (ebd.), daß Calixt bei den vielfachen Enttäuschungen, die er in seinen Bemühungen erlebte, oft in Tränen ausgebrochen sei.   [2] Vgl. I. Teil 7. Kap.

[3] D. Calixti bericht de tolerantia, Bibl. Wolf. CG Extr. 84, 2, 25 f.

[4] „schismata, si non penitus sublatum, tamen mitigatum iri“ Prooem. 89, vgl. auch z. B. Desiderium et studium concordiae ecclesiasticae Th. 5.

[5] Vgl. De conj. cler. + 4 (paullatim).

[6] Digr. de arte nova 205; Scripta facientia etc. P.   [7] Diskurs Th. 106.

[8] Vgl. SCHRADER aaO. Gelegentlich drückt Calixt den Wunsch nach Wiederherstellung der Kircheneinheit auch in Gebetsform aus, so in De haeresi Nestoriana 92: „Nos Deum Patrem opt. max. ejusque unigenitum Filium, Dominum et Redemtorem nostrum, τὸν ἀρχιποιμένα supplices veneramur, ut gregis sui tantopere afflicti tandem misereatur; Theodosios, quibus ecclesiae pax et tranquillitas curae sit, largiatur; Nestorios, ubi fuerint, aboleat; Cyrillos autem et Johannes, si quid forte humani patiantur, vel alii aliorum mentem non recte adsequantur, et διχοστασίᾳ ... dissideant, missis Paulis Emisenis in gratiam et concordiam reducat: ut quemadmodum unum est corpus, et unus Spiritus, et una spes vocationis nostrae, unus Dominus, una fides, unum baptisma, unus Deus et Pater omnium, qui est super omnes, et per omnes et in omnibus nobis; ita quoque omnium, uti erat primorum Christianorum, sit cor unum et anima una. γένοιτο, γένοιτο.“

[9] Leitbild ist die „primaeva speciosa facies“ der Kirche, vgl. Prooem. 89. — Vgl. auch die bei KANTZENBACH aaO. 240, Anm. 29 wiedergegebene Äußerung aus De vera christiana religione et ecclesia (1687) S. 120, wonach die Bemühungen um die Wiedervereinigung sich circa antiqua Apostolica primorum puriorumque seculorum symbola et confessiones veluti circa cardinem, sicut rota agitur circa axin, drehen müßten.

[10] Vgl. o. I. Teil 6. Kap.

[11] Vgl. De auctoritate s. scripturae (1648) Th. 110: Die Universität Helmstedt und er setzten sich für die so notwendige kirchliche Einigung ein. „Hac fini discernenda esse necessaria a non-necessariis: de necessariis per certas et evidentes probationes, (quoniam

in communibus quibusdam principiis, et quidem praecipuis, convenimus) easque in forma ... institutas .. transigendum esse." [12] WW Pp. 4.

[13] Non est aliud medium rem conficiendi, quam per colloquia rite instituta, Scripta facienta etc. N 4, vgl. Cassandri Dialogus, Praef. e 2.

[14] Exposito lit. in epl. ad Titum 36: viri exacti ingenii, solidae eruditionis et animi moderati; oft ähnlich. In der Kennzeichnung der persönlichen Voraussetzungen, die die Gesprächsteilnehmer erfüllen müssen, gibt Calixt zugleich ein Bild von sich selbst. Seine Schüler berichten, er sei nemini adversus, erga omnes facilis, comis, benignus, tolerantissimus injuriarum gewesen (SCHRADER aaO.) und habe eine moderatio tanta gezeigt, ut verbis satis ornari non possit (TITIUS aaO. C 2). [15] Diskurs. Th. 105.

[16] Digr. de arte nova 207. Vgl. Orr. sel. 26: „si ea esset eruditio, quae doctores rerum sacrarum et tantae controversiae advocatos non leviter tinxisset, sed plane imbuisset; si candor et integritas absque quibus nec maxima eruditio multum profuerit; si minus intemperanter alii in alios debaccharemur, et cum lenitate et mansuetudine bonis potius et validis argumentis, quam acribus conviciis ageremus; si alii ab aliis discere sustineremus; si ista, inquam, fierent, spes esset", etc.

[17] „Illi (die Kollokutoren) dogmata pure necessaria ab aliis minus necessariis ... segregent, necessaria strenue urgeant, in reliquis minus necessariis veritatem quaerant", Expos. lit. in epl. ad Titum 36. (Adsertiones) „e legitimis principiis probatas dare debet; ita etiam hic: atque eo magis, quo certius utrimque in principiis, quae sunt Sacra Scriptura et Ecclesiastica antiquitas, convenimus. Quae itaque probanda sunt, ita probentur testimoniis perspicius" etc. Epit. Theol. mor., Praef. b. 2. Ebd. b 4 „Proximum foret, quaestiones subtiles et captum plerorumque fidelium excedentes resecari, vel certe ab iis, quae fundamenti sunt, et sine quibus nemini salutem consequi datur, secerni." Vgl. auch Anm. 11.

[18] Scripta facientia etc. O 3. Vgl. WW Rr 3: es gebe „kein besser und bequemer / und meines ermessens kein ander mittel / als daß in forma, wie man es nennet / demonstriret und disputiret werde. Haben vorige zu Fried und Einigkeit angeordnete colloquia des zwecks gefehlet / und wenig gefrüchtet / ist es mehren teils daher gekommen / daß man nicht förmlich disputiret". [19] Vgl. u. S. 107.

[20] „Quod igitur uno aliquo colloquio expediri non potest, servetur in alia post-futura, qualia nec semel, nec uno in loco, sed aliquoties et in diversis provinciis, alia post alia, institui utile imo necesse fuerit, donec Deus ... eventum, quem optamus, vel ex toto, vel ex parte, ... benigne largiatur." Scripta facientia etc. P 2. [21] Vgl. I. Teil 2. Kap.

[22] Der Grundsatz der Einheit der Wahrheit bildet eine Grundvoraussetzung der konfessionellen Theologie auf allen Seiten, gemäß der metaphysischen Prämisse, daß „omne verum unum, ac omne unum indivisum in se" sei (DANNHAUER, Mysterium syncretismi detecti, 2).

[23] Vgl. Diskurs Th. 69: „Wenn man sich ... solcher terminorum enthelt, ... alßdann mag die gantze lehre unschwer (!) also verfasset werden, daß einem oder andern Theil unmüglich zu dissentiren oder ein wiedriges zu affirmiren." [24] Vgl. o. S. 12.

[25] Digr. de arte nova 466-474; Resp. Mog. Th. 139 ff; vgl. auch Consideratio; Judicium de controversiis theologicis. Digr. de arte nova aaO. betreffen die ersten 29 Punkte das Papsttum, weitere den Verdienstbegriff, die Sakramentenlehre, die Beichte, das Fegefeuer, den Zölibat, die Lehre von der weltlichen Gewalt, die Lehren von der unbefleckten Empfängnis und Himmelfahrt Mariens, die Marienverehrung, die Anrufung der Heiligen, den Häresiebegriff u. a. [26] Digr. de arte nova 305 (pleraeque quaestiones facti).

[27] Acta inter Ernestum etc. 280 (capitalis controversia, unice digna tractari semper, de

infallibilitate R. P.; controversiarum omnium maxima, omnes tamen, si evinci queat, sopire et tollere idonea). Vgl. Scripta facientia etc. N 2 (ante omnia de auctoritate et potestate R. P. agendum).

[28] Zu nennen sind vor allem De conjugio clericorum 1631; De providentia Dei 1635; De corpore et sanguine Domini reapse praesentibus in ss. Eucharistia 1636; De gratuita per fidem justificatione 1635; De auctoritate s. scripturae 1637; De sacrificio Christi semel in cruce oblato et interabili 1638; De aeterna praedestinatione et electione 1639; Cassandri de communione sub utraque specie Dialogus. Accessit (Calixti) in hac ipsa controversia disp. 1642; De transsubstantiatione contra Pontificios exercitatio 1643; De igne purgatorio 1643 (Justus Gesenius); De visibili ecclesiastica monarchia contra Pontificios 1643; De missis solitariis contra Pontificios 1647; De primatu R. P. 1650; De cultu s. virginis Mariae apud Pontificios 1650. Zum Teil handelt es sich hierbei um Schülerarbeiten, die unter seiner Anregung und Mitwirkung entstanden.

2. KAPITEL

CALIXT UND DIE EINIGUNGSBESTREBUNGEN SEINER ZEIT

[1] Vgl. RITSCHL aaO. 253; LEUBE aaO. 143; J. TH. McNEILL in Geschichte der Ökumenischen Bewegung I 95.

[2] Vgl. RITSCHL aaO. 256; LEUBE aaO. 59 ff., 144 ff.; McNEILL aaO. 96.

[3] Vgl. RITSCHL aaO. 254 f. Von diesen Bestrebungen datiert Ritschl die protestantische Irenik als eine auf das Ziel der evangelischen Union ausgehende Bewegung.

[4] So Pareus, vgl. RITSCHL aaO. 256.

[5] Vgl. zu den reformierten Bestrebungen auch WEBER, Reformation, Orthodoxie, Rationalismus I 2, 319 ff. Ein Überblick bei MARTIN SCHMIDT, Die ökumenische Bewegung auf dem europäischen Festlande im 17. u. 18. Jh. in: Geschichte der Ökumenischen Bewegung I 122 ff. [6] Vgl. o. S. 50 f. [7] Vgl. MARIA E. NOLTE aaO 220 ff.

[8] Über Grotius vgl. bes. KROGH-TONNING, Hugo Grotius und die religiösen Bewegungen im Protestantismus seiner Zeit; SCHLÜTER, Die Theologie des Hugo Grotius; ERIK WOLF, Große Rechtsdenker 252 ff.; M. SCHMIDT aaO. 104 ff. — Eine neue Untersuchung verdiente der Traditionsbegriff des Grotius. [9] Vgl. NOLTE aaO. 222 ff.

[10] Vgl. z. B. Vorwort zu den Opera theologica tom. II vol. I Amsterdam 1679 und ebd. tom. III in den Annotata zur Consultatio Cassanders die Ausführungen über Schrift und Tradition. [11] Vgl. auch S. 99.

[12] Vgl. z. B. Opp. theol. III 653 B 42 ff. (Votum pro pace ecclesiastica).

[13] Grotius wird wie die gesamte altkatholische Irenik bei seinen Gedanken über die Kirche und ihre Einheit weniger von der radikalen Kritik am Menschenwerk, als von der Ehrfurcht vor der Geschichte geleitet. Man kann darin in gewissem Sinne eine Verflachung sehen (vgl. M. SCHMIDT aaO. 105), wird aber auch zugeben dürfen, daß die Ehrfurcht vor dem geschichtlich Gewordenen oft wirklichkeitsnäher ist als die vielfach in spiritualistischen Motiven wurzelnde radikale Geschichtskritik.

[14] Diese Berührungen tragen großenteils den Charakter des Gelegentlichen und Zufälligen, wie dies den damaligen begrenzten Möglichkeiten, über größere Räume hinweg Verbindungen herzustellen, entspricht.

[15] Näheres bei RITSCHL aaO. 262 ff. RE XI 363 ff. LEUBE aaO. 123 ff.

[16] Vgl. HINTZE, Die Hohenzollern und ihr Werk 172; Gebhardts Handbuch der deutschen Geschichte [8]II 147.

[17] Acta Colloquii Lippsiensis Ao. 1631. Archiv Wolfb. L ALT Abt. 37 Nr. 287 (Abschrift). — Das Protokoll abgedr. bei NIEMEYER 653 ff.

[18] RE XI 364.   [19] Niemeyer 664.

[20] Die Unterschiede, die außer in den genannten Punkten in der Prädestinationslehre auftraten, standen nicht im Vordergrunde. Sie betrafen die göttliche Präszienz und die Perseveranz der Erwählten. Vom absoluten Dekret rückten die Reformierten ab.

[21] Zur Verbreitung des Protokolls vgl. LEUBE aaO. 130 ff.

[22] Über das H I 502-508 Mitgeteilte hinaus fand sich kein neues Material zur Aktion Friedrich Ulrichs. Diese wird auch von LEUBE aaO. 291 berührt, merkwürdigerweise nur, soweit es sich um den „Extrakt" handelt. Unrichtig LEUBES Vermutung 291, daß erst durch sie Calixt auf seine Unionsvorschläge gekommen sei.

[23] Vgl. KRETZSCHMAR, Der Heilbronner Bund.

[24] Verhandlungsthemen waren, wie der Herzog der Fakultät mitteilte, die conjunctio consiliorum et armorum und die compositio pacis.

[25] Mehrere Abschriften, vermutlich bei dieser Gelegenheit angefertigt, im Archiv Wolfb.

[26] Abschrift des Schreibens im Archiv Wolfb. L ALT Abt. 1 Gr. 22 Nr. 69. Auszugsweise H I 503. Zur Datierung vgl. ebd. 502 Anm. 3.

[27] Vgl. zu den Verhandlungen des 1. Bundestages KRETZSCHMAR aaO. I 435 ff.

[28] Der Extrakt im Archiv Wolfb., wie Anm. 26. Auszugsweise H I 504 f.

[29] Extrakt.

[30] Dies ist nicht die gewöhnlich von Calixt verwendete Terminologie. Nur gelegentlich gebraucht er 'credenda' und 'agenda'. Durie spricht von den dogmata fidei et praxeos. Ob und inwieweit zwischen den Bestrebungen Friedrich Ulrichs und Duries (zur selben Zeit und bei derselben Gelegenheit, den Versammlungen der evang. Stände in Frankfurt) ein unmittelbarer Zusammenhang besteht, ist nicht deutlich.   [31] Extrakt.

[32] Vgl. I. Teil 6. und 7. Kap.

[33] H I 504 Anm. 1 vermutet (ohne konkrete Nachweise), daß der herzogliche Rat Lampadius, der mit Calixt befreundet war, den Extrakt verfaßt habe.

[34] Archiv Wolfb. L ALT Abt. 37 Nr. 287. Ausz. H I 506-508. LEUBE aaO. 292 scheint für den Extrakt irrtümlich das Datum des ersten herzoglichen Schreibens anzunehmen, da er von einer längeren Verzögerung der Antwort der Fakultät spricht, von der aber in Bezug auf den „Extrakt" keine Rede sein kann.

[35] Hier ist eine Kritik an dem Leipziger Verfahren impliziert, in welchem diese regia via nicht befolgt war.

[36] Calixt und seine theologischen Kollegen suchen von vornherein die innerprotestantischen Unionsversuche in Richtung auf die römisch-katholische Kirche auszuweiten, vgl. auch die Verhandlungen mit Durie.

[37] Am 19.4.1634, vgl. KRETZSCHMAR aaO. II 307.   [38] Vgl. ebd. 323 ff.

[39] Später ist Calixt des Lobes voll über die Bemühungen Friedrich Ulrichs (z.B. an Herzog August am 21.3.1636, Archiv Wolfb. L ALT Abt. 1 Gr. 22 Nr. 69).

[40] Über Durie vgl. LEUBE aaO. 204. ff.; BRAUER, Die Unionstätigkeit John Duries unter dem Protektorat Cromwells; LUKAS FISCHER in: ZKG 64 (1952/53) 321 ff.; M. SCHMIDT aaO. 137 ff.

[41] Durie an die theologische Fakultät Helmstedt 1633. Archiv Wolfb. L ALT Abt. 1 Gr. 22 Nr. 69 (Abschr.).

[42] Vgl. BRAUER aaO. 217 ff.; LEUBE aaO. 232, 240.   [43] Vgl. RITSCHL aaO. 267.

[44] Vgl. BRAUER aaO. 214 Anm. 1. (fundamentum Professionis Christianae magis in veritate practica quam theoretica situm esse).

[45] M. SCHMIDT aaO. 139.   [46] BRAUER aaO. 203; LEUBE aaO. 240 f.

[47] Vgl. BRAUER aaO. 210.   [48] Vgl. ebd. 211, 225.

[49] Vgl. ebd. 3. — Über die Beziehungen Duries zu Helmstedt einige Mitteilungen auf Grund des (nur teilweise benutzten) Materials bei H I 501 f. und II 1, 108—110.

[50] Archiv Wolfb. L ALT Abt. 1 Gr. 22 Nr. 69 (Abschr.). BRAUER gibt aaO 3 unrichtig Heilbronn an.   [51] Das „Instrumentum" im Anm. 50 angeg. Schreiben.

[52] Ebd. Der Wortlaut des scopus abgedr. H I 502 Anm. 2.

[53] Archiv Wolfb. wie Anm. 50. Großenteils abgedr. H I 506 Anm. 1.

[54] Vgl. H II 1, 108 f. Die beiden braunschweigischen Geistlichen waren Generalsuperintendent Heinrich Wideburg und der Abt von Mariental Joh. Haspelmacher.

[55] Nach LEUBE aaO. 226 gehörte es zu Duries' Methode, zunächst mit Gutachten zu „blenden".

[56] Capita de mediis praeparatoriis, quibus concordia Ecclesiastica poterit suo tempore inter Evangelicos stabiliri, si consensus in iis inveniatur. Eine Abschrift der capita UB Göttg. Cod. MS Hist. 189 1 Nr. 335.

[57] Entsprechende Vorschläge machte Durie auch etwa in Berlin 1668/69, vgl. LANDWEHR, Die Kirchenpolitik Friedrich Wilhelms des Großen Kurfürsten 334.

[58] Der Bericht über die Verhandlungen im Archiv Wolf. L ALT Abt. 37 Nr. 287 (vom 5. 12. 1639). Abgedr. in Via ad pacem etc., ed. F. U. Calixtus, 97 ff.

[59] Vgl. BRAUER aaO. passim (die verschiedenen Verhandlungen Duries). Vgl. jedoch LEUBE aaO. 231, wonach er den Kirchenvätern bis zu Gregor d. Gr. Autorität zuerkannte, und M. SCHMIDT aaO.   [60] Im Anm. 58 angegebenen Bericht.

[61] Es war Duries Absicht, zur Vorbereitung des Unionswerkes eine „correspondentia evangelica" zu schaffen, vgl. LEUBE aaO. 226 f.

[62] Vgl. H II 1, 109.

[63] Einer H II 1, 109 Anm. 3 mitgeteilten Nachricht Duries zufolge scheint man sich auf 30 Artikel (Einigungsartikel?) vereinigt zu haben.

[64] H II 1, 109 läßt Zweifel darüber, ob Calixt auf der Konferenz gewesen sei. Durie spricht aber in einem Brief vom 18. 4. 1648 an Calixt aus London von Calixts benevolentia, „tam Brunsvici, quam Hildesheimii in eodem conatu contestata(e)". UB Göttg. Cod. MS Philos. 111 Nr. 116.

[65] Das Vorstehende spricht gegen die Annahme LEUBES aaO. S. 243, es habe in der Wirksamkeit Duries keine Zeit gegeben, „in der er lutherische Theologen für seine Bestrebungen gewonnen hätte". Wenn es auch zu keiner engeren Zusammenarbeit kam, so wurden doch die Bestrebungen Duries in Helmstedt aufs Wärmste unterstützt.

[66] Im Anm. 64 angegebenen Brief.

[67] Vossii et Clarorum Virorum ad eum epistolae 269.

[68] Vgl. den Brief Overbeckes vom 12. 11. 1614 an Calixt, UB. Göttingen. Cod. MS Philos. 114.

[69] Briefe aus Leiden in UB Göttg. Cod. MS Philos. 110 I, II. Aus Schraders Berichten ist H I 486 Anm. 1 einiges mitgeteilt.

[70] Der Briefwechsel in Vossii epistolae. Einige Belege H II 1, 27 Anm. 1.

[71] Vgl. Vossii epistolae 94 zum Apparatus theologicus: „Quem equidem tanti non facerem, ut a te inspiceretur, nisi quae de concordia, quasi obiter, et aliud agendo adspersi, a te cognosci cuperem."   [72] Ebd. 211.   [73] Vgl. ebd. 452.

[74] Vgl. Vossius an Calixt ebd. 433 (1644): es rühmen in Holland Calixt, „quotquot non aliam in Religione Christiana sectam sequuntur, quam fit ab utroque nostri".

[75] Vgl. ebd. 94.   [76] Ebd. 211.   [77] Vgl. den weiteren Briefwechsel ebd.

[78] Dies zeigen u. a. Briefe an Herzog August 1642 und 1647 im Archiv Wolfb. L ALT Abt. 1 Gr. 22 Nr. 69; Henke, commerc. lit. Calixti II 9.

[79] Über Daetrius vgl. BESTE, Abt Brandan Daetrius.

[80] Vgl. Hugonis Grotii Epistolae 274.   [81] Vgl. ebd.

[82] Vgl. H II 1, 25 Anm. 2. KROGH-TONNING aaO. 49 f. (ungenau). BESTE aaO. 7 ff. und Geschichte der Braunschweigischen Landeskirche 261.

[83] Grotii Epistolae 274 (28. 10. 1636). Auszugsweise H I 441 Anm. 1.

[84] Ebd. Grotius scheidet ähnlich wie Calixt zwischen dem Heilsnotwendigen, das in der Glaubensregel enthalten ist, und dem Nicht-Heilsnotwendigen, vgl. KROGH-TONNING aaO. 62.   [85] HENKE, commerc. lit. Calixti III 32.

[86] Diese übernimmt KROGH-TONNING aaO. 50.

[87] Vgl. Grotii Epistolae 369 (14. 10. 1637 an Calixt). Auszugsweise mit einigen gleichzeitigen Äußerungen gegenüber seinem Bruder H II 1, 25 f. Anm. 2.

[88] Vgl. HENKE, commerc. lit. Calixti III 36, 38 f. (Daetrius an Calixt). Im übrigen habe Grotius ein solches Verbot ihm gegenüber nie ausgesprochen (ebd.).   [89] Wie Anm. 87.

[90] Vgl. BESTE, Geschichte der Braunschweigischen Landeskirche 261 ff.

[91] Vgl. seine briefliche Äußerung gegenüber Herzog August in: HENKE, commerc. lit. Calixti II 9.   [92] Vgl. KROGH-TONNING aaO. 76 f.

[93] „Est enim Ecclesia corpus quoddam, et proinde juncturis quibusdam compaginatum, Ephes. IV, 16. Hae juncturae sunt Episcopi in parte minore" etc., „et in toto corpore is, qui Princeps est Patriarcharum, Episcopus Romanae urbis: quae omnia conformata sunt ad exemplar principatus ejus quem Petrus instituto Christi habuit in Apostolos. Unitas enim Antistitis optimum adversus schismata est remedium, quod et Christus monstravit, et comprobavit experientia." Opp. theol. III 617 B (Annotata ad Consult. Cassandri). Vgl. auch WOLF, Grotius, Pufendorf, Thomasius 57.

[94] Vgl. HENKE, Briefwechsel 14. Zwei weitere Briefe von L. Crocius Bibl. Wolfenbüttel CG Extr. 84,9.   [95] Vgl. zu Bergius VON THADDEN, Die brandenburgisch-preußischen Hofprediger im 17. und 18. Jh., 175 ff.

[96] UB Göttg. Cod. MS Philos. 110 I Nr. 90.

[97] So z. B. auch zu F. REICHEL (Vgl. HENKE, Briefwechsel 183) und zu Val. Crüger (Briefe Bibl. Wolfb. MS Extr. 84,9.)

[98] C. PAPADOPULOS, ὁ Μητροφάνης Κριτόπουλος ἐν Γενεύῃ 209. — Zu Metrophanes Kritopulos vgl. ferner DRÄSEKE, Ztschr. f. wiss. Theologie, N. F. 1,2, 579 ff.; zugleich zu Kyrill Lukaris: GEORGES FLOROVSKY, Geschichte der Ökumenischen Bewegung I 250 ff.

[99] Vgl. PAPADOPULOS aaO. 211.   [100] Vgl. ebd. 210 f.

[101] Vgl. DRÄSEKE aaO. 596.

[102] Vgl. HENKE, Briefwechsel 14 f.; DRÄSEKE aaO. 584 ist danach zu ergänzen.

[103] Vgl. METROPHANES CRITOPULOS, Confessio, Vorwort II von Conring (alterius domo, alterius convictu utens). Vgl. auch DRÄSEKE aaO. 584.

[104] Gal. 3, 28.   [105] DRÄSEKE aaO. 588.   [106] S. Lit.-Verz.

[107] Vgl. CRITOPULOS, Confessio 9.   [108] Ebd. 162.   [109] Ebd. Vorwort II.

3. KAPITEL

BEMÜHUNGEN UM DIE WIEDERVEREINIGUNG
MIT DER KATHOLISCHEN KIRCHE

[1] Vgl. z. B. Theol. mor. Praef. b. — Das in diesem Kapitel benutzte Material ist großenteils bereits von Henke bearbeitet worden. Er berichtet jedoch über die Bemühungen Calixts um das Gespräch mit der katholischen Seite an sehr verstreuten Orten und ohne die eigentlichen irenischen Anliegen genügend zur Geltung zu bringen. Eine neue, systematische Bearbeitung schien daher auch hier gerechtfertigt.

[2] Vgl. dazu H I 470. — Im folgenden wird der bei H I 470 Anm. 2 erörterte Sachverhalt weiter zu klären versucht. Der Diskurs wurde 1687 v. F. U. Calixt publiziert.

[3] UB Göttg. Cod. MS Theol. 303.

[4] Auch von einem gemeinsamen Aufenthalt Gustav Adolfs und der thüringischen Herzöge in Weimar 1632 liegen keine Nachrichten vor.

[5] Bibl. Wolfb. MS „Diskurß von der wahren christlichen Religion unndt Kirchen Georgi Calixti S. S. Theologiae Doctoris MDCXXXIII". 966. 3. Nov.

[6] Vgl. H I 475 und BECK, Ernst der Fromme 80.

[7] Am 21. 7. 1633, vgl. BECK aaO. 99.

[8] Vgl. H I 477; BECK aaO. 81; BOEHNE, Die pädagogischen Bestrebungen Ernsts des Frommen von Gotha 5.

[9] Auch H I 477 f. vermutete bereits auf Grund des Inhalts (ausführlicher ebd. 470 ff.) einen Zusammenhang mit der Tätigkeit in Franken.

[10] Diskurs Th. 76.   [11] BECK aaO. 93.   [12] Diskurs aaO.

[13] Ebd. Th. 78.   [14] Ebd. Th. 92.   [15] Vgl. BECK aaO. 95 f.

[16] Diskurs Th. 106.

[17] Nähere Vorschläge für ein Religionsgespräch legt er nicht vor.   [18] BECK aaO. 89.

[19] Vgl. BECK aaO. 84 ff.

[20] Nihus sagt dies ausdrücklich in De Primo Principio theologico ad G. Calixtum epistola (1625) 12: „Redite ergo ad unitatem gregis Dominici".

[21] Über Nihus vgl. H. I, II (s. Register); Räss, Die Convertiten seit der Reformation 97 ff. (unzureichend); ADB 23, 699 f.

[22] Vgl. seinen Brief an G. Vogler (1614) in Bibl. Wolfb. CG Extr. 84, 11.

[23] Tota ecclesia deficere et apostatare a Deo potest? B. Nihusii Hypodigma (1648) Sectio VIII.

[24] Vgl. H I 339 f., Anm. 1 den Bericht des Hofpredigers Kromayer über seine Gespräche mit Nihus und über dessen Konversion.

[25] Vgl. De Primo Principio theologico.   [26] Ebd. 11.   [27] Vgl. Ars nova F.

[28] Ebd. A 2.   [29] De Primo Principio 11.   [30] Ebd. 4.

[31] Vgl. Ars nova aaO.   [32] Wie Anm. 24.

[33] In der speziellen Frage der Unfehlbarkeit des Papstes schwankt Nihus, vgl. Ars nova F 2.   [34] Ars nova L.

[35] Nihus allein hätte ihn zu keiner Antwort vermocht, sagt Calixt Digr. de arte nova 247.   [36] Vgl. Digr. de arte nova 281.

[37] Epitomes Theologiae Moralis pars I una cum Digressione etc., *Cujus Digressionis* ergo, haec Epitomes pars seorsim nunc editur. Helmstedt 1634.

[38] Vgl. Digr. de arte nova 315.

[39] 125-168. (Die Digression beginnt bei S. 125 des Gesamtwerks.)

[40] Ebd. 167 f.   [41] Ebd. 170.   [42] Ebd. 168.   [43] Ebd. 246 f.

[44] Ebd. 317.   [45] Ebd. 247.   [46] Ebd. 165.

[47] Ebd.   [48] Das Folgende, wenn nicht anders vermerkt, nach Digr. 205-208.

[49] Auf Grund seines Glaubens an die Unfehlbarkeit der Logik kann er sogar meinen, daß zum Zensor auch ein eruditus philosophus a religione nostra alienus bestellt werden könnte, wenn er nur die Logik beherrscht. Ebd. 207.

[50] Zu den hier implizierten philosophischen und theologischen Voraussetzungen vgl. o. II. Teil 1. Kap.   [51] Digr. 476.   [52] Ebd. 465.

[53] Ebd. 466-474. Die erste These 466 lautet:„ Romanus Pontifex jure divino et ab ipso Christo constitutus est totius militantis ecclesiae . . . caput et princeps."

[54] Ebd. 464.   [55] Ebd. 451.

[56] Der Brief eingeheftet vor dem Titelblatt der Epit. theol. mor. 1634 Bibl. Wolfb.

[57] Im Dezember 1634, vgl. A. Kinderling an Calixt, UB Göttg. Cod. MS philos. 110 I Nr. 268.   [58] Zu dieser Frage s. H I 539, vgl. H II 1, 178 Anm. 2.

[59] Wenn man von unbedeutenden Streitschriften Nihus' absieht.

[60] Méthode de traiter des controverses de religion.

[61] Durch Br. Daetrius, vgl. Henke, commerc. lit. III 41. Abgedruckt H II 1, 163 Anm. 2.

[62] Vgl. H II 1, 162.   [63] Zitat H II 1, 163, Anm. 1 (Veron 544).

[64] Vgl. H II 1, 159, Anm. 2.

[65] Durch Bekannte versuchte er festzustellen, ob die Kölner die Digression geprüft hätten, wie der Brief UB Göttg. Cod. MS philos. 111, Nr. 275 (1636) zeigt.

[66] Cassandri Dialogus etc.   [67] Vgl. ebd. 233, 270 u. a.   [68] Ebd. 297-370.

[69] Nicht wiederholt wird unter Hinweis auf die in Köln befindlichen Exemplare der Digression der detaillierte Vorschlag zur ratio colloquendi.

[70] Ebd. h.   [71] Ebd. h 2.   [72] Ebd. h 3.

[73] Henke, commerc. lit. II 10 f.

[74] Diese Briefe befinden sich in Archiv und Bibl. Wolfb. Einige veröffentlicht in HENKE, commerc. lit. II.

[75] Über ihn s. H II 1, 44 ff. ADB 1, 660 ff. BESTE, Geschichte der Braunschweigischen Landeskirche 230 ff. MEYER, Kirchengeschichte Niedersachsens 118 ff.

[76] Bibl. Wolfb. CG Extr. 55 (10. 10. 1635).

[77] Vgl. z. B. das Billett Herzog Augusts an Calixt, 5. 6. 1640, Bibl. Wolfb. CG Extr. 84,9: „Es ist uns newlicher tage ein Tractätlein des Wicelii, in 8° Ao 1537, Zu Leipzig getrucket, zum Hande gekommen, mit diesem Titul: Methodus Concordiae ecclesiasticae, post omnium sententias, a minimo fratre monstrata non praescripta. . . . Wan ers noch nicht gesehen: wollen wirs communicieren. Verbleibe ihm mit gnade gewogen."

[78] Abschriften Archiv Wolfb. L ALT Abt. 37 Nr. 287. Auszugsweise H II 1, 182 Anm. 1.   [79] 1583-1647. 1629 Kurfürst.

[80] Von Calixt im Auszug mitgeteilt Resp. Mog. A 3 f.

[81] Vgl. H II 1, 208 Anm. 1, 215 Anm. 2.

[82] Mainz 1644. Die Schrift wurde in 20 Exemplaren nach Helmstedt übermittelt, vgl. Resp. Mog. B 2. — Einige Belege zum schriftlichen Disput zwischen Calixt und Erbermann H II 1 208 ff., 215 ff.; II 2, 110 ff.   [83] Anatomia 47.   [84] Ebd. A 2.

[85] Ebd. 8.   [86] Ebd. 5.   [87] Ebd. 6.   [88] Ebd. A 2.

[89] Ebd. 9, 12 und öfters.   [90] Ebd. 13.   [91] Ebd. 10.   [92] Ebd. A 2.

[93] Ebd. 13.   [94] Ebd. 40.   [95] Ebd. 47.

[96] In Sextio IX zählt Erbermann 12 angebliche Häresien Calixts auf (ebd. 37 ff.).

[97] Vgl. H II 1, 215 Anm. 2.   [98] Helmstedt 1644.   [99] Resp. Mog. B 3.

[100] Vgl. ebd.   [101] Vgl. o. I. Teil 6. Kap.   [102] Vgl. Resp. Mog. Th. 138.
[103] Vgl. ebd. Th. 127.   [104] Vgl. ebd. Th. 138.   [105] Ebd. Ee 3.
[106] In der Regel: die Lutheraner.   [107] Resp. Mog. F f.
[108] Ebd. H h 4.

[109] Responsi Malidicis Theologorum Moguntinorum Vindiciis oppositi pars altera infallibilitatem Romani Pontificis seorsim excutiens. Helmstedt 1645, Th. 59. Zum Folgenden vgl. ebd. passim. — Wie Erbermann sich zur Widerlegung Calixts der öffentlichen Disputation und eines Respondenten bedient hatte, so jetzt auch umgekehrt Calixt. Mitte März 1645 schreibt er an seinen Frankfurter Freund J. Max zum Jungen (UB Hamburg Supellex epistolica IX Nr. 67): „ad exemplum ipsorum subjicere velim (die pars II) disputationi publicae, ut ... Praeses Praesidi, et Respondens Respondenti opponatur." Als Respondenten wählte er einen zum Luthertum konvertierten Studenten, Christoph Sporer aus Trier, jetzt Alumne der Reichsstadt Frankfurt. Er fragte dieserhalb vorher beim Rate der Stadt Frankfurt an, der seine Zustimmung erteilte (Bibl. Wolf. CG Extr. 84,10).

[110] EIPHNIKON Catholicum, Helmestadiensi oppositum: quo Methodus Concordiae Ecclesiasticae a D. G. Calixto explicata excutitur, sana et Catholica substituitur etc. Mainz 1645.

[111] Datum 14. 9. 1645, aber Postskript vom 11. 1. 1646; die Schrift wird also (gegen H II 1, 224, vgl. 2, 110 Anm. 2) noch nicht 1645 herausgegangen, jedenfalls nicht in die Hände des Herzogs gelangt sein. — Der Brief im Exemplar des Irenicum I Bibl. Wolfb.

[112] EIPHNIKON 52.   [113] Ebd. 104 ff.   [114] Ebd. 29 f.   [115] Ebd. 17.
[116] Ebd. 11.   [117] Ebd. 120.   [118] Ebd. 19.   [119] Ebd. 47.

[120] Ebd. 187 f. Das Wort Synkretismus, das in bezug auf Calixt hier zum erstenmal verwandt wird, gebraucht Erbermann ebd. 139, 143, 187.

[121] Ebd. 63.   [122] Ebd. 51.   [123] Ebd. 188 f.   [124] Ebd. 51.

[125] Irenici Anticalixtini pars altera, h. e. S. apostolicae Romanae cathedrae infallibilitas summorumque Pontificum in fidei decretis concordia etc., Mainz 1646.

[126] CONRING, Fundamentorum fidei Pontificiae concussio 1654. — Examen libelli a V. Erbermanno etc. 1654 u. a. — Vitus Erbermann, interrogationes apologeticae ad Conringium 1654 u. a.   [127] 1659.

[128] Kurtzer Beweyß 7, 10.   [129] Ebd. 14.

[130] UB Hamb. Supellex epistolica IX Nr. 17 (Abschrift).

[131] De igne Purgatorio von Justus Gesenius; Prooemium von Friedrich Ulrich Calixt. — Calixt wiederholt den Vorschlag, ihn zugleich nach der Seite der Reformierten und der orthodox-lutherischen Gegner erweiternd, in WW Ss f.   [132] WW Ss.

[133] Über ihn s. ADB 6, 284 ff. STRIEDER, Hessische Gelehrtengeschichte III 416 ff.; VON ROMMEL, Leibniz und Landgraf Ernst von Hessen-Rheinfels; HEPPE, Kirchengeschichte beider Hessen, II 165 ff.; KRATZ, Landgraf Ernst von Hessen-Rheinfels und die deutschen Jesuiten. Vgl. ferner die Leibniz-Literatur. — Ein summarischer Bericht über die Verhandlungen zwischen Landgraf Ernst und Calixt H II 2, 239 ff.

[134] Vgl. ROMMEL I 55.   [135] Vgl. ebd. 56 (P. Staimos, P. Magni).

[136] Ebd. 53 ff., vgl. ADB 6, 286.

[137] Vgl. ROMMEL I und II passim; GROTEFEND, Briefwechsel zwischen Leibniz, Arnauld und Landgraf Ernst; Leibniz, Briefwechsel (Akademie-Ausg.).

[138] Bei STRIEDER aaO.   [139] Vgl. Acta inter Ernestum etc. 4.   [140] Vgl. ebd. 3,6.

[141] Vgl. ebd. 3. — Zu Magni vgl. BLOTH, Der Kapuziner Valerian Magni.

[142] Ebd. 7.

[143] Vgl. dazu auch folgende Erklärung vom 20. 11. 1651 (ebd. 17): „Fidei inter Catho-

licos unitas et antiquitas tam nobis placet, quam displicet doctrinarum inter Protestantes pluralitas."   [144] Ebd. 21.   [145] Ebd. 17 (Ende November 1651).

[146] ROMMEL I 66 (1652).   [147] Diese in den Acta inter Ernestum etc. 13 ff.

[148] Ebd. 15.   [149] Ebd. 32 (am 17. 11. 1651).

[150] Rheinfels 20. 11. 1651 (ebd. 18).   [151] Ebd. 19 f.

[152] Ebd. 22 ff.   [153] ROMMEL I 59.   [154] Acta inter Ernestum etc. 25 ff.

[155] Ebd. 30, 34, 35.   [156] Ebd. 35-42.

[157] Ebd. 45 ff. (vom 22. 12. 1651).   [158] Ebd. 48, 65.   [159] Ebd. 49-65.

[160] Abschrift in Bibl. Wolfb. CG Extr. 84, 9. — Zum Rheinfelser Kolloquium vgl. auch HEPPE aaO. 174 ff.

[161] Vgl. ROMMEL I 67 (nach den Conversionis ad fidem Catholicam motiva Ernesti H. L., Köln 1652).   [162] Vgl. ROMMEL I 125 f.   [163] KRATZ aaO. 22.

[164] Der Landgraf an Calixt 11. 3. 1652, in Bibl. Wolfb. CG Extr. 84, 10.

[165] Acta inter Ernestum etc. 84 f. (Appendix vom 5. 2. 1652).   [166] Ebd. 85.

[167] „Quid denique de religione, quam pro suo libitu et arbitratu additionibus aut mutationibus multi transformant et pervertunt, statuendum sit; et quaenam sit vera et genuina illa, a Christo et Apostolis derivata, palam innotescat." Ebd.

[168] Vgl. HENKE, Briefwechsel 244 f. Calixts Schilderung seiner damaligen ‚Anfechtungen'.   [169] Wie Anm. 164.

[170] Acta inter Ernestum etc. 88 ff.

[171] Am 19. 4. 1652 berichtet Calixt darüber an Herzog August und bemerkt: „Eo itaque major et accuratior opera danda erit, ut sinceritas nostri Christianimi, et contraria impuritas Pontificii evidenter ob oculos ponatur." Bibl. Wolfb. MS Extr. 55.

[172] Zum Folgenden vgl. H II 2, 270 ff.; ANDRESEN, Holstein und die deutsche Reichspolitik z. Z. des Regensburger Reichstages 1653/54, wo aber bezüglich Calixts nichts Neues mitgeteilt wird.

[173] Schwartzkopff hatte eine Schwester der Gattin Calixts zur Frau. — Zu Boineburg vgl. VEIT, Konvertiten und kirchliche Reunionsbestrebungen am Mainzer Hofe etc. und ULTSCH, Joh. Chr. von Boineburg.   [174] HENKE, Briefwechsel S. 270.

[175] Vgl. ebd. 274 ff. Vgl. auch ULTSCH aaO. 60, der bei Boineburg eine anticalixtinische Note feststellt.   [176] Vgl. Briefwechsel 276 f.

[177] Darunter bereits die mit P. Magni gewechselten, vgl. Calixt an Herzog August 21. 3. 1653, Bibl. Wolfb. CG Extr. 55.

[178] Im Januar 1654, vgl. HENKE, Briefwechsel 285.   [179] Ebd. 288.

[180] Vgl. ebd. 285 f.   [181] Ebd. 275 f.   [182] Ebd. 279.

4. KAPITEL

DAS THORNER RELIGIONSGESPRÄCH 1645

[1] Zur Geschichte des Religionsgesprächs vgl. bes. JACOBI, Das liebreiche Religionsgespräch zu Thorn 1645; RE XIX Art. Thorn; VÖLKER, Kirchengeschichte Polens 235. Über Calixts Aufenthalt und Tätigkeit in Thorn hat Henke II 2, 71 ff. berichtet, ohne jedoch auf die Frage des calixtinischen Einflusses in den reformierten Stellungnahmen und auf die wichtigen Gutachten näher einzugehen, die Calixt in Thorn über die Einigungsmöglichkeiten mit Katholiken und Reformierten verfaßte. Bei der folgenden Darstellung wird diese Seite besonders berücksichtigt.

[2] Ausschreiben vom 1.12.1644 in Scripta facientia etc. und Calov, Historia Syncretistica (i. folg.: hist. syncr.) 215 ff.

[3] Vgl. Scripta facientia etc., Excerpta ex Informatione B 3: „Redeant tot populi a varietate opinionum ad eandem doctrinae normam", C 2 „Si adversarii, agnita veritate, amplius aliquid sibi concedi aut indulgeri postulaverint, deliberabitur alias, an admittenda sit postulatio, totumque referetur ad Sedem Apostolicam."

[4] Ebd. C 2.   [5] Vgl. ebd. F.   [6] Ebd. A 2 f. (Ausschreiben wie Anm. 2).

[7] Vgl. II. Teil 1. und 3. Kap.

[8] Spätestens noch vor Juni 1644, vgl. Resp. Mog. Hh 3.   [9] Vgl. o. S. 113.

[10] Scripta facientia etc. Accessit G. Calixti consideratio et epicrisis.

[11] Ebd. F 3.   [12] Ebd. F 4, H 2.   [13] Ebd. M 4.   [14] Ebd. O 3.

[15] Ebd. H.   [16] Ebd. G 4, O 3.   [17] Ebd. O 3 ff.   [18] Ebd. K 2 ff.

[19] Ebd. K 2.   [20] Ebd. K 4.   [21] Ebd. N 2.   [22] Ebd. O, vgl. N 2.

[23] Vgl. ebd. P 2.

[24] „Quod igitur uno aliquo colloquio expediri non potest, servetur in alia postfutura, qualia nec semel, nec uno in loco, sed aliquoties et in diversis provinciis, alia post alia, institui utile imo necesse fuerit, donec Deus . . . eventum, quem optamus, vel ex toto, vel ex parte, . . . benigne largiatur." Ebd. — Die Gedanken Calixts sind so konkret, daß die Ansicht Henkes (II 2, 87) und nach ihm Jacobis (aaO. 357), er habe für die Verhandlungen eigentlich keinen Rat gewußt, nicht haltbar ist.

[25] Im Ausschreiben vom 1.12.1644.   [26] Vgl. Jacobi aaO. 356 f.

[27] Vgl. H II 2, 82; Jacobi aaO. 358.   [28] Vgl. Landwehr aaO. 153 ff.; Rhode, Brandenburg-Preußen und die Protestanten in Polen 15.

[29] Vgl. Landwehr aaO. 155; Moldaenke, Christian Dreier und der synkretistische Streit im Herzogtum Preußen 13 ff.   [30] Vgl. Landwehr aaO.

[31] Außerdem berief er noch den Rostocker Theologen Johann Quistorp, der aber ablehnte, vgl. Henke, Briefwechsel 78. Ungenau Jacobi aaO. 359, wonach erst nach Quistorps Ablehnung Calixts Wahl in Erwägung gezogen worden sei.

[32] Vgl. Henke, Briefw. 79.   [33] Vgl. H II 2, 87 f., 114 und Henke, Briefwechsel 77. Nach Moldaenke aaO. 13 f. soll Dreier Calixt empfohlen haben.

[34] „Ut vestra moderatione ac prudentia ferventiora quorundam Fratrum, qui Dantisco forte aut Regiomonte venient, et ab ipsorum Protestantium in communi causa conjunctione, quae . . . ante omnia concilianda erit, alieniora consilia sufflaminentur, et ad sincera Caritatis Pacisque Evangelicae studia . . . traducantur." Henke, Briefwechsel 78.

[35] Vgl. H II 2, 82 (am 15. 6. 1645).

[36] Da die Universität Helmstedt seit 1635 gemeinsame Landesuniversität war, unterstand Calixt allen drei welfischen Höfen. Als sich der Bescheid der beiden anderen Herzöge verzögerte, übernahm Herzog August die Verantwortung, Calixt rechtzeitig zu beurlauben, vgl. H II 2, 88 f.   [37] Vgl. WW Oo.   [38] Vgl. H II 2, 90.

[39] Vgl. ebd. Calixts Bericht.

[40] Die Differenz wurde erst einen Monat später beigelegt (s. auch Anm. 41).

[41] Vgl. Jacobi aaO. 362 f.

[42] WW Oo f.; ebd. die schriftliche Vokation vom 26.8.1645. Zu den diesbezüglichen Verhandlungen vgl. H II 2, 91 ff.

[43] Vgl. Jacobi aaO. 489.

[44] Über diese Verhandlungen Jacobi aaO. 486 ff.   [45] WW Oo.

[46] Vgl. Jacobi aaO. 490   [47] WW Oo 2, vgl. auch H II 2, 94.

[48] Vgl. Jacobi aaO. 538.   [49] Vgl. Scr. fac. F.

[50] Vgl. Jacobi aaO. 360 f., 490 f.   [51] Vgl. ebd. 361, vgl. 353.   [52] Vgl. ebd. 361.

[53] Vgl. ebd. 361 ff. und das Teilnehmerverzeichnis 556 ff., in dem Calixt aus den genannten Gründen nicht aufgeführt ist.

[54] Vgl. hist. syncr. 234.   [55] Vgl. ebd. 235.   [56] Näheres bei Jacobi aaO. 492 f.

[57] Während die actio prima bereits im Gange war, wurden noch immer Besprechungen über die Instruktion abgehalten (vgl. ebd. 497 ff.). Am 25. September trat die Diskussion darüber in ein neues Stadium, s. u. S. 127.

[58] Im ganzen wurden 36 Sitzungen abgehalten, davon außer der ersten 4 öffentliche.

[59] Auszüge bei Jacobi aaO. 505 ff.

[60] Die endgültige Fassung abgedruckt bei Niemeyer, Collectio, 670 ff.

[61] Über die Bezeichnung ‚katholisch‘ gab es schon vorher längere Geschäftsordnungsdebatten, vgl. Jacobi aaO. 498.   [62] Vgl. ebd. 513.

[63] Nur zum Schluß fand noch eine (allerdings resultatlose) Sachverhandlung der Katholiken und Reformierten über die Glaubensregel statt, vgl. ebd. 546.

[64] Vgl. ebd. 518.   [65] Der Inhalt der Erläuterung zusammengefaßt ebd. 520 ff.

[66] Vgl. ebd. 535 ff.   [67] Vgl. ebd. 541, 551.

[68] Vgl. hist. syncr. 336. Gleichwohl gab Schönhof die Hoffnung noch nicht ganz auf, wie seine weiteren Ausführungen und auch seine Bemühungen um eine verpflichtende Auslegung der Instruktion zeigen.

[69] Vokation vom 30. 8. 1645, WW Oo 3. Vgl. z. folg. auch H II 2, 97 f.

[70] WW Nn. Für den Fall, daß er in öffentlicher Disputation mit den Reformierten hätte auftreten sollen, setzte er eine Erklärung für den königlichen Gesandten auf (WW Oo 4 f.). Darin legte er dar, aus welchen Gründen er nicht in die lutherische Fraktion aufgenommen worden sei, und daß er, um die lange Reise nicht umsonst getan zu haben, sich nun zu den Reformierten halte, ohne damit den Dissens mit ihnen in einzelnen Lehren verkleinern zu wollen.

[71] Vgl. WW Pp. Nachdem Ende September die Königsberger Theologen eingetroffen waren, übersandte Calixt noch dem Großen Kurfürsten einen Bericht über seine Lage (vgl. Landwehr aaO. 156 f.). Dieser brachte in einem Antwortschreiben seine Genugtuung über Calixts Mitarbeit bei den Reformierten zum Ausdruck (WW Tt).

[72] Hist. syncr. 262 ff.; Niemeyer, Collectio 669 f. Unter den altkirchlichen Bekenntnissen wird außerdem das Athanasianum aufgeführt.   [73] WW Pp 3.   [74] Vgl. WW Pp 3 ft.

[75] Vgl. WW Tt. Zuerst 1654 in „Batavia" (Leiden?) herausgegeben.

[76] Annotationes et Animadversiones etc. 14 f.   [77] Ebd. 41 und öfter.

[78] WW Nn.   [79] Niemeyer, Collectio 686.

[80] WW Tt 2. Veröffentlicht als Consideratio etc.   [81] Consideratio 7 f.

[82] Ebd. 38 f. — Immerhin gesteht er den Gebrauch des Begriffs sacrificium in einem uneigentlichen Sinne zu: „propter actiones et ritum, quo passio Domini suo modo adumbratur et commemoratur, possit Eucharistia, vocabulo latius accepto, sacrificium dici. Sed commemoratio beneficii non est sacrificium vere et proprie dictum"... (Ebd.)

[83] Vgl. ebd. 10.   [84] Ebd. 10 f.

[85] „Si ... utamur vocabulis vulgari usu receptis et quemadmodum hoc dogma populo Christiano proponi et ab eo credi oportet, loquamur, vix ullus poterit deprehendi dissensus, nempe si ad hunc modum proponitur" etc. Ebd. 11 f.

[86] „Quae (anathemata) quamdiu valida censentur et Pontificii quoscumque aliter sentientes vi horum anathematum haereticos et communione fidelium et nomine Christianorum indignos reputant, fieri non potest, ut inter partes speretur conciliato." Ebd. 48, vgl. 2, 6, 24, 41 u. ö.

[87] Leider sind nähere Mitteilungen über die Gespräche, die er mit den reformierten Theologen führte, nicht überliefert.

[88] Zuvor ließ er sich von den Leitern der lutherischen Partei (Güldenstern und Hülsemann) noch eine Art Zeugnis darüber geben, daß er als der Augsburgischen Konfession „ungezweiffelt zugethaner" Theologe aus der lutherischen Gruppe auf Grund bedauerlicher Mißverständnisse ausgeschlossen gewesen sei. WW Vv, vgl. Tt 2 ff. und H II 2, 107 f. Angesichts der bald auf die Thorner Begegnung folgenden Verwicklungen mit den lutherischen Orthodoxen muß es überraschen, daß das Dokument überhaupt ausgestellt wurde. Calov war allerdings schon abgereist.

[89] Relation an Herzog Christian Ludwig 6. 12. 1645, Bibl. Wolfb. CG 11. 8. Aug. 253 ff., auszugsweise H II 2, 105 f. In einem Brief an Herzog August vom 1. 12. 1645 zitiert er ein Thorner Bonmot: „Quae sunt gesta tribus Thoruna mensibus urbe, Haec potuere tribus cuncta diebus agi." HENKE, commerc. lit. Calixti II 16.

[90] Vgl. WW Kk 4.

[91] UB Göttg. Cod. MS Philos. 110 I Nr. 71.

[92] Vgl. H II 2, 196.

[93] In etwas veränderter Form unter dem Titel „De tolerantia Reformatorum — consultatio" auf Anregung Leibnizens von Calixts Sohn 1697 herausgegeben. Vgl. zu dieser Schrift auch Leube aaO. 297 ff.

[94] Am 21. 2. 1642 schreibt er über das Werk an Herzog August: „pergo non quidem in Calvinismo reconciliando, qui ut a Calvino ortum habuit, ita ad sepulcrum ejus relegari potest et debet: sed in ostendenda ratione, per quam Christiani, qui Calviniani dicuntur, cum Christianis aliis, qui nunc Lutherani appellantur, ... reconciliari ... possint." HENKE, commerc. lit. Calixti II 7.

[95] Vgl. Judicium Th. 2.   [96] Vgl. ebd. Th. 9.   [97] Vgl. ebd. Th. 76.

5. KAPITEL

DIE AUSEINANDERSETZUNG UM DAS SELBSTVERSTÄNDNIS DES LUTHERTUMS (DER SOGENANNTE SYNKRETISTISCHE STREIT)

[1] Vgl. WW Oo; hist. syncr. 562.

[2] Vgl. SCHMID, Geschichte der synkretistischen Streitigkeiten; GASS, Georg Calixt und der Synkretismus und: Geschichte der prot. Dogmatik; H II 2 passim bes. 113 ff.

[3] Vgl. MÜLLER, Kirchengeschichte II 2, bes. 586; RITSCHL aaO. 423 ff. (das wiedergegebene Urteil 425); LEUBE aaO. 322 ff. GÖRANSSON hat neuerdings den Streit unter dem Blickpunkt der Auswirkungen in Schweden in „Orthodoxi och Synkretism i Sverige" untersucht, vgl. auch ders., Schweden und Deutschland während der synkretistischen Streitigkeiten 1645—1660. — Daß der „Synkretismus" unter die Bestrebungen gerechnet werden kann, in denen die „Selbstkritik" des Luthertums im 17. Jh. zum Ausdruck kommt, zeigt die Untersuchung von SCHLEIFF, Selbstkritik der lutherischen Kirchen im 17. Jh. (1937) 45 ff.

[4] Ein guter Überblick in RE XIX 243 ff. (Tschachert-Henke).

[5] Einen Auftakt bildet ein Angriff des hannoverschen Predigers Statius Buscher, der in seiner Schrift „Cryptopapismus novae Theologiae Helmstadiensis" 1640 den Helmstedter Theologen Abweichungen vom Corpus Julium, dem braunschweigischen Bekenntnis, vorwarf. In einer groß angelegten Apologie Calixts und seiner Kollegen, „Widerle-

gung eines unwarhafften Gedichts" 1641, wurden Buschers Vorwürfe, die sich vornehmlich auf die Hochschätzung der aristotelischen Philosophie, Calixts Verständnis der Tradition und seine Lehren von der Erbsünde und von den guten Werken bezogen, zurückgewiesen. Die Auseinandersetzung blieb auf die welfischen Herzogtümer beschränkt.

[6] Zu den Auseinandersetzungen in Preußen vgl. MOLDAENKE aaO.

[7] Vgl. o. S. 125.   [8] Vgl. H II 2, 114.

[9] De aeterna Dei Praedestinatione et ordinata omnes salvandi voluntate etc. exercitatio, praes. Joh. Behm, Königsberg 1646.

[10] In der Dedikation an den Reformierten (!) Gorayski sagt er, die Mäßigung der reformierten Lehre in Thorn habe den Anlaß zu dieser Arbeit geboten.

[11] De aeterna Dei Praed. 6.   [12] Ebd. 29.   [13] Ebd. Dedikation.

[14] Abschrift des Rundschreibens in Bibl. Wolfb. MS Estr. 84,1; vgl. auch H II 2, 115 f.

[15] Vgl. ebd.: „iam varie se in aula (in qua impense favetur illis, qui se vel paullulum flectunt ad Calvinianorum partes) insinuavit (Latermann)."

[16] Christian Dreier war in Thorn mit Calixt persönlich bekannt geworden und wurde der Hauptträger der calixtinischen Gedanken in Preußen. Über ihn vgl. MOLDAENKE aaO. Latermann, dem ein zweifelhafter Charakter nachgesagt wurde, wurde 1652 Superintendent im Halberstädtischen und starb 1662 als Feldgeistlicher bei Wien, vgl. H II 2, 114 Anm. 1.

[17] Die Gutachten wurden 1648 in Danzig veröffentlicht (Censurae theologorum orthodoxorum). Auszüge bei CALOV, Systema locorum theologicorum (Syst.) I 1156 ff.

[18] Vgl. Syst. I ebd.

[19] Von Bedeutung hier die „Erörterung Etzlicher schwerer Theologischer Fragen" 1651 von Dreier, vgl. MOLDAENKE aaO. 83 ff.

[20] Bibl. Wolfb. CG Extr. 84, 1, 174. Gedr. Hülsemann, Dialysis 464 ff. Vgl. zum Ganzen H II 2, 117 ff.   [21] WW C 4 ff.   [22] Zitiert H II 2, 117 Anm. 1.

[23] Vgl. H II 2, 121.

[24] WW D. An Hülsemann schreibt er am 26. 3. 1647, die ihm zugefügte Wunde gehe bis an die „vitalia pectoris mei", HENKE, Briefwechsel 108 ff.   [25] Vgl. WW C 4.

[26] Calixt an Hülsemann am 26. 2. 1647, Bibl. Wolfb. CG Extr. 84,1, 183 ff. (Konz., Auszüge H II 2, 121 ff.) und am 26. 3. 1647, wie Anm. 24.

[27] „Quod equidem fateor non stulte excogitatum, modo Electorales Theologi Pontificiam cathedram et ἀναμαρτησίαν satis stabilitam possiderent" . . . Henke, Briefwechsel 119.

[28] Calixt an seinen Schwager Schwartzkopff am 11. (?) 4. 1648 in Bibl. Wolfb. CG Extr. 84,1.   [29] S. die Anm. 30, 31 genannten Dokumente.

[30] Die Universität Helmstedt am 20. 4. 1648 an Herzog August, Archiv Wolfb. L ALT Abt. 37 Nr. 287.

[31] Calixt und Hornejus am 20. 4. 1648 an Herzog August, Archiv Wolfb. wie Anm. 30. Gedr. WW X 3.

[32] Bibl. Wolfb. CG Extr. 84,2 17 ff. Auszüge H II 2, 145 f.

[33] Reskript in Bibl. Wolfb. CG Extr. 84,2. Gedr. WW Y 3.

[34] Am 14. 1. 1649 hatten diese ihre mehrfach abgeänderte Beschwerdeschrift und am 25. 1. die verlangte Apologie eingereicht. In der letzteren hatte Calixt u. a. die Bearbeitung der Frage der Erkennbarkeit der Trinität etc. im AT. übernommen. (1649 gedr.: De quaestionibus num mysterium etc.). Die Apologie wurde nochmals überarbeitet. Als letztes Datum wird der 15. 5. 1649 genannt. Vgl. auch H II 2, 153 f.

[35] Vgl. H II 2, 153. Für die Helmstedter wurde ein solches Verbot vorübergehend auch ausgesprochen.

[36] Schreiben im Archiv Wolfb. L ALT Abt. 37 Nr. 287. Auszüge H II 2, 163 ff.

[37] Actum Hildesheim 22. 4. 1950 im Archiv Wolfb. ebd. Zum Weiteren vgl. H II 2, 188 ff.　　[38] Hist. syncr. 579.　　[39] Vgl. GÖRANSSON, Schweden und Deutschland etc. 236 ff.

[40] Besonders zu nennen: CALOV, Consideratio novae theologiae Helmstadio-Regiomontanorum Syncretistarum (auch in Syst. I 881 ff.) und Syncretismus Calixtinus (i. folgd.: S. C.); HÜLSEMANN, Judicium de Calixtino desiderio etc. und Calixtinischer Gewissenswurm; DANNHAUER, Mysterium Syncretismi detecti.

[41] Vgl. S. C. 7 und Syst. I 897.　　[42] Vgl. S. C. 10; Syst. I 902.

[43] Vgl. ebd. 9 f. Nach dem Orthodoxen CHRISTIAN EICHSFELD, Orthodoxia casualis, Leipzig 1654, 74 f. ist „Syncretismus nominis ratione . . . quaedam in mendaciis collusio Tit. I, 12. secundum rem est confusio religionum ac cultuum a ratione carnali, intempestivo pacis studio, enata, imprudens ac foeda."

[44] Vgl. S. C. 9, 101. Zur Bedeutung des synkretistischen Streites für die Kritik des Apostolischen Symbols vgl. KATTENBUSCH, Das Apostolische Symbol I 10.

[45] Vgl. S. C. 107 ff. und 335 f.; Syst. I 238 ff.; Nöthige Ablehnung 99 f. Ähnlich Quenstedt, vgl. LEUBE aaO. 343 (ebd. auch zur historischen Kritik am Apostolikum).

[46] Vgl. CALOVS Ausführungen zu N. Hunnius' Lehre vom Glaubensfundament S. C. 311; Syst. I 774 ff.

[47] Vgl. S. C. 169 und öfters; HÜLSEMANN, Judicium Th. 3.　　[48] Vgl. S. C. 111 f.

[49] Auch die orthodoxen Lutheraner machen diesen Unterschied, bestimmen aber den für den einzelnen heilsnotwendigen Glauben anders, vgl. KELLER-HÜSCHEMENGER aaO. 169 ff.

[50] Syst. I 909; (danach) EICHSFELD aaO. 5. Vgl. auch Hülsemanns Kritik, KELLER-HÜSCHEMENGER aaO. 173 Anm. 4.

[51] Die Autorität, weil die Tradition der Schrift ihre Stellung als einzige Norm und Regel nehmen würde; die Perspikuität, sofern die Schrift der Interpretation durch die Väter bedürfen sollte; die Perfektion, sofern sie nicht allein zur Widerlegung der Häretiker sollte ausreichen können. S. C. 331. Vgl. jedoch I. Teil 7. Kap. zu Calixts Lehre von der Tradition. Zur orthodox-lutherischen Schriftlehre vgl. PREUS, The Inspiration of Scripture.

[52] Vgl. hist. syncr. 561.

[53] Einen Überblick über die in dieser Kontroverse gewechselten Streitschriften gibt SCHMID aaO. 84.　　[54] Vgl. S. C. 149 u. ö.　　[55] Vgl. ebd. 334.　　[56] Vgl. Syst. I 1207 ff.

[57] „Novatores . . . religionem Christianam in tres sectas Lutheranam, Calvinianam et Pontificiam distribuunt, nec solam Lutheranam pro vera agnoscunt." Syst. I 1042 f. Vgl. ebd. 893 f.: der Synkretismus verdammt den konfessionellen Gegner nicht als häretisch, sondern erkennt ihn als membrum catholicae ecclesiae an. Nach hist. syncr. 729 heißt Synkretismus „geistliche Brüderschafft treffen" mit den Angehörigen der anderen Konfessionen. WELLER, Erste Prob Calixtinischer Verantwortung und Unwahrheiten 27 wirft Calixt vor, er nehme an „zu Brüdern in Christo Jesu / welcher Titel allein den Rechtgläubigen zustehet / Papisten, Calvinisten und andere Rotten". HÜLSEMANN, Judicium E, wendet sich gegen die „falsa opinio de Spirituali confraternitate heterodoxorum, s. inter se, s. cum Orthodoxis, et spes vana de futuro in Coelis consortio". Vgl. auch die bezeichnende Äußerung Paul Gerhardts (LANDWEHR aaO. 210): „Ein Christ ist entweder, der auf Jesum getauft ist und Jesum von Nazareth für Messiam und Heiland der Welt bekennet — also können vielleicht nicht allein Calvinisten, sondern auch Papisten Christen gennenet werden —, oder ein Christ ist derjenige, welcher den wahren, selig machenden Glauben rein und unverfälscht hat, auch die Früchte desselben in seinem Leben und Wandel sehen läßt; also kann ich die Calvinisten quatenus tales nicht für Christen halten."

[58] Syst. I 1160, vgl. 1071.

[59] HÜLSEMANN, Judicium Th. 3. — Von der griechisch-orthodoxen Kirche ist in der ganzen Auseinandersetzung wenig die Rede. Die Stellung der lutherischen Orthodoxie ihr gegenüber ist uneinheitlich. Während z. B. EICHSFELD aaO. S. 89 f. die „Moskoviten" als wahre Christen anerkennen möchte, stellt Calov Syst. I 1106 und öfters die griechische Kirche mit der calvinistischen und papistischen auf eine Stufe. Der Consensus repetitus wiederum rechnet in Punkt 59 die Griechen „zur christlichen Kirche".

[60] Vgl. Syst. I 1000; S. C. 219, 230 (Calvinisten) und 308 ff. (Katholiken).

[61] Die formelle Anerkennung der lutherischen Bekenntnisschriften wird zwar den Calvinisten und Katholiken gegenüber anscheinend nirgends zur ausdrücklichen Bedingung der Einheit gemacht, wohl aber die sachliche Zustimmung. Vgl. etwa Nöthige Ablehnung 126 f.; S. C. 215, 334; hist. syncr. 798 f., 845 ff.   [62] Syst. I 1215.

[63] Hist. syncr. c.   [64] Anti-Crisis, Praef. Ähnlich CALOV, Nöthige Ablehnung etc. 55.
[65] WELLER, Erste Prob etc. 29.

[66] Joh. Scharfii Unschuldt Wider D. Calixti Falsche Aufflagen etc. 53 f.

[67] Hist. syncr. a 2.   [68] Syst. I 1104 f., 1157.

[69] Ebd. 1157.   [70] Hist. syncr. 607.

[71] Vgl. hierzu ZEEDEN aaO. I, bes. 1. Tl. Kap. 3.

[72] Vgl. II. Teil 1. Kap. Anm. 22.   [73] Syst I 1106.   [74] Vgl. WW A ff.

[75] Vgl. TITIUS aaO. D. 2 (post paucissimos annos).   [76] Vgl. H II 2, 308 f.

[77] Vgl. hist. syncr. 1096. Zum folgenden vgl. H II 2, 229 ff., 287 ff.

[78] Vgl. hist. syncr. 1097 f. LEUBE meint aaO. 337, zunächst sei gar nicht an eine Bekenntnisschrift gedacht worden, sondern nur an eine Aufstellung der Helmstedter Abweichungen für den Kurfürsten, und bezweifelt ebd. 339, ob der Consensus repetitus schon 1655 geschaffen worden sei. Wie es aber mit den ursprünglichen Absichten auch immer stehe, über die schließliche Zusammenstellung der Irrlehren Calixts berichtet Calov hist. syncr. ebd., die „dissonantien" seien aufgesetzt, „daß jederman (also doch wohl nicht bloß der Kurfürst) sehen könte, worinn und wie weit sie (sc. die Helmstedter) ... abweichen, *welches unterm Nahmen und Titul Consensus Repetitus* Fidei vere Lutheranae" etc. Im selben Satz wird als Subjekt an späterer Stelle gebracht: „welche Schrifften", womit die Gutachten der Fakultäten gemeint sein könnten, wenn kein Druckfehler (Schriften statt Schrift) vorliegt. Doch kann es keinem Zweifel unterliegen, daß Calov mit den zitierten Worten sagen wollte, daß es sich bei der 1655 unterzeichneten Schrift um den Consensus repetitus handelte.

[79] Zuerst veröffentlicht 1664 in den Consilia theologica Witemberg. Eine neuere Ausgabe von HENKE, Consensus repetitus etc.

[80] Aus punctum 1 (HENKE, Consensus): „Profitemur et docemus, ecclesiam Christ. evangelicam seu Lutheranam, cui postremis hisce temporibus ex maxima Dei clementia fideli opera summa pietate praediti et praestantissimi herois, D. Martini Lutheri, e tenebris horrendis et plusquam Cimmeriis, quibus sub papatu oppressa fuerat, puritas verbi divini affulsit, veram esse Dei ecclesiam, in qua evangelium recte docetur et recte administrantur sacramenta.

Reiicimus eos, qui criminantur ecclesiam Lutheranam vix minoribus erroribus inquinatam esse, quam est Papistica et Calviniana" etc.

Aus punctum 2: „Reiicimus eos, qui docent, apud Pontificios et Calvinianos etiam doctores, non obstantibus foedis erroribus, quos contra doctrinam evangelicam defendunt, fundamenta salutis, quatenus in articulis fidei ab intellectu apprehendendis sita sunt, integra superesse, eosdemque fore cives regni coelestis, et esse Christi membra, veraeque ecclesiae concorpores et cohaeredes."

Aus punctum 59: „Profitemur et docemus, ecclesiam veram principaliter esse societatem fidei et spiritus sancti in cordibus. Quae tamen habet externas notas, videlicet puram evangelii doctrinam, et administrationem sacramentorum, consentaneam evangelio Christi: Quare ecclesia proprie est columna veritatis, retinetque purum evangelium, et, ut Paulus inquit, fundamentum, hoc est veram Christi cognitionem et fidem. Cumque adversarii pontificii et Calviniani fundamentum illud evertant, apparet, eos, qua tales, veram ecclesiam non esse, nec pro veris ecclesiae membris esse habendos."

[81] Die thüringischen Herzöge antworteten auf die Übersendung des Consensus rep. nicht, vgl. H II 2, 300 f. — Herzog Ernst der Fromme von Gotha hielt die Auseinandersetzung für „unnöthiges Gezänke, welches nur in Phraseologie bestehe", vgl. Beck aaO. 638. Näheres über die Haltung der Herzöge ebd. 635 ff.

III. TEIL

NACHWIRKUNGEN CALIXTS

1. KAPITEL

UNMITTELBARE NACHWIRKUNGEN

[1] Vgl. II. Teil 5. Kapitel.   [2] BRATKE, Justus Gesenius, Beilage 212.

[3] WOTSCHKE, Aus Abraham Calovs Briefwechsel mit Niedersachsen 34, 36.

[4] Zu Beginn des 18. Jhs. erfolgte in der braunschweigischen Landeskirche eine Rückwendung zur Orthodoxie, vgl. MEYER, Kirchengeschichte Niedersachsens 158.

[5] Gegen ERIK WOLF, Große Rechtsdenker 242 ist zu betonen, daß Conring die kirchliche Einheitsidee nicht erst von Grotius, sondern schon von seinem Lehrer und Freund Calixt übernommen haben dürfte. Das bestätigt auch etwa Calov, hist. syncr. 1099.

[6] Vgl. WOLF aaO. 242 f.

[7] Vgl. z. B. Metrophanes Critopulos, Confessio, Vorwort II von Conring.

[8] Vgl. dazu E. SEEBERG, Gottfried Arnold 484 f. Für die zeitgenössische katholische Stellungnahme ist der folgende Titel einer Streitschrift gegen Calixt bezeichnend: „Laur. Forerus, Lucerna Helvetius, Jesuita et Acad. Dillinganae Cancellarius, cujus Indifferentismus, oder allerley Glaubens Kirche; das ist: Zwey Gespräche von der Calixtinischen, jetzo neu aufkommenden, und starck einreißenden, allerley Religionen Kirche." Ingolstadt 1656.

[9] Vgl. LEUBE aaO. 166 f., 185.

[10] ERDMANNSDÖRFFER, Urkunden und Actenstücke II 403.

[11] Vgl. BRATKE, Beilage 221 (1662). Auch der von reformierter Seite oft bekämpfte Exorzismus wurde abgeschafft (ebd.).

[12] Vgl. ebd. 169 (Gesenius' positives Gutachten).

[13] Vgl. UHLHORN, die Bedeutung Georg Calixts für die lutherische Kirche der welfischen Lande 201 ff., bes. 204 f.

[14] Zum Kasseler Religionsgespräch vgl. LEUBE aaO. 305 ff.; HEPPE, Kirchengeschichte beider Hessen II 161 ff.; HENKE, Das Unionscolloquium zu Cassel. — Wir versuchen, den calixtinischen Einfluß noch genauer zu bestimmen, als es in diesen Darstellungen geschehen ist.   [15] Vgl. HENKE aaO. 15; Leube aaO. 313.

[16] Anwesend waren außerdem einige politische Räte des Landgrafen Wilhelm.

[17] Vgl. hist. syncr. 634 ff., wo die „brevis relatio" des Kolloquiums in deutscher Übersetzung abgedruckt ist. S. bes. 636.

[18] „Als man nun aus dem was also von beyden Theilen gehandelt / erkant / erwogen / und erkläret worden / abgenommen / daß man gantz und gar einig sey in denen Stücken / so den Grund des Glaubens und der Seligkeit betreffen / und die streitigen Fragen den Grund des Glaubens nicht berühreten / vielweniger auffhüben oder umbstiessen / haben sich vorerwehnte Herrn Theologi beyderseits verglichen / es solle kein Theil das ander / wegen dieser überbleibenden streitigen Puncten / durchziehen / schmähen oder verdammen / son-

dern einander hertzlich und brüderlich lieben / und dahin sich disponiren lassen / einander vor wahre Gliedmassen der Kirchen / und Mit-Consorten des wahren seligmachenden Glaubens / auch Mit-Erben des ewigen Lebens zu halten; Welches das rechte Mittel und stärckeste Band seyn würde / beständigen Frieden und Kirchen-Einigkeit zu befestigen / und zu erhalten." Ebd. 645.

[19] Ebd. 645 f. Tatsächlich wurden entsprechende Verhandlungen mit Hannover, Braunschweig und Brandenburg eingeleitet, vgl. HEPPE aaO. 164.

[20] Ebd. 646 f.   [21] Vgl. LEUBE aaO. 315, HENKE aaO. 18.

[22] Vgl. o. S. 60 f.   [23] Vgl. Calixt Judicium Th. 9.   [24] Vgl. o. S. 132.

[25] Vgl. o. S. 116.   [26] Vgl. o. S. 92.   [27] Vgl. den „Extrakt" Friedrich Ulrichs o. S. 91 f.

[28] Vgl. LEUBE aaO. 372 f.   [29] Vgl. die orthodoxen Stellungnahmen hist. syncr. 648 ff.   [30] LEUBE aaO. 373 f.

[31] LEUBE spricht in diesem Zusammenhang aaO. 351 von der „Auflösung" der calixtinischen Friedensbestrebungen. Dem ist entgegenzuhalten, daß Molan und Leibniz die calixtinische Tradition wenigstens teilweise wieder aufnehmen. — Über P. Musäus vgl. RODENBERG-PAULS, Die Anfänge d. Christian-Albrechts-Universität Kiel 195 ff.

[32] Vgl. Das Haus Rantzau. Eine Familien-Chronik. Celle 1866. Christoph R. (1625 bis 1699) stammte aus der Linie Schmoel-Hohenfelde.

[33] Abtruck Zweyer Sendschreiben 69 f. Vgl. auch SCHLEIFF, Selbstkritik der luth. Kirchen 56. Der Brief Rantzaus ist zwar von anderer Hand redigiert, dürfte aber in der Substanz auf ihn zurückgehen (vgl. Acta inter Ernestum etc. 70 ff. Unrichtig SCHLEIFF aaO., der von Fälschung spricht).   [34] Vgl. H II 2, 238.

[35] Dies waren die „Skrupel" (HENKE, Briefw. 279), mit denen er schon nach Italien abreiste, wie seine H II 2, 238 Anm. 3 wiedergegebenen Äußerungen zeigen und wie auch aus der von ihm verfaßten Dedikation der Exercitatio de Missis solitariis von 1647 hervorgeht, in der er über die Anfechtungen klagt, denen die friedfertigen Christen ausgesetzt seien (a 3).

[36] Vgl. H II 2, 238 Anm. 3. Als strenggläubiger Katholik findet der nachmalige Baron und Vizepräsident des Prager Apellationsgerichts (vgl. ADB 2, 745 f.) in Leibnizens Briefwechsel mehrfach Erwähnung. Johann Friedrich wurde, ähnlich wie Rantzau, vor allem durch den Eindruck von der katholischen Frömmigkeit zum Übertritt bewogen. Vgl. ADB 14, 177 ff. KÖCHER, Geschichte von Hannover und Braunschweig I 351 ff.

[37] Vgl. MOLLER, Cimbria literata III 139 (F. U. Calixt an Moller 1689). Bezeichnend ist andererseits auch ein Bericht aus Köln nach Rom, der den Tod Calixts meldet (28. 5. 1956, bei MENTZ, Johann Philipp von Schönborn II 216 Anm. 4); Calixt habe eine Sekte gegründet, „la qual ancorchè pessima non è tanto inimica de Santi Padri, et antichi Concilij, che perciò molti contro l'intentione del lor Maestro dalle dottrine da lui allegate son venuti in cognitione della verità, e si son convertiti alla fede Cattolica".

[38] Zur Geschichte der Konversion Elisabeth-Christines vgl. bes. HOECK, Anton Ulrich und Elisabeth-Christine; KIEFL, Leibniz und die religiöse Wiedervereinigung 128 ff.

[39] Vgl. KIEFL aaO.

[40] Dazu vgl. bes. KIEFL aaO. 137 ff. Anton Ulrich hoffte dadurch das Bistum Hildesheim zu gewinnen. Religiöse Erwägungen leiteten den Herzog, der ein Sohn Augusts d. J., des Gönners Calixts war, offenbar kaum.

[41] Vgl. KIEFL aaO. 136.   [42] Vgl. ebd. 134 f.

[43] Nach dem bei Hoeck 81 ff. abgedruckten Gutachten.   [44] Vgl. o. S. 65.

[45] Vgl. HOECK aaO. 84.   [46] Vgl. o. S. 70.   [47] Vgl. KIEFL aaO. 131.

2. KAPITEL

NACHWIRKUNGEN IN DEN REUNIONSBESTREBUNGEN VON MOLANUS UND LEIBNIZ

[1] Die Geschichte der Reunionsversuche ist eingehend erforscht worden, vgl. bes. KIEFL, Der Friedensplan des Leibniz, und: Leibniz und die religiöse Wiedervereinigung Deutschlands; HILTEBRANDT, Die kirchlichen Reunionsverhandlungen in der zweiten Hälfte des 17. Jhs.; JORDAN, The Reunion of the Churches; WEIDEMANN, Gerard Wolter Molanus (bes. Bd. II). Die Unterhandlungen Spinolas werden in einer in Vorbereitung befindlichen Studie von Samuel J. Miller über Sp. im einzelnen untersucht.

[2] Über Molan vgl. bes. die Biographie WEIDEMANNS, die wir im folgenden zugrundelegen. Vgl. ferner MILLER, Molanus, Lutheran Irenicist.

[3] Vgl. WEIDEMANN I 17 ff. Ihn deshalb nur als einen „kleinen Epigonen" zu bezeichnen (ebd. 29), ist angesichts seiner theologischen Leistung und seiner Bedeutung im Reunionsgespräch ungerechtfertigt.

[4] Vgl. ebd. I 24, II 54, 96. [5] Vgl. ebd. I 165 [6] Vgl. ebd. II 53, 137.

[7] Vgl. ebd. 80 u. ö. [8] Vgl. ebd. 119. Dasselbe sagt er im Blick auf die reformierte Kirche.

[9] Vgl. ebd. 120. [10] Vgl. ebd. 120 f. [11] Ebd. 175. [12] Ebd. und I 29.

[13] WEIDEMANN übersieht diesen wichtigen Punkt. — Vgl. z. B. Summa totius Methodi, ebd. II 169: „supposito denique ut Concilium legitime congregatum vi promissionis Dei in decidendo sit infallibile" etc.

[14] Ebd. 121. [15] Vgl. ebd. 119. [16] Vgl. ebd. 145.

[17] Vgl. ebd. — In Unkenntnis der Anliegen Calixts meint WEIDEMANN ebd. 51, daß dieser nur die mutua tolerantia, nicht aber die unio actualis im Auge gehabt habe. Durch die vorliegende Untersuchung ist dies als nicht zutreffend erwiesen. Gerade auch indem Molan nach Wegen zur Wiedervereinigung mit der katholischen Kirche sucht, steht er in der Nachfolge Calixts.

[18] „Si vous meditez quelque chose à l'egard de Messieurs de la confession d'Augspourg, je souhaiterois que vous puissiés voir les écrits de feu M. Calixtus qui tient parmy eux le méme rang d'erudition et de jugement que M. Daillé parmy les religionnaires." An Bossuet 1. Juni (?) 1679. A 1. Reihe II 482.

[19] Vgl. z. B. A 2. Reihe I 176 (Calixt unter den „liberiores Christianorum". An Arnauld Nov. 1671); Leibniz, Theodizee, Hauptschriften IV 29; KIEFL, Leibniz und die relig. Wiedervereinigung 137. Vgl. auch Anm. 44.

[20] Vgl. z. B. FOUCHER DE CAREIL, Oeuvres de Leibniz II 51 (Judicium doctoris catholici): „moderatiores inter ipsos protestantes papam non habere pro antechristo, nonnullos etiam, praesertim Georgii Calixti discipulos, eo progredi ut putent errores quos catholicis imputant non evertere fundamentum salutis, hoc tamen ad reunionem non sufficit" etc.

[21] Vgl. z. B. A 1. Reihe III 568 (April 1683 an Spinola); V 11 f. (Promemoria für Landgraf Ernst zur Frage der Reunion, s. auch u. Anm. 47). Calixt wird hier zwar nicht ausdrücklich genannt, aber aus dem Zusammenhang ergibt sich, daß die Kritik sich auf ihn bezieht. Vgl. A 1. Reihe IV 504 Molan (Summa totius Methodi), der Calixt in demselben Zusammenhang nennt.

[22] „Paene puer cum in bibliothecam parentis pro arbitrio grassarer, incidi in aliquot controversiarum libros" etc. „Calixti scriptis valde delectabar; habebam et multos alios libros nonnullis suspectos quos satis ipsa mihi novitas commendabat. Tum primum coepi

agnoscere, neque omnia certa quae vulgo feruntur, et saepe inania vehementer de rebus contendi, quae tanta non sunt." GUHRAUER, Leibniz II, App. 57 f. Deutsch z. B. Leibniz, Schöpferische Vernunft, Schrr. ed. W. v. Engelhardt, 406 (Selbstbiographische Aufzeichnungen).

[23] Diesen Zusammenhängen ist bisher noch nicht ausreichende Beachtung geschenkt worden.   [24] Vgl. o. II. Teil 5. Kap.   [25] Vgl. Anm. 20, 22.

[26] „Katholisch" im Sinne des heutigen ökumenischen Sprachgebrauchs. — Zu Leibnizens Auffassung von der Kirche vgl. bes. BARUZI, Leibniz et la organisation religieuse de la terre 2. Teil, 3. Kap. La recherche de la vraie église (267 ff.), wo die Anschauung von der église universelle dargestellt wird.

[27] „Opus est ut, velut in civitate aut republica, coeat multitudo in unum corpus, uno velut spiritu connexum, et. formet personam quamdam moralem", etc. Foucher II 53. Vgl. auch zum Verhältnis zu Grotius M. SCHMIDT in: Gesch. der Ökumenischen Bewegung I 128.

[28] Vgl. Anm. 31, 32. Daraus folgte jedoch für ihn nicht, daß er auch äußerlich der römischen Kirche angehören müsse, vgl. z. B. FOUCHER I 306 (Leibniz an Pellisson 27. 7. 1692): „Je n' ay pas encore pu trouver une nécessité absolue qui nous oblige d'estre dans la communion romaine à quelque prix que ce soit. Je trouve qu'il suffit de faire pour le rétablissement de cette communion, tant en général qu'en particulier, tout ce qu'on croit pouvoir faire suivant sa conscience."

[29] Vgl. z. B. BARUZI 282 Anm. 3 (Ecclesia catholica per hierarchiam suam visibilis); PICHLER, Die Theologie des Leibniz II 107 (Anm. 2 Leibniz an Fabricius 22. 2. 1698): Est enim in omni re publica, adeoque in ecclesia christiana ipso jure proditum, ut supremus habeatur magistratus etc.; JORDAN 189; BENZ, Leibniz und die Wiedervereinigung der Kirchen 109. — „Ie dis bien plus, sçauoir que cette (die römisch-katholische) Hierarchie qu'on y voit, sçauoir la distinction du Pontife supreme (puisqu'il faut un Directeur) des Evesques, et des prestres, est du droit divin ordinaire." A 1. Reihe IV 320 (an Landgraf Ernst 11. 1. 1684).

[30] Vgl. FOUCHER II 56. S. ferner u. zu den Unionsvorschlägen Molans und Leibnizens. Leibniz unterschied das jus divinum der Einsetzung der Nachfolge Petri von der applicatio derselben auf den römischen Stuhl, die menschlichen Rechtes sein sollte, vgl. WEIDEMANN II 111 f.

[31] ... „les principes de la catholicité qui portent: que l'assistance que Dieu a promise à son Église ne permettra jamais qu'un concile oecuménique s'éloigne de la vérité en ce qui regarde le salut." FOUCHER I 182 (an Mdme. de Brinon 29. 9. 1691). „... nous croyons que, si l'Église procède légitimement dans un concile, le Sainct-Esprit l'assistera et la mènera en toute vérité salutaire." FOUCHER II 257 (an Bossuet 1699). „J'adjoute même, que l'Église Catholique visible est infaillible dans tous les points de creance, qui sont necessaires au salut, par une assistance speciale du S. Esprit qui luy a esté promise." A IV (wie Anm. 29).

[32] Deshalb verstand er sich auch weder als Häretiker noch als Schismatiker, „car il n'y a que l'opiniâtreté qui fasse l'hérétique; et c'est de quoi, grâce à Dieu, ma conscience ne m'accuse point". FOUCHER I 163 (an Mdme. de Brinon 16. 7. 1691). Auch nach katholischer Anschauung ist man nicht Häretiker, „tandis qu'on ne sçait pas et qu'on ignore invinciblement que l'Église catholique a défini le contraire" ebd. 182 (an Mdme. Brinon 29. 9. 1691). Vgl. auch seine Beurteilung der Kontroversen (i. folgd.).

[33] Vgl. etwa die diesbezüglichen Forderungen in den Reunionsverhandlungen.

[34] Für Leibnizens persönliche Erwägungen ist bes. aufschlußreich der Briefwechsel mit Landgraf Ernst von Hessen-Rheinfels (v. Rommel, Leibniz und Landgraf Ernst, Briefw.; jetzt teilw. A). Vgl. hierzu ZEEDEN, Martin Luther und die Reformation I 143 ff.

[35] Vgl. BENZ, Leibniz und die Wiedervereinigung der Kirchen, und: Leibniz und Peter der Große.   [36] Vgl. u. S. 169.

[37] Über das Tridentinum urteilte er: „En effet à bien considerer ce Concile, il n'y a gueres de passages qui ne reçoivent un sens, qu'un protestant raisonnable puisse admettre." A 1. Reihe V 183 (an Landgraf Ernst 9. 7. 1688). Vgl. auch die (z. T. mit Molan ausgearbeiteten) Vorschläge für die theologische Verständigung.

[38] Nicht zufällig stützt er sich deshalb gerade bei seinen Reunionsbemühungen auf die calixtinischen Theologen.

[39] Vgl. ZEEDEN I 134 f. und II 171 ff. (Systema theologicum, Ausführungen über die Rechtfertigung).

[40] Vgl. zur Deutung der Reformation und zur Wertung der verschiedenen Kirchen ZEEDEN I 130 ff.

[41] „Primum enim id actum, ut ecclesia divitias acquireret opimosque reditus, deinde curiosa ingenia varias quaestiones excogitavere, denique papa sibi potentiam in omnia mundi regna arrogavit." Notata quaedam de imperio romano-germanico, zit. bei PICHLER, Die Theologie des Leibniz II 97 Anm. 1.   [42] Vgl. ebd. 167.

[43] Vgl. ebd. 232; ZEEDEN I 138 f.

[44] „George Calixte, un des plus sçavans et des plus modérés théologiens de la confession d'Augsbourg, a bien représenté, dans ses remarques sur le concile de Trente et dans ses autres ouvrages, le tort que ce concile a fait à l'Église par ses anathématismes." FOUCHER I 403 (an Bossuet 5. 6. 1693, Réponse au Mémoire de l'Abbé Pirot). In den Anathematismen des Tridentinum sieht er geradezu den Geist der Sekte am Werk: „C'est dans ces condemnations téméraires que consiste véritablement l'esprit de secte et la source d'une grande partie des maux du christianisme". FOUCHER II 92 (an Madame de Brinon 18. 4. 1695). Ebd. 91: „lorsqu'une Église particulière, quelque grande et authorisée qu'elle puisse estre, rompt l'union avec d'autres qui s'élèvent contre des abus, au lieu de profiter de leurs remonstrances, c'est elle qui fait le schisme et qui blesse la charité, dans laquelle consiste l'âme de l'unité."

[45] „Quand une Église est excommuniée par une autre Église, et lors mesme qu'un particulier est excommunié par son Église, l'excommunication peut estre injuste (das ist nach Leibniz im Hinblick auf die Protestanten der Fall), et alors les excommuniés ne laissent pas d'estre dans l'Église universelle." FOUCHER II 82 (an Mdme. de Brinon 28. 2. 1695). Allein „ceux qui entretiennent le schisme par leur faute, en mettant des obstacles à la réconciliation, contraires à la charité, sont véritablement des schismatiques." A 1. Reihe VI 235 (an Mdme. de Brinon 16. 7. 1691).

[46] Die von Baruzi 275 und BENZ, Leibniz und die Wiedervereinigung der Kirchen 107 vertretene Auffassung, daß nach Leibniz eine notwendige Proportion zwischen der Unvollkommenheit einer Kirche und ihrer Partikularität bestehe, bedarf der Einschränkung. Denn da hiernach der Grad der Vollkommenheit der Kirche denjenigen ihrer Universalität bestimmen würde, könnte es scheinen, als ob Leibniz in der universalen Kirche lediglich eine ideale, zukünftige Größe gesehen hätte. Er spricht aber von der Universalkirche sehr bestimmt im Sinne einer bereits gegebenen, geschichtlichen Wirklichkeit. Das Wesen der Partikularität sieht er in der Bestimmtheit einer Kirche durch nationale Kräfte oder durch Sondertraditionen, die diese Kirche nicht mit den anderen gemein hat. An der Stelle, auf die sich Baruzi beruft — A 1. Reihe VI 166 (FOUCHER I 131), wonach die römische Kirche partikular sei „à l'égard des abus qu'elle tolère" — spricht er von Einflüssen dieser Art.

[47] . . . „la voye de condescendance l'est encor moins, et quoyqu'il y ait des points qu'on pourroit accorder, il y en a d'autres, où rien ne peut estre relaché. C'est pourquoy ceux

qui ont voulu accommoder les parties en leur disant qu'il falloit se contenter des articles enseignés par les premiers Conciles Oecuméniques, et reconnoistre pour freres en Jesus Christ tous ceux qui en demeurent d'accord, ont perdu leurs peines, et ont esté regardés de tous costés comme une secte nouvelle . . . car c'estoit choquer les principes de tous les partis." A 1. Reihe V 11 f. (Promemoria für Landgraf Ernst). Vgl. dazu MOLAN, Summa totius Methodi Irenicae (1685), A IV 504: „Sententia nostra est, pacem cum Ecclesia catholica esse possibilem; media ad hunc finem ducentia ita comparata esse debere, ut utriusque partis honori et hypothesibus non praeiudicent. Peccatum hic ab omnibus retro pacificatoribus. Ita v. g. B. Calixtum supposuisse potius pro basi totius sui negotii, Pontificios et Reformatos in fundamento fidei non errare, cum credant omnia in Apostolico reliquisque Symbolis et Oecumenicis Conciliis extantia. Idem negatum non a papistis solum et Calvinistis, sed et a majore Lutheranorum parte."

[48] Vgl. BENZ, Leibniz und die Wiedervereinigung der Kirchen 107.

[49] Vgl. Zeeden II 170.

[50] „la vraye pieté consiste dans l'amour du Souverain Dieu, sur toutes choses", A 1. Reihe III 247 (an Landgraf Ernst 27. 10. 1680); oft ähnlich. Vgl. BARUZI 280: l'Église est l'union miraculeuse d'hommes aimant Dieu.

[51] Vgl. A 1. Reihe VI 119 (für Paul Pellison-Fontanier Ende Okt. 1690).

[52] Dies ist gegenüber BENZ aaO. 107 geltend zu machen. Vgl. auch M. SCHMIDT aaO. 131.

[53] In diesem Zusammenhang verdient auch die auffallende Tatsache Beachtung, daß Leibniz in den letzten Jahrzehnten seines Lebens fast niemals mehr am Abendmahl teilgenommen hat. Eine starke lebensmäßige Beziehung zur Kirche hat er nicht gehabt.

[54] Vgl. HIRSCH, Gesch. der neueren evgl. Theologie II 16 f.; ZEEDEN aaO. I 141 f.; HILDEBRANDT, Leibniz und das Reich der Gnade (bes. 66, 74 f.: Verteidigung der „abendländischen Idee" gegen die Entseelung des europäischen Geistes in der mechanistischen Weltanschauung); M. SCHMIDT aaO. 130 ff.

[55] Im ersten Brief an Antoine Arnauld Anf. November 1671, A 2. Reihe I 171: „Seculum philosophicum oriri, quo cura acrior veritatis extra scholas etiam in viros Reipublicae natos diffundatur; his nisi satisfiat, desperatam religionis veram propagationem esse; magnam conuersionum partem fore palliatam; nihil efficacius esse ad confirmandum Atheismum, aut certe Naturalismum inualescentem, et subruendam a fundamento iam pene apud multos et magnos sed malos homines labascentem religionis Christianae fidem, quam ab vna parte mysteria fidei a Christianis omnibus semper credita esse probare, ab altera parte certis rectae rationis demonstrationibus nugarum conuinci: multos intra Ecclesiam ipsis haereticis acriores hostes esse; metuendum esse, ne haeresium vltima sit, si non Atheismus, saltem Naturalismus publicatus et Mahumetanismus, cui parum admodum dogmatis, nec fere nisi ritus superaddi, ac vel ideo totum pene Orientem occupauit. Huic valde accedere Socinianos . . . Cum his hostibus confligendum nobis esse" etc. . . . Vgl. auch KIEFL aaO. 187.

[56] A 1. Reihe V 10 (Promemoria für Landgraf Ernst).

[57] Vgl. z. B. A 1. Reihe VI 235: „La communion vraie et essentielle, qui fait que nous sommes du corps de Jésus-Christ, est la charité. Tous ceux qui entretiennent le schisme par leur faute . . . sont véritablement des schismatiques" etc. (vgl. Anm. 45).

[58] Vgl. auch Molans Äußerung, er und Spinola seien die beiden Pole der Achse, um die sich der Orbis Concordiae Ecclesiasticae drehe (WEIDEMANN II 171).

[59] Vgl. über ihn HASELBECK, Der Ireniker P. Christoph de Rojas y Spinola; G. MENGE, Versuche zur Wiedervereinigung (kaum Neues); HILTEBRANDT, Die kirchlichen Reunionsverhandlungen in der zweiten Hälfte des 17. Jhs.; KIEFL aaO.; WEIDEMANN II; MILLER, Spinola and the Lutherans 1674-95.

[60] Vgl. HASELBECK 394 ff.; MILLER 422 f.

[61] Seine dieser Taktik entsprechende etwas unverbindliche Verhandlungsführung konnte den Eindruck des „oberflächlichen" und „verschwommenen" Irenismus erwecken (HILTE-BRANDT 36). Gegen dieses Urteil muß schon die Hochschätzung mißtrauisch machen, die Leibniz stets für Spinola empfand. — Die Kurie erteilte Spinola 1678 eine offizielle Autorisation für seine Reunionsverhandlungen (vgl. HASELBECK 399 f.), wenngleich sie sich von diesen lediglich die Bekehrung von „particolari predicanti" versprach (HILTEBRANDT 54).

[62] Über seine verschiedenen Unternehmungen vgl. HASELBECK aaO. und MILLER aaO. passim.   [63] Vgl. WEIDEMANN II 32 ff.   [64] Vgl. ebd. 37.

[65] Näheres zu dieser Schrift ebd. 40 ff.   [66] Vgl. ebd. 47 ff.

[67] Als Verfasser erscheint in dem Schriftstück auch der Superintendent Barckhaus, doch nur aus äußeren Gründen, vgl. ebd. 52.

[68] Eine ausführliche Inhaltsangabe ebd. 52 ff. — Wir ziehen die Abschrift Bibl. Wolfb. CG Extr. 64, 3, 120 ff. mit heran.   [69] S. Anm. 47.

[70] Vgl. o. Anm. 13.

[71] Methodus, Abschrift Bibl. Wolfb. (wie Anm. 68) 120.   [72] Ebd. 126 f.

[73] Vgl. WEIDEMANN II 61. Die Methodus erfuhr noch geringfügige Änderungen, die sachlich nicht ins Gewicht fielen.

[74] Spinola scheint gleichwohl selbst gelegentlich an die Möglichkeit gedacht zu haben, daß das Tridentinum suspendiert werden könnte, vgl. MILLER aaO. 430 ff. und o. S.

[75] Vgl. WEIDEMANN II 74.   [76] Vgl. ebd. 78 f.

[77] „Cogitandum itaque de mutua tolerantia" (wie Spinola vorgeschlagen hatte). „Quae omnia quamlibet sint egregia, et illud ipsum agant in effectu, quod Georgius Calixtus ante hos XL annos vehementer ursit, nihil tamen commune habent cum iis, quae inter nos duos haetenus tanta diligentia acta"... Molan an Spinola 31. 5. 1693, ebd. 171 f.

[78] Ebd. 80 f. Anm. 4.   [79] Vgl. ebd. 106 ff.

[80] Näheres bei KIEFL, Leibniz und die religiöse Wiedervereinigung; WEIDEMANN II 88 ff. Vgl. auch M. SCHMIDT aaO. 156 ff.   [81] Vgl. FOUCHER II 57.

[82] Die Frage, welche Dokumente dies waren, läßt sich nach WEIDEMANN II 89 Anm. 2 und KIEFL aaO. 43 Anm. 4 nicht sicher entscheiden. Da aber Molan an Bossuet auf dessen Bitte um neue Unterlagen „Cogitationes privatae de methodo reunionis" etc. schickte, ist mit Wahrscheinlichkeit anzunehmen, daß Bossuet zuvor im Besitz der Methodus gewesen war.

[83] Vgl. KIEFL aaO. 58.

[84] Cogitationes privatae de methodo reunionis Ecclesiae protestantium cum Ecclesia Romano-Catholica etc. Ausführliche Inhaltsangabe bei WEIDEMANN II 90 ff. Vgl. auch MILLER, Molanus, Lutheran Irenicist 197 ff.

[85] Vgl. dazu WEIDEMANN II 96 ff.

[86] Vgl. den Briefwechsel bei FOUCHER I, II und in A 1. Reihe VI.

[87] Nous croyons que, si l'Église procède légitimement dans un concile, le Sainct-Esprit assistera etc. (wie Anm. 31). Vgl. auch z. B. Promemoria für Landgraf Ernst, A 1. Reihe V 14 (Berufung auf die Confessio Augustana).

[88] „Et j'ay deja dit, que peutestre la providence a voulu laisser cette porte ouverte, pour moyenner la reunion, en attendant un autre Concile plus autorisé qui puisse couper jusqu'aux racines du grand Schisme d'Occident." A 1. Reihe VI 215 (an Mdme. de Brinon 17. 6. 1691). Vgl. auch ebd. 165.

[89] Vgl. z. B. ebd. 164 f. (an dies. für Pellisson Jan. 1691), 236 f. (an dies. 26. 7. 1691), FOUCHER II 257 (an Bossuet 1699).

[90] „Mais quand le Concile de Trente auroit toutes les formalités requises, il y a encor

une autre importante consideration . . . Ses Canons sont souvent couchés d'une maniere à reçevoir plusieurs sens, et les Protestans se pourroient croire en droit de reçevoir celuy qu'ils jugent le plus convenable, jusqu'à la decision de l'Église dans un Concile General futur" . . . A 1. Reihe VI 165.

[91] Vgl. FOUCHER II 387 ff. (Bossuet an Leibniz 12. 8. 1701). Diese Deutung wirkt auch noch bei KIEFL aaO. 181 ff. nach.

[92] Vgl. FOUCHER I 433 f. (Bossuet an Leibniz 15. 8. 1693); FOUCHER II 386 ff. (Bossuet an Leibniz 12. 8. 1701).

[93] Vgl. WEIDEMANN II 132. Zur Unionsschrift Calixts o. S. 132 f.

[94] WEIDEMANN II 133 f. Jablonskis Auffassung entspricht dem Standpunkt der Reformierten in Thorn, vgl. o. II. Teil 4. Kap.

[95] Vgl. WEIDEMANN II 135 f.; v. THADDEN, Die brandenburgisch-preußischen Hofprediger 134 f.   [96] Vgl. WEIDEMANN II 136 ff.   [97] Ebd. 138 f. Vgl. Calixt, Judicium Th. 1.

[98] WEIDEMANN II 142. Die Zeremonien sollten den verschiedenen Kirchen weiter freigestellt bleiben, der Gottesdienst jedoch vereinheitlicht werden.   [99] Vgl. o. S. 132.

[100] Vgl. WEIDEMANN II 142 f.; v. THADDEN aaO. 135 f.

SCHLUSSWORT

[1] „Est autem ecclesia congregatio sanctorum, in qua evangelium pure docetur et recte administrantur sacramenta. Et ad veram unitatem ecclesiae satis est consentire de doctrina evangelii et de administratione sacramentorum." Bekenntnisschriften 61. Zu Sinn und Tragweite der Bestimmung vgl. EBELING, Die kirchentrennende Bedeutung von Lehrdifferenzen 181 ff.

[2] Vgl. hierzu bes. HARNACK, Über den sog. consensus quinquesaecularis, und KANTZENBACH aaO. 241 ff.

[3] Darauf hat JOSEPH LORTZ immer wieder hingewiesen, vgl. zuletzt: Einheit der Christenheit. Unfehlbarkeit und lebendige Aussage, passim.

[4] Vgl. PETER MEINHOLD, Was ist Luthertum? 20 ff. und Grundfragen kirchlicher Geschichtsdeutung in: Die Katholizität der Kirche 133 ff., bes. 147.

[5] So sehr hierin KANTZENBACH aaO. 241 ff. zuzustimmen ist, erheben sich doch Fragen an seine im Zusammenhang mit der Kritik an Calixt vorgetragene Deutung der Reformation. Calixt hat nach Kantzenbach den Charakter der Reformation als „einer Entfaltungsstufe der christlichen Wahrheit" (242, vgl. auch 15 ff.) nicht begriffen, da ihm das Verständnis für den reformatorischen Ansatz als einen „durch den Heiligen Geist in der Bindung an die Heilige Schrift geschenkten Uransatz" abging (241). Das Verhältnis Calixts zur reformatorischen Rechtfertigungslehre ist o. Teil I, 3. Kap. kritisch erörtert worden. Wie es damit immer stehe, an die Deutung Kantzenbachs ist doch die Frage zu richten, ob sie dem Zusammenhang zwischen den der Kirche neu geschenkten Einsichten und der Glaubensüberlieferung wirklich gerecht wird. Es könnte nach dieser Deutung den Anschein haben, als handele es sich bei der lutherischen Rechtfertigungserkenntnis um einen letztlich nicht mehr begründbaren Uransatz, dessen Verständnis entweder geschenkt würde — dann befände man sich auf der neuen Entfaltungsstufe der Wahrheit — oder versagt bliebe. Damit wäre aber — trotz der Betonung des Zusammenhanges des Neuen mit dem Alten (243) — die Gefahr gegeben, daß die Glaubensaussagen von der dem Glaubenden möglichen und gerade seitens der Reformatoren geforderten Nachprüfung an der

Offenbarung abgelöst werden. Der alte Protestantismus legte den größten Nachdruck darauf, daß es sich bei der reformatorischen Erkenntnis um nichts grundsätzlich Neues, sondern um die von den wahren Christen aller Jahrhunderte je und je bezeugte Wahrheit handle. Daß es in der Kirchengeschichte gleichwohl neue Gestalten christlicher Erkenntnis gibt und daß die Reformation unter diesem Blickpunkt verstanden werden muß, ist freilich bei Calixt und seinen Gesinnungsverwandten, wie Kantzenbach mit Recht betont, nicht gesehen.

[6] Vgl. dazu auch den Aufsatz des Verf.: Wahrheit und Überlieferung zwischen den Konfessionen in: Festgabe Joseph Lortz I 109 ff.

QUELLEN- UND LITERATURVERZEICHNIS

I. QUELLEN

1. *Handschriftliche Quellen*

Um ein vollständiges Verzeichnis des dem Verf. erreichbaren ungedruckten Materials zu bieten, werden auch diejenigen handschriftlichen Quellen angegeben, die zwar eingesehen, aber in der Darstellung nicht verwertet wurden.

Niedersächsische Staats- und Universitätsbibliothek Göttingen
Cod. MS. Philos. 92; 110 I, II; 111; 114; 117 I (Briefe an Calixt).
Cod. MS. Theol. 303 (Discursus de Pontificia religione. Abschr.).
Cod. MS. Hist. 189 I 335 (Relation Braunschweiger Konferenz mit Durie 1639).

Staats- und Universitätsbibliothek Hamburg
Supellex epistolica Uffenbach. Wolf. Nr. 9; 84, 127; 91, 79 f. (Briefwechsel Calixts); 49 (Briefwechsel Metrophanes Kritopulos).

Universitätsbibliothek Kiel
Jonas Hoyer, Diarium Flensburgense. S. H. 254.

Herzog-August-Bibliothek Wolfenbüttel
Cod. Guelf. 54; 55; 84, 9—11; 86, 10, 139 Extravag. (Briefwechsel Calixts); Cod. Guelf. 84, 1—5 Extravag. (Briefe und Akten zum Synkretistischen Streit); Cod. Guelf. 64,3, 120 ff. Extravag. (Methodus reducendae unionis. Abschr.); Cod. Guelf. 11. 8. Aug. fol. 253 ff. (Calixt, Relation Thorn); Cod. Guelf. 966. 3 Novi (Diskurß von der wahren christlichen Religion unndt Kirchen. Abschr.).

Niedersächsisches Staatsarchiv Wolfenbüttel
L ALT Abt. 1 Gr. 22 Fb. 4 Herzog August d. J. Nr. 69 (Schriftwechsel Herzog Friedrich Ulrich — Theologische Fakultät Helmstedt 1633/34; Verhandlungen Durie; Briefwechsel Herzog August d. J. — Calixt).
L ALT Abt. 37 Nr. 367 (Helmstedter Professoren).
L ALT Abt. 37 Nr. 287 (Briefe und Akten zum Synkretistischen Streit).

2. Gedruckte Quellen

A. Georg Calixt

Alle wichtigeren Werke befinden sich in der Herzog-August-Bibliothek Wolfenbüttel oder in der Niedersächsischen Staats- und Universitätsbibliothek Göttingen.

Abtruck Zweyer Sendschreiben / Deren Eines / Von D. G. Calixto nach Rohm / Herrn Christoph von Rantzaw von der angenommenen catholischen Religion wieder zurück zu wenden; Das Andere Hingegen von Rohm nach Helmstätt. Köln 1652.

Acta inter Ser. Princ. et Dm. Ernestum Hassiae Landgravium et G. Calixtum, ed. F. U. Calixtus. Helmstedt 1681.

Annotationes et Animadversiones in Confessionem, quam Thorunii Ao. MDCXLV Reformati obtulerunt. Braunschweig ²1655.

Apparatus theologicus s. introductio in studium et disciplinam s. Theologiae, Helmstedt 1628, ³1661. (Wenn nicht anders vermerkt, wurde die 1. Auflage benutzt).

Colloquium instinctu Dn. Ludolphi a Klencken inter R. P. Augustinum N. e Societate Lojolae / et M. G. Calixtum Holsatum, Haemelsburgi proprid. Kal. Sept. MDCXIV Institutum, Helmstedt 1657.

Consideratio doctrinae Pontificiae juxta ductum concilii Tridentini, Helmstedt 1659.

De auctoritate s. scripturae, et numero librorum canonicorum V. T. contra Pontificios exercitatio, Helmstedt 1648.

De bono perfecte summo s. aeterna beatitudine liber unus, Helmstedt 1643.

De conjugio clericorum tractatus, Helmstedt 1631.

De haeresi Nestoriana exercitatio, Helmstedt 1640.

De immortalitate animae et resurrectione carnis liber unus, Helmstedt ²1661.

De missis solitariis contra Pontificios exercitatio, Helmstedt 1647.

De pactis quae Deus cum hominibus iniit tractatus, Helmstedt 1654.

De peccato tractatus diversi, Helmstedt 1659.

De persona Christi programmatum et dissertationum fasciculus, ed. F. U. Calixtus, Helmstedt 1663.

De Pontifice Romano orationes tres, Helmstedt 1658.

De Pontificio missae sacrificio tractatus, Frankfurt/M. 1614.

De praecipuis christianae religionis capitibus hodie controversis disputationes XV, Helmstedt 1611, ²1613, ³1658. (Wenn nicht anders vermerkt, wurde die 3. Auflage benutzt).

De quaestionibus num mysterium ss. Trinitatis e solius V. T. libris possit demonstrari. Et num ejus temporis patribus filius Dei propria sua hypostasi apparuerit, dissertatio, Helmstedt 1649.

De sacrificio Christi semel in cruce oblato et initinerabili exercitatio, Helmstedt 1638.

De sanctissimo Trinitatis mysterio exercitatio, Helmstedt 1645.

Desiderium et studium concordiae ecclesiasticae, Helmstedt 1650.

De supremo judicio liber unus, Helmstedt ²1661.

De visibili ecclesiastica monarchia, ed. F. U. Calixtus, Helmstedt 1674.

Digressio de arte nova (s. Epitome Theol. mor.).

Disputatio theol. de auctoritate antiquitatis ecclesiasticae, Helmstedt 1639.

Disputatio theol. de gratuita justificatione hominis peccatoris coram judicio Dei, Helmstedt 1650.

Disputatio theol. de primatu Romani Pontificis, Helmstedt 1650.

Disputatio theol. de s. scriptura, Helmstedt 1649.

Disputationum logicarum IV. de praedicamentis VII posterioribus, Helmstedt 1610.

Disputationum metaphysicarum VII. de caussis formali et finali, Helmstedt 1617.

Divorum Cypriani et Augustini de unitate ecclesiae libelli quibus accessit G. Calixti in eorundem lectionem introductionis fragmentum, ed. F. U. Calixtus, Helmstedt 1657.

Epitome Theologiae, ex ore dictantis ante triennium excepta, Goslar 1619, [4]1661. (Wenn nicht anders vermerkt, wurde die 1. Auflage benutzt).

Epitomes Theologiae moralis pars I una cum Digressione de arte nova, ad omnes Germaniae academias Romano Pontifici deditas et subditas, inprimis Coloniensem. Helmstedt 1634.

Expositio litteralis in I. ad Cor., Helmstedt 1665.

Expositio litteralis in epl. ad Eph., Helmstedt 1653.

Expositio litteralis in epl. ad Rom., Helmstedt 1653.

Expositio litteralis in epl. ad Thess. I, II, Helmstedt 1654.

Expositio litteralis in epl. ad Titum, Helmstedt 1628.

G. Cassandri de communione sub utraque specie dialogus, una cum aliis superiore seculo scriptis et actis eodem facientibus. G. Calixtus ed. Accessit ejusdem in hac ipsa controversia disputatio, et in academiam Coloniensem iterata compellatio. Helmstedt 1642.

Gründliche Widerlegung eines unwarhafften Gedichts unterm Titul, Crypto-Papismus novae theologiae Helmstadiensis, zu Rettung der Unschuldt und Warheit / Auff Fürstlichen Befehl gestellet und publiciret. Lüneburg 1641.

Judicium G. Calixti de controversiis theologicis quae inter Lutheranos et Reformatos agitantur. Et de mutua partium fraternitate atque tolerantia, propter consensum in fundamentis. Frankfurt/M. 1650.

Orationes selectae, ed. F. U. Calixtus, Helmstedt 1660.

Positiones summam doctrinae christianae complexae, Helmstedt 1652.

Quaestiones philosophicae XII, Helmstedt 1610.

Responsum maledicis theologorum Moguntinorum pro Romani Pontificis infallibilitate praeceptoque communionis sub una vindiciis oppositum, Helmstedt 1644.

Responsi maledicis theologorum Moguntinorum oppositi pars altera infallibilitatem Romani Pontificis seorsim excutiens, Helmstedt 1645.

Sancti Patris et Doctoris A. Augustini de doctrina christiana libri IV; de fide et symbolo liber unus; Vincentii Lerinensis Commonitorium. G. Calixtus recensuit et ed. Helmstedt 1629, [2]1655.

Scripta facientia ad colloquium a ser. etc. Poloniae rege Uladislav IV Torunii indictum. Accessit G. Calixti consideratio et epicrisis. Helmstedt 1645.

Summa capitum religionis christianae e Corpore Doctrinae Julio excerpta, Helmstedt 1661.

Theses de corpore et sanguine Domini reapse praesentibus in ss. Eucharistia, Helmstedt 1636.

Theses de veritate unicae religionis christianae, Helmstedt 1633.

XX priorum capp. Exodi expositio, Helmstedt 1625.

Wiederlegung der unchristlichen und unbilligen Verleumbdungen, damit Ihn D. J. Weller Chur Sächssischer Oberhoffprediger zubeschmitzen sich gelüsten lassen; Im gleichen Verantwortung Auff das jenige, was Ihme in der Churfürstl. Durchl. zu Sachsen und dero jetzt gemelten Oberhoffpredigern . . . Schreiben auffgerucket und beygemessen wird; Daneben Antwort Auff D. Joh. Hülsemanni Meisterliches Muster. Helmst. 1651.

Gedruckter Briefwechsel:

Georg Calixtus' Briefwechsel. In einer Auswahl aus Wolfenbüttelschen Handschriften hrsg. von Ernst L. Th. Henke, Halle 1833.

Commercii literarii Calixti fasciculus II., hrsg. von E. L. Th. Henke, Jena 1835.

Commercii literarii Calixti fasciculus III., hrsg. von E. L. Th. Henke, Marburg 1840.

B. Andere Quellen

Anti-Crisis, sive confutatio judiciorum, a Latermanni complicibus editorum etc., Danzig 1649.

Buscher, Statius, Cryptopapismus novae Theologiae Helmstadiensis. Das heimliche Papst-thumb / in der newen Helmstädtischen Theologen Schrifften / unter dem Schein der Evangelischen Lehr / . . . versteckt. Hamburg 1640.

Calixtus, Johannes, Elegia in honorem Thalami nuptialis secundi D. Joh. Mauritii, ecclesiarum praefecturae Tunderensis praepositi etc. Schleswig 1598.

Calovius, Abraham, Consideratio novae theologiae Helmstadio-Regiomontanorum Syncretistarum, Danzig 1649. Wieder abgedruckt in: Systema locorum theologicorum I, Wittenberg 1655, 881-1216.

ders., Nöthige Ablehnung Etlicher injurien etc., Wittenberg 1651.

ders., Syncretismus Calixtinus a modernis ecclesiae turbatoribus D. G. Calixto etc. cum Reformatis et Pontificiis tentatus, Wittenberg 1653.

ders., Harmonia Calixtino-haeretica, novatores modernos pernitiosae cum Calvinianis, Arminianis et Socinistis adversus s. scr. et ecclesiam catholicam conspirationis convincens, Wittenberg 1655.

ders., Historia Syncretistica, das ist: Christliches wolgegründetes Bedencken über den lieben Kirchen-Frieden und Christliche Einigkeit In der heilsamen Lehre der Himmlischen Wahrheit, ²1685.

Casaubonus, Isaac, De rebus sacris et ecclesiasticis exercitationes XVI, Frankfurt/M. 1615.

Celeberrimorum theologorum judicia et censurae pro orthodoxia J. Latermanni, Halberstadt 1648.

Censurae theologorum orthodoxorum, quibus errores etc. a D. J. Latermanno propugnati examinantur et damnantur, Danzig 1648.

Conring, Hermann, Fundamentorum fidei Pontificiae concussio, Helmstedt 1654.

Critopulos, Metrophanes, Confessio catholicae et apostolicae in oriente ecclesiae, conscripta compendiose per M. C., hieromonachum quondam et patriarchalem Constantinopolitanum protosyngelum, ed. et latinitate donata a J. Hornejo, Helmstedt 1661.

Dannhauer, Conrad, Mysterium Syncretismi detecti, Strassburg 1648.

Die Bekenntnisschriften der evangelisch-lutherischen Kirche, Göttingen ²1952.

Dominis, Marcus Antonius de, De republica ecclesiastica I-III, Hanau 1617-22.

Dreier, Christian, Gründliche Erörterung Etzlicher schwerer Theologischer Fragen etc., Königsberg 1651.

Eichsfeld, Christian, Orthodoxia casualis, Leipzig 1654.

Erbermann, Vitus, Anatomia Calixtina, h. e. vindiciae catholicae pro asserendo S. Rom. ecclesiae tribunali in fidei causis infallibili, praeceptoque communionis sub una specie contra G. Calixti nov-antiquas impugnationes. Mainz 1644.

ders., EIPHNIKON catholicum, Helmestadiensi oppositum: quo methodus concordiae ecclesiasticae a D. G. Calixto explicata excutitur, sana et catholica substituitur. Mainz 1645.

ders., Irenici Anticalixtini pars altera, h. e. S. apostolicae Rom. cathedrae infallibilitas summorumque Pontificum in fidei decretis concordia etc. Mainz 1646.

Flacius, Matthias, Catalogus testium veritatis, Genf 1608.

Foucher de Careil, Alexandre, Oeuvres de Leibniz publiées pour la premiere fois d'après les manuscrits originaux avec notes et introductions, Paris 1859-75.

Gesenius, Justus, Dissertatio theol. de igne purgatorio (praes. G. Calixto), Helmstedt 1643.

Grotius, Hugo, Opera Theologica tom. III, Amsterdam 1679.

ders., Epistolae quotquot reperiri potuerunt, Amsterdam 1687.

Hülsemann, Johann, Judicium de Calixtino desiderio et studio sarciendae concordiae ecclesiasticae, Leipzig 1651.

ders., Calixtinischer Gewissenswurm, Leipzig 1654.

Latermann, Johann, De aeterna Dei praedestinatione et ordinata omnes salvandi voluntate exercitatio, Königsberg 1646.

Leibniz, Gottfried Wilhelm, Sämtliche Schriften und Briefe, hrsg. von der Deutschen (Preußischen) Akademie der Wissenschaften 1923 ff.

ders., Hauptschriften zur Grundlegung der Philosophie, hrsg. von E. Cassirer, IV Theodizee, Leipzig 1925.

(S. ferner Foucher, Rommel).

Martini, Cornelius, Epistola in qua respondet ad illa quae ipsi a D. Henrico Julio proposita fuerunt. Wolfenbüttel 1601.

ders., Theologiae compendium ed. H. J. Scheurl, Wolfenbüttel 1650.

Niemeyer, H. A., Collectio confessionum in ecclesiis reformatis publicatarum, Leipzig 1846.

Nihus, Barthold, De primo principio theologico ad G. Calixtum epistola 1625.

ders., Ars nova dicto s. scripturae unico lucrandi e Pontificiis plurimos in partes Lutheranorum, detecta nonnihil et suggesta theologis Helmstetensibus, G. Calixto praesertim et C. Horneio. Hildesheim 1632.

ders., Hypodigma quo diluuntur nonnulla contra catholicos disputata in C. Martini tractatu de analysi logica etc. Köln 1648.

Orationes funebres in memoriam C. Martini, Helmstedt 1622.

Rommel, Christoph von, Leibniz und Landgraf Ernst von Hessen-Rheinfels. Ein ungedruckter Briefwechsel, 2 Bde. Frankfurt/M. 1847.

Scharf, Johann, Unschuldt wider D. G. Calixti falsche Aufflagen, Wittenberg 1651.

Schrader, Christoph, Memoriae G. Calixti oratio, Helmstedt 1656.

Theologorum Saxonicorum consensus repetitus fidei vere Lutheranae ed. Ernst L. Th. Henke, Marburg 1846.

Titius, Gerhard, Laudatio funebris memoriae G. Calixti, Helmstedt 1656.

Urkunden und Actenstücke zur Geschichte des Kurfürsten Friedrich Wilhelm von Brandenburg IV, Politische Verhandlungen II, hrsg. von B. Erdmannsdörffer, Berlin 1867.

Vossii (G. J.) et clarorum virorum ad eum epistolae, London 1690.

Weller, Jacob, Erste Prob Calixtinischer Unchristlicher Verantwortung und Unwarheiten, Dresden 1650.

Witzel, Georg, Via regia s. de controversis religionis capitibus conciliandis sententia, ed. H. Conring, Helmstedt 1650.

II. LITERATUR

Achelis, Th. O.	Schleswig-Holsteinische Studenten der Theologie auf der Universität Helmstedt 1574—1636, Schriften des Vereins f. Schleswig-Holstein. Kirchengeschichte 2. Reihe 8 (1929) 429 ff.
Althaus, Paul	Die Prinzipien der reformierten Dogmatik im Zeitalter der aristotelischen Scholastik, Leipzig 1914.
Andresen, Ludwig	Holstein und die deutsche Reichspolitik z. Z. des Regensburger Reichstages 1653/4, Ztschr. f. Schleswig-Holstein. Geschichte 50 (1921) 1 ff.

Barth, Karl	Kirchliche Dogmatik I 2, Zollikon ⁴1948.
Baruzi, Jean	Leibniz et l'organisation religieuse de la terre d'après des documents inédits, Paris 1907.
Baur, Ferdinand Christian	Über den Charakter und die geschichtliche Bedeutung des calixtinischen Synkretismus in: Theol. Jahrbb. 7 (1848) 163 ff.
Beck, August	Ernst der Fromme, Weimar 1865.
Benz, Ernst	Leibniz und Peter d. Gr. Der Beitrag Leibnizens zur russischen Kultur-, Religions- und Wirtschaftspolitik seiner Zeit (Leibniz zu s. 300. Geburtstag, Liefg. II), Berlin 1948.
ders.	Leibniz und die Wiedervereinigung der christlichen Kirchen, Zeitschr. f. Religions- und Geistesgeschichte 2 (1949/50) 97 ff.
ders.	Die Ostkirche im Lichte der protestantischen Geschichtsschreibung von der Reformation bis zur Gegenwart (Orbis Academicus Abt. III Protestantische Theologie 1), Freiburg/München 1952.
ders.	Bischofsamt und apostolische Sukzession im deutschen Protestantismus, Stuttgart 1953.
Beste, Johannes	Abt Brandan Daetrius und sein Einfluß auf die Braunschweigische Landeskirche, Ztschr. d. Ges. f. Niedersächsische Kirchengeschichte 12 (1907) 1 ff.
ders.	Geschichte der Braunschweigischen Landeskirche, Wolfenbüttel 1889.
Boehne, Woldemar	Die pädagogischen Bestrebungen Ernsts des Frommen von Gotha, Gotha 1888.
Bloth, Hugo	Der Kapuziner Valerian Magni und sein Kampf gegen den Jesuitenorden, Materialdienst des Konfessionskundl. Inst. 7 (1956) 81 ff.
Brasch, O. M.	Flensborg Latin- og Realskoles Historie (o. J.).
Bratke, Eduard	Justus Gesenius und sein Einfluß auf die Hannoversche Landeskirche, Göttingen 1883.
Brauer, Karl	Die Unionstätigkeit John Duries unter dem Protektorat Cromwells. Ein Beitrag z. Kirchengeschichte des 17. Jhs. Marburg 1907.
Busch, Hugo	Melanchthons Kirchenbegriff, Bonn 1918.
Cantimori, Delio	Su M. A. de Dominis, Archiv f. Reformationsgeschichte 49 (1958) 245 ff.

Chrysander, Wilhelm C. J.	Diptycha Professorum Theologiae qui in academia Julia inde a natalibus ejus usque ad hoc tempus docuerunt, Wolfenbüttel 1748.
Dräseke, Johannes	Metrophanes Kritopulos, Ztschr. f. wissensch. Theol. 36 (NF 1), 2 (1893) 579 ff.
Ebeling, Gerhard	Die kirchentrennende Bedeutung von Lehrdifferenzen in: ders., Wort und Glaube, Tübingen 1960, 161 ff.
Elert, Werner	Morphologie des Luthertums, 2 Bde. München 1952/53.
Eschweiler, Karl	Die Philosophie der spanischen Spätscholastik auf den deutschen Universitäten des 17. Jhs. = Span. Forschgg. der Görres-Ges. I 1 (1928) 251 ff.
Feddersen, Ernst	Kirchengeschichte Schleswig-Holsteins II (Schriften des Vereins f. Schleswig-Holstein. Kirchengeschichte 19), Kiel 1938.
Friedrich, Hans	Georg Calixtus, der Unionsmann des 17. Jhs. Inwiefern sind seine Bestrebungen berechtigt? Anklam 1891.
Fueter, Eduard	Geschichte der neueren Historiographie, München ³1936.
Gass, Wilhelm	Georg Calixt und der Synkretismus, Breslau 1846.
ders.	Geschichte der protestantischen Dogmatik in ihrem Zusammenhange mit der Theologie überhaupt II, Berlin 1857.
Göransson, Sven	Orthodoxi och Synkretism i Sverige 1647—1660, Uppsala 1950.
ders.	Schweden und Deutschland während der synkretistischen Streitigkeiten 1645—1660, Archiv f. Reformationsgeschichte 42 (1951) 220 ff.
Guhrauer, Gottschalk Eduard	Gottfried Wilhelm Freiherr von Leibniz. Eine Biographie, 2 Bde. Breslau 1846.
Halling, Adolph	Beiträge zur Familiengeschichte des Geschlechtes Callisen. Als MS gedr. Glückstadt 1898.
ders.	Meine Vorfahren und ihre Verwandtschaften. Als MS gedr. Glückstadt 1905.
Harnack, Adolf von	Über den sog. consensus quinquesaecularis als Grundlage der Wiedervereinigung der Kirchen in: Aus der Werkstatt des Vollendeten. Als Abschluß seiner Reden und Aufsätze hrsg. von Axel von Harnack, Gießen 1930.
Haselbeck, Gallus	Der Ireniker P. Christoph Rojas y Spinola, Der Katholik 93 (1913) 11, 385 ff.; 12, 15 ff.

Heiler, Friedrich — Altkirchliche Autonomie und päpstlicher Zentralismus, München 1941.

Henke, Ernst L. Th. — Georg Calixtus und seine Zeit, 2 Bde. Halle 1853/60.

ders. — Das Unionscolloquium zu Cassel im Juli 1661, Marburg 1861.

Heppe, Heinrich — Kirchengeschichte beider Hessen II, Marburg 1876.

Hering, Carl Wilhelm — Geschichte der kirchlichen Unionsversuche seit der Reformation bis auf unsere Zeit, 2 Bde. 1836/38.

Hiltebrandt, Philipp — Die kirchlichen Reunionsverhandlungen in der 2. Hälfte des 17. Jhs. Ernst August von Hannover und die katholische Kirche (Bibl. des preuß. histor. Inst. in Rom 14), Rom 1922.

Hirsch, Emanuel — Geschichte der neueren evangelischen Theologie I, Gütersloh 1949.

Hoeck, Wilhelm — Anton Ulrich und Elisabeth Christine von Braunschweig-Lüneburg-Wolfenbüttel, Wolfenbüttel 1845.

Hofmeister, H. — Die Universität Helmstedt z. Z. des Dreißigjährigen Krieges, Ztschr. des histor. Vereins f. Niedersachsen 1907, 241 ff.

Holl, Karl — Die Bedeutung der großen Kriege für das religiöse und kirchliche Leben innerhalb des deutschen Protestantismus in: Gesammelte Aufsätze zur Kirchengeschichte III (Der Westen. Tübingen 1928) 302 ff.

Husung, M. J. — Georg Calixtus zu Helmstedt, ein gelehrter Drucker des 17. Jhs. Gutenberg-Jahrb. 14 (Mainz 1939) 283 ff.

Jacobi, Franz — Das liebreiche Religionsgespräch zu Thorn 1645, Ztschr. f. Kirchengeschichte 15 (1895) 345 ff., 465 ff.

Jensen, Wilhelm — Schleswig-Holstein und die Konkordienformel, Schriften des Vereins f. Schleswig-Holstein. Kirchengeschichte 2. Reihe 15 (1957) 85 ff.

Jordan, G. J. — The Reunion of Churches. A Study of G. W. Leibnitz and his great Attempt, London 1927.

Kantzenbach, Friedrich Wilhelm — Das Ringen um die Einheit der Kirche im Jahrhundert der Reformation. Vertreter, Quellen und Motive des „ökumenischen" Gedankens von Erasmus von Rotterdam bis Georg Calixt, Stuttgart 1957.

Kattenbusch, Ferdinand — Das Apostolische Symbol I, Leipzig 1894.

Keller-Hüschemenger, Max   Das Problem der Fundamentalartikel bei Johannes Hülsemann in seinem theologiegeschichtlichen Zusammenhang (Beiträge z. Förderung christl. Theologie Reihe I 41 H. 2), Gütersloh 1939.

Kiefl, Franz Xaver   Der Friedensplan des Leibniz zur Wiedervereinigung der getrennten christlichen Kirchen, Paderborn 1903.

ders.   Leibniz und die religiöse Wiedervereinigung Deutschlands, Regensburg [2]1925.

Köcher, Adolf   Geschichte von Hannover und Braunschweig 1648 bis 1714 Teil I, Leipzig 1884.

Kratz, Wilhelm   Landgraf Ernst von Hessen-Rheinfels und die deutschen Jesuiten (Stimmen aus Maria Laach 117. Erg.heft), Freiburg 1914.

Kretzschmar, Johann   Der Heilbronner Bund, 3 Bde. Lübeck 1922.

Krogh-Tonning, Knud   Hugo Grotius und die religiösen Bewegungen im Protestantismus seiner Zeit (Görres-Ges. 2. Vereinsschrift 1904), Köln 1904.

Landwehr, Hugo   Die Kirchenpolitik Friedrich Wilhelms des Großen Kurfürsten, Berlin 1894.

Leube, Hans   Die Reformideen in der deutschen lutherischen Kirche zur Zeit der Orthodoxie, Leipzig 1924.

ders.   Kalvinismus und Luthertum im Zeitalter der Orthodoxie I, Leipzig 1928.

Link, Wilhelm   Das Ringen Luthers um die Freiheit der Theologie von der Philosophie, München [2]1955.

Lortz, Joseph   Geschichte der Kirche in ideengeschichtlicher Betrachtung, Münster [19]1957.

ders.   Einheit der Christenheit. Unfehlbarkeit und lebendige Aussage, Trier 1959.

Meinecke, Friedrich   Die Entstehung des Historismus, München [3]1959.

Meinhold, Peter   Was ist Luthertum? in: Evangelisches und orthodoxes Christentum in Begegnung und Auseinandersetzung, hrsg. von E. Benz und L. A. Zander, Hamburg 1952, 13 ff.

ders.   Grundfragen kirchlicher Geschichtsdeutung in: Die Katholizität der Kirche, Beiträge z. Gespräch zwischen der evangelischen und der römisch-katholischen Kirche, hrsg. von H. Asmussen und W. Stählin, Stuttgart 1957, 133 ff.

ders.   Philipp Melanchthon. Der Lehrer der Kirche, Berlin 1960.

Menge, Gisbert   Versuche zur Wiedervereinigung Deutschlands im Glauben, Steyl 1920.

Mentz, Georg   Johann Philipp von Schönborn, Kurfürst von Mainz, Bischof von Würzburg und Worms, 1605—73. Ein Beitr. z. Geschichte des 17. Jhs., Jena 1896—99.

Meyer, Johannes   Kirchengeschichte Niedersachsens, Göttingen 1939.

Miller, Samuel J. T.   Molanus, Lutheran Irenicist (1633—1722), Church History 22 (1953) 197 ff.

ders.   Spinola and the Lutherans in: Festgabe Joseph Lortz, hrsg. von E. Iserloh und P. Manns, Baden-Baden 1958, I (Reformation — Schicksal und Auftrag) 419 ff.

Moldaenke, Theodor   Christian Dreier und der synkretistische Streit im Herzogtum Preußen, Königsberg 1909.

Moller, Johannes   Cimbria literata III, Havniae 1744.

Moller, Olaus Heinrich   Erneuertes Andenken des Gerdt v. Merfeldt, Flensburg 1773.

ders.   Erneuertes Andenken Ludolphus Naamani, Flensburg 1774.

ders.   Erneuertes Andenken des Bürgermeisters Heinrich v. Merfeldt, Flensburg 1783.

Nolte, Maria E.   Georgius Cassander en zijn oecumenisch streven, Nijmegen 1951.

Papadopulos, Christophoros   ὁ Μητροφάνης Κριτόπουλος ἐν Γενέυῃ in: ΕΚΚΛΗΣΙΑΣΤΙΚΟΣ ΦΑΡΟΣ, Γ΄, ΣΤ΄ (Alexandrien 1910) 207 ff.

Petersen, Peter   Geschichte der aristotelischen Philosophie im protestantischen Deutschland, Hamburg 1921.

Pichler, Aloys   Die Theologie des Leibniz, 2 Bde. München 1869/70.

Preus, Robert   The Inspiration of Scripture. A Study of the Theology of the seventeenth Century Lutheran Dogmaticians, London 1957.

Räß, Andreas   Die Convertiten seit der Reformation, Freiburg 1866.

Rhode, Gotthold   Brandenburg-Preußen und die Protestanten in Polen 1640—1740. Ein Jh. preußischer Schutzpolitik für eine unterdrückte Minderheit (Deutschland und der Osten 17), Breslau 1941.

Ritschl, Otto	Dogmengeschichte des Protestantismus I—IV, Göttingen 1908—1927.
Rodenberg, Carl	Die Anfänge der Christian-Albrechts-Universität Kiel, hrsg. von V. Pauls, Neumünster 1955.
Rouse, Ruth—Neill, Stephen Charles (Hrsg.)	Geschichte der Ökumenischen Bewegung 1517—1948, 2 Tle. Göttingen 1957/58.
Schleiff, Arnold	Selbstkritik der lutherischen Kirchen im 17. Jh. (Neue Dt. Forschungen 32. Abt. Religions- und Kirchenge- schichte 6), Berlin 1937.
Schlink, Edmund	Weisheit und Torheit, Kerygma und Dogma 1 (1955) 1 ff.
Schlüter, Joachim	Die Theologie des Hugo Grotius, Göttingen 1919.
Schmid, Heinrich	Geschichte der synkretistischen Streitigkeiten in der Zeit des Georg Calixt, Erlangen 1846.
Schumann, Friedrich Karl	Imago Dei in: Festschr. (gleichen Titels) f. Gustav Krü- ger, Gießen 1932.
Seeberg, Erich	Gottfried Arnold. Die Wissenschaft und Mystik seiner Zeit, Meerane 1923.
Seeberg, Reinhold	Lehrbuch der Dogmengeschichte IV 1, 2, Basel [4]1953/54.
Steinmetz, Rudolf	Die Generalsuperintendenten von Lüneburg—Celle, Ztschr. der Ges. f. Niedersächsische Kirchengeschichte 20 (1915) 1 ff.
Stupperich, Robert	Der Humanismus und die Wiedervereinigung der Kon- fessionen, Schriften des Vereins f. Reformations- geschichte 53 (1936), H. 2 (Nr. 160).
Thadden, Rudolf von	Die brandenburgisch-preußischen Hofprediger im 17. u. 18. Jh. Ein Beitrag zur Geschichte der absolutistischen Staatsgesellschaft in Brandenburg-Preußen (Arbeiten z. Kirchengeschichte 32), Berlin 1959.
Tholuck, August	Der Geist der lutherischen Theologen Wittenbergs im Verlaufe des 17. Jhs., Hamburg/Gotha 1852.
Troeltsch, Ernst	Vernunft und Offenbarung bei Johann Gerhard und Melanchthon, Göttingen 1891.
Trusen, Winfried	Um die Reform und Einheit der Kirche. Zum Leben und Werk Georg Witzels (Kath. Leben und Kämpfen im ZA. der Glaubensspaltung 14), Münster 1956.
Uhlhorn, Friedrich	Die Bedeutung Georg Calixts für die lutherische Kirche der welfischen Lande, Ztschr. der Ges. f. Niedersächsische Kirchengeschichte 33 (1928) 201 ff.

Ulianich, Boris	Considerazioni e documenti per una ecclesiologia die Paolo Sarpi in: Festgabe Joseph Lortz II (Glaube und Geschichte) 363 ff.
Ultsch, Eva	Johann Christian von Boineburg. Ein Beitrag zur Geistesgeschichte des 17. Jhs., Würzburg 1936.
Veit, Andreas	Konvertiten und kirchliche Reunionsbestrebungen am Mainzer Hofe unter Erzbischof Johann Philipp v. Schönborn, Der Katholik 97 (1917) 20, 170 ff.
Völker, Karl	Kirchengeschichte Polens, Berlin/Leipzig 1912.
Weber, (Hans) Emil	Die philosophische Scholastik des Protestantismus im Zeitalter der Orthodoxie, Leipzig 1907.
ders.	Der Einfluß der protestantischen Schulphilosophie auf die orthodox-lutherische Dogmatik, Leipzig 1908.
ders.	Reformation, Orthodoxie und Rationalismus I 1, 2 Gütersloh 1937/40, II ebd. 1951.
Weidemann, Heinz	Gerard Wolter Molanus Abt zu Loccum. Eine Biographie, 2 Bde. Göttingen 1925/29.
Wolf, Erik	Grotius, Pufendorf, Thomasius. Drei Kapitel zur Gestaltgeschichte der deutschen Rechtswissenschaft, Tübingen 1927.
ders.	Große Rechtsdenker der deutschen Geistesgeschichte, Tübingen ³1951.
Wotschke, Th.	Aus Abraham Calovs Briefwechsel mit Niedersachsen, Ztschr. der Ges. f. Niedersächsische Kirchengeschichte 24 (1919) 1 ff.
Wundt, Max	Die deutsche Schulmetaphysik des 17. Jhs., Tübingen 1939.
Zeeden, Ernst Walter	Martin Luther und die Reformation im Urteil des deutschen Luthertums I (Darstellung), II (Dokumente), Freiburg 1950/52.

PERSONENREGISTER